단기 특강, 24일의 기적!

유형+
씨물

KB100553

고 1
전국연합
학력평가

기출문제집

국어－문학

SIMUL

· 최신 6개년 기출문제 중 주요 작품 선별
· 하루 2~3지문 x 24회 분량으로 압축식 효율적 학습
· 1등급을 겨냥한 출제 트렌드, 내신 대비 서브 노트 수록

BIG EVENT 1+3
한국사·사회탐구·과학탐구 PDF 제공

인지도 1위 | 판매율 1위 | 평가도 1위

무의고사전문출판
(주)골드교육
www.goldedu.co.kr

씨뮬 풀고 성적분석까지!

학생의
스터디센스

STEP **01** QR 찍고 씨뮬 문제 풀기

STEP **02** 자동 채점

STEP **03** 취약 유형 확인, 오답노트로 복습

STEP **04** AI 문제 추천

STEP **05** 성적 분석

학원 원장님들과 강사님들께 전국 연합, 사설기관, 자사에서 개발한
수준높은 모의고사 문항들을 엄선하여 양질의 컨텐츠를 제공해드립니다.

모의고사 시험대비 성적분석 입시정보 교재제작

AI 문제은행

선택한 과목의 학년, 과목, 난이도를 선택 AI가 추천하는 유형별로 설계된 문제를 선택하여 학생에게 나
만의맞춤 서비스 형태의 문제를 쉽게 만들 수 있어 학생 개인별 학습 능력 향상 및 취약 부분을 보완할 수
있습니다.

[성적분석 화면]

POINT **01** 문제 은행(학평, 모평, 수능)

POINT **02** AI 문제 추천

POINT **03** 학생 관리

POINT **04** 자동 채점, 성적 분석 및 리포트

학교/학원의 또 다른 경쟁력!

선생님의
스터디센스

스터디센스 소상공인 신청

홈페이지 www.studysense.co.kr 문의전화 1544-5294

※ 스터디센스의 '씨뮬 문제품기' 서비스 제공 교재·유형⁺ 씨뮬 전국연합 3년간(국·영·수) 6·9·수능 최신 1년간

씨뮬이 제안하는 가장 효율적인 학습법!

온·오프 블렌디드 러닝 (on/off Blended Learning)

1 STEP ONE OFF-LINE

기출은 수능 대비의 기본!
기본에 가장 충실한 씨뮬로 실전연습하자

- 다양한 구성의 기출문제집으로 목표에 맞는 학습 가능
- 씨뮬 교재를 풀면 온라인에서 자동채점 & 성적분석 가능

2 STEP TWO ON-LINE

스터디센스 STUDY SENSE

QR 찍고 회원가입 → 씨뮬 문제 풀기 → 자동채점 → 성적분석

- 내 등급컷과 취약 유형까지 완벽 분석
- AI 문제 추천으로 취약 유형을 한 번 더 학습
- 오답노트로 복습 또 복습해서 틀린 문제 정복하기

3 STEP THREE OFF-LINE

모의고사 맞춤제작 OneUP

'원하는 문제만 골라서 맞춤 교재'를 만들고 싶다면? OneUP

- 원하는 제본 형태로 제작 가능
- 학평, 모평, 수능, 종로 사설 모의고사 맞춤 제작

CONTENTS

고1 ▶ 국어 ─ 문학

구성 + 특징

01

내신 대비 서브 노트

여러 문학 갈래의 개념과 특징을 체계적으로 정리한 학습 자료입니다. 문학 문제를 풀기 위한 배경지식을 쌓는 데 도움이 되며, 중간·기말고사를 대비할 수 있습니다. 서브 노트를 활용하여 시험 직전에 빠르게 개념을 익혀 봅시다.

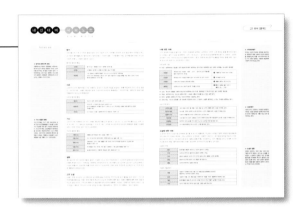

02

24일의 기적! 유형도 실전처럼

최신순으로 엄선한 약 6년간의 기출 문제를 24일 동안 공부할 수 있습니다. 하루 2~3지문 분량으로 압축적이고 효율적인 학습이 가능합니다. 각 지문마다 표시된 난이도와 소요 시간을 참고하여 문제를 풀고, 체크 박스로 간단한 채점까지 완벽하게 마무리할 수 있습니다.

03

출제 트렌드와 1등급 꿀팁

현대 소설, 현대시, 고전 산문, 고전 시가, 갈래 복합 분야의 최신 출제 경향과 문제를 푸는 팁을 제공합니다. 또한 각 갈래별 대표 기출 문제를 통해 출제의 핵심을 파악하고 빈출 문제 유형을 익힐 수 있습니다.

04

미니 Test

마지막 24일은 간단하게 미니 테스트를 할 수 있습니다. 23일간 문학 지문을 마스터한 후 화법과 작문, 문법, 독서(비문학)까지 빈틈없이 학습하여 모의고사에 대한 감을 잃지 않도록 합시다.

05

알차고 상세한 해설

출제 의도와 문항에 대한 자세한 분석을 통해 문제 해결의 핵심 내용을 정확하게 제시했습니다. 쉬운 문항은 명료하게 풀이하고, 어려운 문항은 '왜 많이 틀렸을까?' 코너를 통해 오답을 고르는 이유와 이를 대비하는 방법에 대해 상세하게 설명했습니다.

06

Big Event 1+3

교재를 구입하신 분들께 고1, 2, 3 한국사·사회탐구·과학탐구 과목 중에서 학년에 상관없이 원하는 세 과목의 최신 모의고사(과목별 4~12회 구성) PDF 파일을 메일로 보내 드립니다. 교재 표지 안쪽에 있는 'Big Event' 페이지의 설문지를 작성하여 골드교육 홈페이지에 올려 주세요.

향가

신라 때부터 고려 초기까지 향유되었던 우리 고유의 시가. 신라에서 한자의 음과 뜻을 빌려 우리말을 적는 표기법인 향찰(鄕札)이 창안되면서 창작되었다. 주술적 내용, 극락왕생의 기원, 공덕에 대한 찬양, 임금과 신하의 관계 등 다양한 내용을 다룬다.

향가의 형식과 특징

4구체	향가의 초기 형태로, 민요가 정착된 것으로 봄.
8구체	4구체에서 발전된, 4구체와 10구체의 과도기적 형태
10구체	가장 정제되고 세련된 형태로 '4구–4구–2구'의 3장으로 이루어짐. 9구(낙구)의 첫머리에는 감탄사 '아으' 등이 사용되며 시상을 압축함. 이는 후대 시조와 가사의 형식에 영향을 준 것으로 봄.

시조

고려 후기 신진 세력이었던 신흥 사대부를 중심으로 유교적 이념을 표출하기 위해 만들어진 우리 고유의 정형시. 조선 전기에는 사대부 계층에서 점차 기녀들까지 작자층이 확대되었고, 조선 후기에는 평민층의 참여가 활발해지면서 향유층이 확대되었다.

시조의 형식과 특징

평시조	3장 6구 45자 내외의 정형 시조
사설시조	3장 중 두 구 이상이 평시조보다 길어진 시조 당시의 생활상과 서민들의 정서가 나타나고 남녀 간의 애정, 사회에 대한 풍자 등 다양한 주제를 다룸.
연시조	2수 이상의 시조를 나열하여 하나의 작품으로 구성한 시조

가사

고려 후기에 발생하여 조선 전기 사대부 계층에 의해 널리 향유된 3 · 4조 또는 4 · 4조 연속체의 교술 문학. 조선 전기에는 주로 양반층이 창작하였고, 조선 후기에는 서민과 부녀자들까지 작자층이 확대되며 형태가 장형화되어 수필에 가까운 장편 가사가 등장하였다.

가사의 종류와 특징

기행 가사	여행에 대한 여정과 견문, 감상을 기록한 가사
은일 가사	조선 전기에 주로 창작되었던, 자연에 묻혀 사는 삶을 다룬 가사
유배 가사	유배지에서 짓거나 유배 생활을 다룬 것으로, 자신의 무죄를 호소하거나 임금에 대한 충절을 드러낸 가사
내방 가사	부녀자들이 지은 것으로, 주로 봉건 사회에서 느끼는 삶의 애환을 다룬 가사
풍속 가사	농사를 권장하거나 전통적인 풍습에 대한 내용을 담은 가사

설화

예로부터 한 민족 사이에 전해져 내려온, 일정한 구조를 가진 꾸며낸 이야기. 시간이 흐름에 따라 민중의 의식이 더해져 완성된 것으로, 가변성을 수반하여 구전되어 오다가 고려 시대의 '삼국유사'와 '삼국사기' 등의 문헌에 기록되어 전해진다. 상상력에 의해 꾸며진 이야기로 서사문학의 기원이 되며, 민중들의 공동작으로서 그들의 의식과 생활상이 반영되어 있다.

고전 소설

15세기 중엽 김시습의 '금오신화'부터 갑오개혁(1894) 이전까지 쓰인 인물과 사건, 배경을 갖춘 이야기. 주로 권선징악(勸善懲惡)을 주제로 하며 전통적 관습이나 유교적 가치관에 대한 옹호, 사회나 세태에 대한 비판, 영웅적 인물의 삶을 다룬다. 주인공이 태어나서 죽을 때까지의 사건이 차례대로 서술되는 일대기적 구성이 나타나는 경우가 많고, 대부분 주인공이 고난과 시련을 이겨내고 행복하게 사는 결말로 마무리된다는 것이 특징이다.

시에 대한 이해

'시'란 정서와 사상을 운율이 있는 언어로 압축하여 표현하는 문학이다. 시인은 시적 화자를 통해 생각이나 정서를 드러내고 삶의 모습을 형상화한다. 시의 구성 요소로는 음악적 요소(일정하게 반복적으로 나타나는 소리의 규칙적인 가락), 의미적 요소(시를 통해 전달하려는 생각), 회화적 요소(감각적 체험을 언어를 통해 표현), 정서적 요소(시의 분위기나 심리적 반응)가 있다.

시의 표현 기법

● 비유 : 표현하려는 대상을 다른 대상에 빗대어 표현하는 방식으로, 원관념과 보조 관념 사이에는 유사성이 존재함.

직유법	원관념과 보조 관념을 '~처럼', '~같이', '~듯이'와 같은 연결어를 통해 직접적으로 나타냄.	예 구름에 달 가듯이 가는 나그네
은유법	원관념과 보조 관념을 연결어 없이 'A는 B이다'와 같이 나타냄.	예 내 마음은 호수요
의인법	사람이 아닌 대상을 사람처럼 표현함.	예 샘물이 혼자서 웃으며 간다
제유법	표현하고자 하는 대상의 일부로 전체를 나타냄.	예 빼앗긴 들에도 봄은 오는가 (빼앗긴 들 = 조국)

● 상징 : 추상적 내용을 구체적 대상으로 표현하는 방식으로, 원관념은 드러나지 않고 보조 관념만 제시됨.
● 역설 : 표면적으로는 모순된 표현이지만 그 속에 나름의 진리를 담고 있는 표현 방식
● 반어 : 실제로 표현하고자 하는 의도와 반대로 진술하는 방식
● 감정 이입 : 자신의 감정을 다른 대상에 이입하여 마치 그 대상이 그렇게 생각하고 느끼는 것처럼 표현하는 방식

시상 전개 방식

시간의 흐름	'과거-현재-미래', '봄-여름-가을-겨울' 등 시간의 흐름에 따라 시상을 전개하는 방식
공간의 이동	'위-아래', '왼쪽-오른쪽'과 같이 공간이나 시선의 이동에 따라 시상을 전개하는 방식
점층적 전개	시상이 전개될수록 의지나 감정이 점차 고조되는 방식
기승전결	'시상 제시(기)-시상의 심화(승)-시상의 전환(전)-중심 생각 제시(결)'의 순서로 시상을 전개하는 방식
선경후정	객관적인 외부 묘사를 먼저 보여 주고 정서 표현을 뒤에 제시하는 방식
수미상관	시의 처음과 끝에 같거나 비슷한 시구를 배치하는 방식

소설에 대한 이해

'소설'이란 작가가 상상력을 발휘하여 창조해 낸 허구의 세계이며, 인물이나 사건을 일정한 전개 방식을 통해 현실의 이야기인 것처럼 전달하는 산문 문학이다. 소설이라는 갈래의 특징으로는 허구성(상상력을 바탕으로 만들어진 허구의 이야기), 산문성(서술과 묘사, 대화를 통해 전개), 서사성(인물, 사건, 배경을 갖추고 일정한 시간의 흐름에 따라 전개), 개연성(현실에서 실제로 있음직한 사건이나 인물을 제시) 등이 있다.

소설의 단계

발단	등장인물과 배경이 제시되고 사건의 실마리가 나타남.
전개	사건이 본격적으로 펼쳐지며 갈등이 표면에 드러남.
위기	갈등이 심화되며 사건의 극적 반전이 일어나거나 새로운 사건이 발생함.
절정	갈등이 최고조에 이르며 사건 해결의 분기점이 됨.
결말	사건이 마무리되고 갈등이 해소됨.

소설의 서술 방식

서술	서술자가 독자에게 직접 인물, 사건, 배경 등을 설명하는 방식으로, 해설적이고 요약적인 표현이 나타남.
묘사	서술자가 인물, 사건, 배경 등을 구체적으로 그림을 그리듯 생생하게 전달하는 방식
대화	등장인물들이 말을 주고받으며 사건을 전개시키거나 인물의 심리를 드러내는 방식
서사	사건의 진행 과정, 원인과 결과 등을 그대로 보여 주는 방식

★ 시적 화자란?
작가는 자신의 정서와 생각을 효과적으로 표현하기 위해 시에서 자신의 대리인을 내세우는데, 이를 '시적 화자'라고 한다. 즉 시에서 말하는 사람에 해당하며 '서정적 자아'라고도 한다.

★ 시상이란?
시에 드러난 감정이나 사상을 의미한다. 시인은 시상을 일정한 질서에 따라 짜임새 있게 구성하는데, 이를 시상 전개 방식이라고 한다.

★ 소설의 갈등
인물의 내면이나 여러 대상 간에 서로 다른 욕구의 대립이 나타나는 상태를 의미한다. 소설에서 갈등은 사건 전개에 필연성을 부여하며 독자가 흥미와 긴장감을 갖도록 한다. 또한 갈등의 발생과 해결 과정을 통해 인물의 성격이 나타나고 주제가 드러나게 된다.

DAY 01 >>>>>

1 ⑤	2 ⑤	3 ②	4 ③	5 ⑤
6 ②	7 ⑤	8 ②	9 ②	10 ③
11 ⑤	12 ③			

DAY 02 >>>>>

1 ①	2 ③	3 ④	4 ③	5 ②
6 ②	7 ②	8 ③	9 ②	10 ④
11 ①				

DAY 03 >>>>>

1 ⑤	2 ③	3 ②	4 ④	5 ①
6 ①	7 ⑤	8 ②	9 ②	10 ③
11 ⑤				

DAY 04 >>>>>

| 1 ④ | 2 ④ | 3 ② | 4 ⑤ | 5 ① |
| 6 ③ | 7 ② | 8 ③ | 9 ③ | 10 ① |

DAY 05 >>>>>

| 1 ① | 2 ④ | 3 ① | 4 ② | 5 ④ |
| 6 ① | 7 ① | 8 ④ | 9 ② | 10 ⑤ |

DAY 06 >>>>>

| 1 ④ | 2 ④ | 3 ③ | 4 ③ | 5 ⑤ |
| 6 ① | 7 ① | 8 ④ | 9 ⑤ | |

DAY 07 >>>>>

| 1 ① | 2 ④ | 3 ③ | 4 ① | 5 ② |
| 6 ④ | 7 ⑤ | 8 ④ | 9 ② | |

DAY 08 >>>>>

| 1 ③ | 2 ③ | 3 ④ | 4 ② | 5 ④ |
| 6 ① | 7 ① | 8 ⑤ | 9 ③ | 10 ① |

DAY 09 >>>>>

| 1 ④ | 2 ② | 3 ⑤ | 4 ② | 5 ① |
| 6 ④ | 7 ⑤ | 8 ② | 9 ④ | 10 ④ |

DAY 10 >>>>>

1 ②	2 ④	3 ①	4 ⑤	5 ④
6 ②	7 ③	8 ④	9 ②	10 ③
11 ①				

DAY 11 >>>>>

1 ⑤	2 ⑤	3 ④	4 ②	5 ②
6 ④	7 ②	8 ①	9 ②	10 ②
11 ②				

DAY 12 >>>>>

1 ③	2 ⑤	3 ③	4 ①	5 ④
6 ④	7 ②	8 ③	9 ③	10 ③
11 ⑤	12 ⑤			

DAY 13 >>>>>

1 ①	2 ③	3 ②	4 ③	5 ①
6 ③	7 ④	8 ②	9 ③	10 ③
11 ②	12 ②			

DAY 14 >>>>>

| 1 ⑤ | 2 ③ | 3 ② | 4 ① | 5 ③ |
| 6 ④ | 7 ① | 8 ④ | 9 ③ | 10 ③ |

DAY 15 >>>>>

1 ③	2 ④	3 ⑤	4 ⑤	5 ⑤
6 ④	7 ⑤	8 ②	9 ②	10 ④
11 ③				

DAY 16 >>>>>

| 1 ④ | 2 ③ | 3 ① | 4 ② | 5 ③ |
| 6 ③ | 7 ④ | 8 ④ | 9 ① | 10 ② |

DAY 17 >>>>>

| 1 ① | 2 ② | 3 ③ | 4 ④ | 5 ② |
| 6 ⑤ | 7 ② | 8 ② | 9 ⑤ | 10 ② |

DAY 18 >>>>>

1 ①	2 ②	3 ④	4 ③	5 ⑤
6 ⑤	7 ①	8 ④	9 ①	10 ②
11 ②	12 ③			

DAY 19 >>>>>

1 ⑤	2 ⑤	3 ③	4 ②	5 ②
6 ②	7 ④	8 ③	9 ①	10 ①
11 ④	12 ①			

DAY 20 >>>>>

1 ④	2 ①	3 ②	4 ①	5 ③
6 ①	7 ④	8 ④	9 ②	10 ①
11 ⑤	12 ②	13 ①	14 ⑤	

DAY 21 >>>>>

1 ③	2 ⑤	3 ④	4 ①	5 ①
6 ③	7 ④	8 ③	9 ④	10 ③
11 ③	12 ⑤	13 ①		

DAY 22 >>>>>

| 1 ② | 2 ③ | 3 ⑤ | 4 ④ | 5 ④ |
| 6 ④ | 7 ② | 8 ② | 9 ③ | 10 ④ |

DAY 23 >>>>>

| 1 ④ | 2 ① | 3 ③ | 4 ⑤ | 5 ① |
| 6 ⑤ | 7 ⑤ | 8 ④ | 9 ② | |

DAY 24 >>>>>

1 ②	2 ③	3 ②	4 ②	5 ④
6 ①	7 ②	8 ①	9 ②	10 ⑤
11 ⑤	12 ④			

현 대 소 설

• 고1 국어 문학 •

I 현 대 소 설

📑 출제 트렌드

현대 소설에서는 유명한 작가의 낯선 작품이 출제되는 경향이 있는데, 특히 문학사적으로 중요한 위치에 있는 작가들은 여러 번 출제됩니다. 현대 소설은 고전 소설과 달리 출제 작품의 범위를 정하기가 어려우므로 작품에 대해 암기하는 방법은 효과적이지 않습니다. 그러므로 지문을 읽으면서 동시에 내용을 파악해야 하는데, 현대 소설은 다른 갈래에 비해 작품 해석이 어렵지 않은 편이라고 할 수 있습니다. 2022학년도 시험에서는 3월 학력평가를 제외하고는 평이한 난이도로 출제되었으며, 6월 학력평가에서는 이문열 작가의 소설 '우리들의 일그러진 영웅'이 시나리오와 함께 갈래 복합으로 출제되어 이 책에서는 마지막 단원으로 분류했습니다. 현대 소설 지문을 읽을 때는 내용 이해는 물론이고 서술상의 특징, 등장인물의 심리, 중심 소재의 역할이나 의미를 묻는 문제가 빈번하게 출제되므로 이것들을 모두 파악할 수 있어야 합니다. 또한 서술자가 누구인지, 즉 어떤 시점에서 내용이 전개되고 있는지를 아는 것도 작품을 이해하는 데 도움이 됩니다.

시행	출제 지문	문제 수	난이도
2022학년도 11월 학평	송기숙, '몽기미 풍경'	4문제 출제	★☆☆
2022학년도 9월 학평	성석제, '투명 인간'	4문제 출제	★★☆
2022학년도 3월 학평	이문구, '산 너머 남촌'	4문제 출제	★★★

📑 1등급 꿀팁

하나 _ 등장인물들의 관계에 초점을 맞춰 읽자.

두울 _ 대화와 행동을 통해 드러나는 인물의 심리와 태도를 파악하자.

세엣 _ [앞부분의 줄거리], [중략 줄거리]를 대충 읽어 넘기지 말고 꼼꼼히 보자.

네엣 _ 소설의 시점과 서술자의 서술 방식은 기본적으로 파악하자.

다섯 _ 사건이 출제의 핵심이므로 사건의 흐름을 세심하게 이해하자.

여섯 _ 고전 소설에 비해 내용이 단편적이지 않고 입체적이며 복합적인 성격을 띤다는 점을 알아 두자.

일곱 _ 문제에 제시된 〈보기〉를 통해 소설의 배경이 되는 시대적 상황을 이해하자.

다음 글을 읽고 물음에 답하시오.

[중략 줄거리] 순자는 상경한 이후 처음으로 고향으로 가는 중에, 기차 안에서 우연히 남분이를 만나 몽기미 소식을 듣는다.

섬을 산다는 것은 근처 무인도의 일 년간 해초 채취권을 사는 것을 말한다. 그 해에 갯것이 잘 자라면 상당히 재미를 보는 수도 있지만, 흉작일 때는 **본전도 못 건지기** 일쑤였다. 듣보기장사 애 말라 죽는다고, 그런 투기를 한 사람들은 이른 봄부터 미역은 포자가 제대로 붙나 톳은 제대로 자라나, 부등가리 안옆 조이듯 **가슴을 조이며** 날이면 날마다 그 섬을 **들락거렸다.** 순자는 몽기미 **집집마다** 굴쩍처럼 너덜너덜 **달라붙은** 그 가난이 새삼스레 가슴을 후볐다.

"나는 작년에 우리 집에 삼십만 원 송금했어. 그러고도 또 그만치 저축은 저축대로 따로 했거든. ⊙언니, 우리 동네 한 집 일 년 수입이 통틀어 얼만 줄 알아? 어촌계에서 갯것을 똑같이 나누니까 뻔한데, 미역·톳·우뭇가사리·돌김, 이런 것들을 상회에 넘긴 값을 촘촘히 계산해 보니까, 일 년 수입이 꼭 십이만 원이야. 내 한 달 벌이도 못 되더라고. 깔깔."

남분이는 은근히 자기 자랑을 하며 큰소리로 깔깔거렸다. 시골뜨기 계집아이가 한 달 수입이 십이만 원이 넘는다면 이것은 자랑할 정도가 아니었다.

"지금 뭘 하고 있는데 벌이가 그렇게 좋아?"

⊙"히히. 언니 실망하지 않을래?"

남분이는 야살스럽게* 히들거렸다.

"실망하긴?"

"운전하고 있어. 히히."

"운전? 아니, 계집애가 어떻게 운전을 다 배웠어?"

"히히. 기술이 별로 필요 없는 운전이야?"

"기술이 필요 없는 운전?"

"주전자 운전 있잖아?"

"주전자 운전이라니?"

순자는 눈을 더 크게 뜨고 도무지 어리둥절하기만 한 표정이었다.

"어이구, 칵 막혔구먼. 서울 헛살았어. 깔깔."

⊙"아니, 무슨 소리를 하고 있는 거야?"

"손에다 쥐어 모셔야 알겠구먼. 술 주전자 운전이란 말이야. 술 주전자! 깔깔."

⊜"그러니까……."

순자는 그제야 웃물이 도는 듯* 눈을 거슴츠레하게 떴다.

"어때? 서울서야 돈만 벌면 그만이잖아. 지금 서울에 주전자 운전사가 몇 만 명인 줄 알아? ⊕그것도 당당한 직업이야. 그사이에 **식순이** 공순이 다 해봤지만, 그건 남의 **종살이**밖에 안되더라고. 몸뚱이 도사리고 더런 새끼들한테 구박받으며 붙박여 하루 종일 뼛골 빼봐야 하루 벌이가 그게 얼마야? 서울서 사람값은 하나도 돈이고 둘도 돈이야. 국장이 과장보다

월급이 많고 서기가 급사보다 월급이 많은 건, 그만치 층하가려 사람대접을 달리 하는 게 아니고 뭐야?"

남분이는 조금도 스스럼이 없었다. 그러니까 십만 원 넘게 번다는 자기가 과장이라면 공순이들은 급사 턱이나 된다는 본새였다.

— 송기숙, 「몽기미 풍경」 —

* 야살스럽게: 얄밉고 되바라지게.
* 웃물이 도는 듯: 알 것 같은 실마리가 잡히는 듯.

32. ⊙ ~ ⊕에 대한 설명으로 적절하지 <u>않은</u> 것은?

① ⊙: 고향의 상황과 비교하여 자신의 상황을 자랑하고 싶어 하는 남분이의 심정이 드러나 있다.

② ⊙: 순자의 마음이 상할 것을 걱정하여 조심스러워하는 남분이의 태도가 드러나 있다.

③ ⊙: 남분이가 하는 말의 의미를 제대로 이해하지 못해 어리둥절해하는 순자의 모습이 드러나 있다.

④ ⊜: 남분이가 하고 있는 일이 무엇인지 어렴풋이 짐작하고 있는 순자의 모습이 드러나 있다.

⑤ ⊕: 자신의 직업에 대해 부끄럼 없이 떳떳하게 여기는 남분이의 태도가 드러나 있다.

① ⊙은 남분이가 '우리 동네 한 집 일 년 수입'이 자신의 한 달 벌이도 못 된다고 자랑하기 위해서 한 말이므로, 고향의 상황과 비교하여 자신의 상황을 자랑하고 싶어 하는 심정이 드러난다고 할 수 있다.

❷ ⊙은 남분이가 '야살스럽게 히들거'리며 한 말인데 '야살스럽게'는 '얄밉고 되바라지게'를 뜻하므로, 남분이가 순자의 마음이 상할 것을 걱정하여 조심스러워하는 태도가 드러난다고 볼 수 없다.

③ ⊙은 남분이가 말한 '주전자 운전'이 무엇인지 알지 못하는 순자가 어리둥절하며 한 말이다.

④ ⊜은 남분이가 '주전자 운전'이 '술 주전자 운전'이라고 설명한 것을 듣고 순자가 '그제야 웃물이 도는 듯 눈을 거슴츠레하게' 뜨고 한 말이므로, 남분이가 하는 일이 무엇인지 어렴풋이 짐작하게 된 순자의 모습이 나타난다.

⑤ ⊕에서 남분이는 자신이 하는 일이 '당당한 직업'이라고 말하며 떳떳하게 여기고 있다.

| 7분 | 2022학년도 11월 학평 30~33번 | ★☆☆ | 정답 002쪽 |

【1~4】 다음 글을 읽고 물음에 답하시오.

멀리서 안타깝게 손만 흔들던 그 연락선이 드디어 몽기미에 닿았다. 몽기미 생기고 처음이었다. @연락선에 올라간 아이들은 모두 이층으로 우르르 올라가 난간을 붙잡고 먼 데 바다를 건너다보고 있었다. 멀리 까맣게만 보이던 섬들이 차츰 가까워지며 동네가 나타나고, 더 멀리 회색으로만 보이던 섬들도 차츰 가까워지며 포구 모습이 드러났다.

"와, 기와집이다."

연락선을 대는 포구에 말로만 듣던 까만 기와집도 있었고, 크고 작은 배들이 스무 남은 척이나 몰려 있었다.

[A]
목포에 닿자 아이들은 멍청하게 입만 벌렸다. 크고 작은 배들이 수백 척 부두를 가득 메우고 있었고, 크고 작은 건물들이 빼곡히 차 있었으며, 큰길에는 사람들이 엄청나게 북적거리고 자동차가 빵빵 경적을 울리며 내달았다. 색색으로 예쁘게 꾸며놓은 간판 아래 수많은 상점과, 거기 빼곡히 쌓여 있는 갖가지 상품들이며, 모두가 꿈에도 보지 못했던 광경이었다. 몽기미 아이들은 밤에 꾸는 꿈도 기껏 연락선을 탄다거나 벼랑에서 바다로 곤두박이는 따위였지, 이런 엄청난 세상은 꿈속에도 나타난 적이 없었다.

"야, 저 비단 좀 봐."

순자의 손을 잡고 가던 두 학년 아래 남분이가 걸음을 멈추며 손가락질을 했다. 길가 포목전에서 주인이 손님 앞에다 비단을 활짝 펼친 것이다. 가게 벽에는 그런 비단이 천장이 닿게 차곡차곡 쌓여 있었다. 남분이는 그 비단에서 눈을 떼지 못했다.

도시의 모든 것이 꿈만 같았고, 더구나 서울의 며칠 동안은 무슨 동화 속의 세상을 헤매는 것만 같았다. 돌아오는 ⓑ기차에서 남분이는 어째서 우리는 이런 세상을 놔두고 그 작은 섬에서 살아야 하는지 내내 그 생각뿐이었다.

순자는 바로 그 서울에 다시 와서 지금까지 오 년을 살았다. 그 오 년이라는 세월은 그 동화 같던 서울에 대한 소녀의 꿈이 **뼈마디가 저미는 고통**으로 조각조각 조각이 나는 기간이었고, 그 조각난 꿈을 딛고 **살벌한 현실**에 뼈마디를 부딪치며 자신을 추슬러온 기간이었다. 어려서 왔을 때는 따뜻하게만 웃어주는 것 같던 그 서울이 제 발로 들어오자 너무도 싸늘하고 매정스럽게 돌아앉아 있었다.

그때마다 순자는 자기 집에서 기르던 돼지 새끼 무녀리가 떠올랐다. 다른 새끼들은 어미 젖꼭지를 두 개 세 개씩 차지하고 걸퍼지게 빨아대지만, 그 무녀리는 힘센 녀석들이 거세게 내두르는 주둥이에 깩깩 베돌기만 할 뿐 젖은 한 모금도 빨지 못했다. 그렇지만 그런 새끼들은 거들떠보지도 않고 널퍼덕 퍼질러 누워 젖꼭지만 내맡기고 있는 어미가 얼마나 미웠던지 모른다. 저러니까 잡아먹는 짐승이겠지 싶었다. 서울에 온 자기는 바로 그 **무녀리**가 되어 있었고, 그 어미 돼지처럼 **누구 하나 돌봐주는 사람**이 없었다.

순자는 그 무녀리처럼 이 공장 저 공장 떠돌다가 지금 다니는 장난감 공장에 자리를 잡았고, 이제는 숙련공으로 월급도 사만 원이나 받고 있다. 그사이 그럭저럭 오 년이 흘러갔다. 그동안 순자는 하루도 고향을 떠올리지 않는 날이 없었다. 모두가

가난하게는 살지만 깔보는 사람도 없고 처다볼 사람도 없으며, 무엇에 쫓기는 절박감도 없었다. 무엇보다 몽기미의 그 포근한 인정이 그리웠다.

[중략 줄거리] 순자는 상경한 이후 처음으로 고향으로 가는 중에, 기차 안에서 우연히 남분이를 만나 몽기미 소식을 듣는다.

섬을 산다는 것은 근처 무인도의 일 년간 해초 채취권을 사는 것을 말한다. 그 해에 갯것이 잘 자라면 상당히 재미를 보는 수도 있지만, 흉작일 때는 **본전도 못 건지기** 일쑤였다. 듣보기 장사 애 말라 죽는다고, 그런 투기를 한 사람들은 이른 봄부터 미역은 포자가 제대로 붙나 톳은 제대로 자라나, 부등가리 안 옆 조이듯 가슴을 조이며 날이면 날마다 그 섬을 들락거렸다. 순자는 **몽기미 집집마다** 굴껍질처럼 너덜너덜 **달라붙은** 그 가난이 새삼스레 **가슴을 후볐다.**

"나는 작년에 우리 집에 삼십만 원 송금했어. 그러고도 또 그만치 저축은 저축대로 따로 했거든. ㉠언니, 우리 동네 한 집 일 년 수입이 통틀어 얼만 줄 알아? 어촌계에서 갯것을 똑같이 나누니까 뻔한데, 미역·톳·우뭇가사리·돌김, 이런 것들을 상회에 넘긴 값을 촘촘히 계산해 보니까, 일 년 수입이 꼭 십이만 원이야. 내 한 달 벌이도 못 되더라고. 깔깔."

남분이는 은근히 자기 자랑을 하며 큰소리로 깔깔거렸다. 시골뜨기 계집아이가 한 달 수입이 십이만 원이 넘는다면 이것은 자랑할 정도가 아니었다.

"지금 뭘 하고 있는데 벌이가 그렇게 좋아?"

㉡"히히. 언니 실망하지 않을래?"

남분이는 야살스럽게* 히들거렸다.

"실망하긴?"

"운전하고 있어. 히히."

"운전? 아니, 계집애가 어떻게 운전을 다 배웠어?"

"히히. 기술이 별로 필요 없는 운전이야?"

"기술이 필요 없는 운전?"

"주전자 운전 있잖아?"

"주전자 운전이라니?"

순자는 눈을 더 크게 뜨고 도무지 어리둥절하기만 한 표정이었다.

"어이구, 칵 막혔구먼. 서울 헛살았어. 깔깔."

㉢"아니, 무슨 소리를 하고 있는 거야?"

"손에다 쥐어 모셔야 알겠구먼. 술 주전자 운전이란 말이야. 술 주전자! 깔깔."

㉣"그러니까……."

순자는 그제야 웃물이 도는 듯* 눈을 거슴츠레하게 떴다.

"어때? 서울서야 돈만 벌면 그만이잖아. 지금 서울에 주전자 운전사가 몇 만 명인 줄 알아? ㉤그것도 당당한 직업이야. 그사이에 **식순이 공순이**가 다 해봤지만, 그건 남의 **종살이**밖에 안되더라고. 몸뚱이 도사리고 더런 새끼들한테 구박받으며 붙박여 하루 종일 뼛골 빼봐야 하루 벌이가 그게 얼마야? 서울서 사람값은 하나도 돈이고 둘도 돈이야. 국장이 과장보다 월급이 많고 서기가 급사보다 월급이 많은 건, 그만치 층하가려 사람대접을 달리 하는 게 아니고 뭐야?"

남분이는 조금도 스스럼이 없었다. 그러니까 십만 원 넘게 번다는 자기가 과장이라면 공순이들은 급사 턱이나 된다는 본새였다.

[고1 국어 문학]

－ 송기숙, 「몽기미 풍경」 －

* 야살스럽게: 얄밉고 되바라지게.
* 웃물이 도는 듯: 알 것 같은 실마리가 잡히는 듯.

1. [A]의 서술상 특징으로 가장 적절한 것은?
① 이야기 내부의 서술자가 인물의 내력을 제시하고 있다.
② 인물의 행위를 제시하여 긴박한 분위기를 조성하고 있다.
③ 요약적 서술을 통해 갈등이 해소되는 과정을 제시하고 있다.
④ 추측하는 표현을 통해 일어날 사건에 대한 예상을 드러내고 있다.
⑤ 감각적인 묘사를 사용하여 관찰 대상을 실감 나게 드러내고 있다.

2. ⓐ와 ⓑ에 대한 이해로 가장 적절한 것은?
① ⓐ는 인물이 기대했던 바를 실제로 확인하게 하는 소재이고, ⓑ는 인물의 욕망이 충족되는 공간이다.
② ⓐ는 인물이 사회의 문제를 해결하게 하는 소재이고, ⓑ는 인물이 자신을 타인과 비교하는 공간이다.
③ ⓐ는 인물이 타인과의 단절을 유발하는 소재이고, ⓑ는 인물이 타인과 소통하는 원인이 되는 공간이다.
④ ⓐ는 인물이 거부해 오던 운명을 적극적으로 수용하게 하는 소재이고, ⓑ는 인물이 자신의 운명을 개척하는 공간이다.
⑤ ⓐ는 인물이 경험해 보지 못한 세상을 체험하게 하는 소재이고, ⓑ는 인물이 경험을 바탕으로 자신의 현실을 인식하는 공간이다.

3. ㉠~㉤에 대한 설명으로 적절하지 <u>않은</u> 것은?
① ㉠: 고향의 상황과 비교하여 자신의 상황을 자랑하고 싶어 하는 남분이의 심정이 드러나 있다.
② ㉡: 순자의 마음이 상할 것을 걱정하여 조심스러워하는 남분이의 태도가 드러나 있다.
③ ㉢: 남분이가 하는 말의 의미를 제대로 이해하지 못해 어리둥절해하는 순자의 모습이 드러나 있다.
④ ㉣: 남분이가 하고 있는 일이 무엇인지 어렴풋이 짐작하고 있는 순자의 모습이 드러나 있다.
⑤ ㉤: 자신의 직업에 대해 부끄럼 없이 떳떳하게 여기는 남분이의 태도가 드러나 있다.

4. <보기>를 바탕으로 윗글을 감상한 내용으로 적절하지 <u>않은</u> 것은? [3점]

───< 보 기 >───
이 작품은 급속한 산업 발전이 이루어지던 1970년대를 배경으로 하고 있다. 어촌 마을에서 도시로 상경한 인물들을 중심으로, 물질적 가치를 중시하는 모습과 고된 노동의 현실을 통해 당시의 세태를 사실적으로 드러낸다. 이러한 상황 속에서 어촌 마을은 경제적 발전에서 낙후된 공간이자, 도시의 삶에서 소외감을 느끼는 이들에게 그리움의 공간으로 나타나 있다.

① '뼈마디가 저미는 고통'을 느끼며 '살벌한 현실'을 살고 있는 순자의 모습에서, 고된 삶을 살고 있는 노동자의 현실을 짐작할 수 있군.
② '누구 하나 돌봐주는 사람' 없이 생활하는 자신을 '무녀리'와 동일시하는 순자의 모습에서, 도시 생활에서 느끼는 소외감을 짐작할 수 있군.
③ '본전도 못 건지'며 '가슴을 조이'는 사람들이 '날이면 날마다 그 섬을 들락거렸다'는 것에서, 도시로 상경한 인물들에게 어촌 마을은 그리움의 공간임을 짐작할 수 있군.
④ '몽기미 집집마다' '달라붙은 그 가난'이 '가슴을 후볐다'는 것에서, 경제적 발전에서 낙후된 어촌 마을의 현실을 짐작할 수 있군.
⑤ '식순이 공순이'는 '종살이' 취급밖에 받지 못한다며 돈을 쉽게 버는 일을 선택한 남분이의 모습에서, 물질적 가치를 우선시하는 세태를 짐작할 수 있군.

【5~8】다음 글을 읽고 물음에 답하시오.

　　만수 씨는 명절 앞두고 업자들한테서 들어오는 구두표
　　같은 **상품권**은 사양하다 못해 받아서는 자신은 가지지
[A]　않고 구두 많이 닳은 사람부터 순서대로 나눠 줬다. 그것
　　도 평소에 사람 하나하나를 잘 지켜보지 않으면 힘든 일
　　이었다. 그렇게 시간이 흘렀다.

　ⓐ구내식당 아줌마들이나 여직원들 사이에서 만수 씨는
노총각에 사람 좋고 하니 인기가 하늘을 찌를 듯했다. 공장
전체 인원 육백 명 중 여자는 서른 명도 안 되는데 그중 삼
분의 일이 구내식당에 있었다.

　그런데 어느 때부터인가 여자들 사이에 이상한 소문이 났
다. 만수 씨와 내가 전부터 사귀던 사이이고 둘 사이에 아기
가 있는데 그 아이를 만수 씨가 키우고 있다는 식이었다. 내
가 딴 남자하고 바람이 나서 아기를 버리고 떠나갔다가 그
남자한테 싫증이 나자 다시 만수 씨에게 빌붙어 피를 빨아먹
고 있다는 것이었다. 소문이라는 게 원래 어처구니없는 것이
지만 해도 너무한다 싶었다. ㉠건드리면 더 커질 것 같아서
아예 아무 말도 하지 않았다. 하지만 몇 달이 지나기도 전에
소문은 온 공장 안에서 기정사실이 되었다. 여자들 모두가
나를 질투하고 미워하게 되었다. 지옥이 따로 없었다. 내 칫
솔에 새똥이 묻어 있기도 하고 면도날이 내가 조리를 담당한
냄비 속에 들어 있기도 했다. ㉡도저히 견딜 수가 없어 만수
씨를 찾아갔다.

　―미안합니다. 저 때문에 오해를 받아서 많이 괴로우신 걸
잘 압니다. 제가 아무리 아니라고 해도 사람들이 의심을 더
하니까 어쩔 수가 없네요. 좀 잠잠해질 때까지 다른 데 가
계시면 어떨까요. 제 여동생이 결혼하고 나서 저 사는 동네
중학교 앞에서 ⓑ분식집을 합니다. 거기를 좀 도와주세요.
월급은 지금보다 많이 드리라 할게요. 부탁합니다.

　만수 씨는 그렇게 말했다. ㉢오래도록 생각했지만 다른 도
리가 없었다. 사실 나는 만수 씨를 좋아했다. 만수 씨를 처음
봤을 때부터 좋아하고 있었다.

　　오빠가 그 여자를 데리고 와서 주방을 맡기라고 했을
　　때는 억장이 무너지는 것 같았다. 튀김, 어묵, 떡볶이 같
　　은 아이들 주전부리 음식 파는 가게 크기라는 게 어른
　　세 사람만 서 있어도 꽉 차는데 어떻게 사람을 더 들이
　　라는 것인가. 칼과 도마, 싱크대는 여자들한테는 양보할
　　수 없는 고유 영역 같은 것인데 하루아침에 물러나라니
　　말도 안 되는 소리였다. 떡볶이나 어묵에 무슨 솜씨를 부
[B]　릴 일이 있는가. 어린 학생들 코 묻은 돈 받아서 월급을
　　주고 월세 내고 나면 남는 게 뭐가 있을 것인가. 내가 거
　　기까지 얘기했을 때 오빠가 점퍼 안주머니에서 **적금 통
　　장**을 꺼내 놓았다. 그동안 나온 월급을 모은 것이라며 건
　　물 주인한테 이야기해서 가게를 키워 가지고 제대로 된
　　식당을 해 보자고 했다. 이제까지 무슨 생각으로 아무 말
　　도 하지 않았는지 원망스러웠고 그다지 고맙지도 않았다.

　　[중략 줄거리] 구내식당에서 일하던 여자의 음식 솜씨 덕분에 새로

차린 기사 식당은 자리를 잡는다. 하지만 IMF 이후 공장을 되살리려
는 투쟁에 여자가 참여하면서 식당 운영에 차질이 생긴다. 이에 여동
생의 남편이 만수에게 불만을 토로한다.

　―아니, 형님 다니던 회사가 형님이 게으르고 일 안 해서
망한 겁니까. 망해도 그렇지, 자본가라는 놈들이 어떤 놈들인
데 그놈들이 형님네처럼 아무것도 없이 나갔겠냐고요. 지금
도 홍콩이나 하와이 해변 같은 데 가서 **빼돌린** 돈 가지고 떵
떵거리면서 잘살고 있어요.

　　처남이 착하다는 건 인정한다. 성실하기도 했다. 그런
　　데 방향이 틀렸다. 같이 해야 할 일은 같이 열심히 하겠
　　지만 싸울 일은 싸워서 해결해야 하지 않는가. 또 싸울
[C]　때도 상대를 제대로 골라서 싸워야지 제 편, 제 식구에게
　　피해를 입혀 가며 제 살 깎아 먹기 식으로 하는 건 나부
　　터 용납할 수 없었다. 그냥 놔두니까 처남은 계속 주절주
　　절 말을 이어가고 있었다.

　―우리 어릴 때 굶기를 밥 먹듯 하던 때를 생각해 봐. 나는
원망하는 사람이 없어. 내 팔자가 그런 걸 뭐. 또 원망해서
뭐해? 그 사람들이 잘못을 뉘우치고 제자리로 돌려놓을 것도
아니고 그럴 능력도 없고. 그 사람들이 그러고 싶어서 그러
겠냐고. 부도내고 싶어 부도내는 회사가 어디 있어? 나는
이렇게 가난하지만 소박하게, 보통 사람 나름의 행복을 누리
면서 살아가면 된다고 생각하네.

　㉣그런 건 내 알 바가 아니었다. 나부터 살길을 찾아야 했다.
　―지금 저 주방에 있는 아줌마하고는 무슨 사이인 겁니까?
　―진주 씨? 우리는 같이 싸우고 있어. 투쟁.
　―뭐 때문에 투쟁하는데요? 누구를 상대로요?
　―우리가 공장을 지키기 위해서 싸우다 보면 사장님이 투
자자를 데리고 돌아오실 거야. 그럼 회사 주식을 담보로 가
지고 있는 채권단한테 빚도 갚고 공장이 다시 돌아가는 거
지. 우리는 희망이 있어. 희망 때문에 싸우는 거야.

　―그런데 수민이 엄마가 저 아줌마하고 앞으로 어쩔 거냐
고 자꾸 그러는데요. 계속 이렇게 살 수는 없다고.

　―지금처럼 일이 있으면 투쟁 현장에 가서 밥도 해 주고
옛날 회사 사람들하고 일주일에 한 번 만나는 데 같이 가고
끝나면 여기 와서 바쁠 때 음식 제대로 하는지 감독하고 하
면 되지.

　―우리 식당 하루 스물네 시간 돌아가는 덴데요. 누구는 자
기 하고 싶은 대로 멋대로 일했다 말았다 하고 월급은 사장
보다 더 챙겨 가고 누구는 하루 스물네 시간 꼬박 일하고 있
는데……. 수민이 엄마가 무슨 죄를 졌습니까. 그런다고 형님
이 돈이나 많이 주는 것도 아니고. 집도 그렇지요. 지금 애들
자꾸 크니까 교육 문제도 그렇고 집을 옮겨야 되고 하는데
돈 생기는 데는 ⓒ기사 식당밖에 없잖습니까. 그런데 그 돈
을 형님이 다 통장에 집어넣고 꼭 움켜쥐고 있다고…….

　　―아니, 그건 아닌데. 여기 재료비하고 인건비, 월세 제
　　하고 나서 또 우리 공장에서 같이 투쟁하는 식구들 먹고
[D]　자고, 각자 가족이 있으니까 최소한 앞가림은 해야 하고
　　그러느라고 다 썼지. 우리 공장 때문에 소송도 걸려 있고
　　거기도 **돈**이 엄청나게 들어가서 말이지. 내가 뭘 쥐고 있
　　겠어. 내가 장부에 다 기록해 놨어.

　㉤어처구니가 없었다. 아이들이 좁아터진 집 안에서 열대야
가 기상 관측 이래 신기록을 내고 있는 한여름에 온몸에 땀띠
가 나서 잠을 못 자고 울고 아내는 손이 불어 터지도록 설거

지하고 일해서 번 돈을 엉뚱한 데 처넣어 왔다는 말이었다.

                                – 성석제, 「투명 인간」 –

5. 윗글의 내용에 대한 이해로 적절하지 <u>않은</u> 것은?

① 진주가 느끼는 만수에 대한 호감은 첫 만남에서부터 시작되었다.

② 만수의 노력에도 진주에 대한 공장 사람들의 오해는 풀리지 않았다.

③ 만수는 공장이 다시 돌아갈 것이라는 기대를 품고 투쟁을 계속하였다.

④ 만수 여동생의 남편은 식당 운영에 따른 수익금 배분의 불공평함을 문제 삼았다.

⑤ 만수의 여동생은 불성실함 때문에 진주에 대한 생각이 부정적으로 바뀌게 되었다.

6. ㉠~㉤에 대한 설명으로 가장 적절한 것은?

① ㉠: 주변 상황에 신경 쓰지 않는 '나'의 무던함을 보여 준다.

② ㉡: 질투와 괴롭힘으로 인한 '나'의 고통이 한계점에 이르렀음을 보여 준다.

③ ㉢: 상대가 제시한 대안이 '나'가 내심 바라고 있었던 내용임을 드러낸다.

④ ㉣: 이상적인 삶의 방식만을 고집하는 상대에 대해 빈정거리는 '나'의 태도를 드러낸다.

⑤ ㉤: 공장에서 투쟁하는 사람들에 대한 '나'의 안타까운 심정을 드러낸다.

7. ⓐ~ⓒ를 이해한 내용으로 가장 적절한 것은?

① ⓐ에서 조성된 인물 간의 긴장감은 ⓑ에서 심화된다.

② ⓐ로 인한 인물 간 유대감은 ⓒ에서 반감된다.

③ ⓑ에서의 인물과 사회와의 갈등이 ⓒ에서 인물 간의 갈등으로 전환된다.

④ ⓐ, ⓒ에서는 특정 인물이 갈등 해결의 실마리를 제공한다.

⑤ ⓑ, ⓒ와 관련된 갈등은 특정 인물이 타인을 대하는 태도가 원인으로 작용한다.

8. <보기>를 참고하여 윗글을 감상한 내용으로 적절하지 <u>않은</u> 것은? [3점]

> ─────────< 보 기 >─────────
>
> 「투명 인간」은 선량한 주인공이 근현대사를 관통하면서 물질 만능의 한국 사회로부터 어떻게 소외되어 가는지를 그린 장편 소설이다. 특히 주인공은 가족과 동료를 위해 자신의 것을 나누며 희생하다 결국 '투명 인간'이 된다. '투명 인간'이 된 주인공 대신 주변인들이 서술자로 등장하면서 주인공에 관한 이야기를 풀어낸다. 이런 서술 방식은 주인공에 관한 다양한 정보를 제공하고 이 정보들을 통해 주인공의 삶을 다각도에서 조명한다. 이를 통해 주인공을 입체적으로 드러낸다.

① [A]의 '상품권'을 동료들에게 나눠 주는 모습을 통해 주인공의 선량한 성품을 확인할 수 있겠군.

② [B]의 '적금 통장'을 통해 물질 만능의 한국 사회로부터 주인공이 소외당하고 있는 현실을 확인할 수 있겠군.

③ [D]의 '돈'의 사용처를 통해 주변인들을 위해 자신의 것을 나누며 희생하는 주인공의 면모를 확인할 수 있겠군.

④ [A], [B]에서 주인공을 지칭하는 표현을 통해 주변인들이 서술자로 등장하고 있음을 확인할 수 있겠군.

⑤ [B], [C]에서 주변인들이 제공한 정보를 통해 주인공의 삶을 다각도에서 조명하고 있음을 확인할 수 있겠군.

【9~12】 다음 글을 읽고 물음에 답하시오.

권중만이는 벌써 오륙 년째나 동네를 드나드는 밭떼기 전문의 채소 장수였다. 동네에서 **채소를 돈거리로 갈기 시작한 것**도 권을 보고 한 일이었다. 권의 발걸음이 그치지 않는 한 안팎 삼동네의 채소는 사철 시장이 보장된 것이나 다름이 없었으니까. 동네에서는 권이 얼굴만 비쳐도 반드시 손님으로 대접하였다. 사람이 눅어서 흥정을 하는 데도 그만하면 무던하였지만 그보다는 그동안 동네에 베푼 바가 그러고도 남음이 있는 덕분이었다.

권은 알 만한 사람은 다들 일러 오던 채소 정보통이었다. 권은 대개 어느 고장에서 무엇을 얼마나 하고 있으며 또한 근간의 작황이 어떠하므로 장차 회계가 어떻게 되리라는 것까지도 미리 사심 없이 귀띔하기를 일삼곤 하였다. 영두는 그의 남다른 정확성에 혀를 둘렀고, 한 번은 그 비결이 무엇인가를 물어본 적도 있었다. 권은 장삿속에 부러 비쩨면서 유세를 부려봄직도 하건만, 천성이 능준하여 그러는지 그저 고지식하게 말하는 데에만 서슴이 없을 따름이었다.

"그건 어려울 거 하나 없시다. 큰 종묘상 몇 군데에서 씨앗이 나간 양만 알아도 얼거리가 대충 드러나니까……."

"몇 년 동안의 씨앗 수급 상황만 알면 사오 년 앞까지도 내다볼 수가 있다는 얘기네요."

"그건 아마 어려울 거요. 왜냐하면 빵이랑 라면이랑 고기 먹고 크는 핵가족 아이들은 김치를 거의 안 먹고, 좀 배운 척하는 젊은 주부들 역시 김장엔 전혀 신경을 안 쓰고…… 그러니 애들이 김치맛을 알 겨를도 없거니와, 공장 김치나 시장 김치는 그만큼 맛도 우습고 비싸서 먹는댔자 양념으로나 먹으니 어떻게 대중을 하겠수."

"그럼 무 배추 농사는 머지않아 거덜이 나고 만다는 얘기요?"

"그럴 리야 있겠수. 왜냐하면 일본에서는 요즘 우리나라 김치 붐이 일어서 갈수록 인기가 높아진다거든."

"**국내 수요**가 주는 대신에 **대일 수출**이 느니 그게 그거란 얘기군요."

"그게 아니라 일본에서 유행하면 여기서도 유행하니깐 김치도 자연히 그렇게 되지 않겠느냐 이거지."

(중략)

이론이 갖추어진 사람들은 불로소득을 노리는 밭떼기 장수들로 하여 농산물이 제값을 받지 못하고 유통 구조가 어지러워진다고 몰아세우기에 항상 자신만만한 것 같았다. 물론 옳은 말이었다. 그렇지만 영두가 보기에는 **밭떼기 장수들이야말로 가장 미더운 물주요 필요악 이상의 불가결한 존재**였다. 그들이 아니면 누가 미리 목돈을 쥐어줄 것이며, 다음의 뒷그루 재배에는 또 무엇으로 때맞추어 투자를 할 수 있을 것인가. 출하와 수송에 따른 군일과 부대 비용을 줄여 주는 것도 오로지 그들이 아니었던가.

그러기에 지난번의 그 일은 더욱 권중만이답지 않은 처사였다. 권은 텃밭에 간 알타리무를 가져가면서 뜻밖에도 만 원만 접어 달라고 않던 짓을 하였다. 영두는 내키지 않았다. 돈 만 원이 커서가 아니었다. 만 원이면 자기 내외의 하루 품인데, 그 금쪽같은 시간을 명색 없이 차압당하는 꼴이나 다름이 없기 때문이었다. 권은 정색을 하고 말했다.

"요새는 아파트 사람들도 약아져서 밑동에 붙은 흙을 보고 사기 땜에 이렇게 숙전*에서 자란 건 인기가 없어요.

왜냐하면 흙 색깔이 서울 근처의 하천부지 흙하고 비슷해서 납이 들었으니 수은이 들었으니…… 중금속 채소라고 만 져도 안 본다구." [A]

"그럼 일일이 흙을 털어서 내놓는 거요?"

"턴다고 되나. 반대로 벌겋게 묻혀지지."

"그렇게 놀랜흙*을 묻혀 놓으면 새로 야산 개간을 해서 심은 무공해 채소로 알고 사간다…… 이제 보니 채소도 위조품이 있구면."

"있지. 황토를 파다 놓고 한 차에 만 원씩 그 짓만 해 주는 이도 있고…… 어디, 이 씨가 직접 해 주고 만 원 더 벌어 볼려우?"

논흙에서 희읍스름한 매흙 빛깔이 나듯이 집터서리의 텃밭도 찰흙색을 띠는 것이 당연한데, 그 위에 벌건 황토를 뒤발하여 개간지의 산물로 조작하되 그것도 갈고 가꾼 사람이 직접 해 줬으면 하고 유혹을 하니 듣던 중에 그처럼 욕된 말이 없었다.

영두는 성질이 나서 견딜 수가 없었으나 한두 번 신세진 사람도 아니고 하여 대거리를 하자고 나댈 수도 없었다. **자칫 못 먹을 것을 만들어서 파는 사람으로 취급받지 않으려면** 속절없이 농담으로 들어넘기는 것이 상수란 생각도 들었다.

그래서 조용히 말했다.

"권씨 말대로 하면 농사짓는 사람은 벌써 다 병이 들었거나 갈 데로 갔어야 할 텐데 거꾸로 더 팔팔하니 무슨 조화 속인지 모르겠네……." [B]

권은 얼굴을 붉혔으나 그래도 그저 숙어들기가 어색한지 은근히 번지는 소리를 했다.

"하지만 사먹는 사람들이야 어디 그러우. 사먹는 사람들은 내다 팔 것들만 약을 치고 집에서 먹을 것은 그러지 않을 거라고 생각하지."

영두는 속으로 찔끔하였다. 권의 말도 아주 틀린 말은 아니었던 것이다.

영두는 무 배추에 진딧물이 끼여 오가리가 들고 배추벌레와 노린재가 끓어 수세미처럼 구멍이 나도 집에서 먹을 것에는 분무기를 쓴 적이 없었다. **불품이 없는 것일수록 구수한 맛이 더하던 이치**를 익히 알고 있기 때문이었다.

그러나 그런 물건을 내놓을 경우에는 **값이 있을 리가 없었다.** 언젠가는 농가에서 채소를 농약으로 코팅하여 내놓는다고 신문에 글까지 쓴 사람도 있었지만, 그런 일이야말로 마지못해 없는 돈 들여 가면서 농약을 만져 온 농가에 물을 것이 아니요, 벌레가 조금만 갉은 자국이 있어도 칠색팔색을 하며 달아나던 햇내기 소비자들이 자초한 일이라고 아니할 수가 없는 거였다.

벌레 닿은 자국이 불결스럽다 하여 진딧물 하나 없이 깨끗한 푸성귀만 찾는다면, 그것은 마치 두메의 자갈길 흙먼지엔 질색을 하면서도 도심의 오염된 대기는 보이지 않는다는 이유만으로 무심히 활개를 쳐 온 축들의 어리석음과도 견줄 만한 것이었다.

— 이문구, 「산 너머 남촌」—

* 숙전(熟田) : 해마다 농사를 지어 잘 길들인 밭.
* 놀랜흙 : 생토(生土). 생땅의 흙.

9. 윗글에 대한 설명으로 가장 적절한 것은?

① 빈번하게 장면을 전환하여 사건 전개의 긴박감을 드러내고 있다.

② 서술자가 특정 인물의 관점에서 사건과 인물의 심리를 전달하고 있다.

③ 동시에 일어난 별개의 사건을 병치하여 사태의 전모를 드러내고 있다.

④ 인물 간의 대화를 통해 인물이 겪은 사건의 비현실적인 면모를 드러내고 있다.

⑤ 인물의 표정 변화와 내면 변화를 반대로 서술하여 그 인물의 특성을 부각하고 있다.

11. 만 원 에 대한 설명으로 가장 적절한 것은?

① '권중만'과 '영두' 사이의 갈등이 해소된 이유이다.

② '영두'가 '권중만'의 조언을 수용하게 된 이유이다.

③ '권중만'이 '영두'에게 친밀감을 보이게 된 이유이다.

④ '영두'가 '권중만'에게 양보를 강요하게 된 이유이다.

⑤ '영두'가 '권중만'에게 부정적으로 반응하게 된 이유이다.

12. <보기>를 바탕으로 윗글을 감상한 내용으로 적절하지 <u>않은</u> 것은? [3점]

> ─── < 보 기 > ───
>
> 이 작품은 1980년대 농민들의 생활을 형상화하고 있다. 작가는 농민들이 농사의 경제적 이익을 고려하거나 농산물의 유통과 판매까지 감안하게 된 상황을 보여 준다. 작품 속 '영두'는 먹거리를 생산하는 농민으로서 가져야 할 태도를 인식하면서도 이러한 태도를 지켜나가기 어려운 현실 속에서 가치관의 혼란을 겪고 있다. 작가는 이를 통해 당대 농민들이 겪고 있던 어려움을 현실감 있게 보여 준다.

① 농민들이 권중만을 보고 '채소를 돈거리로 갈기 시작'하는 상황은, 농사를 통한 경제적 이익 창출을 고려하는 농민들의 면모를 드러내는군.

② 영두가 '국내 수요'와 '대일 수출'을 언급하며 권중만과 이야기를 나누는 모습은, 농산물의 유통과 판매까지 감안하는 농민의 현실을 드러내는군.

③ 영두가 '밭떼기 장수'를 '미더운 물주요 필요악 이상의 불가결한 존재'로 받아들이는 것은, 다른 농민들의 어려운 상황을 이용해 경제적 이익을 추구하는 영두의 모습을 드러내는군.

④ 영두가 '자칫 못 먹을 것을 만들어서 파는 사람으로 취급받지 않'으려 하는 것은, 먹거리를 생산하는 농민이 가져야 할 태도에 대해 인식하고 있음을 드러내는군.

⑤ 영두가 '구수한 맛이 더하던 이치'에도 불구하고 '볼품이 없는 것'이 '값이 있을 리가 없다'고 판단하는 것은 농사에 대한 가치관을 따르기 어려운 현실에 대한 인식을 드러내는군.

10. [A]와 [B]에 대한 이해로 가장 적절한 것은?

① [A]에서 '권중만'은 자신의 우월한 지위를 과시하며 상대의 동의를 요구하고 있고, [B]에서 '영두'는 상대와의 개인적 친밀감을 환기하며 서운함을 드러내고 있다.

② [A]에서 '권중만'은 자신의 경험을 들어 상대의 문제에 대한 해결책을 제시하고 있고, [B]에서 '영두'는 상대가 저질렀던 잘못을 지적하며 상대의 사과를 요구하고 있다.

③ [A]에서 '권중만'은 자신이 상대에게 제시한 요구의 이유를 사람들의 선입견과 관련지어 밝히고 있고, [B]에서 '영두'는 상대의 말에 논리적 한계가 있음을 지적하며 항변하고 있다.

④ [A]에서 '영두'는 상대의 제안에서 모순을 지적하며 새로운 대안을 제시하고 있고, [B]에서 '권중만'은 다른 사람들의 사례를 들어 자신의 행동에 대해 변명하고 있다.

⑤ [A]에서 '영두'는 상대의 문제의식에 대한 공감을 드러내며 구체적인 조언을 요구하고 있고, [B]에서 '권중만'은 상대의 예상치 못한 반응에 당황하며 자신의 잘못을 사과하고 있다.

총 문항				문항	맞은 문항				문항
개별 문항	1	2	3	4	5	6	7	8	9	10
채점										
개별 문항	11	12	13	14	15	16	17	18	19	20
채점										

7분 | 2021학년도 11월 학평 16~19번 | ★☆☆ | 정답 004쪽

【1~4】 다음 글을 읽고 물음에 답하시오.

> [앞부분의 줄거리] 가족을 찾아 헤매던 '손'은 물이 찬 포구에 산봉우리가 비치는 모습이 학이 날아오르는 듯하여 이름 붙여진 선학동에 도착한다. '손'은 우연히 찾은 주막의 주인 사내에게서 소리꾼 여자에 대한 이야기를 듣는다.

손은 아직도 여자와 자신의 인연에 대해선 분명한 말이 한마디도 없었다. 하지만 그는 이제 학이 날지 못하는 선학동에 **아비의 유골을 묻고 간 여자의 일을 제 일처럼 못내 안타까워하**고 있었다. 주인은 그것으로 모든 일이 분명해진 것 같았다. 그리고 그것으로 만족한 것 같았다.

그가 다시 입을 열기 시작했다.

"아니, 노형은 아까 내 얘길 잊었구만요. 여자가 한 일은 부질없는 것이 아니었어. 여자가 간 뒤로 이 선학동엔 다시 학이 날기 시작했다니께요. 여자가 이 선학동에 다시 학을 날게 했어요. 포구 물이 막혀 버린 이 선학동에 아직도 학이 날고 있는 것을 본 사람이 그 눈이 먼 여자였으니 말이오……."

주인은 이번에야말로 선학동에 다시 학이 날게 된 사연을 이야기하기 시작했다.

(중략)

그러자 여자는 정작으로 그 비상학을 좇듯이 보이지도 않는 눈길로 벌판 쪽을 한참이나 더듬어대었다. 그러다 비로소 채비가 제법 만족스러워진 노인 쪽을 돌아보며 비탄조로 말했다.

"아배의 소리는 그러니께 그 시절엔 늘 물 위를 날아오른 학과 함께 노닐었답니다."

주인 사내로선 갈수록 예사롭지 않은 소리들이었다. 눈 아래 들판엔 이제 물도 없고 산그림자도 없었다. 게다가 여자는 어렸을 적 아비의 소망처럼 그 물이나 산그림자의 형용을 깊이 눈여겨보았을 리 없었다. 하지만 여자는 이제 눈을 못 보기 때문에 오히려 성한 사람이 볼 수 없는 물과 산그림자를 보고 있는지도 몰랐다. 두 눈이 성해 있는 사람이라면 그 말라붙은 들판에서 있지도 않은 물과 산그림자를 볼 리가 없었다. 있지도 않은 물과 산그림자를 본 것은 그녀가 오히려 앞을 못 보는 맹인이기 때문이었다.

사내의 그런 상상은 차츰 어떤 불가사의한 믿음으로 변해 갔다.

망망창해에 탕탕(蕩蕩)한 물결이라
백빈주 갈매기는 홍요안에 날아들고……

여자가 마침내 소리를 시작하고 있었다. 그런데 사내는 그 여자의 오장이 끊어오르는 듯한 목소리 속에 문득 자신도 그것을 본 것이다. 사립에 기대어 눈을 감고 가만히 여자의 소리를 듣고 있자니 사내의 머릿속에서 오랫동안 잊혀져 온 옛날의 그 **비상학이 서서히 날개를 펴고 날아오르기 시작**한 것이다. 그리고 여자의 소리가 길게 이어져 나갈수록 선학동은 다시 옛날의 포구로 바닷물이 차오르고 한 마리 선학이 그곳을 끝없이 노닐기 시작했다.

그런 일이 있은 후로 사내는 여자의 학을 믿지 않을 수 없었다.

여자는 날마다 밀물 때를 잡아서 소리를 하였다. 소리는 언제나 이 **선학동을 옛날의 포구 마을로 변하게** 하였고, 그 포구에 다시 선학이 유유히 날아오르게 하였다.

그리고 그러다 여자는 어느 날 밤 문득 선학동을 떠나갔다.

㉠하지만 사내는 여자가 그렇게 선학동을 떠나가고 나서도 그녀의 소리가 여전히 귓전을 맴돌고 있었다. 그 소리가 귓전을 울려 올 때마다 선학동은 다시 포구가 되었고, 그녀의 소리는 한 마리 선학과 함께 물 위를 노닐었다. 아니 이제는 그 소리가 아니라 여자 자신이 한 마리 학이 되어 선학동 포구 물 위를 끝없이 노닐었다.

그래 사내는 이따금 말했다.

"여자는 어디로 떠나간 것이 아니여. 그 여자는 이 **선학동의 학**이 되어 버린 거여. 학이 되어서 **언제까지나 이 고을 하늘을 떠돈**단 말이여."

여자가 그토록 갑자기 마을을 떠나가 버린 데 대한 아쉬움 때문이었을까. 주막집 이웃들이나 벌판 건너 선학동 사람들마저 사내의 그런 소리엔 그리 허물을 해 오는 눈치가 없었다. 선학동 사람들은 여자가 모셔온 아비의 유골을 모른 체해 주듯 여자가 그렇게 주막을 떠나가고 나서도 그녀의 사연이나 간 곳을 굳이 묻고 드는 일이 없었다. 뿐더러 주막집 **사내가 이따금 그렇게 앞도 뒤도 없는 소리를 지껄여대도 그러는 사내를 탓하려 들기는커녕 오히려 그와 어떤 믿음을 같이하고 싶은 진중한 얼굴들이 되곤** 하였다.

손은 이제 완전히 녹초가 되어 버린 표정이었다. 이따금 손을 가져가던 술잔마저 이제는 전혀 마음에 없는 모양이었다.

이야기를 끝내고 난 주인 쪽 역시 마찬가지였다. ㉡가슴 속에 지녀 온 이야기들을 손 앞에 모두 털어놓은 것만으로 주인은 이제 자기 할 일을 다해 버린 사람 같았다. 손이 뭐라고 대꾸를 해 오든 안 해 오든 그로서는 전혀 괘념을 할 일이 아니라는 태도였다.

주인은 완전히 손의 반응을 무시하고 있었다. 뒷산 고개를 넘어오는 솔바람 소리가 아직도 이따금 두 사람의 귓전을 멀리 스쳐가고 있었다. 그 솔바람 소리에 멀리 둑 너머 바닷물 소리가 섞이는 듯하였다.

㉢침묵을 견디지 못한 건 이번에도 결국 손 쪽이 먼저였다.

"주인장 이야긴 고맙게 들었소."

이윽고 손이 먼저 주인에게 말했다. ㉣그의 어조는 이제 아무것도 숨길 것이 없다는 듯 낮고 차분했다.

"하지만 아까 이야기 가운데서 주인장께선 일부러 사람을 하나 빠뜨려 놓고 있었지요."

주인이 달빛 속으로 손을 이윽히 건너다보았다.

손이 다시 말을 이었다.

"주인장 어렸을 적에 이 마을에 찾아들었다는 그 소리꾼 부녀의 이야기 말이오. 그때 그 어린 계집아이에겐 **소리 장단을 잡아 주던 오라비**가 하나 있었을 겝니다. 그런데 주인장께선 일부러 그 오라비 이야길 빼놓고 있었지요."

추궁하듯 손이 주인의 얼굴을 마주 바라보았다. ㉤주인도 이젠 더 사실을 숨길 것이 없다는 듯 고개를 두어 번 깊이 끄덕여 보였다.

"그렇지요. 난 그 오라비가 뒷날 늙은 아비와 어린 누이를 버리고 혼자 도망을 쳤다는 이야기까지도 여자에게 다 듣고 있었으니께요."

"그렇담 주인장은 그 오누이가 서로 아비의 피를 나누지 않은 남남 한가지 사이란 것도 알고 있었겠구만요. 그리고 그 어린 오라비가 부녀를 버리고 떠난 것은 차마 그 원망스런 의붓아비를 죽여 없앨 수가 없어서였다는 것도 말이오."

주인이 다시 고개를 무겁게 끄덕여 보였다.

— 이청준, 「선학동 나그네」 —

1. 윗글의 서술상 특징으로 가장 적절한 것은?

① 인물의 회상을 통해 과거와 현재가 연결되고 있다.

② 풍자적 서술을 통해 인물의 행위를 비판하고 있다.

③ 반어적 표현을 통해 집단 간의 갈등을 부각하고 있다.

④ 동시에 진행되는 여러 사건을 병렬적으로 제시하고 있다.

⑤ 장면마다 서술자를 달리하여 상황을 입체적으로 보여 주고 있다.

3. ㉠ ~ ㉤에 대한 설명으로 적절하지 않은 것은?

① ㉠: 인상적이었던 과거의 사건을 잊지 못하는 인물의 심리가 드러나 있다.

② ㉡: 하고 싶었던 행동을 마치고 난 인물의 심리가 드러나 있다.

③ ㉢: 상대방과 이야기를 더 이어가고자 하는 인물의 심리가 드러나 있다.

④ ㉣: 자신의 속마음을 상대방에게 들켜 당혹감을 느끼는 인물의 심리가 드러나 있다.

⑤ ㉤: 자신의 의도를 알아차린 상대방의 말에 수긍하는 인물의 심리가 드러나 있다.

2. 윗글에 대해 이해한 내용으로 적절하지 않은 것은?

① 손은 여자의 오라비가 가족을 떠난 이유를 주인 사내에게 이야기하고 있다.

② 여자는 이전에 온 적이 있는 선학동으로 다시 찾아와서 아비의 유골을 묻었다.

③ 여자는 선학동에 다시 돌아온 손으로부터 아버지에 대한 이야기를 전해 듣고 있다.

④ 주인 사내는 여자의 소리를 들으며 잊고 있었던 비상학의 모습을 다시 떠올리게 되었다.

⑤ 주인 사내는 여자와 오라비가 아비의 피를 나누지 않은 오누이라는 사실을 알고 있었다.

4. <보기>를 참고하여 윗글을 감상한 내용으로 적절하지 않은 것은?

[3점]

―――――〈 보 기 〉―――――

이 작품에는 삶의 아픔을 지닌 인물들이 등장한다. 가족을 떠날 수밖에 없었던 아픔을 지닌 '손'은 '여자'를 찾아다니는 행위를 통해, 앞을 보지 못한 채 살아가는 여자는 소리를 통해 각자 자신이 지닌 삶의 아픔에서 벗어나기 위해 노력한다. 그 과정에서 예술적 경지에 다다른 여자의 소리는 마을 사람들의 생각이나 행동에까지 영향을 미친다.

① '아비의 유골을 묻고 간 여자의 일을 제 일처럼 못내 안타까워하'는 '손'의 모습에서 가족을 떠날 수밖에 없었던 '손'의 아픔을 짐작할 수 있겠군.

② '여자가 마침내 소리를 시작'했을 때 '비상학이 서서히 날개를 펴고 날아오르기 시작'했다고 느끼는 '사내'의 모습에서 '여자'의 소리가 예술적 경지에 이르렀음을 확인할 수 있겠군.

③ '여자'가 '선학동을 옛날의 포구 마을로 변하게' 하고 선학동을 떠나지 않으며 '소리 장단을 잡아 주던 오라비'를 기다린 것에서 삶의 아픔에서 벗어나기 위해 노력하는 모습을 확인할 수 있겠군.

④ '여자'가 '선학동의 학'이 되어서 '언제까지나 이 고을 하늘을 떠돈'다고 '사내'가 이따금 말하는 모습에서 '여자'의 소리에 대한 믿음을 가지게 된 '사내'의 행동을 확인할 수 있겠군.

⑤ '사내가 이따금 그렇게 앞도 뒤도 없는 소리를 지껄여대'도 선학동 사람들이 '그와 어떤 믿음을 같이하고 싶은 진중한 얼굴들이 되곤'했다는 것에서 '여자'의 소리가 마을 사람들의 생각에 영향을 미쳤음을 알 수 있겠군.

【5~8】다음 글을 읽고 물음에 답하시오.

　나는 남편의 유품을 정리하면서 어쩌면 이렇게 단 한 가지도 값나가는 게 없을까 놀라고 민망해 한 적이 있다. 그럼에도 불구하고 자식들을 비롯해서 가깝게 지내던 조카들은 그가 쓰던 걸 뭐든지 한 가지씩이라도 얻어 갖길 원했다. 다들 그렇게 아쉬운 처지가 아닌데도 그런다는 건 그 뜻이 소유나 쓸모에 있지 않고 아끼고 간직하려는 데 있으려니 싶어 나는 목이 메게 감격을 했다. 크게 성공하거나 성취한 건 없어도 생전에 주위 사람들로부터 많이 사랑받았다는 증거 같아서 나는 기쁜 마음으로 그의 유품을 공평하게 나눴다. 그러나 모자는 다 내가 가졌다. 그건 누가 달라지도 않았지만 달라고 해도 안 주었을 것이다.

　마지막 일 년은 참으로 아까운 시절이었다. 죽을 날을 정해놓은 사람과의 나날의 아까움을 무엇에 비길까. 애를 끊는 듯한 애달픔이었다.

(중략)

　그런 옛일에 얽힌 농담이라면 얼마든지 재미나게도 그윽하게도 할 수 있었으련만 나는 고약한 성깔에 잔뜩 치받쳐 있었다. 여북해야 그가 딱하다는 듯이 그러나 역시 농담으로 받았다.

　"당신이야말로 왜 그래? 꼭 틈바구니에 낀 쥐 같잖아."

　그리고 피식 웃더니 탄식하듯 덧붙였다.

　"생전 ⊙틈바구니에 끼여 봤어야지."

　그의 목소리가 하도 연민에 차 있어서 나는 대꾸하지 못했다. 죽어 가는 사람으로부터의 연민은 감동적이었다. **울어버릴 것 같았다.**

　CT 촬영은 참으로 놀라운 첨단 과학이었다. 뇌를 가로세로 여러 장으로 슬라이스하듯이 나누어 찍은 단면 사진은 내 눈으로도 고루 퍼진 암을 확인할 수 있을 만큼 선명했다. 뇌는 혈관의 회로가 달라서 항암제가 미치지 못한다고 했다. 그에게 남아 있는 유일한 치료법은 방사선을 뇌에다 쐬는 거였다. 방사선 치료란 죽는 연습이었다. 그 치료엔 아무도 입회하지 못했다. 방사선과 의사까지도 그를 치료대에 혼자 고정시켜 놓고 나와서 밖에서 컴퓨터 화면을 보며 조종했다. 그 안에서 그는 어떤 기분으로 고립되어 있으며, 방사선이란 어떻게 생긴 빛일까? 그 깊이 모를 외로움과, 너무 밝아 차라리 **암흑과 상통할 것 같은 빛에 대한 공포감**은 죽음에 대한 상상력과 너무도 유사했다. 그는 이마가 까맣게 타도록 방사선 치료를 받았지만 다시 해 본 CT 촬영에서 암은 소멸되지도 줄지도 않은 채였다. 미국 가 있는 막내를 잠시 귀국토록 했다. 돌아가신 후 장례에 맞춰 오려고 허둥대는 것보다는 생전에 뵈러 오는 게 효도가 아니겠느냐는 게 딴 자식들의 의견이기도 했다. 아버지한테 뭐 사다 드리면 좋겠느냐고 막내가 전화로 물어 왔다. 약 종류를 묻는 말투였다. 그러나 그의 병세도 그렇지만, 때도 이미 미국엔 별의별 신효한 약, 불로초 같은 것까지도 있는 것처럼 여기던 촌스러운 시대가 아니었다. 나는 막내에게 모자를 사 오라고 말했다. 최고급으로 사 오라는 말도 잊지 않았다. 과연 막내가 사 온 모자는 내 마음속에 있는 그의 모자의 원형과 가장 가까웠다. 순모로 된 통짜 중절모였고 비단 리본이 달려 있었다. 그러나 테가 너무 넓어 신사 모자라기보다는 카우보이 모자를 연상시켰다. 아니나 다를까, 네 살짜리 손자 녀석이 그 모자를 보더니 "와

아, 장고 모자다." 하면서 그걸 **빼앗고** 싶어 했다. 녀석이 좋아하는 만화 영화의 주인공 장고가 그런 모자를 쓰고 있다고 했다. 그는 모자를 쓴 채 안 빼앗기려고 이리저리 도망을 다녔다. 여전히 비틀대며, 손자가 울음을 터뜨려도 그는 그 모자를 내놓지 않았다. **손자와의 마지막 장난**이었다. 마지막 한 달가량 자리보전하고 있을 때를 빼고는 그는 집에서도 줄창 그 모자를 쓰고 있었다. 막내에 대한 사랑 때문에도 그 모자를 아꼈겠지만, 넓은 테는 방사선 치료로 시꺼멓게 탄 이마를 가려 주는 데 안성맞춤이었다. 그 장고 모자가 그의 여덟 번째 모자이자 마지막 모자가 되었다.

　나는 요새도 가끔 그가 남긴 여덟 개의 모자를 꺼내 본다. 그 안에서 **머리카락 한 오라기**라도 찾아보려고 더듬어 보지만 번번이 헛손질로 끝난다. 그 여러 개의 모자는 멋이나 체면을 위한 것이 아니라, 단지 민머리를 가리기 위한 것이었다. 그의 몸을 차디찬 땅속에 묻은 건 확실한데 아침마다 우수수 지던 그 숱한 머리카락은 지금 어느 만큼 멀리 흩어져 티끌로 떠도는 걸까. 생명의 가엾음이 티끌과 다를 바 없다는 속절없는 생각에 잠기기도 한다. 그의 흔적을, 남긴 물질에서 찾는 것보다는 남긴 말이나 생각에서 찾는 게 그래도 조금은 덜 허전하다. 그는 평범한 사람이고, 잘난 척할 줄도 몰랐기 때문에 담소는 즐겼지만 그럴듯한 말은 할 줄 몰랐다. 우리집엔 그 흔한 가훈도 없다. 그의 말이 생각나는 것도 그가 끼면 편안하고 여유로워지는 담소 분위기이지, 멋있거나 뜻 깊은 말뜻은 아니다.

　오직 틈바구니만이 예외다. 내가 생전 틈바구니에 끼여 보지 않았다는 게 무슨 뜻일까? 그런 생각이 나를 자꾸 심각하게 한다. 그가 나 대신 가 주던 동사무소나 세무서에 볼일 보러 가서 똑똑지 못하게 굴다가 구박 맞으면 이게 틈바구닌가 싶기도 하고, 사용자와 노동자, 가진 자와 못 가진 자, 칼자루 쥔 자와 칼날 쥔 자, 통일꾼과 반통일꾼이 서로 목청을 높여 싸우는 걸 봐도 전처럼 선뜻 어느 쪽이 옳거니 양자택일이 안 되고, 또 그놈의 틈바구니에 사로잡히게 된다. 여봐란듯이 틈바구니에 끼기 위해선 거친 두 목청 사이에 낀 틈바구니의 숨결을 찾아내야만 할 것 같다. 어쩌면 그는 그때 삶과 죽음의 틈바구니에서 어느 만큼은 내 원색적인 분노를 관조할 수도 있었기에 해 본 단순한 연민의 소리일 뿐인 것을 내가 괜히 심각하게 굴었는지도 모르겠다. 그래도 여전히 틈바구니는 아무것도 아닌 게 되지 않는다. 그가 남긴 모자가 나에겐 모자라는 **물질 이상**이듯이 틈바구니란 말 또한 말뜻 이상의 것, 한없이 추구해야 할 화두임을 면할 수가 없다.

- 박완서, 「여덟 개의 모자로 남은 당신」 -

---

5. 윗글에 대한 설명으로 가장 적절한 것은?
　① 인물 간의 대화를 통해 특정 인물을 풍자하고 있다.
　② 독백적 진술을 활용하여 인물의 내면을 드러내고 있다.
　③ 동일한 공간에서 사건이 반복되며 갈등이 심화되고 있다.
　④ 장면이 빈번하게 교차되며 긴박한 분위기를 조성하고 있다.
　⑤ 인물의 외양을 사실적으로 묘사하여 인물의 성격을 드러내고 있다.

6. 윗글에 대한 이해로 적절하지 <u>않은</u> 것은?

① '조카들'은 아쉬운 처지가 아니었지만 '남편'의 유품을 얻기를 바랐다.

② '나'는 '남편'의 병세가 방사선 치료를 받으면서 나아지는 것을 느꼈다.

③ '딴 자식들'은 '남편'의 생전에 '막내'를 귀국시켜야 한다고 생각했다.

④ '막내'는 '남편'을 위해 카우보이 모자가 연상되는 중절모를 사 왔다.

⑤ '남편'은 잘난 척할 줄 몰랐기 때문에 평소 멋있거나 그럴듯한 말을 하지 않았다.

7. ㉠의 기능에 대한 설명으로 가장 적절한 것은?

① 이야기의 초점을 '남편'에서 '막내'로 전환하고 있다.

② '나'에게 쉽게 해결할 수 없는 고민을 유발하고 있다.

③ '남편'의 죽음에 대한 '나'의 미안함을 보여주고 있다.

④ '막내'에게 '남편'의 죽음을 이해하는 실마리를 제공하고 있다.

⑤ '나'의 가족에게 공동체적 삶의 의미를 성찰하게 하는 계기를 제공하고 있다.

8. <보기>를 바탕으로 윗글을 감상한 내용으로 적절하지 <u>않은</u> 것은? [3점]

<보 기>

이 작품은 죽음을 앞둔 남편의 모습을 관찰하고 남편의 내면을 들여다보는 '나'의 시선을 통해 남편에 대한, 그리고 죽음에 대한 '나'의 인식을 드러내고 있다. '나'는 죽은 남편이 남기고 간 모자를 간직하며 남편에 대한 사랑과 그리움을 드러낸다. 또한 남편의 죽음을 앞두고 있는 가족들의 모습을 통해 따뜻한 가족애를 보여 주기도 한다.

① 남편의 모자를 '물질 이상'의 것으로 여기며 모자를 모두 간직하는 '나'의 모습에서, 남편에 대한 '나'의 사랑을 확인할 수 있겠군.

② 남편이 농담으로 받은 말에 '울어버릴 것 같'다고 느끼는 '나'의 모습에서, 남편의 말에 '나'에 대한 연민이 담겨 있다고 믿고 있는 '나'의 인식을 확인할 수 있겠군.

③ 방사선 치료를 받는 남편의 '빛에 대한 공포감'을 덜어 주려는 '나'의 모습에서, '암흑과 상통할 것 같은' 죽음에 대해 느끼는 '나'의 두려움을 확인할 수 있겠군.

④ 힘겹지만 '손자와의 마지막 장난'을 하며 가족들과 평범한 일상을 보내고 있는 남편의 모습에서, 가족에 대한 남편의 사랑을 확인할 수 있겠군.

⑤ 남편이 남긴 모자에서 '머리카락 한 오라기'라도 찾고 싶어 하는 '나'의 모습에서, 남편을 그리워하는 '나'의 애틋한 마음을 확인할 수 있겠군.

【9~11】 다음 글을 읽고 물음에 답하시오.

안 초시는 한나절이나 화투패를 떼다 안 떨어지면 그 화풀이로 박희완 영감이 들고 중얼거리는 『속수국어독본』을 톡 채어 행길로 팽개치며 그랬다.

"넌 또 무슨 재술 바라구 밤낮 화투패나 떨어지길 바라니?"

"난 심심풀이지."

그러나 속으로는 박희완 영감보다 더 세상에 대한 야심이 끓었다. 딸이 평양으로 대구로 다니며 지방 순회까지 하여서 제법 돈냥이나 걷힌 것 같으나 연구소를 내느라고, 집을 뜯어고친다, 유성기를 사들인다, 교제를 하러 돌아다닌다 하느라고, 더구나 귀찮게만 아는 이 아비를 위해 쓸 돈은 예산부터 들지 못하는 모양이었다.

"얘? 낡은 솜이 돼 그런지, 삯바느질이 돼 그런지 바지 솜이 모두 치어서 어떤 덴 홑옷이야. 암만해두 샤쓸 한 벌 사입어야겠다."

하고 딸의 눈치만 보아 오다 한번은 입을 열었더니,

"어련히 인제 사드릴라구요."

하고 딸은 대답은 선선하였으나 셔츠는 그해 겨울이 다 지나도록 구경도 못 하였다. ㉠셔츠는커녕 안경다리를 고치겠다고 돈 1원만 달래도 1원짜리를 굳이 바꿔다가 50전 한 닢만 주었다. 안경은 돈을 좀 주무르던 시절에 장만한 것이라 테만 오륙 원 먹는 것이어서 50전만으로 그런 다리는 어림도 없었다. 50전짜리 다리도 있지만 살 바에는 조촐한 것을 택하던 초시의 성미라 더구나 면상에서 짝짝이로 드러나는 것을 사기가 싫었다. ㉡차라리 종이 노끈인 채 쓰기로 하고 50전은 담뱃값으로 나가고 말았다.

> "왜 안경다린 안 고치셨어요?"
> 딸이 그날 저녁으로 물었다.
> "흥……."
> 초시는 말은 하지 않았다. 딸은 며칠 뒤에 또 50전을 주었다. 그러면서 어떻게 들으라고 하는 소리인지,
> "아버지 보험료만 해두 한 달에 3원 80전씩 나가요."
> 하였다. 보험료나 타 먹게 어서 죽어 달라는 소리로도 들리었다.
> "그게 내게 상관있니?"
> "아버지 위해 들었지, 누구 위해 들었게요 그럼?"

[A]
> 초시는 '정말 날 위해 하는 거면 살아서 한 푼이라두 다오. 죽은 뒤에 내가 알 게 뭐냐' 소리가 나오는 것을 억지로 참았다.
> "50전이문 왜 안경다릴 못 고치세요?"
> 초시는 설명하지 않았다.
> "지금 아버지가 좋고 낮은 것을 가리실 처지야요?"
> 그러나 50전은 또 마코* 값으로 다 나갔다. 이러기를 아마 서너 번째다.
> "자식도 소용없어. 더구나 딸자식…… 그저 내 수중에 돈이 있어야……."
> 초시는 돈의 긴요성을 날로날로 더욱 심각하게 느끼었다.

(중략)

초시는 이날 저녁에 박희완 영감에게서 들은 이야기를 딸에게 하였다. 실패는 했을지라도 그래도 십수 년을 상업계에서 논 안 초시라 출자(出資)를 권유하는 수작만은 딸이 듣기에도 딴

사람인 듯 놀라웠다. 딸은 즉석에서는 가부를 말하지 않았으나 그의 머릿속에서도 이내 잊혀지지는 않았던지 다음 날 아침에는, ⓒ딸 편이 먼저 이 이야기를 다시 꺼내었고, 초시가 박희완 영감에게 묻던 이상을 시시콜콜히 캐내물었다. 그러면 초시는 또 박희완 영감 이상으로 손가락으로 가리키듯 소상히 설명하였고 1년 안에 청장*을 하더라도 최소한도로 50배 이상의 순이익이 날 것이라 장담 장담하였다.

딸은 솔깃했다. 사흘 안에 **연구소 집**을 어느 신탁 회사에 넣고 **3천 원**을 돌리기로 하였다. 초시는 금시발복*이나 된 듯 뛰고 싶게 기뻤다.

"서 참위 이놈, 날 은근히 멸시했것다. 내 굳이 널 시켜 네 집보다 난 집을 살 테다. 네깟 놈이 천생 가쾌*지 별거냐……."

그러나 신탁 회사에서 돈이 되는 날은 웬 처음 보는 청년 하나가 초시의 앞을 가리며 나타났다. 그는 딸의 청년이었다. ⓓ딸은 아버지의 손에 단 1전도 넣지 않았고 꼭 그 청년이 나서 돈을 쓰며 처리하게 하였다. 처음에는 팩 나오는 노염을 참을 수가 없었으나 며칠 밤을 지내고 나니, 적어도 3천 원의 순이익이 오륙만 원은 될 것이라, 만 원 하나야 어디로 가랴 하는 타협이 생기어서 안 초시는 으슬으슬 그, 이를테면 사위 녀석 격인 청년의 뒤를 따라나섰다.

[B]
1년이 지났다.

모두 꿈이었다. 꿈이라도 너무 악한 꿈이었다. 3천 원 어치 땅을 사놓고 날마다 신문을 훑어보며 수소문을 하여도 거기는 축항*이 된단 말이 신문에도, 소문에도 나지 않았다. 용당포(龍塘浦)와 다사도(多獅島)에는 땅값이 30배가 올랐느니 50배가 올랐느니 하고 졸부들이 생겼다는 소문이 있어도 여기는 감감소식일 뿐 아니라 나중에 역시 이것도 박희완 영감을 통해 알고 보니 그 관변 모씨에게 박희완 영감부터 속아 떨어진 것이었다. **축항 후보지**로 측량까지 하기는 하였으나 무슨 결점으로인지 중지되고 마는 바람에 너무 기민하게 거기다 땅을 샀던, 그 모씨가 그 땅 처치에 곤란하여 꾸민 **연극**이었다.

돈을 쓸 때는 1원짜리 한 장 만져도 못 봤지만 벼락은 초시에게 떨어졌다. ⓔ서너 끼씩 굶어도 밥 먹을 정신이 나지도 않았거니와 밥을 먹으러 들어갈 수도 없었다.

"재물이란 **친자 간의 의리도 배추 밑 도리듯** 하는 건가?"

탄식할 뿐이었다. 밥보다는 술과 담배가 그리웠다. 물론 안경다리는 그저 못 고치었다. 그러나 이제는 50전짜리는커녕 단 10전짜리도 얻어 볼 길이 없다.

추석 가까운 날씨는 해마다의 그때와 같이 맑았다. 하늘은 천리같이 트였는데 조각구름들이 여기저기 널리었다. 어떤 구름은 깨끗이 바래 말린 옥양목*처럼 흰빛이 눈이 부시다. 안 초시는 이번에도 자기의 때 묻은 적삼 생각이 났다. 그러나 이번에는 소매 끝을 불거나 떨지는 않았다. 고요히 흘러내리는 눈물을 그 더러운 소매로 닦았을 뿐이다.

– 이태준, 「복덕방」 –

*마코 : 일제 강점기 때의 담배 이름.
*청장 : 장부를 청산한다는 뜻으로, 빚 따위를 깨끗이 갚음을 이르는 말.
*금시발복 : 어떤 일을 한 다음 이내 복이 돌아와 부귀를 누리게 되는 것.
*가쾌 : 집 흥정을 붙이는 일을 직업으로 가진 사람.
*축항 : 항구를 구축함. 또는 그 항구.
*옥양목 : 빛이 썩 희고 얇은 무명의 한 가지.

9. [A]와 [B]에 대한 설명으로 가장 적절한 것은?

① [A]는 외양 묘사를 통해 인물의 성격을 드러내고 있고, [B]는 배경 묘사를 통해 인물의 처지를 드러내고 있다.

② [A]는 대화와 서술을 통해 인물 간의 갈등이 드러나고 있고, [B]는 요약적 서술을 통해 사건의 전모가 드러나고 있다.

③ [A]는 작품 속 서술자가 사건에 대해 평가하고 있고, [B]는 작품 밖 서술자가 앞으로 전개될 사건을 예측하고 있다.

④ [A]는 시간의 흐름에 역행하여 사건이 진행되고 있고, [B]는 시간의 흐름에 따라 사건이 순차적으로 진행되고 있다.

⑤ [A]는 향토적인 소재를 통해 주제 의식을 드러내고 있고, [B]는 상징적인 소재를 통해 사건의 의미를 드러내고 있다.

10. ㉠ ~ ㉤에 대한 설명으로 적절하지 <u>않은</u> 것은?

① ㉠ : 형편이 어려운 안 초시를 인색하게 대하는 딸의 모습이 드러나 있다.

② ㉡ : 저렴한 안경다리는 사지 않겠다는 안 초시의 자존심이 드러나 있다.

③ ㉢ : 안 초시가 전해준 이야기에 적극적으로 관심을 보이는 딸의 모습이 드러나 있다.

④ ㉣ : 안 초시의 수고로움을 덜어 주려는 딸의 심리가 드러나 있다.

⑤ ㉤ : 예상 밖의 결과로 딸과 마주할 자신이 없는 안 초시의 모습이 드러나 있다.

11. 다음은 윗글이 창작될 당시 신문 기사의 일부이다. 이를 참고하여 윗글을 감상한 내용으로 적절하지 <u>않은</u> 것은? [3점]

> ### ○○ 일보
>
> ━━━━━━━━━━━━━━━━━━━━━━
>
> **부동산 투기 열풍으로 전국은 지금 …**
>
> 일본의 축항 사업 발표 후, 전국이 부동산 투기 열풍으로 떠들썩하다. 한탕주의에 빠진 많은 사람들이 제2의 황금광 사업으로 불리는 축항 사업에 몰려들고 있다. 1932년 8월, 중국 동북부와 연결되는 철도의 종착지이자 축항지로 나진이 결정되자, 빠르게 정보를 입수한 브로커들로 나진은 북새통을 이루고 있다. 하지만 누구나 투자에 성공하는 것은 아니어서, 잘못된 소문으로 투자에 실패하여 전 재산을 잃은 사람들, 이로 인해 가족들에게 외면받는 사람들, 자신의 피해를 사기로 만회하려는 사람들까지 등장하여 사회적 혼란이 커지고 있다. 이러한 모습은 물질 만능주의가 만연한 우리 사회의 어두운 단면을 보여준다는 비판이 일고 있다.

① 딸에게 '출자를 권유하는 수작'으로 보아 안 초시는 건설 사업이 확정된 부지에 빠르게 투자하였겠군.

② 안 초시가 '50배 이상의 순이익이 날 것이라 장담 장담하'며 부추기는 모습에서 한탕주의에 빠져 있음을 알 수 있군.

③ 안 초시의 딸이 '연구소 집'을 담보로 '3천 원'을 마련한 것은 당시의 투기 열풍과 관련이 있겠군.

④ 모씨가 '축항 후보지'에 대해 '연극'을 꾸민 것은 자신의 피해를 사기로 만회하기 위한 것이었겠군.

⑤ 안 초시가 '친자 간의 의리도 배추 밑 도리듯' 한다고 '탄식'하는 모습에서 물질 만능주의의 어두운 모습을 엿볼 수 있군.

총 문항					문항	맞은 문항				문항
개별 문항	1	2	3	4	5	6	7	8	9	10
채점										
개별 문항	11	12	13	14	15	16	17	18	19	20
채점										

【1~4】 다음 글을 읽고 물음에 답하시오.

만두 집을 했던 엄마가 어떻게 피아노를 가르칠 생각을 했는지 알 수 없다. 욕심이거나 뭔가 강요하려 한 것은 아니었다. 엄마는 배움이 짧았고, 자신의 교육적 선택에 늘 자신감을 갖지 못했다. 다만 그때 엄마는 어떤 '보통'의 기준들을 따라가고 있었으리라. **놀이 공원에 가고, 엑스포에 가는 것처럼,** 어느 시기에는 어떠어떠한 것을 해야 한다는 풍문들을 말이다. 돌이켜보면 어릴 때 엑스포에 가고 박물관에 간 것이 그렇게 재밌었던 것 같지는 않다. 하지만 나를 엑스포에 보내주고, 놀이 공원에 함께 가 준 엄마에게 고마운 마음이 든다. 누구나 겪는, **평범한 유년의 프로그램** 중 하나였을 뿐이지만, 무지한 눈으로 시대의 풍문들에 고개 끄덕였을, 김밥을 싸고 관광버스에 올랐을 엄마의 피로한 얼굴이 떠오르는 까닭이다. 이따금 내가 회전목마 위에서 비명을 지르는 동안, 한 손으로 얼굴을 가린 채 벤치에 누워 있던 엄마의 모습이 떠오르곤 한다. 신을 벗고 짧은 잠을 청하던 엄마의 얼굴은 도─처럼 낮고 고요했던가 그렇지 않았던가. 엄마를 따라 하느라, 피아노 의자 위에 누워 있던 나를 보고, 선생님은 라─처럼 놀랐던가 그렇지 않았던가. 일과 중 가장 중요한 일이 '엄마 100원만'인 줄 알았던 때이기는 했지만. 나는 헨델이 없는 헨델의 방에서 음악을 했고, 엄마는 **베토벤같이 풀린 파마머리를 한 채 귀머거리처럼 만두를 빚었다.** ㉠마침 동네에 음악 학원이 생겼고, 엄마의 만두가 불티나게 팔리던 시절이라 가능했던 일인지도 모른다.

엄마는 내게 피아노를 사줬다. 읍내서부터 먼짓길을 달려 온 **파란 트럭이 집 앞에 섰을 때, 엄마가 무척 기뻐했던 기억이 난다. 세탁기도 냉장고도 아닌 피아노라니.** 어쩐지 우리 삶의 질이 한 뼘쯤 세련돼진 것 같았다. 피아노는 노릇한 원목으로 돼, 학원에 있는 어떤 것보다 좋아 보였다. ㉡**원목 위에 양각된 우아한 넝쿨무늬, 은은한 광택의 금속 페달, 건반 위에 깔린 레드 카펫은 또 얼마나 선정적인 빛깔이던지.** 그것은 우리 집에 있는 가재들과 때깔부터 달랐다. 다만 좀 멋쩍은 것은 피아노가 가정집 '거실'이 아닌, ⓐ**만두 가게 안에 놓인다는 사실이었다.** 우리 가족은 **생계와 주거를** 한 건물 안에서 해결하고 있었다. ㉢**낮에는 방에 손님을 들이고, 밤에는 식구들이 이불을 펴고 자는 식으로 말이다.** 피아노는 나와 언니가 쓰는 작은방에 놓였다. 안방은 주방을, 작은방은 홀을 마주보고 있었다.

나는 오후 내 가게에 붙어 피아노를 연주했다. 울림 폭을 크게 해주는 오른쪽 페달을 밟고, 멋을 부려 「소녀의 기도」나 「아드린느를 위한 발라드」와 같은 곡을 말이다. 찜통에선 수증기가 푹푹 나고, 홀에서는 장사꾼과 농부들이 흙 묻은 장화를 신은 채 우적우적 만두를 씹고 있는 공간에서, 누구라도 만두를 삼키다 말고 울고 가게 만들었을 그런 연주를. 쉽고 아름답지만 촌스러워서 누구라도 가게 앞을 지나다 **얼굴을 붉히게 만들었을,** 그러나 좀더 정직한 사람이라면 만두 접시를 집어던지며 '다 때려치우라 그래!' 소리쳤을 그런 연주를 말이다. 한번은 연주가 끝난 뒤 박수 소리가 들려 고개를 돌린 적이 있다. 홀에서 웬 백인 남자가 **손뼉을** 치며 "원더풀"이라 외치

고 있었다. 외국인과 나 사이에 어정쩡한 침묵이 흘렀다. 나는 부끄러웠지만 수줍게 한마디 했다. 땡큐…… 집 안에선 밀가루 입자가 햇빛을 받으며 분분히 날렸고, 건반을 짚은 손가락 아래론 지문이 하얗게 묻어났다.

[중략 부분의 줄거리] 아빠의 빚보증 때문에 가계가 어려워졌지만 엄마는 피아노만은 빼앗기지 않고 싶어 했다. 대학 진학을 앞두고 언니의 서울 반지하방으로 이사하게 된 '나'는, 피아노를 가지고 가 달라는 엄마의 부탁을 받게 된다.

언니의 표정은 뜨악했다. 외삼촌이 담배를 피우는 사이, 나는 사정을 설명하느라 애를 먹었다. 엄마가 다 얘기한 줄 알았는데, 언니는 아무것도 모르고 있었다. 언니가 답답한 듯 말했다.

"여기, ⓑ**반지하야.**"

나는 조그맣게 대꾸했다.

"나도 알아."

우리는 트럭 앞에 모여 피아노를 올려다봤다. ㉣그것은 몰락한 러시아 귀족처럼 끝까지 체면을 차리며 우아하고 담담하게 서 있었다. **외삼촌의 트럭은 길 한가운데를 막고 있었다.** 우리는 서둘러 목장갑을 꼈다. 외삼촌이 피아노의 한쪽 끝을, 언니와 내가 반대쪽을 잡았다. 외삼촌이 신호를 보냈다. 나는 깊은 숨을 쉰 뒤 피아노를 번쩍 들어 올렸다. 1980년대 산(産) **피아노가 잠시 세기말 도시의 하늘 위로 비상했다.** 그 모습이 꽤 아름다워 하마터면 탄성을 지를 뻔했다. 우리는 한 걸음씩 이동했다. 다리가 후들거리고 진땀이 났다. 사람들이 **우리를 흘깃거렸다.** 뒤에서 승용차 한 대가 비켜달라는 듯 경적을 울려댔다. 곧 건물 2층에 사는 집주인이 체육복 차림으로 내려왔다. 동글동글한 체구에, 아침 체조를 빼먹지 않을 것같이 생긴 50대 중반의 사내였다. 그는 집 앞에서 벌어진 풍경이 믿기지 않는다는 듯 아연한 표정으로 서 있었다. 나는 피아노를 든 채 어색하게 웃으며 목례했다. 언니 역시 눈치껏 사내에게 인사했다. **좁고 가파른 계단** 아래로 피아노가 천천히 머리를 디밀고 있었다. **세탁기도, 냉장고도 아닌 피아노라니.** 우리 삶이 **세 뼘쯤 민망해지는 기분이었다.** 갑자기 쿵─ 하는 소리가 났다. 외삼촌이 피아노를 놓친 모양이었다. 우당탕탕─ 피아노가 계단을 미끄러져 나갔다. 언니와 나는 다급하게 피아노 다리를 붙잡았다. 윙─ 하는 공명감 사이로, 악기 속 여러 개의 시간이 뭉개지는 소리가 났다. 피아노 넝쿨무늬가 고장 난 스프링처럼 흔들리고 있는 모습이 보였다. 충격 때문에 몸에서 떨어져 나간 모양이었다. 그제야 나는 내가 **오랫동안 양각된 거라 믿어온 문양이 사실은 본드로 붙여져 있던 것이라는 걸** 깨달았다. 우리는 외삼촌의 안색을 살폈다. 외삼촌은 괜찮다는 신호를 보낸 뒤 다시 계단을 내려갔다. 나는 외삼촌의 부상이나 피아노의 상태가 걱정되지 않았다. 그보다는 쿵─ 소리, 내가 처음 도착한 도시에 울려 퍼지는 그 사실적이고, 커다랗고, 노골적인 소리에 **얼굴이 붉어졌다.** 집주인은 어이없고 못마땅하다는 표정으로 ㉤**언니와, 나와, 피아노와, 외삼촌과, 다시 피아노를 번갈아 쳐다봤다.**

"학생."

주인 남자가 언니를 불렀다. 언니는 재빨리 계단을 올라갔다. 출구 쪽, 네모난 햇살 아래 뭔가 열심히 설명하고 있는 언니의 모습이 보였다. 언니는 승용차 운전자에게도 양해를 구했다. 우리는 결국 관리비를 더 내고, 피아노를 절대 치지 않겠다는 조건으로 집주인을 돌려보냈다. 집주인은 돌아서며 한마

디 했는데, 치지도 않을 피아노를 왜 갖고 있느냐는 거였다.

- 김애란, 「도도한 생활」 -

1. 윗글의 서술상 특징으로 가장 적절한 것은?

① 동일한 사건을 여러 인물의 관점에서 다양하게 서술하고 있다.
② 서술자가 교체되면서 인물 간의 갈등을 다각적으로 조명하고 있다.
③ 이야기 외부의 서술자가 특정 인물의 관점에서 사건을 해석하고 있다.
④ 사건에 개입되지 않은 인물의 관점을 통해 사건을 객관적으로 전달하고 있다.
⑤ 이야기 내부의 서술자가 인물의 행위를 묘사하며 자신의 내면을 드러내고 있다.

2. ㉠~㉤에 대한 이해로 적절하지 <u>않은</u> 것은?

① ㉠은 추측과 짐작을 드러내는 표현을 사용하여 현재의 시각에서 지나간 일의 의미를 진술하고 있다.
② ㉡은 외양에 대한 묘사를 나열하여 인물이 대상에서 받은 인상의 근거를 제시하고 있다.
③ ㉢은 앞서 언급한 내용을 부연하여 자신의 경험에 대한 이해의 폭이 확장되었음을 강조하고 있다.
④ ㉣은 비유적인 표현을 사용하여 어울리지 않는 곳에 놓이게 된 대상을 바라보는 마음을 드러내고 있다.
⑤ ㉤은 쉼표를 빈번하게 사용하여 예기치 않은 상황에 대한 인물의 불편한 심리를 부각하고 있다.

3. ⓐ와 ⓑ를 바탕으로 윗글을 이해한 내용으로 적절하지 <u>않은</u> 것은?

① '파란 트럭'에 의해 ⓐ로 옮겨져 엄마를 기쁘게 했던 피아노는, '외삼촌의 트럭'에 의해 ⓑ로 옮겨지면서 언니를 당황하게 했다.
② ⓐ에서 '나'는 '손뼉을 치는' 사람이 부끄러워하는 모습을 발견하고 있고, ⓑ에서 '나'는 '우리를 흘깃거'리는 시선에서 부끄러움을 느끼고 있다.
③ ⓐ는 우리 가족이 '생계와 주거'를 모두 해결해야 했던 공간이고, ⓑ는 '나'와 언니가 '좁고 가파른 계단'을 오르내리며 살아야 하는 공간이다.
④ ⓐ에서 '나'가 누구라도 '얼굴을 붉히게 만들었을' 연주를 했던 피아노는 ⓑ로 옮겨지는 과정에서 '쿵― 하는 소리'로 '나'의 '얼굴이 붉어'지게 했다.
⑤ ⓐ에서 피아노에 대한 반가움을 드러내던 '세탁기도 냉장고도 아닌 피아노라니.'라는 표현은, ⓑ로 피아노가 옮겨지는 과정에서 나타나는 무안함을 드러내는 데 활용되고 있다.

4. <보기>를 참고하여 윗글을 감상한 내용으로 적절하지 <u>않은</u> 것은? [3점]

> < 보 기 >
>
> 엄마가 내게 사 준 피아노는 엄마가 꿈꾸었던 '도도한 생활'의 상징으로, 부모로서 자녀가 누리기를 희망했던 삶의 기준을 의미한다. '나'는 성년이 되면서 엄마가 애써 마련해준 환경에서 벗어나 새로운 환경에 직면하게 되는데, 이 환경은 '나'의 욕구를 제한하고 지금까지 '나'가 살아왔던 환경을 재평가하도록 한다. 윗글은 이러한 과정에서 인물이 겪는 각성의 순간을 포착하고 있다.

① '놀이공원에 가고, 엑스포에 가는 것'과 같은 '평범한 유년의 프로그램'은, 엄마가 자녀에게 마련해주고 싶었던 환경의 일부이겠군.
② '베토벤같이 풀린 파마머리를 한 채 귀머거리처럼 만두를 빚'던 모습은, 피아노가 상징하는 삶에 가까워지기 위한 엄마의 수고를 보여주는군.
③ '한 뼘쯤 세련돼진' 느낌을 주던 피아노에서 '세 뼘쯤 민망해지는 기분'을 느끼게 된 것은 '나'를 둘러싼 환경의 변화 때문이겠군.
④ '피아노가 잠시 세기말 도시의 하늘 위로 비상'하는 모습에서 '나'는 자신의 욕구를 제한해 온 환경이 변화하고 있음을 확인하게 되는군.
⑤ '오랫동안 양각된 거라 믿어온 문양이 사실은 본드로 붙여져 있던 것'임을 깨달으면서, '나'는 엄마가 애써 마련해준 환경이 그리 견고하지 못한 것이었음을 알게 되는군.

[5~7] 다음 글을 읽고 물음에 답하시오.

버들댁은 들판과 바다를 왼쪽에 끼고 걸었다. 들판에는 겨울 보리들이 파랬다. 바다에는 부연 먼지 같은 안개가 덮여 있었다. 그 우중충한 안개가 그녀의 마음속에도 끼어 있었다. 한숨을 쉬었다. 이 자식은 언제나 철이 들어 제 앞가림 [A] 을 하고 살려는가. 죽기 전에 그놈 당당하게 사는 모습 보는 것이 소망인데 좀처럼 기미가 보이지 않았다. 그 암담한 생각을 하자 다리가 팍팍해졌다. 후유, 하고 한숨을 쉬었다.

이날 용복은 방 안으로 들어오자마자, "춥구먼 불 조끔 때제잉" 하고 보일러의 센서를 오른편으로 틀 수 있는 데까지 틀어 놓았다. 화살표가 마지막 단계인 '연속'에 가 닿았다. 곧 보일러가 부르릉 소리를 내며 가동되었다. 버들댁은 **아깝다고 밤에 잘 때 한 차례만 때**곤하는 기름을 용복은 집 안에 들어와 앉아 있는 한 **계속 때려고** 들었다. 그렇지만 버들댁은 손자가 하는 일을 **말리지 않**았다. 보일러 돌아가는 소리를 들으며 용복은 이불을 덮고 드러누웠다. 버들댁이 이렇게 **불편한 몸을 이끌고 살아가**는 것은 눈앞에 얼씬거리는 유일한 손자 용복 때문이었다. 용복은 그녀에게 있어서 **삶의 허기를 충족**시켜 주는 보물이었다.

늦둥이 아들 하나가 있었는데 막일을 하러 다니다가 싸움질을 하고는 교도소에 갔다. 두 해 뒤 겨울에 나와서 어디엔가 취직을 하고 요리 학원을 다닌다고 하더니 어느 날 갓난아기를 안고 나타났다. 앞으로 결혼할 미장원 처녀가 낳은 아기라는 것이었다. 잠시만 맡아 키워 주면 돈 벌어 결혼식 하고 살림 차린 다음 데려가겠다는 것이었다. 한데 아들은 아기를 맡기고 간 다음 종무소식이었다. 버들댁은 그 아기를 우유도 먹이고 밥도 씹어 먹여 키웠다. 그 아이가 용복이었다.

한데 용복도 제 아비의 길을 가고 있었다. 농고를 졸업하고 자동차 정비 공장에 다닌다더니 그것을 그만두고 식당 일을 한다고 했다. 이 자식도 싸움질을 하는지 가끔 눈두덩이 멍들거나 입술이 터진 채 밤 깊어 차를 몰고 찾아오곤 했다. 버들댁은 손자의 다친 얼굴을 보면 가슴이 아리고 쓰리고 미어지는 듯싶었다. 끌어안고 손으로 만지고 멍든 자리를 볼과 입술로 비벼 주었다.

"주인 양반이 시키는 대로 고분고분 일이나 할 일이지 누구하고 싸웠기에 이러냐아?"

버들댁이 애달은 소리로 말하자, 용복은 장차 국가 대표 선수가 되려고 도장에서 운동 연습을 한다고 했다.

"국가 대포가 멋 하는 것이라냐?"

"금메달만 몇 개 따면은 가만히 앉아 편히 먹고 사는 것이지잉."

㉠버들댁은 자기도 모르는 사이에 "호다!" 하고 말했다. 그것은 새각시 시절에 꼬부랑 시할머니가 쓰던 말이었다. 기대한 만큼 좋은 결과가 나타나지 않을지도 모른다고 생각은 되지만, 그래도 어찌할 수 없이 더러운 소망으로 기대하면서 지껄이는 말. '좋은 일에! 제발 그렇게만 좀 된다면 얼마나 얼마나 좋겠느냐'는 말이었다.

"그런디 얼굴은 어쩌다가 그렇게 다쳤냐?"

할머니는 ㉡손자의 멍든 곳을 어루만지고 쓰다듬었다. 아이고, 여기 다칠 때에 내 새끼 살이 얼마나 아팠을까. 가슴이 아리고 쓰렸다. 용복은 퉁명스럽게 말했다.

"연습하느라고 그런 것인게 염려 말고 얼른 이달 치 돈이나 내놓소."

"지난달에 가져간 돈 다 썼냐?"

㉢"삼십만 원 그것이 돈이란가?"

"이 사람아, 그것이 먼 소리냐?"

그 돈은 버들댁이 번 돈이 아니었다. 면사무소에서 다달이 통장에 넣어 주는 무연고의 독거노인에게 주는 생계비였다. 버들댁은 그 돈을 한 푼도 쓰지 않고 모두 놔두었다가 손자에게 주곤 하는 것이었다.

[중략 부분 줄거리] 사고를 친 용복 때문에 버들댁은 돈을 꾸러 다닌다. 하지만 돈을 빌리지 못한 버들댁은 결국 광주 양반을 찾아간다.

버들댁은 광주 양반을 향해 "광주 양반, 나 돈 삼십만 원만 조끔 꿉시다이. 열흘 뒤에 돈 나오면 주께" 하고 말했다. 수문댁이 "아이고, 어질벵 앓는 사람이 염벵 하는 사람 보고 벵 고쳐 주라고 하네이. ㉣광주 양반도 시방 맘이 천근만근이라요" 하고 말했다. 그러자 교동댁이 그 말을 받았다.

"부산 딸이 시방 많이 아프다요."

초등학교를 마치자마자 공장에 다니겠다고 마산 공단으로 간 딸이었다. 처음에는 신발 공장에 다니다가 나중에는 버스 차장을 했다. 버스 회사들이 차장들을 해고시키자 함께 사는 남자하고 술집을 차렸다고 했다. 광주 양반은 그 딸에게 부채가 많았다. 결혼식도 치러 주지 못하고 혼수 한 가지 해 주지 못한 것이었다.

"돈 한 푼 못 벌고, **벌어 놓은 재산**이 있는 것도 아니고, 똑똑한 자식들이 있어 다달이 돈을 보내 주는 것도 아니고, 그래 장차 무슨 희망이 있는 것도 아닌디, **동네 사람들**이 불쌍하고 가련하다고 조금씩 보태 주는 **곡식이나 반찬 얻어먹고** 사는 것이 부끄럽고 구차하지도 않아서 그렇게 끈질기게 살고 있소?"

먼 일가의 조카뻘 되는 상근이 시제를 모시러 왔다가 술 얼근해진 김에 찾아와서 이 말을 하고 갔다는 소문이 난 적이 있었다. 그 말에 광주 양반은 얼굴을 붉힌 채 "글쎄 말이시이" 하고 얼버무렸다고 했다. 그러나 상근이 돌아간 다음 그는 "개자식, 지놈이 나한테 쌀 한 됫박을 보태 주었다냐, 돈 백 원 짜리 한 개를 던져 주었다냐? ㉤지가 어쩐다고 부끄럽고 구차하지도 않아서 이렇게 끈질기게 살고 있느냐고 그래? 내사 불불 기어 다니든지 바람벽에 똥을 바르고 살든지 집어 묵고 살든지 지놈이 아랑곳할 것이 무엇이여잉?" 하고 노여워했다는 말이 마을 안에 나돌아 다녔다.

방 안에는 침묵이 흘렀다. 수문댁이 말했다.

"그 딸이 위암에 걸렸닥 안 하요? 그런디 수술비가 없어서 수술을 못 한다요. 그래서 광주 양반이 그동안 **모아 놓은 돈** 사백만 원을 **다 보내** 줘뿌렀다요."

"아이고, 그래서 어쩌께라우잉? 그래도 광주 양반이 살어 있기 땜세…… 아부지 노릇 참말로 잘 하셨구먼이라우. 아부지나 된께 그런 돈을 보태 주제 세상 어느 누가 깽전 한 푼 보태 준다요?"

이렇게 위로의 말을 하는 것이지만, 버들댁의 마음은 벌써 절실 집으로 달려가고 있었다.

– 한승원, 「버들댁」 –

5. [A]에 나타난 서술상의 특징으로 가장 적절한 것은?
① 구체적 자연물을 통해 인물의 정서를 드러내고 있다.
② 인물의 반복적 행위를 통해 성격의 변화를 암시하고 있다.
③ 요약적 진술을 통해 구체적인 시대 배경을 보여 주고 있다.
④ 과거의 회상을 통해 내적 갈등의 해소 과정을 서술하고 있다.
⑤ 현실과 환상의 교차를 통해 사건을 입체적으로 제시하고 있다.

6. ㉠ ~ ㉤에 대한 설명으로 적절하지 <u>않은</u> 것은?
① ㉠: 버들댁은 기대한 만큼 좋은 일이 있을 것이라 확신하고 있다.
② ㉡: 버들댁은 상처 입은 용복을 가엾게 여기며 마음 아파하고 있다.
③ ㉢: 용복은 버들댁이 주었던 돈을 대수롭지 않게 여기고 있다.
④ ㉣: 수문댁은 광주 양반의 마음이 힘들다는 것을 인식하고 있다.
⑤ ㉤: 광주 양반은 자신의 처지에 참견하는 상근의 말에 분노하고 있다.

7. <보기>를 참고하여 윗글을 감상한 내용으로 적절하지 <u>않은</u> 것은?
[3점]

─────〈 보 기 〉─────
이 작품은 빈곤, 고립된 생활 환경, 젊은이의 무관심으로 인한 노인 계층의 소외된 삶과 피붙이에 대한 조건 없는 희생과 내리사랑을 서사의 중심에 두고 있다. 특히 쇠약한 몸과 경제적 궁핍 속에서도 손자를 삶의 희망으로 여기는 인물을 통해 노인 계층이 직면한 삶의 문제에 대한 주제 의식을 드러내고 있다.
─────────────────

① 버들댁이 '아깝다고 밤에 잘 때 한 차례만 때'는 기름을 용복이 '계속 때려고 들'어도 '말리지 않'는 것에서 피붙이에 대한 내리사랑을 짐작할 수 있겠군.
② 버들댁이 '불편한 몸을 이끌고 살아가'면서 용복을 통해 '삶의 허기를 충족'하는 것에서 쇠약한 노인이 손자에게 삶의 희망을 얻고 있음을 짐작할 수 있겠군.
③ 버들댁이 '독거노인에게 주는 생계비'를 '한 푼도 쓰지 않고 모두' 손자에게 주는 것에서 조건 없는 희생을 구현하고 있는 소외된 노인의 모습을 짐작할 수 있겠군.
④ 광주 양반이 '벌어 놓은 재산'도 없이 '동네 사람들'에게 '곡식이나 반찬 얻어먹고' 산다고 상근이 말한 것에서 노인 계층의 빈곤 문제를 짐작할 수 있겠군.
⑤ 광주 양반이 '모아 놓은 돈'을 딸에게 '다 보내'서 수술을 하지 못한다고 수문댁이 말한 것에서 노인의 경제적 궁핍에 대한 젊은이의 무관심을 짐작할 수 있겠군.

【8~11】 다음 글을 읽고 물음에 답하시오.

[이전 줄거리] 나는 삼촌의 연락을 받고 멧돼지 사냥에 동참하게 된다. 물망초 카페 윤 마담과의 사랑을 이루지 못하고 방황하던 삼촌은 사냥에 취미를 붙이고 살아간다. 나와 삼촌, 도라꾸 아저씨는 새끼를 거느린 어미 멧돼지와 리기다소나무 숲에서 마주치나 사냥에 실패한다. 도라꾸 아저씨는 부상당한 삼촌을 업고 숲길을 걷는다.

숲속은 서늘했다. 묘한 침묵이 숲을 가득 메우고 있었다. 밟고 올라온 눈길을 되밟으며 우리는 조금씩 걸음을 옮겼다. 두 번째 리기다소나무 숲을 지나는 동안, 내 마음속에는 궁금증이 일었다. 감정 정리를 하는지 삼촌의 만담도 더 이상 이어지지 않았으므로 나는 궁금증을 참지 못하고 말했다.
"그런데 도라꾸 아저씨는 아까 왜 멧돼지를 안 죽였어여? 아저씨도 쏠 수 있었잖아여?"
내 물음에 도라꾸 아저씨는 ㉠영 딴소리였다.
"호식이가 새끼 관절 물고 늘어진 모양이라. 그라만 어미가 도망 못 가거든. 엽견* 중에는 그런 짓 하는 놈들 참 많아여."
"저게 원체 영물이라 캉께."
코맹맹이 소리로 훌쩍거리며 삼촌이 말했다. 조금 전까지 사랑이 어쩌네 수면제가 어쩌네 징징거리던 삼촌이 주인을 닮아 어디가 부러졌는지 오른쪽 뒷발을 들고 껑충껑충 뛰어가는 놈을 가리켜 영물 운운했다. 호식이 얘기가 나오니까 또 만담을 시작할 모양이었다. 삼촌 가슴속은 암만해도 푸른색인가 보다.
"하지만 그건 암수(暗數)*라. 그런 암수를 쓰만 안 되는 거라. 나도 한때 그 이름도 아름다운 물망초 윤 마담까지는 못 되더라도 헛된 공명심에 눈이 먼 적이 있어여. 불질 잘한다고 알려지만 여기저기서 해수구제* 해 달라고 부르는 일이 많다 캉께. 가서 잡아 주만 영웅 되고 참 재미나지. 근데 한 번은 을매나 대단하던지 새끼를 몰고 다니민서도 손아귀 사이로 모래알 빠지듯 몰이꾼들 사이로 잘도 피해 다니는 놈을 만난 적이 있어여. 삼백 근도 넘을까. 엄청시리 대형 멧돼지였는 거라. 그런 놈 어데 다시 만나겠나. 무려 육박 칠 일 동안 그놈을 쫓아댕겼응께 말 다한 거지. 그라고 봉께 안 되겠더라. 어느 순간부터 요놈이 나 갖꼬 노나, 그런 생각이 들데. 지금 생각하만 틀린 생각이지. 살겠다고 도망가는 멧돼지 신세에 어데 사냥꾼을 갖꼬 놀겠나? 사람이든 짐승이든 숨탄것 목숨이 그래 우스운 게 아인데 말이라. 그란데 그런 생각이 한번 드니까 눈에 보이는 게 없는 거라. 우쨌든 잡아 죽이겠다는 생각뿐이지. 그래서 다음부터는 어미가 아이라, 새끼를 죽였어. 보이는 족족 쏴 죽였어여. 그래, 암수지 암수. 한 다섯 마리쯤 죽였을 끼라. 그때가 초가을잉께 아직도 새끼들 등에 줄이 쫙쫙 그어져 있을 때였어여. 한 두어 방 쏘만 새끼들은 꿈틀꿈틀하다가 죽어 버리여. 멀리 있어도 호수 작은 산탄으로 쏘만 되니까. 어미는 산탄이 박혀도 괜찮다 캐도 새끼들은 어미 보는 눈앞에서 픽픽 쓰러지지."
새끼만 노리고 다섯 마리쯤 죽인 뒤에 도라꾸 아저씨는 일행에게 다시 돌아가자고 말했다고 한다. 그때는 이미 능선을 따라 북쪽으로 삼십 킬로미터 정도는 올라간 뒤였다. 도라꾸 아저씨는 며칠간의 사냥으로 거지꼴이 된 채 그냥 돌아갈 수 없다고 불평하는 일행을 이끌고 다시 능선을 따라 돌아오기 시작했다.

"사람들이야 몰랐지만 나는 알고 있었다. 필시 쫓아온다는 거를 말이라. 뭐긴 뭐라, 어미 멧돼지지. 우리가 새끼들을 들쳐 메고 가니까 어미가 계속 그래 일정한 간격을 두고 쫓아왔어여. 죽을 줄 알면서도 계속 그래 쫓아오더라. 그래, 한 여섯 시간을 걸어가다가 새끼들 내려 놓고 다시 몰이를 시작했어여. 그래갖꼬? 잡았지. 죽을라고 쫓아온 놈이니까. 그란데 봐라, 잡는 그 순간에 나도 너맨치로 그놈하고 눈이 딱 마주쳤다. 그 눈에 뭐가 보였는가 아나? 아무것도 안 보이더라. 텅 비었더라. 결국 너는 못 쐈지? 나도 한참을 못 쐈다. 그래 벌써 죽은 놈이라 카는 거를 아는 이상은 못 쏘는 거라. 쏘만 안 되는 거라. 하지만 일행이 지켜보는데다가 공명심도 있응께 안 쏠 수가 없었다. 살아생전 총 한 번 제대로 안 쏘고 잡은 멧돼지는 그게 처음이자 마지막이라."

녹아내리는지 멀리 가지에 쌓였던 눈무지가 쏟아지는 소리가 들렸다.

"그래 총 쏘기 전에 벌써 죽은 놈이라 카만 나는 도대체 뭘 쐈 죽인 거겠나? 마을에서 영웅 대접 받고 집에 돌아와 며칠을 끙끙 앓다가 깨달았다. 잘못했다, 잘못했다, 아무래도 총을 쏘만 안 되는 거였다, 이런 생각이 머릿속에서 떠나지 않더라. 그라고 보만 그날 내가 잡은 거는 정녕 멧돼지가 아니었던 거지. 이래 산에 오만 쓸모 적은 나무나마 리기다소나무도 살아가고 청솔모도 살아가고 바람도 쉼 없이 움직이지만, 정작 그 멧돼지는 이미 죽은 거였응께 말이라."

"그라만 아저씨가 그때 쐈 죽인 거는 뭐라여?"

우리는 리기다소나무 숲을 빠져나왔다. 하얀빛과 성긴 겨울 햇살이 투명하게 서로 뒤엉키고 있었다. 도라꾸 아저씨는 코를 한 번 훌쩍였다. 눈 밟는 소리와 사냥개들이 끙끙거리는 소리만 사이를 두고 들릴 뿐이었다.

"그래 나는 한 번 죽었다."

도라꾸 아저씨는 ⓛ <u>또 딴소리였다.</u>

(중략)

"저 봐라, 리기다소나무도 있고 직박구리도 있다. 저래 다 살아가고 있는 거라. 산 것들 저래 살아가게 하는 일이 을매나 용기 있는 일인가 나는 그때 다 깨달았던 기라. 내가 해수구제 한다꼬 싸돌아다니면서 짐승들 쐈 죽인 것도 용기 있어서가 아이라 나하고 마누라하고 애새끼들하고 먹고살아 갈라고 그런 거라는 걸 그때야 알게 된 거다. 그것도 모르고 나는 영동군 상촌면 흥덕리 도라꾸가 세상에서 제일 용감한 사냥꾼인 줄 알았던 거라. 그라고 나니까 어데 약실에 돌맹이 하나도 못 집어넣겠더라."

삼촌을 등에 업은 도라꾸 아저씨는 지친 기색도 없이 눈 쌓인 산길을 터벅터벅 걸어 내려갔다. 아저씨의 말은 알 듯 말 듯했다.

"내가 니 삼촌을 왜 좋아하는가 아나?"

"좋은 말 상대니까 그런 거 아이라여?"

"멧돼지 눈 보고 옛날 애인 생각나서 총 못 쏜다 카는 사람 아이라. 그래 내가 니 삼촌 좋아하는 거라. 내가 뭔 소리 하는가 알겠나?"

"지금 뭔 소리 합니까? 이것도 만담입니까?"

내가 진심으로 되물었다.

　　　　　　　　　　　　- 김연수, 「리기다소나무 숲에 갔다가」 -

*엽견 : 사냥개.
*암수 : 속임수.
*해수구제 : 해로운 짐승을 몰아내어 없앰.

8. 윗글의 서술상 특징으로 가장 적절한 것은?

① 빈번하게 장면을 전환하여 사건을 속도감 있게 전개하고 있다.

② 인물의 회상을 통해 과거와 현재를 매개하는 경험을 전달하고 있다.

③ 공간의 이동에 따라 인물 간의 갈등이 해소되는 과정을 보여 주고 있다.

④ 요약적 서술과 대화를 교차하여 사건이 반전되는 양상을 부각하고 있다.

⑤ 인물의 내면 심리 묘사를 통해 현실에 대한 부정적 인식을 보여 주고 있다.

9. 윗글에서 알 수 있는 내용으로 적절하지 <u>않은</u> 것은?

① 삼촌은 '나'에게 사랑에 관한 자신의 이야기를 들려주었다.

② 삼촌은 사냥에 동행한 엽견 호식이가 자신을 닮았다는 점에서 영물이라 불렀다.

③ 도라꾸 아저씨는 사람들에게 능력을 인정받았던 뛰어난 사냥꾼이었다.

④ 도라꾸 아저씨는 부상당한 삼촌을 등에 업고 리기다소나무 숲을 빠져나왔다.

⑤ 도라꾸 아저씨는 삼촌이 옛 애인 생각이 나서 멧돼지에게 총을 쏘지 못한 심정을 이해했다.

10. '나'와 '도라꾸 아저씨'의 대화 양상을 고려하여, ㉠, ㉡을 이해한 내용으로 가장 적절한 것은?

① ㉠은 도라꾸 아저씨의 말에 대한 나의 놀라움을, ㉡은 불신감을 나타낸다.

② ㉠과 ㉡은 나의 질문을 가로막는 도라꾸 아저씨의 태도에 대한 반감을 드러낸다.

③ ㉠과 ㉡을 통해서 '나'가 도라꾸 아저씨의 의중을 이해하지 못하는 상황이 지속되고 있음을 알 수 있다.

④ ㉠이 ㉡으로 연결되면서 계속 만담을 이어가려는 도라꾸 아저씨에 대한 '나'의 냉소적 태도가 약화되고 있다.

⑤ ㉡은 ㉠에 담긴 의구심을 해소할 수 있는 실마리를 얻을 수 있으리라는 바람이 이루어진 데에 따른 성취감을 반영한다.

11. <보기>를 참고하여 윗글을 감상한 내용으로 적절하지 않은 것은? [3점]

> ─────── < 보 기 > ───────
> 이 작품은 '도라꾸 아저씨'의 인식 변화를 중심으로 이야기가 전개되고 있다. 도라꾸 아저씨는 인간과 자연을 분리된 것으로 보고 자연보다 우월한 위치에서 자연을 도구로서의 가치만 지닌 타자로 대했었다. 그런데 사냥 중 이러한 인식에 변화가 시작된다. 그는 하나의 생명을 빼앗기 위해 또 다른 생명을 수단으로 삼은 행동이 잘못이었다는 것을 깨닫게 된 것이다. 그리고 인간과 마찬가지로 자연 역시 동등한 가치를 지닌 존재라는 생태주의적 인식을 하게 된다.

① 도라꾸 아저씨의 자연에 대한 인식이 변화된 것은 죽은 새끼들을 쫓아온 어미 멧돼지와 시선을 마주한 것이 계기가 되었겠군.

② 도라꾸 아저씨가 한때 멧돼지의 생명을 우습게 여겼던 이유는 멧돼지를 자신의 공명심을 드러내는 도구로서의 가치로 판단했기 때문이겠군.

③ 도라꾸 아저씨가 자신이 한 번 죽었다고 말한 것은 멧돼지들을 거침없이 죽였던 것이 잘못된 행동이었음을 깨달았다는 것을 의미하는 것이겠군.

④ 도라꾸 아저씨가 세 사람과 마주친 멧돼지를 죽이지 않은 것은 자연 속에서 살아가는 모든 생명은 소중하다는 생태주의적 인식에서 기인한 것이겠군.

⑤ 도라꾸 아저씨가 새끼의 생명을 빼앗아 어미 멧돼지를 잡는 사냥법을 암수라고 한 삼촌의 말에 동의한 것은 멧돼지도 인간과 동등한 가치를 지닌 생명체임을 인정한 것이겠군.

총 문항				문항	맞은 문항				문항
개별 문항	1	2	3	4	5	6	7	8	9	10
채점										
개별 문항	11	12	13	14	15	16	17	18	19	20
채점										

| 7분 | 2019학년도 11월 학평 21~24번 | ★☆☆ | 정답 009쪽 |

【1~4】 다음 글을 읽고 물음에 답하시오.

"좌우간, 내가 그만침이나 **청백**했기 망정이지, **다른 동간들** 당했단 소리 들었지? 누구는 맞아죽구, 누구는 집에다 불을 지르구, 누구는 팔대리가 부러지구."

푸시시 일어서다가, 비 오는 뜰을 이윽히 내다보면서, 맹순사는 곰곰이 그렇게 아낙을 타이르듯 한다. 서분이에게는 그러나, 그런 소리가 다 말 같지도 아니한 소리요 억지엣발명이었다.

"흥, 가네모도상은 그렇게 들이 긁어 먹구두, 되려 승찰 해서 부장이 된 건 어떡하구?"

㉠"며칠 가나."

"그렇게만 생각허문 뱃속은 무척 편하겠수. 여주루 내려갔던 기노시다상넨, 이살 해오는데, 재봉틀이 인장표루다 손틀 발틀 두 개에, 방안 짐이 여덟 개에, 옷이 옥상옷만 도랑꾸루 열다섯 도랑꾸드래요. 그리구두 서울루 **삐젓이 와**서 기계방아 사놓구 **돈벌이만 잘 허믄서**, **활개 펴구** 삽디다. 죽길 어째 죽으며, 팔대리가 부러질 팔대린 어딨어?"

"그런 게 글쎄 다 불한당질루 장만한 거 아냐?"

"뱃속에서 꼬록 소리가 나두, 만날 청백야?"

"아무렴, 사람이 청백하면, 가난해두 두려울 게 없는 법야, 헴."

맹순사는 마침내 양복장 문을 연다. 연방 청백을 뇌던 끝에, 이 양복장을 보자니 얼굴이 간지러웠다. 유치장 간수로 있을 때에, 가구장수 하나가 경제범으로 들어와 있었는데, 서분이가 쪽지 한 장을 그에게다 주어 달라고 졸랐다. 못 이기는 체하고 전해 주었다. 그런 지 이틀 만에 이 양복장이 방 윗목에 가 처억 놓여진 것을 보았으나, 그는 내력을 물으려고 아니 하였다.

양복점 안에서 떼어 입은 대마직 국민복은 양복장보다도 조금 더 청백 순사를 얼굴 간지럽게 하였다.

작년 초가을, 좋지 못한 풍문이 들리는 파출소 건너편의 양복점에서 맞추어 입은 것이었다. 공정가격 삼십이 원 각순데, 양복을 찾아 들고는 지갑을 꺼내는 체하면서,

㉡"얼마죠?"

하고 물었다. 지갑에는 돈이라야 삼 원밖에 없었다.

양복점 주인은, 온 천만에 말씀을 다 하신다면서, 어서 가시라고 등을 밀어 내었다.

이 양복장이나 양복은 한 예에 불과하고, 팔 년 동안 순사를 다니면서, 그 중에서도 통제경제가 강화된 이삼 년, 육십 몇 원이라는 월급으로는 도저히 지탱해 나갈 수 없는 생활을 뇌물 받는 것으로써 보태어 나왔다. 몇십 원씩, 돈 백 원씩 쥐어 주는 것을, 사양하다가 못 이기는 체 받아 넣기 얼말는지 모른다. 자청해 주는 것을 따담기만 한 것이 아니라, 아쉬 때면 그럴싸한 사람을 찾아가서,

㉢"수히 갚을 테니 백 원만……."

하고 가져다 쓰기도 여러 번이었다.

술대접을 받기는 실로 부지기수였다. 쌀, 나무, 고기, 생선, 술 모두 다 그립지는 아니할 만큼 들어도 오고, 청해다 먹기도 하고 하였다. 못 해주었네 못 해주었네 하여도, 아낙의 옷감도 여러 번 얻어다 준 것이었다. 공교로이 그 뉴똥치마만은 기회가 없고서 8·15가 덜컥 달려들고 말았지만.

이렇게 그는 작은 것이나마 뇌물을 먹지 아니한 것이 아니면서도, 스스로 청백하였노라고 팔분의 자신이 있었다. 맹순사의 생각엔 양복벌이나 빼앗아 입고, 돈이나 몇십 원, 돈 백 원 받아 쓰고, 쌀 나무며 찬거리나 조금씩 얻어먹고, **술대접**이나 받고 하는 것은, 아무나 예사로 하는 일이요, 하여도 죄 될 것이 없고, 따라서 독직이 되거나 **죄가 되는 것**이 아니었다. 그것이 적어도 독직이나 죄가 되자면, 몇만 원 집어먹고서 소위 팔자를 고친다는 둥, 허리띠를 푼다는 둥의 수준에 올라야 비로소 문제가 되는 것이었다.

[중략 부분의 줄거리] 해방 직후 순사를 그만 두고 사람들을 피해 다니던 맹순사는 생활고로 인해 다시 순사가 되어 파출소로 첫 출근을 한다.

옛날의 순사와 꼭 같이 차리고 하였건만 맹순사는 웬일인지 우선 스스로가 위엄도 없고, 신도 나는 줄을 모르겠고 하였다. 만나거나 지나치는 행인들의 동정이, 전처럼 조심하는 것 같은, 무서워하는 것 같은 기색이 없고, 그저 본숭만숭이었다. 더러는 다뿍 적의와 경멸의 눈초리로 흘겨보기까지 하였다.

함부로 체포도 아니 하고, 위협도 아니 하고, 뺨 같은 것은 물론 때리지 못하게 되었고 하니, 전보다 친근스럽고 안심한 얼굴로 대하고 하여야 할 것인데, 대체 웬일인지를 모르겠었다.

걸으면서 곰곰 생각하여 보았다.

㉣'전에 많이들 행악을 했대서?'

정녕 그것이 성싶었다.

'애먼 사람, 불쌍한 사람한테 못 할 짓도 많이 했지.'

'쯧, 지금 와서 푸대접받아도 한무내하지.'

'화무십일홍이요, 달도 차면 기우는 법인데, 한때 잘들 해먹었으니 인제는 그 대갚음도 받아야겠지.'

무엇인지 모를 한숨이 절로 내쉬어졌다.

마침내 ××**파출소**에 당도하였다. 여기서 맹순사는, 백성들이 **순사**를 멸시하는 눈으로 보는 연유를 또 한 가지 발견하여야 하였다.

뚜벅뚜벅 파출소 안으로 들어서는 소리에, 테이블에 엎드려 졸고 있다가 놀라 깨어 고개를 번쩍 드는 동간……

맹순사는 무심결에,

㉤"아니, 네가 웬일이냐?"

하면서 다시금 짯짯이 그를 바라다보았다.

노마.

볼때기에 있는 붉은 점이 아니더라면, 얼굴 같은 딴사람인가 하였을 것이었다.

행랑아들 노마였다.

맹순사는 금년 봄, 시방 사는 홍파동으로 이사해 오기까지 여섯 해를 눌러, 사직동 그 집에서 살았다. 그 행랑에 노마네가 전 주인 때부터 들어 있었고, 원편 볼때기에 붉은 점이 박힌 노마는 열두 살이었다. 근처의 삼 년짜리 학원을 일 년에 작파하고서, 저무나 새나 우미관 앞에 가 놀다간, 깃대도 받아 주고 삐라도 뿌려 주고 하는 것이 일이요, 집에 들어와서는 어멈 아범한테 매맞기가 일이요 하였다. 조금 더 자라더니, **우미관패**에 들어 가지고, 밤거리로 행패를 하고 다녔고. **사람을 치다 붙잡혀** 간 것을 몇 차례 놓이게 하여 주기도 하였다.

노마는 겸연쩍은 듯, 그러나 일변 반갑기도 한 듯 싱글싱글 웃으면서,

"이렇게 됐습니다, 나리. 많이 점 가르켜 줍쇼, 나리."

"동간끼리두 나린가, 이 사람."

나이가 시킴이리라. 맹순사는 내색을 아니 하고 소탈히 그러면서 같이 웃었다.

그러나 속으로는,

'저런 것이 다 순사니, 수모도 받아 싸지.'

하였다.

— 채만식, 「맹순사」 —

1. 윗글의 서술상의 특징으로 가장 적절한 것은?

① 서술자를 교체하여 새로운 사건을 도입하고 있다.

② 장면을 빈번하게 전환하여 긴박한 분위기를 형성하고 있다.

③ 인물의 외양을 묘사하여 인물의 성격 변화를 암시하고 있다.

④ 특정 인물의 시각에서 사건을 서술하여 인물의 내면을 드러내고 있다.

⑤ 서로 다른 장소에서 동시에 일어난 사건을 제시하여 인물들의 상황을 대비하고 있다.

2. ㉠ ~ ㉤에 대한 설명으로 적절하지 **않은** 것은?

① ㉠: 맹순사는 서분이가 알고 있는 상황이 지속되지 않을 것이라고 말하고 있다.

② ㉡: 맹순사는 양복 값을 지불할 의사가 없으면서도 가격을 물어보고 있다.

③ ㉢: 맹순사는 뇌물을 받는 것으로도 모자라 상대에게 돈을 요구하고 있다.

④ ㉣: 맹순사는 과거의 행악을 생각하며 자신이 저지른 행동을 부인하고 있다.

⑤ ㉤: 맹순사는 의외의 장소에서 뜻밖의 인물인 노마를 만나 놀라고 있다.

3. 다음은 윗글에 대한 [학습 활동] 과제이다. 이를 수행한 결과로 적절하지 **않은** 것은?

[학습 활동] ⓐ ~ ⓔ에 들어갈 인물의 심리를 작품의 내용을 바탕으로 서술하시오.

공간	질문	답변	심리
방	맹순사와 대화를 나눌 때, 서분이의 심정을 드러내는 소재는?	재봉틀	ⓐ
	맹순사가 양복장을 보며 얼굴이 간지럽다고 느낀 이유는?	뇌물로 받은 것이어서	ⓑ
파출소 가는 길	행인들이 다시 순사가 된 맹순사를 바라보는 시선은?	흘겨 봄	ⓒ
	맹순사가 길을 걸으며 여러 생각들을 한 뒤 보인 행동은?	한숨을 섬	ⓓ
파출소	맹순사가 노마와 인사를 나누며 보인 행동은?	내색을 아니 하고 웃음	ⓔ

① ⓐ: 자신들보다 부유하게 살고 있는 사람들에 대한 서분이의 부러움을 알 수 있다.

② ⓑ: 팔자를 고칠 만큼 뇌물을 많이 받지 못했다고 생각하는 모습에서 맹순사가 다른 사람들에게 느끼는 질투심을 알 수 있다.

③ ⓒ: 예전과 다른 눈초리에서 순사를 적대시하는 행인들의 마음을 알 수 있다.

④ ⓓ: 예전과 달라진 자신의 처지에 대한 맹순사의 착잡한 마음을 알 수 있다.

⑤ ⓔ: 동간이라고 말하면서도 속으로 노마를 무시하는 것에서 노마에 대해 못마땅해하는 맹순사의 마음을 알 수 있다.

4. <보기>를 참고하여 윗글을 감상한 내용으로 적절하지 **않은** 것은?

[3점]

─< 보 기 >─

이 작품은 혼란스러웠던 해방 전후의 사회 현실 속에서 도덕적 관념이 부족한 인물들을 비판적으로 드러내고 있다. 특히, 부정적 인물이 스스로를 긍정적으로 인식하는 모습을 제시한 뒤 그의 실상을 드러내는 방법을 통해 인물의 허위와 위선을 고발하고 있다. 또한 해방 이후 친일 잔재를 청산하지 못해서 나타나게 된 비극적 역사의 반복을, 당대 인물들의 모습을 통해 보여주고 있다.

① 맹순사가 '다른 동간들'과 달리 자신은 '청백'하다고 말하는 모습에서 부정적 인물이 스스로를 긍정적으로 인식하고 있음을 확인할 수 있겠군.

② '뻐젓이' '돈벌이만 잘 허믄서, 활개 펴구' 사는 사람에 대한 서분이의 말에서 혼란스러운 당대 사회 모습을 확인할 수 있겠군.

③ 스스로 청백하다고 여기면서 '술대접'을 받은 것은 '죄가 되는 것이 아니었다'라고 생각하는 맹순사의 모습에서 인물의 허위와 위선을 확인할 수 있겠군.

④ 해방 후 다시 '순사'가 되어 '××파출소'에서 일하게 된 맹순사의 모습에서 친일 잔재를 청산하지 못해 비극적인 역사가 반복되는 것을 확인할 수 있겠군.

⑤ '우미관패'에 들어가 '사람을 치다 붙잡'힌 노마를 놓아줬던 맹순사의 모습에서 맹순사가 도덕적 관념을 회복하는 과정을 확인할 수 있겠군.

【5~7】 다음 글을 읽고 물음에 답하시오.

[앞부분의 줄거리] 떡볶이 가게에서 일하는 '나'는 주인 아줌마가 약속한 날짜에 임금을 주지 않자 홧김에 가게의 봉숭아 화분을 망가뜨린다. 그리고 아르바이트 경력이 많은 용우의 도움을 받아 밀린 임금을 받아 내려고 한다.

어느새 모여든 사람들에게 들으라는 듯이 아줌마가 악을 쓴다.

"대드는 게 아니고, 돈 달라고 하는 건데요."

용우도 지지 않는다. ⓐ 삶의 현장이 용우를 저렇게 단련시켰다. 그런데 나 이민수는 뭐란 말인가.

"자아, 그래, 돈 줄란다. 나한테 대드는 꼴은 밉지만 그래도 친구랍시고 와서 거드는 것이 가상해서 내가 돈을 주긴 준다마는……. 가만있어봐라, 아이 민수야, 니 지난번에 말도 안 하고 무단결근한 날 있었지? 그것도 하필 제일 바쁜 날에."

"말하고 빠졌는데요."

ⓑ 그날은 학교 폭력 문제로 학원이고 알바고 어떤 이유가 있어도 학교 끝나고 모두 남으라고 담임이 오금을 박는 바람에 어쩔 수가 없었다. 우리는 그날 담임에게 기합을 받았고 나는 분명히 아줌마한테 전화를 했는데 단지 아줌마가 전화를 받지 않았을 뿐이다. ⓒ 그런데 이제 와서 무단결근이라니.

"무단결근 시 이틀 치 일당 제한다는 약속 안 잊었지?"

나는 그런 약속을 한 기억이 없다. 그러나,

"그리고, 망가진 화분 값은 당연히 민수 니가 물어야겠지? 자아, 그러면 얼마야, 삼천 곱하기 이십육칠……."

아줌마와의 담판은 지루했다. 용우는 삼천칠백칠십 원을 들이댔고 아줌마는 끝까지 삼천 원을 고수했다. ⓓ 두 사람의 대결은 팽팽했고 나는 웬일인지 너무도 피곤해서 알바비고 뭐고 다 그만두고만 싶은 마음이 간절해지기 시작했다. 나는 문득, 내가 망가뜨린 봉숭아 화분에 눈이 갔다. 화분은 깨졌지만 봉숭아는 다행히 아직 살아 있었다. 뿌리에 흙덩이를 감은 채 넘어진 봉숭아는 **천연덕스럽게 꽃을 피우고** 있었다. 나는 문득 봉숭아꽃이 참 아름답다는 생각을 했다. 봉숭아는 아름다운데 아름다운 봉숭아를 키우는 떡볶이집 아줌마는 왜 아름답지 않을까. ⓔ 아줌마가 원래부터 저렇게 아름답지 않은 사람이었을까? 원래부터 아름답지 않은 사람도 아름다운 꽃을 기를 수 있을까? 아줌마에게도 이 꽃처럼 아름다운 때가 있기나 했을까. 내가 한참 돈보다 꽃 생각을 하고 있는데 느닷없이 천지를 진동하는 아줌마의 울음소리가 났다.

"내가아, 내가아, 저놈의 쥐알만 한 새끼들한테 무시를 당할 만큼, 나쁜 사람이 아녀, 근데에, 저놈의 새끼들이 나를 떡볶이집 아줌마로 보고 무시하는 거야아……. 아이고, 내가 떡볶이 팔아서 무신 부자가 되겠다고 저런 놈의 새끼들한테……. 아이고오……."

고개를 들 수가 없었다. **아줌마가 원망하는 대상이 나라는 사실**이 죽고 싶도록 괴로워서 나는 꼼짝도 할 수가 없었다. 아줌마가 애끊는 소리로 우는 것이 꼭 엄마 같아서 더 그랬다. 용우가 내 등을 탁 쳤다.

"야아, 이 아줌마 진짜 독하다. 죽어도 삼천칠백칠십으로 안 준다."

"세상에, 우리 회사 말이다. 무섭다, 무서워."

"왜?"

"듣자 하니, 노조 만든다고 짜르고 잡담한다고 짤라서들 데모를 한다네."

"그러게, 내가 그랬잖아, 그 빈자리에 엄마가 들어갔다고. 그러니, 엄마도 안심할 순 없잖아."

"내가 뭘? 나야 뭐 노조도 안 할 거고 잡담도 안 할 건데."

"그게 문제야. 노동자가 당연히 노조 하고 일하면서 말도 할 수 있는 거지, 사람이 기계야, 말도 못 하게?"

"그러다 짤리면?"

"내 말은 엄마같이 짤릴 거 무서워하는 사람들이 함부로 짤리지 않는 세상 만들어야 한다는 거지, 그러려면……."

"그러려면?"

"노동자끼리 단결해야지."

"근데, 이 기집애가 갈수록 이상한 소리 하네. 그래서 내가 짤리기라도 해봐라, 니 등록금이 나오나."

엄마와 누나는 오늘도 '엄마 회사' 이야기다.

밖에 나갔다 온 아버지에게서 술 냄새가 진동한다. 아버지가 철퍼덕 현관에 주저앉는다.

"아이고, 이놈의 세상, 먹고살기가 왜 이리 힘드냐, 당최 헐수 있는 일이 없구나."

아버진 새로운 일거리를 끝내 못 찾은 모양이다. 잡담만 해도 일하는 사람을 쫓아내는 회사에 들어간 엄마도 왠지 불안하다. 용우가 어렵게 받아낸 돈을 꺼내 본다. 돈이 돈이 아니라 왠지 자꾸만 눈물로 보인다. 저 돈 때문에 내가 울고 아줌마가 울고 엄마가 울고 아버지가 운다. 돈 때문에 울지 않는 건 무엇일까. 아줌마네 집 가게 앞에 나둥그러진 봉숭아가 생각난다. **봉숭아는 돈 때문에 울지 않는다.** 내가 발로 차 버렸는데도 죽지도 않는다. 아, 그리고 보면 봉숭아가 이 세상에 가장 힘이 세가, 그 아름다운 꽃, 봉숭아가! 그리고 보면 아름다운 것들은 힘이 센지도 모른다. 그렇다는 것을 알게 된 것도 어쩌면 내가 아줌마네 가게에서 일을 했기 때문에, 아버지 말씀대로 **밖에서 공부를 한** 덕분이 아닐까. 이렇게 생각하니 아줌마가 그리 밉지가 않는 것이 참 이상한 일이다.

"아이고, 아무리 세상 험해도 젤 이쁜 것은 요것들이구나."

엄마는 베란다에 나가 식물들에 물을 주고 있다. 나는 돈이 든 봉투를 안방에 밀어놓고 집을 나왔다.

'아줌마 떡볶이' 집 봉숭아가 아직도 무사하길 바라며 나는 화분 가게로 갔다. 내가 아줌마네 봉숭아를 다시 화분에 심으려는 이유는, 내가 황폐해지지 않기 위해서다. 나는 아름다워서 **힘센 봉숭아**를 닮아 넘어져도 기를 쓰고 살아나리라. 나는 화분을 안고 밤바람을 가르며 떡볶이 가게로 달려갔다.

– 공선옥, 「힘센 봉숭아」 –

5. 윗글에 대한 설명으로 적절하지 않은 것은?

① '아버지'는 새로운 일거리를 찾지 못한 것을 가족의 탓으로 돌리고 있다.

② '엄마'는 일자리를 잃을 것이 두려워 노조에 가입하는 것을 꺼려하고 있다.

③ '누나'는 노동자의 권리가 보장되는 세상을 만들어야 한다고 생각하고 있다.

④ '아줌마'는 '나'의 무단결근을 이유로 지급해야 할 임금을 줄이려 하고 있다.

⑤ '용우'는 '나'의 밀린 아르바이트 임금을 받아 내기 위해 아줌마와 맞서고 있다.

6. ㉠~㉤에 나타난 '나'의 심리로 가장 적절한 것은?

① ㉠ : 삶의 현장에서 단련된 용우를 안타깝게 여기고 있다.

② ㉡ : 아줌마와의 약속을 지키지 못한 것을 뉘우치고 있다.

③ ㉢ : 아줌마의 일방적인 주장에 억울해 하고 있다.

④ ㉣ : 아줌마와의 담판에서 진 용우에게 실망하고 있다.

⑤ ㉤ : 아줌마가 원래부터 나쁜 사람이었음을 확신하고 있다.

7. <보기>를 참고하여 윗글을 감상한 내용으로 적절하지 않은 것은? [3점]

<보 기>

이 작품에서 '나'는 삶의 현장에서 돈이 우선인 세상과 사람들의 각박한 인심을 경험한다. 그러나 '나'는 '봉숭아'를 보며 위기 속에서도 생명력을 유지하는 것이 얼마나 아름다운지를 느낀다. 이를 통해 물질보다 더 중요한 가치가 있다는 것을 깨닫고 정신적 황폐함을 이겨낼 수 있다는 희망을 가지며 한층 성장하게 된다.

① '나'는 넘어진 봉숭아가 '천연덕스럽게 꽃을 피우고' 있는 것을 보며 위기 속에서도 생명력을 유지하는 것의 아름다움을 발견하고 있군.

② '나'가 '아줌마가 원망하는 대상이 나라는 사실'에 괴로워한 것은 돈이 우선인 세상에 적응하지 못하는 자신이 부끄러웠기 때문이겠군.

③ '나'는 '봉숭아는 돈 때문에 울지 않는다'는 것을 알고 물질보다 더 중요한 가치가 있다는 것을 깨닫게 되었군.

④ '나'는 '밖에서 공부를 한 덕분'에 아름다운 것들이 힘이 세다는 것을 알게 되며 성장할 수 있게 되었군.

⑤ '나'는 '힘센 봉숭아'를 닮아 정신적 황폐함을 이겨 내고 희망을 갖고 살아가야겠다고 다짐하고 있군.

【8~10】 다음 글을 읽고 물음에 답하시오.

희망

훗날 문성현이 어른이 되어서 자신의 기억을 더듬어 올라갔을 때, 가장 어린 날의 광경은 막냇동생 승현의 돌날이었으니 그가 여덟 살이 되었을 때였다. 그때 그는 방안에 혼자 누워 있었다. 힘겹게 주위를 둘러보았다. 아무도 곁에 없었다. 얼마나 울어젖혔는지 목이 잔뜩 쉬어 있었다. 사람들은 모두 문 저쪽에 모여들 떠들고 있었다.

뭘 잡나 보자구. 돈을 잡아 재벌이 되려나, 책을 잡아 학자가 되려나.

잡는다, 잡아… 앗따따 활이다 활! 큰 장군이 될라. 좋지 좋지.

사람들의 웃음소리가 왁자하게 들려 왔다. 성현은 계속하여 울려고 했다. 그런데 갑자기 울 수가 없었다. 여느 때 같으면 그는 누군가가 나타날 때까지 마구 몸부림을 치며 울었을 것이다. 아무도 자신처럼 벙정대며 울지 않는다는 것을 그는 그 순간에 깨달았던 것이다. 자신은 다른 이와 너무나 달랐다. 다른 사람들은 말을 사용했다. 그러나 그는 그렇지 못했다. 불편할 때나 화가 날 때나 무언가 마음대로 되지 않을 때 그는 마구 고함을 지르며 울어젖혔던 것이다.

그날부터 그는 죽은 듯이 조용해졌다. 절대로 울지 않았다. 불가피한 경우를 제외하고는 소리도 지르지 않았다. 그는 말을 잘 하지 못했다. 말을 하려 해도 입이 따라 주지 않았다. 답답했다. 그러나 다시는 고함치며 울지 않았다. 자신의 울음소리는 그 누구에게보다도 스스로에게 너무나 끔찍하고 지겨웠다. 그는 벙어리처럼 행동했다. 배가 고파도, 대소변으로 아랫도리를 적셔도 그는 짜증을 내거나 화내지 않았다. 다른 이가 방에 들어올 때까지 그는 다만 참고 견뎌 내었다. 그때부터 그는 슬펐다. ㉠울음을 몸 밖으로 터뜨리지 않으니 몸 안에 눈물이 고였다.

조용해지고 나니 마음이 안정되었다. 마음이 안정되고 나니 그는 자신의 고개가 필요 없이 마구 흔들림을 깨닫게 되었다. 오른쪽으로 조금 튼다고 하는 것이 어느새 고개는 어깨 너머까지 돌아갔다. 다시 똑바로 하려고 하면 이번에는 왼쪽으로 홱 돌아가 버렸다. 그는 조금씩 요령을 터득해갔다. 무엇보다도 침착해야 했다. 마음의 안정이 필요했다. 천천히, 아주 천천히. 팔다리 역시 마찬가지였다. 펴지지 않는 손가락, 발가락이야 어쩔 수 없는 노릇이었지만 마음만 푸근히 진정하고 나면 남이 민망할 정도로 사지가 꼬이지는 않았다. 그리고 그는 입을 다물었다. 체머리를 흔들면서 헤벌어진 입으로 침을 흘리는 것이 얼마나 흉한지 거울에 비친 자신을 보고 그는 깜짝 놀랐다. 그때부터 그는 참으로 슬펐다. 벌어진 입을 다물고 나니 가슴으로 드는 헛헛한 바람을 내쏟을 방법이 없었다.

훗날 문성현이 어른이 되어서까지 그의 이부자리 밑에 간직하고 있었던 장난감 활은 바로 막냇동생 승현의 돌상에 돌잡이로 올렸던 것이었다. 대나무를 별러 노끈으로 묶은 그것은 그의 어린 시절 희망의 상징이었다. 일부러 누가 그에게 가져다준 것은 아니었다. 방구석에 활이 놓여 있는 것을 보고 그가 몸을 뒤치어 자신의 요 밑에 집어 넣었던 것이다. 우현의 나이가 여섯 살이었으니 아마도 어른들을 피해 성현이 있는 건넌방에 가지고 와서 놀다가 무심코 놓고 간 것이 분명했다.

앗따따 활이다 활! 큰 장군이 될라. 그 작고 조잡한 활에는 누군가의 목소리가 묻어 있었다. 그는 몇 번이고 되풀이했다.

하아, 하, 화, 화아아알. 화아알. 활.

　조용해지고부터, 체머리를 흔들지 않고부터, 입을 다물고부터 그는 <u>텔레비전</u>을 보기 시작했다. 그 속에 산과 들, 밀림이 있었다. 몸집이 큰 코끼리, 기린, 갖가지 색깔의 크고 작은 새들이 있었다. 현미경으로나 보일 만한 조그만 나비, 개구리알도 있었다. 먼 나라에는 이상한 풍습을 가진 이상한 사람들이 있었다. 세상은 볼수록 흥미진진한 것들로 가득 차 있었다. 다른 이처럼 앉지도 서지도 걸어다닐 수도 없는 그에게는 텔레비전을 통해 보는 다른 이들의 삶이 한편으로는 가슴 떨리는 열망이었으나 또 한편으로는 부서뜨리고 싶은 안타까움이기도 했다.

　그래도 어린 그에게는 희망이 있었다. 다른 이와 결코 같을 수는 없지만, 너무나 더디고 서투르기는 했지만 그는 조금씩 달라지고 있었다. 번번듬한 채로 자라는 그의 몸피, 그는 그때 고작 십대였던 것이다. 힘겹기 짝이 없었지만 그는 텔레비전으로 기어가 자신이 보고 싶을 때 그것을 켤 수 있게 되었다. 그리고 라디오를 켜고 끌 줄 알게 되었다. 선풍기도 작동할 수 있게 되었다. 그 후, 그는 무엇보다도 중요한 결심을 하게 되었다. 혼자 앉는 법을 익히기로 결심했던 것이다.

　노력해서 안 되는 일이란 없다고 그는 뇌까렸다. 가슴속에 희망을 품은, 한창 자라고 있는 십대의 사내아이에게는 스스로 앉는 연습이란 단지 모든 것의 시작에 불과했다. 자유롭게 앉을 수 있게 된 후에는 서는 연습을 할 계획이었다. 두 다리로 선 후에는 조심조심 발을 떼고, 그리고 걷고, 뛸 예정이었다. 개켜놓은 옷처럼 축 처진 자신의 아랫도리가 풍선처럼 부풀어, ⓛ 머지않아 그는 다른 아이들처럼 거리를 활보할 것이며 신이 나면 춤이라도 멋지게 추어댈 참이었다. 그리고… 말을 타고 들판을 가로질러 활시위를 당길 생각이었다. 까마득히 보이는 들판 끝 과녁에 예리한 화살을 날리면 쏘는 것마다 명중, 명중. 앗따따 활이다 활! 큰 장군이 될라. 그는 조용히 입을 뗄 것이었다. 하아, 하, 화, 화아아알. 화아알. 활.

<중략>

　두 달이 지난 어느 날, 그는 드디어 혼자 앉기에 성공했다. 두 번째로 혼자 앉은 것은 그때로부터 보름이 지난 어느 저녁 때의 일이었다. 그는 요령을 터득해 갔다. 재빨리 상체를 들어 올리면서 반동을 이용하는 방법이었다. 그가 제대로 앉는 데에는 적어도 5분 이상의 시간이 소요되었다. 그는 시간을 줄이기 위해, 익숙하게 앉기 위해 연습에 연습을 계속했다. 그가 앉는 연습을 한 건넛방 벽은 꼴이 말이 아니었다. ⓒ 아쉬운 대로 덧붙인 도배지가 2, 3일이면 흙과 함께 떨어져 나갔다. 벽 속의 외얽이가 허옇게 드러나는 참이었다. 어머니가 환히 웃으셨다.

　ⓓ "그래 성현아. 그깟 흙벽 뻥 뚫어 버려라."

　혼자 앉는 법을 익히고 나니 휠체어에 앉는 것도 훨씬 편했다. 누구보다도 신이 나신 분이 아버지였다. 주말이 되면 아버지는 성현을 휠체어에 태워 골목 밖으로 데려 나갔다. 수많은 사람들, 차들, 상점들. 아버지가 들뜬 목소리로 그에게 물었다.

　"성현아, 힘드냐? 안 힘들지? 하나도 안 힘들지?"

　물론. ⓔ 하나도 힘이 들지 않았다. 힘들다니. 더 힘든 고난이, 더더욱 힘든 고난이 한꺼번에 몰려온다 해도 그는 절대로 힘들 수가 없었다. 그는 이제 곧 다른 사람들처럼 서고 걷고 달릴 참이었다. 아버지는 끝없이 휠체어를 밀었다. 까짓 보도 블록으로 포장된 모든 길, 이참에 다 걸어낼 참이었다.

　　　　　　　　　　　　　 – 윤영수, 「착한 사람 문성현」 –

---

8. 윗글에서 알 수 있는 내용으로 적절한 것은?

① 사람들은 문성현에게 훗날 큰 장군이 될 것이라고 덕담을 해 주었다.

② 우현은 형 문성현을 위해 자신의 활을 부모 몰래 형의 방에 갖다 주었다.

③ 승현의 돌날은 문성현이 다른 사람과의 차이를 인식하는 계기가 되는 날이었다.

④ 문성현은 자신의 최종 목표를 혼자 스스로 앉는 것에 두고 연습을 했다.

⑤ 문성현은 거울을 보며 남과 다른 자신의 모습을 긍정적으로 받아들였다.

9. <u>활</u>과 <u>텔레비전</u>에 대한 이해로 적절하지 <u>않은</u> 것은?

① '활'은 문성현이 미래 자신의 모습에 대해 기대와 희망을 품게 한다.

② '텔레비전'은 문성현과 외부 세계를 이어주는 매개체 역할을 한다.

③ '활'은 '텔레비전'과 달리 문성현과 그의 동생 우현이 정서적 유대감을 갖게 한다.

④ '텔레비전'은 '활'과 달리 문성현에게 복합적인 감정을 유발한다.

⑤ '활'과 '텔레비전'은 모두 문성현이 자신의 장애를 극복하고자 노력하게 되는 동기를 부여한다.

10. <보기>를 참고하여 ⓛ~ⓔ을 감상한 내용으로 적절하지 <u>않은</u> 것은? [3점]

> ───── < 보 기 > ─────
> 「착한 사람 문성현」은 뇌성 마비를 앓는 주인공의 삶을 탄생, 희망, 혼란, 평온, 분노, 살아 있음 등 6개의 소제목으로 나눠 그린 작품이다. 끊임없는 시련 속에서도 자신의 한계를 극복하기 위해 노력하는 주인공과 이를 따뜻하게 감싸주는 집안사람들의 모습을 통해 삶의 존엄성과 희망의 의미를 감동적으로 그리고 있다. 또한 이 작품은 전지적 작가 시점이지만 주인공의 입장에 초점을 맞춘 서술과 객관적인 사실 전달을 통해 독자들로 하여금 스스로 삶의 의미를 성찰하게 하고 있다.

① ⓐ은 자신이 남과 다르다는 사실에 대한 슬픔을 밖으로 드러내고 싶지 않은 주인공의 상황을 객관적으로 전달하고 있군.

② ⓛ은 다른 아이들처럼 행동할 수 있으리라는 주인공의 바람으로, 소제목 '희망'의 의미를 구체적으로 보여 주고 있군.

③ ⓒ은 자신의 신체적 한계를 이기기 위해 끊임없이 노력한 주인공이 남긴 흔적을 보여 주고 있군.

④ ⓓ은 장애를 극복하려고 애쓰는 주인공을 따뜻하게 감싸주고 격려하려는 어머니의 모성애를 담고 있군.

⑤ ⓔ은 주인공에게 닥친 고난에 대한 인식을 주인공의 입장에 초점을 맞추어 서술함으로써 독자들에게 삶의 의미를 되돌아 보게 하고 있군.

총 문항					문항	맞은 문항				문항
개별 문항	1	2	3	4	5	6	7	8	9	10
채점										
개별 문항	11	12	13	14	15	16	17	18	19	20
채점										

6분 | 2019학년도 3월 학평 25~27번 | ★★★ | 정답 011쪽

【1~3】 다음 글을 읽고 물음에 답하시오.

"그 아이는 안 죽었소. 누가 내린 자식이라고 그리 쉽게 죽을 것 같소? 틀림없이 미륵보살님이 지켜 주고 계실 것이요."

"뭣이라고? 함께 갔던 친구가 하는 말인데, 그러면 그 녀석이 거짓말을 했단 말이여?"

"어젯밤 꿈에도 그 아이가 저 건너 미륵바위 곁에 서 있습디다. 꼭 옛날 당신이 징용 가셨을 때 미륵바위 곁에 서 계셨던 것맨키로 의젓하게 서서 웃고 있습디다."

한몰댁은 마치 남의 이야기하듯 차근하게 말했다.

"뭣이? 옛날 징용 갔을 적에 임자 꿈에 내가 미륵바위 곁에 서 있었던 것맨키로?"

영감은 눈을 끔벅이며 할멈을 건너다봤다. ⓐ그때 일은 너무도 신통했다. 탄광에서 갱도가 무너져 죽었다고 집에 사망 통지서까지 온 영감이 죽지 않고 살아왔던 것이다.

왜정 때 북해도 탄광에 징용으로 끌려갔을 때였다. 교대를 하러 갱으로 들어가려는데 갑자기 배탈이 났다. 평소 그를 곱게 보던 십장이 함바에서 쉬라고 했다. 그 뒤 한 시간도 채 못되어 탄광은 수라장이 되고 말았다. 낙반 사고였다. 구조를 하느라 탄광은 벌집을 쑤셔 놓은 꼴이었다. 그러나 갱 사정을 손바닥 보듯 알고 있던 영감은 그들을 구출할 수 없다는 걸 잘 알고 있었다. 순간, 도망치자는 생각이 번개처럼 머리를 쳤다. 도둑놈은 시끄러울 때가 좋더라고 도망치기에는 이보다 좋은 기회가 없을 것 같았다. 더구나 자기가 갱 속에 들어가지 않았다는 것은 십장만 알고 있는데, 그도 갱 속에 들어갔으므로 자기가 없으면 갱에서 죽은 걸로 치부할 게 틀림없었다.

주먹을 사려쥐었다. 그러나 탈주는 목숨을 거는 일이었다. 잡히면 그대로 총살이었다. 광부였지만 전시 동원령에 따라 끌려왔기 때문에 그들의 탈주도 군인들 탈영하고 똑같이 취급됐다. 그렇지만 여기 있으면 자기도 언제 죽을지 몰랐다. 전시물자 수급이 달리자 목표량 채우기에만 눈이 뒤집혀 안전 따위는 안중에도 없고, 몽둥이로 소 몰듯 몰아치기만 했다. 작업 조건도 조건이지만 우선 밥이 적어 견딜 수가 없었다. 이판사판이었다. 예사 때도 '지나새나' 궁리가 그 궁리였으므로 도망칠 길목은 웬만큼 어림잡고 있었다. 밤이 이슥하기를 기다려 철조망을 뛰어넘었다.

집에는 사망 통지서와 함께 유골이 왔다. 무슨 일인가 하고 나간 시어머니는 그 자리에서 짚단 무너지듯 까무러쳤다. 그러나 한몰댁은 어리벙벙한 표정으로 서 있었다. 아무래도 그게 자기 남편 유골 같지 않았고, 죽었다는 실감도 들지 않았다. 그 순간 전날 밤 꿈에 나타난 미륵보살이 떠올랐다. 미륵보살이 인자하게 웃고 있었고, 그 곁에 남편이 의젓하게 서 있었다.

"그이는 안 죽었소."

한몰댁은 시어머니에게 꿈 이야기를 하며 틀림없이 미륵보살님이 지켜 주고 계실 거라 했다. 그러나 시어머니는 그런 소리는 귀여겨듣지도 않고 시름시름 앓다가 그 길로 세상을 뜨고 말았다. 그렇지만 한몰댁은 눈물 한 방울 흘리지 않고, 그때까지 그래왔듯이 새벽마다 미륵바위 앞에서 더 정성스레 치성을 드렸다. 8·15가 되었다. 꿈결에 싸여 온 듯 남편이 살아왔다.

[중략 줄거리] 한몰 영감 내외는 6·25 때 의용군으로 나간 아들이 북쪽에 살아 있다고 믿으며 살아간다. 산업화에 의한 댐 건설로 마을이 수몰되기 전 지낸 마지막 당제가 끝나고 한몰 영감은 혼자 남아 도깨비들에게 아들의 안전을 지켜 달라고 부탁한다.

"자네들 사는 길속을 내가 잘 몰라서 하는 말인디, 만당 간에 그런 일이 있으면 우리 집 녀석한테 말을 전할 방도를 한번 생각해 보게. 천행으로 그런 방도가 있거든 그 녀석한테 이렇게 쪼간 전해 주게. 자네 부모들은 둘이 다 무탈하게 그것은 하나도 걱정 말고, 혹간에 그쪽에서 간첩으로 내려가라고 하거든 죽으면 거그서 죽제 간첩으로는 절대로 내려오지 말라더라고 전해 줘. 이쪽 남한에는 어디를 가나 골목골목 간첩 잡으라는 표때기 안 붙은 데가 없고, 군인이야, 경찰이야, 예비군이야, 더구나 삼천만 원, 오천만 원 상금까지 걸려 어느 한구석 발붙일 데가 없다고 저저이 일러줘. 아무리 지가 홍길동이라 하더라도 여그 와서야 어느 골목에 발을 붙일 것이며, 어느 그늘에 은신을 할 것인가? 없네, 없어. 발붙일 데가 없어."

영감은 손사래까지 치며 절레절레 고개를 젓는다.

"자네들한테 이런 말이라도 하고 난게 속이 쪼간 터진 것 같네. 사상이 뭣인가 모르겠네마는, 그 사상이란 것도 사람이 살자는 사상이제 죽자는 사상은 아닐 것인디, 피붙이들이 생나무 가지 찢어지듯 찢어져서 삼십 년을 내리 소식 한 번 듣지 못하고 산대서야 그것이 지대로 된 사상이겄어? 아무리 이빨 감시로 총 겨누고 있어도 이 꼴이라면 이제는 피차에 쪼간……."

영감은 말을 뚝 그친다. 저쪽에서 플래시 불이 나타났다. 서울서 밤차를 타고 온 사람들 같았다.

"아이고, 사람이 오네. 나 가야겠네. 그럼 돌아온 한식날 보세."

영감은 담배꽁초를 짓이겨 끄고 부랴부랴 동네로 내닫는다.

이듬해 봄부터 댐에 물이 차기 시작했다. 산중턱까지 물이 찬 댐은 물빛이 유난히 푸르렀다. 멀리 바다로 날아가던 물새들도 푸른 물빛에 끌려 여기 내려앉아 자맥질을 하다 떠나고, 하늘에 떠 있는 흰구름도 제 아름다운 자태를 수면에 비춰 보며 한가롭게 멈춰 있기도 했다.

감내골 가는 장구목재 잿길은 재를 넘어 조금 내려가다가 물속으로 들어가 버린다. 동네가 없어졌으므로 댐을 막은 뒤부터 이 길을 다니는 사람은 거의 없다. 이따금 극성스런 낚시꾼들이나 바쁜 걸음을 칠 뿐이다. 새벽 장꾼들처럼 바삐 나대던 낚시꾼들은 느닷없이 앞을 가로막는 큼직한 안내판 앞에 우뚝 걸음을 멈춘다. 관광지 안내판 크기의 이 안내판을 읽고 난 낚시꾼들은 어리둥절한 표정으로 고개를 갸웃거리다가 눈을 옆으로 돌린다.

거기 오두막집이 한 채 있다. 싸리나무 울타리가 가지런하고 마당이며 토방이 여간 정갈하지 않다. 토방과 집터서리에는 벌통이 여남은 통 놓여 있고, 집 근처 네댓 마지기 밭에는 조그마한 남새밭을 내놓고는 모두 메밀을 갈아, 가을이면 하얗게 핀 메밀꽃이 따가운 햇살에 눈이 부실 지경이다.

발길이 바쁜 낚시꾼들이지만, 이 집을 보고 나면 고개를 갸웃거리다가 다시 안내판으로 눈이 간다. 안내판 한쪽 귀퉁이에는 호롱불이 걸려 위쪽이 시커멓게 그을려 있고, 그 곁에는 끄트머리에 창의비라 쓰인 비석도 하나 서 있다. 그들은 서툰 글씨지만 정성 들여 또박또박 쓰여 있는 안내판을 다시 읽는다.

"이 재 너매 잇든 감내골 동내는 저수지 땜을 마거서 한집

도 업씨 모두 다 업써저불고, 거그 살든 부님이 어매 한몰댁
하고 아배 한몰 영감은 이 집서 산다. 부님이 아배 이름은
김진구다."

                                      – 송기숙, 「당제」 –

*지나새나 : 해가 지거나 날이 새거나 밤낮없이.

---

1. <보기>에서 윗글에 대한 설명으로 적절한 것을 모두 골라 바르게 짝지은 것은?

                            — < 보 기 > —

ㄱ. 방언을 사용하여 대화를 실감나게 전달하고 있다.
ㄴ. 사건이 반복되면서 인물 간 갈등이 심화되고 있다.
ㄷ. 배경 묘사를 통해 장면을 선명하게 제시하고 있다.
ㄹ. 주인공이 서술자가 되어 자신의 경험을 서술하고 있다.

① ㄱ, ㄷ　　　　② ㄴ, ㄷ　　　　③ ㄷ, ㄹ
④ ㄱ, ㄴ, ㄹ　　　⑤ ㄴ, ㄷ, ㄹ

2. ㉠에 대하여 '한몰 영감'이 회상했을 법한 내용으로 적절한 것은?

① '낙반 사고 이전에는 탈출을 감행할 생각을 하지 않았지.'
② '탈출을 결심하고도 동료에 대한 의리 때문에 괴로워했어.'
③ '갱도가 붕괴되었을 때 나도 동료들을 구하려 노력했었지.'
④ '탄광 사람들은 내가 갱도에서 죽었다고 생각했었을 거야.'
⑤ '내가 갱도에 들어가지 않은 것을 십장이 몰라 다행이었어.'

---

3. <보기>를 바탕으로 윗글을 감상한 내용으로 적절하지 <u>않은</u> 것은? [3점]

                            — < 보 기 > —

「당제」는 민족 수난의 역사와 산업화를 겪은 농촌을 배경으로 한몰 영감 내외와 마을 사람들이 경험한 아픔을 보여준다. 아래와 같이 이 작품의 두 축은 '역사'와 '신앙'으로, 초월적 세계에 대한 믿음을 통해 현실의 문제들을 해결해 가고자 하는 사람들의 모습을 드러낸다.

        | 역사(현실) | ········ | 신앙(초월적 세계) |

'미륵바위'는 개개인이 초월적 세계를 향해 직접적으로 기원할 수 있는 대상이고, '마을신'에게 제사를 지내는 '당제'는 두 세계를 매개하는 의식이다. '도깨비'는 두 세계의 매개자로서 마을 사람들의 일상과 함께한다. 이처럼 소설은 현실의 삶이 초월적 세계와의 교류를 통해 지탱되고 이어져 감을 보여 주고 있다.

① 남편이 살아 있다는 '한몰댁'의 확신은 '꿈'이 소망을 이루어 주어 초월적 세계를 구현한다는 믿음에서 비롯된 것이겠군.
② '한몰댁'이 수난을 겪을 때 '미륵바위'를 찾은 것은 초월적 세계를 통해 현실의 문제를 해결하고자 한 것이겠군.
③ '한몰 영감'이 '도깨비'에게 아들을 부탁한 것은 현실과 초월적 세계가 교류하는 모습을 보여 주는 것이겠군.
④ '댐' 건설로 '감내골'이 물에 잠기게 된 것은 산업화 시대의 농촌 사람들이 겪어야 했던 아픔을 보여 주는 것이겠군.
⑤ '한몰 영감' 부부가 '안내판'을 세운 것은 초월적 세계에 대한 믿음이 그들의 삶을 지탱하고 있음을 보여 주는 것이겠군.

【4~6】 다음 글을 읽고 물음에 답하시오.

용쇠는 역시 아무 대꾸가 없다.

"내 자식이니까 내 맘대로 한다구? 자네는 이렇게 생각할는지 모르겠네마는 그러나 부모가 자식을 때릴 권리가 어디 있나? 사람에게 수족을 붙여준 것은 일하라는 것이지 남을 함부로 때리라는 것은 아니야. 부모나 자식이나 사람이기는 일반이라 하면 제 자식이나 남의 자식이나 그리 등분이 없을 게다. 덮어 놓고 제 뜻만 맞추라고 남을 강제하는 것은 포학한 짓이 아닌가? 얼격박이*를 밉다고 암만 뚜드려 준대야 그게 별안간 빤질 빤질해질 이치는 없지! 자네는 오늘부터 짐승을 배우게!"

"무얼? 짐승을?"

하고 용쇠는 얼굴이 빨개지며 불안한 표정으로 쳐다본다.

"그래! 짐승을 배우란 말이야! 자네 집에 제비가 제비 새끼를 치지 않는가? 그 어미 제비를 배우란 말이야! 공자님의 말이나 누구의 말보다도."

용쇠는 그게 무슨 소리인지 다만 자기를 모욕하는 줄만 알았다. 그래 ㉠속으로는 분하였지마는 그대로 참고 들었다.

용쇠가 이렇게 혼이 난 뒤에 동리 사람들은 더욱 정도룡을 두려워하였다. 그러나 그를 경외하기는 그전부터 하였다. 그것은 그의 건장한 체격과 또한 그의 의리 있는 심지가 누구든지 자연히 그를 신뢰하고 싶은 마음이 생기게 하였다. 그것은 그를 미워하는 사람까지도 속으로는 그의 행동을 감복하였다. 그래 그의 이름이 근사한 것을 기화로 그를 모두 계룡산 정도령(鄭道令)이라 하였다.

그에 대한 이러한 존경은 건넛말 양반촌에서도—유명한 김 주사까지도—그를 만만히 보지 못하였다. 그래 고양이 있는 집에서 기를 펴지 못하고 사는 생쥐같이 지내던 이 동리 사람들이 그로 말미암아 적지 않은 힘을 입었다. ㉡그래 이 동리 사람들은 어른 아이 없이 그를 참으로 정도령같이 믿으며 그의 말이라면 모두 복종하게 되었다. 물론 이 동리의 크거나 적은 일은 그의 계획과 지휘로 해결되었다. 그런데 그를 그중 사랑하기는 어린아이들과 여자들이었다. 그것은 **무지한 남자와 부모의 횡포를 규탄**해 주는 까닭으로 그러하였다. 마치 일전에 **용쇠를 혼내 주듯** 하므로.

그렇다고는 하지마는 이 **동리 사람들**의 생활은 참으로 가련하였다. 용쇠는 그래도 딸이나 팔아먹었지마는 늙은 부모하고 어린 자식들에 식구는 우글우글한데 양식이 떨어져서 굶주리는 집이 경성드뭇하였다*. 더구나 지금은 농가에서는 제일 어려운 보릿고개를 당한 판이니까. 모는 심어야겠는데 보리는 아직 덜 익어서 채 익지도 않은 **풋보리**를 베어다가 뽀얀 물을 짜내서 **죽물을 끓여 먹는** 집도 많다.

[중략 부분의 줄거리] 마을의 지주 김 주사는 춘이네가 소작하던 논을 하루아침에 일본인 고리대금업자에게 넘긴다. 소작하던 논을 떼이고 먹고 살기가 어려워진 춘이 조모는 김 주사를 찾아간다.

[A] ┌ 김 주사는 감투를 쓰고—그는 지금 도 평의원이다마는 감 │ 투 쓸 일은 이 밖에도 많다. 전 금융조합장, 전 보통학교 학 │ 무위원, 전 군참사, 적십자사 정사원, 지주회 부회장—(이담 │ 에 죽을 때에는 명정을 쓰기가 어려울 만큼 이렇게 직함이 └ 많았다)—점잖은 목소리로 논 떼는 이유를 이렇게 말하였다.

"여태까지 몇 해를 잘 지어 먹었으니 인제는 고만 지어 먹게. 다른 사람도 좀 지어 먹어야지."

그때 노파는 벌벌 떨리는 목소리로

"아이구 나으리! 지금 와서 논을 떼면 어찌합니까? 그러면 제 집 식구는 모다 굶어 죽겠습니다!"

하고 개개빌어보았으나 김 주사는 그런 것은 나는 모르고, **내 땅은 내 말대로 언제든지 뗄 수 있지 않느냐**—되다 불호령을 하였다.

그래도 ㉢**춘이 조모**는 한나절을 애걸복걸하며 올 일 년만 더 지어 먹게 해달래 보았으나 그는 도무지 막무가내이었다. 벌써 다시 변통이 없을 줄 안 **춘이 조모**는 그 길로 나오다가 그 집 대뜰 위에서 그 아래로 물구나무를 서서 고만 그 자리에 즉사하였다. 그는 지금 여든다섯 살인데 여기까지도 간신히 지팡이를 짚고 기어 왔다.

[B] ┌ 그러나 김 주사는 조금도 개의치 않고 하인을 명하여 송장 │ 을 문밖으로 끌어내게 하였다. 그리고 송장 찾아가라고 춘이 │ 집으로 전갈을 시키고 일변 구장을 불러서 경찰서로 보고하 │ 게 하였다. 김 주사는 마침 그 일인과 술을 먹을 때이므로 └ 그는 물론 튼튼한 증인이 되었다.

행여 무슨 도리나 있는가 하고 기다리던 춘이 모자는 천만뜻밖에 이 기별을 듣고 천지가 아득하여 전지도지* 쫓아갔다. ㉣그들은 지금 시체 옆에 엎드려서 오직 섧게 통곡할 뿐이었다.

그런데 정도룡은 오늘 자기 집 모를 심다가 이 기별을 듣고는 한달음에 뛰어들어 왔다. 벌써 마을 사람들은 많이 모여 서서 김 주사의 포학한 행위를 욕하고 있다. 그중에 핏기 있는 원득이는 이 당장에 쫓아가서 그놈을 박살내자고 팔을 걷고 나서는데 겁쟁이들은 우물쭈물 **눈치**만 보고 겉으로 돈다. 더구나 **김 주사 집 땅을 부치는 사람들**은 아무 말도 못 하고 벌써부터 **꽁무니를 사리려** 든다.

"허—참 그거 원…… 나는 논을 갈다 왔는데 좀 가 보아야겠군!"

하고 ㉤용쇠가 머리를 주죽주죽하며 돌아서는 바람에 나도 나도 하고 몇 사람이 그 뒤를 따르려 하는데 별안간 정도룡은 벽력같이 소리를 질렀다.

"동리에 큰일이 났는데 제 집 일만 보러 드는 늬놈들도 김 주사 같은 놈이다."

이 바람에 개 한 마리가 자지러지게 놀라서 깨갱거리며 달아난다. 그래 그들은 머주하니 돌처섰다. 이때의 정도룡은 눈에서 불덩이가 왔다 갔다 하였다. 그는 아이들을 늘어 놓아서 들에 있는 사람들을 모조리 불러들였다. 그들은 그의 전갈을 듣고 모두 뛰어들어 왔다. 더구나 용쇠 같은 이 났단 말을 듣고.

정도룡은 그들을 **일일이 지휘**하여 일 치를 순서로 분배한 후 나머지 사람들은 상여를 메고 위선 김 주사 사는 동리로 급히 갔다.

— 이기영, 「농부 정도룡」 —

*얼격박이: 얼굴에 흠이 많은 이를 이르는 말.
*경성드뭇하다: 많은 수효가 듬성듬성 흩어져 있음.
*전지도지: 엎드러지고 곱드러지며 몹시 급히 달아나는 모양.

4. [A]와 [B]에 대한 설명으로 가장 적절한 것은?

① [A]에서는 외양 묘사를, [B]에서는 배경 묘사를 통해 현실감을 부각하고 있다.

② [A]에서는 열거를, [B]에서는 행위 제시를 통해 인물의 성격을 드러내고 있다.

③ [A]에서는 인물의 대립을, [B]에서는 상황 제시를 통해 사건의 분위기를 드러내고 있다.

④ [A]와 [B] 모두 공간의 이동을 통해 갈등을 심화시키고 있다.

⑤ [A]와 [B] 모두 인물의 내적 독백을 통해 사건의 흐름을 지연시키고 있다.

5. <보기>를 바탕으로 윗글을 감상한 내용으로 적절하지 <u>않은</u> 것은?
[3점]

───〈 보 기 〉───

　이 작품은 일제 강점기 농촌을 배경으로 지주의 부당한 행위와 이로 인해 핍박받던 궁핍한 소작농들의 삶을 사실적으로 드러내고 있다. 특히 불의를 참지 못하는 인물이, 현실적 이해관계 때문에 불합리한 현실을 외면하는 사람들을 일깨우며 올바른 삶의 가치를 실천하기 위해 노력한다는 점이 특징적이다.

① '용쇠를 혼내 주듯' '무지한 남자와 부모의 횡포를 규탄'하는 정도룡의 모습에서 올바른 삶의 가치를 중시하는 인물의 태도를 알 수 있군.
② '동리 사람들'이 '풋보리'로 '죽물을 끓여 먹는' 모습에서 일제 강점기 농촌의 궁핍한 삶을 알 수 있군.
③ '내 땅은 내 말대로 언제든지 뗄 수 있지 않느냐'라고 말하는 김 주사의 모습에서 소작농을 핍박하는 지주의 태도를 알 수 있군.
④ '김 주사 집 땅을 부치는 사람들'이 '눈치만 보'며 '꽁무니를 사리'는 모습에서 현실적 이해관계를 외면하는 사람들의 단면을 알 수 있군.
⑤ '춘이 조모'의 장례를 '일일이 지휘하'는 정도룡의 모습에서 불의를 참지 못하는 인물의 실천적 노력을 알 수 있군.

6. ㉠ ~ ㉤에서 알 수 있는 인물의 심리에 대한 설명으로 적절하지 <u>않은</u> 것은?
① ㉠: 자기가 저지른 잘못에 대한 용쇠의 뉘우침이 드러나 있다.
② ㉡: 정도룡에 대한 동리 사람들의 신뢰감이 드러나 있다.
③ ㉢: 지금까지 소작하던 논을 떼인 춘이 조모의 막막함이 드러나 있다.
④ ㉣: 가족의 갑작스런 죽음에 대한 춘이 모자의 애통함이 드러나 있다.
⑤ ㉤: 자신의 일에만 관심을 갖는 사람들에 대한 정도룡의 분노가 드러나 있다.

【7~10】 다음 글을 읽고 물음에 답하시오.

[앞부분의 줄거리] 아버지는 도시 변두리에서 노새 마차를 몰면서 연탄 배달 일을 한다. 어느 날 가파른 골목을 오르던 마차가 넘어지면서 노새가 달아나 버리고 아버지와 '나'는 노새를 찾아 헤맨다.

　까마귀 새끼라는 것은 우리 아버지가 까맣게 연탄재를 뒤집어쓰고 다닌대서 그 아들인 나를 가리키는 말이다. 사실 아버지는 노상 시커먼 몰골을 하고 다녔다. 옷은 물론 국방색 신발도 어느새 깜장 구두가 되어 있었다. 손얼굴 할 것 없이 온몸이 껌정투성이였다. 어쩌다가 헹 하고 코를 풀면 콧물조차도 까맸다. 그런 가운데에서도 눈하나만은 퀭하니 크게 빛났다. 아이들은 그런 아버지를 보고 까마귀라고 불러댔으나 차마 대놓고 그러지는 못하고, 만만한 나만 보면 까마귀 새끼라고 놀려댔다. 하지만 [A] 저희네들 아버지는 별것이었던가. 영길이네 아버지는 조그마한 기계와 연탄불을 피워가지고 다니면서, 뻥 소리와 함께 생쌀을 납작하게 눌러 튀겨내는 장사를 하고 있었고, 종달이네 형님은 번데기 장수였다. 순철이네 아버지는 시장 경비원이었고, 귀달네 아버지는 포장마차에서 장사를 하고 있었다. 그래서 우리는 영길이더러 '뻥', 종달이더러는 '뻔'이라는 별명을 붙여주었으며, 순철이 귀달이도 모두 하나씩 별명을 가지고 있었다. 그러니까 내가 까마귀 새끼라는 별명을 가지고 있다는 것은 어떻게 보면 당연한 것이고 별로 억울할 것도 없었다.

㉠내가 집에 돌아온 것은 밤 열 시도 넘어서였으나 아버지는 그때까지 돌아오지 않고 있었다. 할머니와 어머니는 동네 사람들의 귀띔으로 미리 사건 을 알고 있었던지, 내가 들어서자 얼른 뛰어나오며 허겁지겁 물었다.

"찾았니?"
"아버지는 어떻게 되셨어?"

내가 혼자 들어서는 걸 보면 찾지 못한 것을 번연히 알면서도 어머니는 다그쳐 물어댔다. 어머니는 나에게 밥을 줄 생각도 하지 않고 한숨만 내리 쉬고 올려 쉬곤 하였다.

아버지가 돌아온 것은 통행금지 시간이 거의 되어서였다. 예상한 일이지만 아버지는 빈 몸이었고 형편없이 힘이 빠져 있었다. 그때까지 식구들은 아무도 잠들지 않았다. 작은형도 일이 일인지라 기타도 치지 않고 죽은 듯이 방안에만 처박혀 있었다. ㉡아버지를 보고도 아무도 말을 하지 않았다. 다만 할머니만이 말을 걸었다.

"이제 오니?"
"네."

그뿐, 아버지는 더는 말이 없었다. 그리고는 어머니가 보아온 밥상을 한옆으로 밀어놓고는 쓰러지듯 방 한가운데 드러눕고 말았다. 아버지는 지금 내일부터 당장 벌이를 나갈 수 없는 아픔보다도 길들여 키워온 노새가 가여워서 저러는지도 모를 일이었다. 아버지는 원래가 마부였다. 서울에 올라오기 전 시골에서도 줄곧 말마차를 끌었다. 어쩌다가 소달구지를 끄는 적도 있기는 했으나 얼마 가지 않아서 도로 말마차로 바꾸곤 했다. 그런 아버지였으므로 서울에 올라와서는 내내 말마차 하나로 버텨나왔는데 어떻게 마음먹었는지 노새로 바꾸고 만 것이다. 노새나 말이나 요즘은 그놈의 삼륜차 때문에 아버지의 일감이 자칫 줄어드는 듯하기도 했다. 웬만한 오르막길도 끄떡없이 오르고, 웬만한 골목 안 집까지도 드르륵 들이닥치니 아버지의 말마차가 위협을 느낌직도 했고, 사실 일감을 빼앗기기도 했다. 그런데도 그때마다 아버지는 큰 소리였다. "휘발유 한 방울 안 나오는 나라에서 자동차만 많으면 뭘 해." 마치 애국자처럼 말하는 것이었으나 나는 아버지의 그 말 뒤에 숨은 오기 같은 것을 느낄 수 있었다. 너무 고단해서였을까, 이날 밤 나는 앞뒤를 가릴 수 없을 만큼 깊이 잠에 빠졌던 것 같다.

(중략)

아버지는 술이 약한 편이어서 저러다가 어쩌나 하고 걱정이 되었다.
"아버지, 고만 드세요. 몸에 해로워요."
"으응."
대답하면서도 아버지는 술잔을 놓지 않았다. 얼마나 지났을까. 안주를 계속 주워 먹었으므로 어느 정도 시장기를 면한 나는 비로소 아버지를 쳐다보았다.
ⓒ"이제부터 내가 노새다. 이제부터 내가 노새가 되어야지 별수 있니? 그놈이 도망쳤으니까. 이제 내가 노새가 되는 거지."
기분 좋게 취한 듯한 아버지는 놀라는 나를 보고 히힝 한 번 웃었다. 나는 어쩐지 그런 아버지가 무섭지만은 않았다. 그러면 형들이나 나는 노새 새끼고, 어머니는 암노새고, 할머니는 어미 노새가 되는 것일까? 나도 아버지를 따라 히히힝 웃었다. 어른들은 이래서 술집에 오는 모양이었다. 나는 안주만 집어먹었는데도 술 취한 사람마냥 턱없이 즐거웠다. 노새 가족—노새 가족은 우리 말고는 이 세상에 또 없을 것이었다.
그러나 이러한 생각은 아버지와 내가 집에 당도했을 때 무참히 깨어지고 말았다. 우리를 본 어머니가 허둥지둥 달려나와 매달렸다.
ⓔ"이걸 어쩌우. 글쎄 경찰서에서 당신을 오래요. 그놈의 노새가 사람을 다치고 가게 물건들을 박살을 냈대요. 이걸 어쩌지."
"노새는 찾았대?"
"찾고나 그러면 괜찮게요? 노새는 간데온데없고 사람들만 다치고 하니까, 누구네 노새가 그랬는지 수소문 끝에 우리 집으로 순경이 찾아왔지 뭐유."
오늘 낮에 지서에서 나온 사람이 우리 노새가 튀는 바람에 여기저기서 많은 피해를 입었으니 도로 무슨 법이라나 하는 법으로 아버지를 잡아넣어야겠다고 이르고 갔다는 것이었다. 아버지는 술이 확 깨는 듯 그 자리에 선 채 한동안 눈만 뒤룩뒤룩 굴리고 서 있더니 힝 하고 코를 풀었다. 그리고는 아무 말 없이 스적스적 문밖으로 걸어 나갔다. 나는 "아버지" 하고 뒤를 따랐으나 아버지는 돌아보지도 않고 어두운 골목길을 나가고 있었다.
ⓜ나는 그 순간 또 한 마리의 노새가 집을 나가는 것 같은 착각을 일으켰다. 그리고는 무엇인가가 뒤통수를 때리는 것을 느꼈다. 아, 우리 같은 노새는 어차피 이렇게 비행기가 붕붕거리고, 헬리콥터가 앵앵거리고, 자동차가 빵빵거리고, 자전거가 쌩쌩거리는 대처에서는 발붙이기 어려운 것인가 하는 생각이 들었다. 언젠가 남편이 택시 운전사인 칠수 어머니가 하던 말, "최소한도 자동차는 굴려야지 지금이 어느 땐데 노새를 부려." 했다는 말이 생각났다. 그러나 그것은 잠깐

동안이고 나는 금방 아버지를 쫓았다. 또 한 마리의 노새를 찾아 캄캄한 골목길을 마구 뛰었다.

– 최일남, 「노새 두 마리」 –

7. 윗글에 대한 설명으로 가장 적절한 것은?

① 상징적 소재를 통해 주제를 형상화하고 있다.
② 풍자적 기법을 통해 인물을 희화화하고 있다.
③ 시점의 전환을 통해 상황을 입체적으로 보여주고 있다.
④ 사건의 반전을 통해 갈등이 해소될 것임을 암시하고 있다.
⑤ 회상을 통해 외부 이야기에서 내부 이야기로 이동하고 있다.

8. 사건 에 대한 이해로 가장 적절한 것은?

① '아버지'가 '칠수 어머니'의 충고를 받아들이는 계기가 된다.
② '나'와 '노새'가 동네 아이들의 놀림거리가 되는 계기가 된다.
③ '나'의 가족이 시골을 떠나 도시에 정착하게 되는 계기가 된다.
④ '아버지'가 당장 벌이를 나갈 수 없는 어려움에 처하는 계기가 된다.
⑤ '동네 사람들'이 '아버지'가 노새를 끄는 이유를 알게 되는 계기가 된다.

9. ㉠~㉤에 대한 이해로 적절하지 <u>않은</u> 것은?

① ㉠: 늦게까지 '노새'를 찾는 '아버지'의 절박함을 느낄 수 있군.

② ㉡: 가족들이 '노새'를 찾지 못한 '아버지'의 무능력함에 실망하고 있음을 알 수 있군.

③ ㉢: 달아난 '노새'를 대신하려는 '아버지'의 가장으로서의 책임감을 느낄 수 있군.

④ ㉣: '어머니'가 '노새'로 인해 생긴 문제를 걱정하고 있음을 알 수 있군.

⑤ ㉤: '나'는 힘들고 지친 '아버지'를 '노새'와 같다고 생각하고 있음을 알 수 있군.

10. [A]를 <보기>와 같이 바꾸어 썼을 때 나타나는 효과로 가장 적절한 것은?

> ─────── <보 기> ───────
>
> "까마귀 새끼."
> 영길이가 놀렸다.
> "너네 아버지는 까마귀, 넌 까마귀 새끼."
> 종달이가 거들었다.
> "신발도 깜장 구두, 연탄재 뒤집어쓴 껌정투성이."
> 아버지가 시장 경비원인 순철이도 한마디 했다.
> "그래, 나 까마귀 새끼다. 그러는 니들은 뭐가 달라서."
> "너네 아버지는 콧물도 까맣더라."
> 귀달네 아버지는 포장마차에서 장사를 하는데, 귀달이도 나를 놀린다. 나도 뻥튀기 장수 아들 영길이와 번데기 장수 동생 종달이의 별명을 불렀다.
> "영길이는 뻥, 종달이는 뻔."

① 외양을 묘사하여 인물의 성격을 드러내고 있다.

② 호흡이 긴 문장을 사용하여 인물의 심리를 드러내고 있다.

③ 인물의 성격 변화 과정을 제시하여 긴장감을 고조하고 있다.

④ 새로운 인물을 등장시켜 인물 간의 대립 구도를 드러내고 있다.

⑤ 인물 간의 대화를 보여 주어 상황을 현장감 있게 제시하고 있다.

총 문항				문항	맞은 문항				문항
개별 문항	1	2	3	4	5	6	7	8	9	10
채점										
개별 문항	11	12	13	14	15	16	17	18	19	20
채점										

현 대 시

•고1 국어 문학•

 현 대 시

📌 **출제 트렌드**

현대시에서는 유명한 작가의 작품이 자주 출제되므로 개별 작가와 작품의 경향을 알아 두면 도움이 됩니다. 특히 작가가 작품 활동을 했을 당시의 시대상이 시에 반영되는 경우가 많습니다. 시 문학에서는 화자의 정서와 태도가 가장 중요한데, 시대상을 알면 이를 파악하는 데에도 도움이 됩니다. 또한 문제에 주어지는 〈보기〉를 통해 작품 해석의 실마리를 얻을 수도 있습니다. 또 한 가지 중요한 것은 바로 시의 표현 방법들을 알아 두는 것입니다. 비유, 상징, 역설, 반어, 대구, 열거, 점층 등 표현 방법에 관한 용어의 의미를 정확하게 알고 있어야만 시 영역의 문제를 풀 수 있습니다. 2022학년도 시험에서는 김영랑 시인의 작품이 3월과 6월에 두 번 출제된 것이 특징적이며, 어떤 작품이 출제되었는지에 따라 수험생들의 체감 난이도가 달라졌습니다. 문제 수는 2021학년도부터 고정적으로 3문제씩 출제되고 있습니다. 문학 영역에서는 대체로 고전 문학 문제를 푸는 시간이 더 오래 걸리므로, 현대 문학에서 시간을 단축하는 것이 좋습니다.

시행	출제 지문	문제 수	난이도
2022학년도 11월 학평	김광섭, '봄' / 허형만, '겨울 들판을 거닐며'	3문제 출제	★☆☆
2022학년도 9월 학평	이육사, '광야' / 박용래, '울타리 밖'	3문제 출제	★★★
2022학년도 6월 학평	김영랑, '모란이 피기까지는' / 함민복, '그날 나는 슬픔도 배불렀다'	3문제 출제	★☆☆
2022학년도 3월 학평	김영랑, '사개 틀린 고풍의 툇마루에' / 정진규, '따뜻한 달걀'	3문제 출제	★★★

📌 **1등급 꿀팁**

하나 _ 시의 화자 또는 대상이 처한 상황을 상상하며 읽자.
두울 _ 시어의 의미는 반드시 문맥 속에서 찾자.
세엣 _ 〈보기〉가 주어질 경우 작품 해석에 대한 힌트로 사용하자.
네엣 _ 비유법, 도치법, 설의법 등 대표적인 표현 방법들을 예시와 함께 외워 두자.
다섯 _ 자주 출제되는 작가의 주요 작품, 작품의 특징과 경향 등을 미리 알아 두자.
여섯 _ 서술어나 어미를 보고 시의 전체적인 분위기를 파악하자.
일곱 _ 두 편의 시가 묶여 출제되는 것이 일반적이므로 작품 간의 공통점과 차이점을 생각하며 읽자.

다음 글을 읽고 물음에 답하시오.

(가)

까마득한 날에
하늘이 처음 열리고　　　　　　　[A]
어데 닭 우는 소리 들렸으랴

모든 산맥들이
바다를 연모해 휘달릴 때도　　　　[B]
차마 이곳을 범하던 못하였으리라

끊임없는 광음*을
부지런한 계절이 피어선 지고　　　[C]
큰 강물이 비로소 길을 열었다

지금 눈 나리고
매화 향기 홀로 아득하니
내 여기 **가난한 노래의 씨**를 뿌려라

다시 천고의 뒤에
백마 타고 오는 ㉠초인이 있어
이 광야에서 목 놓아 부르게 하리라

– 이육사, 「광야」 –

* 광음 : 햇빛과 그늘. 즉 낮과 밤이라는 뜻으로, 시간이나 세월을 이르는 말.

(나)

머리가 마늘쪽같이 생긴 고향의 **소녀**와
한여름을 알몸으로 사는 고향의 **소년**과　[D]
같이 낯이 설어도 사랑스러운 **들길**이 있다

그 길에 아지랑이 피듯 태양이 타듯
제비가 날듯 길을 따라 물이 흐르듯 그렇게
그렇게　　　　　　　　　　　　　　　[E]

천연(天然)히*

울타리 밖에도 ㉡**화초**를 심는 마을이 있다
오래오래 **잔광**이 부신 마을이 있다
밤이면 더 많이 **별**이 뜨는 **마을이 있다**

– 박용래, 「울타리 밖」 –

* 천연히 : 생긴 그대로 조금도 꾸밈이 없이.

45. <보기>를 바탕으로 (가), (나)를 감상한 내용으로 적절하지 **않은** 것은? [3점]

<보 기>

시에서의 시간 양상은 화자의 지향성을 내포하고 있다. 화자가 미래 지향성을 보이는 경우, 시에서의 시간은 현재에서 미래로 나아가는 순방향의 흐름을 보인다. 이때 화자는 현재의 결핍을 인식하고 과거로의 회귀 대신 발전된 미래에 대한 신뢰를 바탕으로 부정적인 현재 상황을 적극적으로 극복하려 한다. 화자가 과거 상황을 긍정적으로 인식하는 과거 지향성을 보이는 경우, 화자는 미래에 대한 신뢰 없이 과거의 공간을 훼손되지 않은 원형으로 여기는 모습을 보인다. 이때 화자의 과거 회상이 현재 시제로 표현되기도 하는데, 이는 과거 공간이 존속하기를 소망하는 화자의 심리가 반영된 것으로 볼 수 있다.

① (가)의 화자는 '큰 강물이 비로소 길을' 연 것을 통해 발전된 미래를 향한 희망을 확인하여 극복의 자세를 드러낸 것이겠군.
② (가)의 화자가 '가난한 노래의 씨'를 뿌리고자 하는 것은 현재의 결핍을 인식하고 있기 때문이겠군.
③ (나)의 '소녀', '소년', '들길'이 존재하는 고향의 모습을 통해 화자가 고향을 훼손되지 않은 원형으로 여기고 있음을 알 수 있겠군.
④ (나)의 '잔광'이 부시고 '별'이 뜨는 마을의 모습을 통해 화자가 마을을 긍정적으로 인식하고 있음을 알 수 있겠군.
⑤ (나)의 '마을'을 '있다'로 표현하는 것은 마을의 모습이 존속하기를 소망하는 화자의 심리를 드러낸 것이겠군.

5분　　2022학년도 11월 학평 22~24번　　★☆☆　　정답 014쪽

【1~3】 다음 글을 읽고 물음에 답하시오.

(가)
얼음을 등에 지고 가는 듯
봄은 멀다
먼저 든 햇빛에
㉠개나리 보실보실 피어서
처음 노란 빛에 정이 들었다.

차츰 지붕이 겨울 짐을 부릴 때도 되고
집 사이에 쌓은 울타리를 헐 때도 된다.
사람들이 그 이야기를
가장 먼 데서부터 시작할 때도 온다.
그래서 봄은 사랑의 계절
모든 거리(距離)가 풀리면서
멀리 간 것이 다 돌아온다.
서운하게 갈라진 것까지도 돌아온다.
모든 처음이 그 근원에서 돌아선다.

나무는 나무로
꽃은 꽃으로
버들강아지는 버들가지로
사람은 사람에게로
산은 산으로
죽은 것과 산 것이 서로 돌아서서
그 근원에서 **상견례(相見禮)를 이룬다.**

꽃은 짧은 **가을** 해에
어디쯤 갔다가
노루 꼬리만큼
길어지는 **봄** 해를 따라

몇 천리나 와서
오늘의 어느 주변에서
찬란한 **꽃밭을 이루는가**

다락에서 **묵은 빨래뭉치도** 풀려서
봄빛을 따라나와
산골짜기에서 겨울 산 뼈를 씻으며
졸졸 흐르는 시냇가로 간다.
　　　　　　　　　　　　　– 김광섭, 「봄」 –

(나)
가까이 다가서기 전에는
아무것도 가진 것 없어 보이는
아무것도 피울 수 없을 것처럼 보이는
겨울 들판을 거닐며
매운 바람 끝자락도 맞을 만치 맞으면
오히려 더욱 따사로움을 알았다

듬성듬성 아직은 **덜 녹은 눈발이**
땅의 품안으로 녹아들기를 꿈꾸며 뒤척이고
논두렁 밭두렁 사이사이
초록빛 싱싱한 키 작은 ㉡들풀 또한 고만고만 모여 앉아
저만치 밀려오는 햇살을 기다리고 있었다
신발 아래 질척거리며 달라붙는
흙의 무게가 삶의 무게만큼 힘겨웠지만
여기서만은 우리가 알고 있는
아픔이란 아픔은 모두 편히 쉬고 있음도 알았다
겨울 들판을 거닐며
겨울 들판이나 사람이나
가까이 다가서지도 않으면서
아무것도 가진 것 없을 거라고
아무것도 키울 수 없을 거라고
함부로 말하지 않기로 했다
　　　　　　　　　　　　　– 허형만, 「겨울 들판을 거닐며」 –

1. (가), (나)의 표현상 특징으로 가장 적절한 것은?
　① (가)는 명사로 시상을 마무리하여 시적 여운을 드러내고 있다.
　② (가)는 수미상관의 방식을 활용하여 구조적 안정감을 얻고 있다.
　③ (나)는 청유형 어미를 활용하여 화자의 태도 변화를 드러내고 있다.
　④ (가)와 (나)는 모두 유사한 문장 구조를 반복하여 시적 의미를 강조하고 있다.
　⑤ (가)와 (나)는 모두 청자를 명시적으로 설정하여 화자의 상황을 구체화하고 있다.

2. ㉠과 ㉡에 대한 이해로 가장 적절한 것은?
　① ㉠은 '햇빛'과, ㉡은 '햇살'과 대비되어 평화로운 분위기를 조성한다.
　② ㉠은 '처음'과, ㉡은 '저만치'와 어울려 근원적 외로움을 상징한다.
　③ ㉠은 '보실보실'과, ㉡은 '고만고만'과 어울려 숭고한 희생을 드러낸다.
　④ ㉠은 '노란 빛'과, ㉡은 '초록빛'과 조응하여 생명성을 환기한다.
　⑤ ㉠은 '피어서'와, ㉡은 '모여 앉아'와 조응하여 상실감을 부각한다.

3. <보기>를 바탕으로 (가)와 (나)를 감상한 내용으로 적절하지 <u>않은</u> 것은? [3점]

> ─── < 보 기 >───
>
> 시에서 계절은 중요한 요소로 작용하는 경우가 많은데, 화자는 계절적 특성에 대한 인식을 바탕으로 다양한 의미를 이끌어 낸다. 화자는 계절의 변화에 내포된 자연의 순환적 질서를 인식하고, 소멸했던 것이 소생하는 모습에서 희망의 이미지를 발견하기도 한다. 또 계절의 변화로 인한 자연현상을 인간의 삶과 관련지어 인식함으로써 화자가 지향하는 가치나 태도를 드러내기도 한다.

① (가)에서는 '멀리 간 것이 다 돌아온다'는 것에서 화자가 봄을 소생의 계절로 인식했음을, (나)에서는 '매운 바람'도 '맞을 만치 맞으면' '오히려 더욱 따사로움을 알게 되었다'는 것에서 화자가 겨울을 소생의 가능성이 내재된 계절로 인식했음을 엿볼 수 있군.

② (가)에서는 '가을 해에 어디쯤 갔'던 꽃이 '봄 해를 따라'와 '꽃밭을 이루'는 것에서, (나)에서는 '덜 녹은 눈발'이 봄이 되어 '땅의 품 안으로 녹아들기를 꿈'꾼다는 것에서 순환하는 자연의 질서에 대한 화자의 인식을 엿볼 수 있군.

③ (가)에서는 '묵은 빨래뭉치'가 '봄빛을 따라나'온다는 것에서, (나)에서는 '흙의 무게'가 '삶의 무게'처럼 느껴진다는 것에서 화자가 계절의 변화에서 발견한 희망의 이미지를 엿볼 수 있군.

④ (가)에서는 '버들강아지는 버들가지로'와 '사람은 사람에게로'를 연결한 것에서, (나)에서는 '겨울 들판'과 '사람'을 연결한 것에서 자연현상을 인간의 삶과 관련짓고 있는 화자의 인식을 엿볼 수 있군.

⑤ (가)에서는 '죽은 것과 산 것이' '상견례를 이룬다'는 것에서 화자가 지향하는 화합의 가치를, (나)에서는 '가까이 다가서지도 않으면서' '함부로 말하지 않'겠다는 것에서 화자가 지향하는 태도를 엿볼 수 있군.

【4~6】 다음 글을 읽고 물음에 답하시오.

(가)
까마득한 날에
하늘이 처음 열리고   ┐
어데 닭 우는 소리 들렸으랴   ┘ [A]

모든 산맥들이
바다를 연모해 휘달릴 때도   ┐ [B]
차마 이곳을 범하던 못하였으리라   ┘

끊임없는 광음*을   ┐
부지런한 계절이 피어선 지고   │ [C]
큰 강물이 비로소 길을 열었다   ┘

지금 눈 나리고
매화 향기 홀로 아득하니
내 여기 **가난한 노래의 씨**를 뿌려라

다시 천고의 뒤에
백마 타고 오는 ㉠초인이 있어
이 광야에서 목 놓아 부르게 하리라

– 이육사, 「광야」 –

* 광음 : 햇빛과 그늘. 즉 낮과 밤이라는 뜻으로, 시간이나 세월을 이르는 말.

(나)
머리가 마늘쪽같이 생긴 고향의 **소녀**와   ┐
한여름을 알몸으로 사는 고향의 **소년**과   │ [D]
같이 낯이 설어도 사랑스러운 **들길**이 있다   ┘

그 길에 아지랑이가 피듯 태양이 타듯   ┐
제비가 날듯 길을 따라 물이 흐르듯 그렇게   │ [E]
그렇게   ┘

천연(天然)히*

울타리 밖에도 ㉡화초를 심는 마을이 있다
오래오래 **잔광**이 부신 마을이 있다
밤이면 더 많이 **별**이 뜨는 **마을**이 있다

– 박용래, 「울타리 밖」 –

* 천연히 : 생긴 그대로 조금도 꾸밈이 없이.

4. [A]~[E]에 대한 설명으로 적절하지 <u>않은</u> 것은?

① [A] : 설의적 표현을 활용하여 원시성을 지닌 태초 광야의 모습을 강조하고 있다.

② [B] : 인격화된 대상의 행위를 추측하여 광야의 신성성을 부각하고 있다.

③ [C] : 추상적 대상을 구체화하여 광야가 끊임없이 생성되고 소멸되는 순환성을 나타내고 있다.

④ [D] : 시각적 심상을 활용하여 고향의 모습을 선명하게 표현하고 있다.

⑤ [E] : 비유적인 표현을 활용하여 인위적이지 않은 마을의 모습을 드러내고 있다.

5. ㉠과 ㉡에 대한 이해로 가장 적절한 것은?

① ㉠은 화자를 각성하게 하는 존재이며, ㉡은 화자를 성찰하게 하는 대상이다.

② ㉠은 공간의 황폐함을 심화하는 존재이며, ㉡은 공간에 생명력을 부여하는 대상이다.

③ ㉠은 공간의 변화를 가져오는 존재이며, ㉡은 공동체의 인식 전환을 일으키는 대상이다.

④ ㉠은 화자가 위화감을 느끼게 하는 존재이며, ㉡은 화자가 애상감을 느끼게 하는 대상이다.

⑤ ㉠은 화자가 지향하는 이상을 실현하는 존재이며, ㉡은 화자가 지향하는 공동체의 모습을 드러내는 대상이다.

6. <보기>를 바탕으로 (가), (나)를 감상한 내용으로 적절하지 <u>않은</u> 것은? [3점]

<보 기>

시에서의 시간 양상은 화자의 지향성을 내포하고 있다. 화자가 미래 지향성을 보이는 경우, 시에서의 시간은 현재에서 미래로 나아가는 순방향의 흐름을 보인다. 이때 화자는 현재의 결핍을 인식하고 과거로의 회귀 대신 발전된 미래에 대한 신뢰를 바탕으로 부정적인 현재 상황을 적극적으로 극복하려 한다. 화자가 과거 상황을 긍정적으로 인식하는 과거 지향성을 보이는 경우, 화자는 미래에 대한 신뢰 없이 과거의 공간을 훼손되지 않은 원형으로 여기는 모습을 보인다. 이때 화자의 과거 회상이 현재 시제로 표현되기도 하는데, 이는 과거 공간이 존속하기를 소망하는 화자의 심리가 반영된 것으로 볼 수 있다.

---

① (가)의 화자는 '큰 강물이 비로소 길을' 연 것을 통해 발전된 미래를 향한 희망을 확인하여 극복의 자세를 드러낸 것이겠군.

② (가)의 화자가 '가난한 노래의 씨'를 뿌리고자 하는 것은 현재의 결핍을 인식하고 있기 때문이겠군.

③ (나)의 '소녀', '소년', '들길'이 존재하는 고향의 모습을 통해 화자가 고향을 훼손되지 않은 원형으로 여기고 있음을 알 수 있겠군.

④ (나)의 '잔광'이 부시고 '별'이 뜨는 마을의 모습을 통해 화자가 마을을 긍정적으로 인식하고 있음을 알 수 있겠군.

⑤ (나)의 '마을'을 '있다'로 표현하는 것은 마을의 모습이 존속하기를 소망하는 화자의 심리를 드러낸 것이겠군.

【7~9】 다음 글을 읽고 물음에 답하시오.

(가)

모란이 피기까지는
나는 아직 나의 봄을 기둘리고 있을 테요
모란이 뚝뚝 떨어져 버린 날
나는 비로소 봄을 여읜 설움에 잠길 테요
오월 ⓐ어느 날 그 하루 무덥던 날
떨어져 누운 꽃잎마저 시들어 버리고는
천지에 모란은 자취도 없어지고
뻗쳐오르던 내 보람 서운케 무너졌느니
모란이 지고 말면 그뿐 내 한 해는 다 가고 말아
삼백예순 날 하냥 섭섭해 우옵네다
모란이 피기까지는
나는 아직 기둘리고 있을 테요 찬란한 슬픔의 봄을
　　　　　　　　　　　　　　 - 김영랑, 「모란이 피기까지는」 -

(나)

아래층에서 물 틀면 단수가 되는
좁은 계단을 올라야 하는 전세방에서
만학을 하는 나의 등록금을 위해
사글셋방으로 이사를 떠나는 형님네
달그락거리던 밥그릇들
베니어판으로 된 농짝을 리어카로 나르고
집안 형편을 적나라하게 까 보이던 이삿짐
가슴이 한참 덜컹거리고 이사가 끝났다
형은 시장 골목에서 자장면을 시켜주고
쉽게 정리될 살림살이를 정리하러 갔다
나는 전날 친구들과 깡소주를 마신 대가로
냉수 한 대접으로 조갈증을 풀면서
자장면을 앞에 놓고
이상한 중국집 젊은 부부를 보았다
바쁜 점심시간 맞춰 잠자주는 아기를 고마워하며
젊은 부부는 밀가루, 그 연약한 반죽으로
튼튼한 미래를 꿈꾸듯 명랑하게 전화를 받고
서둘러 배달을 나아갔다
나는 그 모습이 눈물처럼 아름다워
물배가 부른데도 자장면을 남기기 미안하여
마지막 면발까지 다 먹고 나니
더부룩하게 배가 불렀다, 살아간다는 게

ⓑ그날 나는 분명 슬픔도 배불렀다
　　　　　　　　　 - 함민복, 「그날 나는 슬픔도 배불렀다」 -

7. (가)에 대한 설명으로 적절하지 <u>않은</u> 것은?

① 색채어를 활용하여 대상의 불변성을 부각하고 있다.
② 변형된 수미상관의 구조를 통해 시의 주제를 강조하고 있다.
③ 도치의 방식으로 시상을 마무리하여 시적 의미를 강조하고 있다.
④ 음성 상징어를 통해 대상의 움직임에서 느끼는 인상을 드러내고 있다.
⑤ 작품의 표면에 나타난 화자가 자신의 정서를 직접적으로 드러내고 있다.

8. ⓐ와 ⓑ에 대한 설명으로 가장 적절한 것은?

① ⓐ는 대상과의 소통이 확대된 시간이고, ⓑ는 대상과의 소통이 단절된 시간이다.
② ⓐ는 대상과의 유대감을 느끼는 시간이고, ⓑ는 대상과의 거리감을 느끼는 시간이다.
③ ⓐ는 대상을 통해 삶의 희망을 찾게 된 시간이고, ⓑ는 대상을 통해 삶의 권태를 느낀 시간이다.
④ ⓐ는 대상의 소멸로 인해 슬픔을 느낀 시간이고, ⓑ는 슬픔 속에서도 아름다움을 발견한 시간이다.
⑤ ⓐ는 현실에 대한 비판적 태도가 드러나는 시간이고, ⓑ는 미래에 대한 희망이 드러나는 시간이다.

9. <보기>를 참고하여 (가)와 (나)를 감상한 것으로 적절하지 <u>않은</u> 것은? [3점]

> ───── <보 기> ─────
>
> 시에서 대비되는 정서나 태도, 이미지가 제시될 때, 화자가 처한 상황이나 대상에 대한 인식이 강조되는 효과가 있다. 그런데 상반되거나 이질적인 정서나 태도, 이미지들이 함께 나타날 때는 표면적으로 모순이 있는 것처럼 보이기도 한다. 하지만 시인은 모순적으로 보이는 것들을 통해서 표면적 진술 너머에 있는 보다 높은 차원의 인식을 보여 준다.

① (가): '섭섭해 우웁네다'와 '아직 기둘리고 있을 테요'에서는 꽃이 사라진 것에 대한 화자의 태도가 대비되면서 화자의 기다림이 강조되는군.
② (가): '찬란한 슬픔'은 모순된 진술처럼 보이지만, 표면적 진술 너머에 슬픔을 극복하려는 화자의 인식이 담겨 있음을 볼 수 있군.
③ (나): '연약한 반죽'과 '튼튼한 미래'에서는 이미지의 대비를 통해 희망을 잃지 않는 중국집 젊은 부부의 건강한 삶을 강조하고 있군.
④ (나): '이상한'과 '눈물처럼 아름다워'에서는 중국집 젊은 부부를 향한 태도가 대비되면서 중국집 젊은 부부에 대한 화자의 긍정적인 인식이 부각되고 있군.
⑤ (나): '슬픔도 배불렀다'는 모순된 진술을 통해 중국집 젊은 부부의 고단한 삶과의 대비에서 느끼는 화자 자신의 삶에 대한 만족감을 강조하고 있군.

총 문항				문항	맞은 문항				문항
개별 문항	1	2	3	4	5	6	7	8	9	10
채점										
개별 문항	11	12	13	14	15	16	17	18	19	20
채점										

| 5분 | 2022학년도 3월 학평 31~33번 | ★★★ | 정답 016쪽 |

【1~3】 다음 글을 읽고 물음에 답하시오.

(가)

사개 틀린* 고풍(古風)의 ㉠툇마루에 없는 듯이 앉아
아직 **떠오를 기척도 없는** 달을 기다린다
아무런 생각 없이
아무런 뜻 없이

이제 저 감나무 그림자가
사뿐 한 치씩 옮아오고
이 마루 위에 빛깔의 방석이
보시시 깔리우면

나는 내 하나인 **외론 벗**
가냘픈 **내 그림자**와
말없이 몸짓 없이 **서로 맞대고 있으려니**
이 밤 옮기는 발짓이나 들려오리라
　　　　　　　　　－ 김영랑, 「사개 틀린 고풍의 툇마루에」 －

* 사개 틀린 : 사개가 틀어진. 한옥에서 못을 사용하지 않고 목재의
　모서리를 깎아 요철을 끼워 맞추는 부분을 '사개'라고 한다.

(나)

우수* 날 저녁
그 전날 저녁부터
오늘까지 연 닷새 간을
고향, 내 새벽 ㉡산 여울을
찰박대며 뛰어 건너는
이쁜 발자욱 소리 하날
듣고 지내었더니
그 새끼발가락 하날
가만가만 만지작일 수도 있었더니
나 실로 정결한 말씀만 고를 수 있었더니
그가 왔다.
진솔* 속곳을 갈아입고
그가 왔다.
이른 아침,
난 그를 위해 닭장으로 내려가고
따뜻한 **달걀**
두 알을 집어내었다.
경칩*이 멀지 않다 하였다.
　　　　　　　　　－ 정진규, 「따뜻한 달걀」 －

* 우수(雨水), 경칩(驚蟄) : 입춘(立春)과 춘분(春分) 사이에 드는 절
　기. 우수는 눈이 그치고 봄비가 오기 시작하는 시기, 경칩은 벌레가
　깨어나고 겨울잠을 자던 개구리가 땅 밖으로 나오는 시기이다.
* 진솔 : 옷이나 버선 따위가 한 번도 빨지 않은 새것 그대로인 것.

1. (가)와 (나)의 공통점으로 가장 적절한 것은?

① 음성 상징어를 활용하여 움직임의 정도를 드러내고 있다.
② 원경과 근경을 대비하여 심리적 거리감을 표현하고 있다.
③ 청자를 명시적으로 드러내어 화자의 바람을 표출하고 있다.
④ 가정의 진술을 활용하여 현실 극복의 의지를 드러내고 있다.
⑤ 추측을 나타내는 표현으로 시상을 종결하여 시적 여운을 자아내고 있다.

2. ㉠과 ㉡에 대한 설명으로 가장 적절한 것은?

① ㉠과 ㉡은 모두 오랜 세월의 흔적을 간직한 일상적 삶의 공간이다.
② ㉠과 ㉡은 모두 화자가 현실을 관조하며 스스로를 성찰하는 공간이다.
③ ㉠은 상승하는 대상과 친밀감을, ㉡은 하강하는 대상과 일체감을 느끼는 공간이다.
④ ㉠은 고독하고 적막한 상황이, ㉡은 생동하는 청량한 기운이 형상화되는 공간이다.
⑤ ㉠은 지나온 삶에 대한 그리움이, ㉡은 현재의 삶에 대한 만족감이 드러나는 공간이다.

3. <보기>를 참고하여 (가)와 (나)를 감상한 내용으로 적절하지 <u>않은</u> 것은? [3점]

> ＜ 보 기 ＞
>
> 　(가)와 (나)는 자연의 순환적 질서에 감응하는 화자의 모습을 보여준다. (가)의 화자는 밤이 깊어지면서 달이 떠오르기를 기다리고 있고, (나)의 화자는 절기가 바뀌면서 봄빛이 점점 뚜렷해지고 있음을 느끼고 있다. 시간의 흐름에 따른 자연의 점진적 변화를 감지하기 위해 화자는 온몸의 감각을 집중하면서, 자연을 자신과 교감을 이루는 주체로 인식한다.

① (가)의 화자가 '아무런 생각'이나 '뜻 없이' 달이 떠오르기를 기다리는 것은, 자연의 변화를 감지하기 위해 온몸의 감각을 집중하는 것으로 볼 수 있군.
② (나)에서 소리로 인식되던 대상의 '새끼발가락'을 만질 수 있게 되었다는 것은, 시간의 흐름에 따라 자연이 변화하는 양상을 표현한 것으로 볼 수 있군.
③ (가)의 '떠오를 기척도 없는 달'과 (나)의 '이쁜 발자욱 소리' 하나는 자연의 순환적 질서가 지연되는 것에 대한 화자의 조바심을 유발하는 것으로 볼 수 있군.
④ (가)에서는 달이 뜨는 것을 '이 밤 옮기는 발짓'을 한다고 표현하고, (나)에서는 뚜렷해진 봄빛을 '진솔 속곳을 갈아입'은 것으로 표현하여 자연을 행위의 주체로 인식하고 있군.
⑤ (가)에서는 달이 만든 '내 그림자'를 '벗' 삼아 '서로 맞대고 있으려'는 데서, (나)에서는 '경칩'을 예감하며 '달걀'의 온기를 느끼는 데서 화자와 자연이 교감하는 모습이 나타나는군.

[4~6] 다음 글을 읽고 물음에 답하시오.

> **(가)**
> 1
> **발돋움하는** 발돋움하는 **너**의 자세는
> 왜 이렇게
> **두 쪽으로 갈라져서 떨어져야** 하는가,
>
> **그리움으로 하여**
> 왜 너는 이렇게
> **산산이 부서져서 흩어져야** 하는가,
>
> 2
> **모든 것**을 바치고도
> 왜 나중에는
> 이 **찢어지는 아픔**만을
> 가져야 하는가,
>
> 네가 네 스스로에 보내는
> 이별의
> 이 안타까운 눈짓만을 가져야 하는가.
>
> 3
> **왜 너는**
> **다른 것이 되어서는 안 되는가,**
>
> **떨어져서 부서진** 무수한 네가
> 왜 이런
> **선연한 무지개**로
> **다시 솟아야만** 하는가,
>
>   − 김춘수, 「분수」 −
>
> **(나)**
> 잘 빚어진 **찻잔**을 들여다본다
> 수없이 실금이 가 있다
> 마르면서 굳어지면서 스스로 제 살을 조금씩 벌려
> 그 사이에 **뜨거운 불김**을 불어 넣었으리라
> 얽히고설킨 그 **틈 사이**에 바람이 드나들고
> 비로소 찻잔은 그 숨결로 살아 있어   **[A]**
> 그 **틈, 사이들이 실뿌리처럼 찻잔의 형상을 붙잡고** 있는 게다
> 틈 사이가 고울수록 깨어져도 찻잔은 날을 세우지 않는다
> 미리 제 몸에 새겨놓은 돌아갈 길,
> 그 보이지 않는 작은 **틈, 사이**가
> 찻물을 새지 않게 한단다
> 잘 지어진 **콘크리트 건물** 벽도
> 양생되면서 제 몸에 수 없는 실핏줄을 긋는다
> 그 미세한 **틈, 사이**가   **[B]**
> 차가운 눈바람과 비를 막아준다고 한다
> **진동과 충격을 견디는 힘**이 거기서 나온단다
> 끊임없이 서로의 중심에 다가서지만
> **벌어진 틈, 사이 때문에 가슴 태우던** 그대와 나
> 그 **틈, 사이**까지가 하나였음을 알겠구나
> **하나 되어 깊어진다는** 것은   **[C]**
> 수많은 실금의 **틈, 사이**를 허용하는 것인지도 모른다
> 네 노여움의 불길과 내 **슬픔의 눈물**이 스며들 수 있게
> 서로의 속살에 실뿌리 깊숙이 내리는 것인지도 모를 일이다
>   − 복효근, 「틈, 사이」 −

4. (가)와 (나)의 공통점으로 가장 적절한 것은?
① 특정 시어를 반복하여 주제 의식을 드러내고 있다.
② 수미상관의 방식을 통해 형태적 안정감을 주고 있다.
③ 음성 상징어를 활용하여 시적 상황을 부각하고 있다.
④ 명사형으로 시상을 마무리하여 시적 여운을 주고 있다.
⑤ 후각적 이미지를 사용하여 대상의 속성을 나타내고 있다.

5. <보기>를 참고하여 (가)를 감상한 내용으로 적절하지 <u>않은</u> 것은?
                                           [3점]

> ─〈 보 기 〉─
> 이 작품은 인간 존재의 본질적 운명을 '분수'의 속성을 통해 드러낸다. 화자는 상승과 추락을 반복하는 분수를 통해 자기 극복과 좌절에 대해 이야기한다. 화자는 분수를 자신의 상황에 머무르지 않고 현실의 한계를 극복하려는 초월 의지를 지닌 존재로 인식하며 운명에서 벗어나기 위해 도전을 지속하는 모습을 순환성의 이미지를 통해 드러내고 있다.

① '너'가 '발돋움하는' 것과 '두 쪽으로 갈라져서 떨'어지는 것에서 상승하고 추락하는 분수의 속성을 확인할 수 있겠군.
② '그리움으로 하여' '산산이 부서져서 흩어'지는 것에서 자신의 속성을 초월한 분수의 모습을 확인할 수 있겠군.
③ 분수가 '모든 것'을 바치고도 '찢어지는 아픔'만을 가지는 것에서 자기 극복을 위해 노력하지만 결국 좌절하는 분수의 속성을 확인할 수 있겠군.
④ '왜 너는 다른 것이 되어서는 안 되는가'라는 의문에서, 현실의 한계에서 벗어날 수 없는 분수의 상황에 대한 화자의 인식을 확인할 수 있겠군.
⑤ '떨어져서 부서진' 분수가 '선연한 무지개'로 '다시' 솟는다는 것에서 운명에서 벗어나기 위해 도전을 지속하는 순환성의 이미지를 확인할 수 있겠군.

6. (나)의 [A]~[C]를 이해한 내용으로 적절하지 <u>않은</u> 것은?
① [A]의 '틈 사이'는 '찻잔'이 '뜨거운 불김'을 견디고 생명력을 지닌 존재로 거듭날 수 있게 해 준다.
② [B]의 '틈, 사이'는 '콘크리트 건물'을 외부의 시련으로부터 막아 주는 역할을 한다.
③ [A]의 '틈, 사이들'이 '찻잔의 형상을 붙잡고 있는' 것처럼, [C]의 '틈, 사이'는 그대와 나를 '하나 되어 깊어진' 관계로 만들어 준다.
④ [B]의 '틈, 사이'가 '진동과 충격을 견디는 힘'의 근원이 되듯, [C]에서 인간관계의 '틈, 사이'는 '슬픔'과 '눈물'의 근원이 될 수 있다는 것으로 화자의 인식이 확장되고 있다.
⑤ [A]와 [B]에서 외부의 대상을 향했던 화자의 시선이 [C]에서 인간관계의 '틈, 사이'로 향하면서 '벌어진 틈, 사이 때문에 가슴 태우던' 상황에 대한 화자의 인식이 전환되고 있다.

【7~9】다음 글을 읽고 물음에 답하시오.

(가)

　　┌ 문 열자 선뜻!
[A]│
　　└ 먼 산이 이마에 차라.

　　우수절(雨水節)* 들어
　　바로 초하루 아침,

　　┌ 새삼스레 눈이 덮인 멧부리와
[B]│
　　└ 서늘옵고 빛난 이마받이하다.

　　┌ 얼음 금 가고 바람 새로 따르거니
[C]│
　　└ 흰 옷고름 절로 향기로워라.

　　┌ 옹숭거리고* 살아난 양이
[D]│
　　└ 아아 꿈 같기에 설어라.

　　┌ 미나리 파릇한 새순 돋고
[E]│
　　└ 옴짓 아니 기던 고기 입이 오물거리는,

　　꽃 피기 전 철 아닌 눈에
　　핫옷* 벗고 도로 춥고 싶어라.
　　　　　　　　　　　　　　– 정지용, 「춘설(春雪)」 –

* 우수절 : 24절기의 하나로, 봄비가 내리기 시작하는 시기임.
* 옹숭거리고 : 춥거나 두려워 몸을 궁상맞게 몹시 움츠려 작게 하고
* 핫옷 : 안에 솜을 두어 지은 겨울옷.

(나)

　　흔들리는 나뭇가지에 꽃 한번 피우려고
　　눈은 얼마나 많은 도전을 멈추지 않았으랴

　　싸그락 싸그락 두드려 보았겠지
　　난분분* 난분분 춤추었겠지
　　미끄러지고 미끄러지길 수백 번,

　　바람 한 자락 불면 휙 날아갈 사랑을 위하여
　　햇솜 같은 마음을 다 퍼부어 준 다음에야
　　마침내 피워 낸 저 황홀 보아라

　　봄이면 가지는 그 한번 덴 자리에
　　세상에서 가장 아름다운 상처를 터뜨린다
　　　　　　　　　　　　　　– 고재종, 「첫사랑」 –

* 난분분 : 눈이나 꽃잎 따위가 어지럽게 흩날리는 모양.

---

7. (가), (나)에 대한 설명으로 가장 적절한 것은?
① (가)는 명암의 대비를 통해 화자의 내면을 드러내고 있다.
② (나)는 수미상관의 방식으로 시적 안정감을 드러내고 있다.
③ (가)는 공간의 이동에 따라 (나)는 시간의 흐름에 따라 시적 분위기를 조성하고 있다.
④ (가)와 (나)는 모두 설의적 표현을 사용하여 화자의 정서를 드러내고 있다.
⑤ (가)와 (나)는 모두 계절감을 드러내는 시어를 사용하여 주제를 형상화하고 있다.

8. (가)를 이해한 내용으로 적절하지 <u>않은</u> 것은?
① [A]에서 화자는 갑작스럽게 마주한 풍경에 대한 놀라움을 '선뜻!'이라는 시어로 표현하고 있다.
② [B]에서 화자는 [A]에서 이마에 닿을 듯 차갑게 느껴졌던 먼 산의 경치를 '이마받이'로 부각하고 있다.
③ [C]에서 화자는 '얼음'이 녹고 '바람'이 새로 부는 것을 통해 변화하는 자연의 모습을 그려내고 있다.
④ [D]에서 화자는 겨우내 '옹숭거리고' 살아온 자신을 돌아보며 [C]에서 보인 자신의 태도를 허무하게 여기고 있다.
⑤ [E]에서 화자는 겨울이 가고 봄이 오는 모습을 '새순' 돋는 미나리와 오물거리는 '고기 입'으로 생동감 있게 제시하고 있다.

9. <보기>를 참고하여 (가), (나)를 감상한 것으로 적절하지 <u>않은</u> 것은? [3점]

> ──────── <보 기> ────────
> 　시에서 '낯설게 하기'는 반복과 변형, 역설, 이질적인 대상 간의 결합, 언어의 비유적인 결합, 감각의 전이 등을 통해 사물을 재인식하거나 그 이면에 주목하여 새로운 의미를 형성하는 방법이다.

① (가)의 '흰 옷고름 절로 향기로워라'에서는 흰 옷고름의 시각적 이미지를 향기로움이라는 후각적 이미지로 표현함으로써 봄에 대한 화자의 느낌을 나타내고 있군.
② (가)의 '꽃 피기 전 철 아닌 눈'에서는 서로 어울리지 않는 봄과 눈을 결합함으로써 다시 돌아올 겨울에 대한 화자의 기대감을 드러내고 있군.
③ (나)의 '난분분 난분분'과 '미끄러지고 미끄러지길'에서는 시어를 반복하거나 변형함으로써 눈꽃을 피우기 위해 노력하는 눈의 모습을 표현하고 있군.
④ (나)의 '마침내 피워 낸 저 황홀 보아라'에서는 가지에 피어난 눈꽃을 '황홀'과 비유적으로 결합함으로써 눈의 노력이 결실을 맺는 기쁨을 드러내고 있군.
⑤ (나)의 '아름다운 상처'에서는 표면적으로 모순이 되는 두 시어를 연결하는 역설의 방법을 사용함으로써 시련을 겪고 피어나는 것의 아름다움을 강조하고 있군.

총 문항				문항	맞은 문항				문항
개별 문항	1	2	3	4	5	6	7	8	9	10
채점									
개별 문항	11	12	13	14	15	16	17	18	19	20
채점									

5분 | 2021학년도 6월 학평 43~45번 | ★★☆ | 정답 019쪽

【1~3】 다음 글을 읽고 물음에 답하시오.

(가)

어두운 ㉠방 안엔
빠알간 숯불이 피고,

외로이 늙으신 할머니가
애처로이 잦아드는 어린 목숨을 지키고 계시었다.

이윽고 눈 속을
아버지가 약을 가지고 돌아오시었다.

아 아버지가 눈을 헤치고 따 오신
그 붉은 산수유 열매—

나는 한 마리 어린 짐승,
젊은 아버지의 서느런 옷자락에
열로 상기한 볼을 말없이 부비는 것이었다.

이따금 뒷문을 눈이 치고 있었다.
그날 밤이 어쩌면 성탄제의 밤이었을지도 모른다.

어느새 나도
그때의 아버지만큼 나이를 먹었다.

옛것이라곤 찾아볼 길 없는
성탄제 가까운 도시에는
이제 반가운 그 옛날의 것이 내리는데,

서러운 서른 살 나의 이마에
불현듯 아버지의 서느런 옷자락을 느끼는 것은,

눈 속에 따 오신 산수유 붉은 알알이
아직도 내 혈액 속에 녹아 흐르는 까닭일까.

– 김종길, 「성탄제」 –

(나)

나는 당신의 옷을 다 지어 놓았습니다.
심의도 짓고 도포도 짓고 자리옷도 지었습니다.
짓지 아니한 것은 작은 주머니에 수놓는 것뿐입니다.

그 주머니는 나의 손때가 많이 묻었습니다.
짓다가 놓아두고 짓다가 놓아두고 한 까닭입니다.
다른 사람들은 나의 바느질 솜씨가 없는 줄로 알지마는
그러한 비밀은 나밖에는 아는 사람이 없습니다.
나의 마음이 아프고 쓰린 때에 주머니에 수를 놓으려면
나의 마음은 수놓는 금실을 따라서 바늘구멍으로 들어가고
주머니 속에서 맑은 노래가 나와서 나의 마음이 됩니다.
그리고 아직 ㉡이 세상에는 그 주머니에 넣을 만한 무슨 보

물이 없습니다.
이 작은 주머니는 짓기 싫어서 짓지 못하는 것이 아니라 짓
고 싶어서 다 짓지 않는 것입니다.

– 한용운, 「수(繡)의 비밀」 –

1. (가)와 (나)에 대한 설명으로 가장 적절한 것은?

① (가)는 수미상관의 방식을 통해, (나)는 설의적 표현을 통해
화자의 의지를 드러내고 있다.
② (가)는 (나)와 달리 동일한 종결 표현을 사용하여 구조적
안정감을 부여하고 있다.
③ (나)는 (가)와 달리 역설적 표현을 통해 대상에 대한 화자의
정서를 부각하고 있다.
④ (가)와 (나)는 모두 후각적 이미지를 통해 시적 상황을 구체
화하고 있다.
⑤ (가)와 (나)는 모두 시간의 흐름에 따라 시상을 전개하여
화자의 태도 변화를 드러내고 있다.

2. ㉠과 ㉡에 대한 설명으로 가장 적절한 것은?

① ㉠은 화자가 자아를 성찰하는 공간이다.
② ㉠은 화자와 대상과의 관계가 단절된 공간이다.
③ ㉡은 화자의 소망이 실현되지 못하고 있는 공간이다.
④ ㉡은 화자가 일상의 삶에서 벗어난 초월적인 공간이다.
⑤ ㉠과 ㉡은 모두 화자가 추구하는 이상적 공간이다.

3. <보기>를 참고하여 (가)를 감상한 내용으로 적절하지 <u>않은</u>
것은? [3점]

<보 기>
김종길 시인의 작품에 가족에 대한 시가 많은 것은 어린
시절 어머니의 부재 속에서도 가족의 보호를 받으며 자란 그
의 성장 과정과 연관이 깊다. 「성탄제」에도 삼대로 이어지는
따뜻한 가족애가 다양한 소재를 통해 형상화되어 있다. 이러
한 가족애는 개인의 경험을 넘어 현대인의 메마른 삶을 극복
할 수 있는 인간애로 확장됨으로써 공감을 얻고 있다.

① '외로이 늙으신 할머니'가 어린 화자를 돌보고 있는 모습은
시인의 성장 배경과 관련이 있겠군.
② '눈 속'을 헤치고 '약'을 구해 온 아버지의 사랑은 삭막한
현실을 극복할 수 있는 인간애로 확장될 수 있겠군.
③ '반가운 그 옛날의 것'은 화자에게 어린 시절을 떠올리게
하는 역할을 하겠군.
④ '서느런 옷자락'은 화자가 경험하는 현대인의 메마른 삶을
형상화한 것이겠군.
⑤ '내 혈액 속에 녹아 흐르는' 산수유는 과거에서 현재까지
이어져 온 가족애를 의미한다고 볼 수 있겠군.

【4~6】 다음 글을 읽고 물음에 답하시오.

(가)

1
양철로 만든 달이 하나 수면 위에 떨어지고
부숴지는 얼음 소리가
날카로운 호적같이 옷소매에 스며든다.

해맑은 밤바람이 이마에 서리는
여울가 모래밭에 홀로 거닐면
노을에 빛나는 은모래같이
호수는 한포기 화려한 꽃밭이 되고

여윈 추억의 가지가지엔
조각난 빙설(氷雪)이 눈부신 빛을 하다.

2
낡은 고향의 허리띠같이
강물은 길—게 얼어붙고

차창에 서리는 황혼 저 멀—리
노을은
나 어린 향수(鄕愁)처럼 희미한 날개를 펴고 있었다.

3
앙상한 잡목림 사이로
한낮이 겨운 하늘이 투명한 기폭(旗幅)을 떨어뜨리고

푸른 옷을 입은 송아지가 한마리
조그만 그림자를 바람에 나부끼며
서글픈 얼굴을 하고 논둑 위에 서 있다.

　　　　　　　　　　　　　－ 김광균, 「성호부근」 －

(나)

갈아놓은 논고랑에 고인 물을 본다.
마음이 행복해진다.
나뭇가지가 꾸부정하게 비치고
햇살이 번지고
날아가는 새 그림자가 잠기고
나의 얼굴이 들어 있다.
늘 홀로이던 내가
그들과 함께 있다.
누가 높지도 낮지도 않다.
모두가 아름답다.
그 안에 나는 거꾸로 서 있다.
거꾸로 서 있는 모습이
본래의 내 모습인 것처럼
아프지 않다.
산도 곁에 거꾸로 누워 있다.
늘 떨며 우왕좌왕하던 내가
저 세상에 건너가 서 있기나 한 듯
무심하고 아주 선명하다.

　　　　　　　　　　　　　－ 이성선, 「논두렁에 서서」 －

---

4. (가)와 (나)에 대한 설명으로 가장 적절한 것은?

① (가)와 (나)는 음성 상징어를 사용하여 대상의 생동감을 강조하고 있다.

② (가)와 (나)는 현재 시제를 활용하여 시적 상황에 주목하도록 하고 있다.

③ (가)와 (나)는 청자와 대화하는 방식을 활용하여 주제를 형상화하고 있다.

④ (가)와 달리 (나)는 시선을 원경에서 근경으로 이동하면서 시상을 전개하고 있다.

⑤ (나)와 달리 (가)는 동일한 시어를 반복하여 리듬감을 형성하고 있다.

5. <보기>를 바탕으로 (가)를 이해한 내용으로 적절하지 **않은** 것은?
[3점]

> **< 보 기 >**
> (가)는 숫자로 구별된 세 개의 장면으로 구성되어 있다. 각 장면에서는 다양한 이미지를 통해 겨울 호수와 그 부근의 풍경이 형상화되고, 이 과정에서 애상적 정서가 환기된다.

① '1'에서는 '한포기 화려한 꽃밭'으로 표현된 호수의 모습에 '양철'과 '얼음'이 환기하는 날카롭고 차가운 감각이 연결되면서 겨울 호수의 이미지가 형상화되고 있다.

② '1'에서 '달이 하나 수면 위에 떨어지'는 모습은 겨울 호숫가를 '홀로' 거니는 화자의 상황과 맞물리면서 쓸쓸한 정서를 드러내고 있다.

③ '2'의 '강물'과 '노을'은 '낡은 고향'과 '향수'의 이미지로 연결되면서 고향에 대한 그리움의 정서를 떠올리게 한다.

④ '2'의 '희미한 날개를 펴고 있었다'는 '3'의 '논둑 위에 서 있다'와 연결되면서, '송아지'의 '서글픈 얼굴'이 드러내는 정서가 극복될 수 있는 가능성을 암시하고 있다.

⑤ '1', '2', '3'에서는 각각 '조각난 빙설', '얼어붙'은 '강물', '앙상한 잡목림'과 같은 시구가 스산한 분위기를 자아내면서 애상적 정서를 심화하고 있다.

6. (나)를 감상한 내용으로 적절하지 **않은** 것은?

① 화자는 '늘 떨며 우왕좌왕하던' 과거 자신의 모습과 '곁에 거꾸로 누워 있는' '산'의 모습을 동일시하고 있군.

② '누가 높지도 낮지도 않'은 모습을 '아름답다'고 한 것에서 화자가 물에 비친 세상을 긍정적으로 보고 있음을 알 수 있군.

③ '거꾸로 서 있는 모습'을 '아프지 않'은 것으로 받아들이는 화자에게서 물에 비친 자신의 모습을 부정적이지 않은 것으로 수용하는 태도가 드러나는군.

④ '늘 홀로'라고 생각했던 화자는 '나뭇가지', '햇살', '새 그림자'와 '나의 얼굴'이 '함께 있'는 모습에서 자신이 다른 존재들과 공존하고 있음을 발견하는군.

⑤ 물에 비친 자신의 모습을 '무심하고 아주 선명하다'라고 한 것에서, 화자가 물을 보는 행위를 통해 자기 자신에 대한 인식을 달리하게 되었음을 알 수 있군.

【7~10】 다음 글을 읽고 물음에 답하시오.

(가)

아배는 타관 가서 오지 않고 산비탈 **외따른 집에 엄매와 나**와 **단둘이서** 누가 죽이는 듯이 무서운 밤 집 뒤로는 어늬 산골짜기에서 소를 잡어먹는 노나리꾼들이 도적놈들같이 쿵쿵거리며 ㉠다닌다

날기명석을 져간다는 닭보는 할미를 차 굴린다는 땅아래 고래 같은 기와집에는 언제나 니차떡에 청밀에 은금보화가 그득하다는 외발 가진 조마구* 뒷산 어늬메도 조마구네 나라가 있어서 **오줌 누러** 깨는 재밤* 머리맡의 문살에 대인 유리창으로 **조마구** 군병의 새까만 대가리 **새까만 눈알이** 들여다보는 때 나는 이불 속에 자즈러붙어 숨도 쉬지 못한다

또 이러한 밤 같은 때 **시집갈** 처녀 **막내고무가** 고개 너머 큰집으로 치장감을 가지고 와서 **엄매와** 둘이 소기름에 쌍심지의 불을 밝히고 밤이 들도록 **바느질을** 하는 밤 같은 때 나는 아릇목의 삿귀를 들고 쇠든밤*을 내여 다람쥐처럼 밝어먹고 은행여름을 인두불에 구워도 먹고 그러는 이불 우에서 광대넘이를 뒤이고* 또 누워 굴면서 엄매에게 웃목에 두른 평풍의 새빨간 천두의 이야기를 듣기도 하고 고무더러는 밝는 날 멀리는 못난다는 뫼추라기를 잡어 달라고 조르기도 하고

내일같이 **명절날인** 밤은 부엌에 쩨듯하니 불이 밝고 솥뚜껑이 놀으며 **구수한 내음새** 곰국이 무르끓고 방안에서는 일가집 할머니가 와서 마을의 소문을 펴며 조개송편에 달송편에 쥔두기송편에 떡을 빚는 곁에서 나는 밤소 팥소 **설탕 든 콩가루소**를 먹으며 설탕 든 콩가루소가 가장 맛있다고 생각한다
나는 얼마나 반죽을 주무르며 흰가루손이 되여 떡을 빚고 싶은지 모른다

섯달에 냅일날이 들어서 냅일날 밤에 눈이 오면 이 밤엔 쩨하얀 **할미귀신의** 눈귀신도 냅일눈*을 받노라 못 난다는 말을 **든든히** 녀기며 엄매와 나는 앙궁 우에 떡돌 우에 곱새담 우에 함지에 버치며 대냥푼을 놓고 치성이나 드리듯이 정한 마음으로 냅일눈 약눈을 ㉡받는다
이 눈세기물을 냅일물이라고 제주병에 **진상항아리에 채워두**고는 해를 묵여가며 고뿔이 와도 배앓이를 해도 갑피기를 앓어도 먹을 물이다

– 백석, 「고야(古夜)」 –

*조마구: 옛 설화에 나오는 키가 매우 작다는 심술궂은 난쟁이를 의미함.
*재밤: '재밤중'의 준말. '한밤중'의 평안 방언.
*쇠든밤: 말라서 생기가 없어진 밤.
*광대넘이를 뒤이고: 물구나무를 섰다 뒤집으며 노는 모습을 의미함.
*냅일눈: 한 해 동안 지은 농사 형편 등을 여러 신에게 제사 지내는 날인 납일에 내리는 눈. 이 눈을 받아 녹인 물은 약용으로 썼음.

(나)

겨울산에 가면
밑둥만 남은 채 눈을 맞는 나무들이 ㉢있다
쌓인 눈을 손으로 헤쳐내면
드러난 나이테가 나를 ㉣보고 있다
들여다볼수록
비범하게 생긴 넓은 이마와
도타운 귀, 그 위로 오르는 외길이 보인다
그새 쌓인 눈을 다시 쓸어내리면
거무스레 습기에 지친 손등이 있고
신열에 들뜬 입술 위로
물처럼 맑아진 눈물이 흐른다
잘릴 때 쏟은 톱밥가루는 지금도
마른 껍질 속에 흩어져
해산한 여인의 땀으로 맺혀 빛나고,
그 옆으로는 아직 나이테도 생기지 않은
꺾으면 문드러질 만큼 어린것들이
뿌리박힌 곳에서 ㉤자라고 있다
도끼로 찍히고
베이고 눈 속에 묻히더라도
고요히 남아서 기다리고 계신 어머니,
눈을 맞으며 산에 들면
처음부터 끝까지 나를 바라보는
나이테가 있다.

– 나희덕, 「겨울산에 가면」 –

7. (가)와 (나)의 표현상 특징에 대한 설명으로 가장 적절한 것은?
① (가)는 (나)와 달리 방언을 사용하여 향토적 정감을 환기하고 있다.
② (가)는 (나)와 달리 명사형으로 시행을 종결하여 시상을 집약하고 있다.
③ (나)는 (가)와 달리 비유를 사용하여 시상을 구체화하고 있다.
④ (나)는 (가)와 달리 색채어를 활용하여 대상의 특징을 드러내고 있다.
⑤ (가)와 (나)는 모두 음성 상징어를 활용하여 시적 상황을 부각하고 있다.

8. <보기>를 바탕으로 (가)에 대해 감상한 내용으로 적절하지 <u>않은</u> 것은?

> ───────〈 보 기 〉───────
>
> 이 작품은 '밤'에 대한 화자의 기억을 병렬적으로 드러내고 있다. 어린 시절의 화자에게 '밤'은 무섭고 두려운 생각에 겁이 났던 시간이자 전통적 풍속을 따르며 가족 공동체와 정겹게 함께한 풍요롭고 평온한 시간이었는데, 행위의 나열과 선명한 감각 이미지를 통해 구체적으로 형상화되는 기억은 유년 시절 고향에 대한 화자의 그리움을 짐작하게 한다.

① 1연의 밤은 '외따른 집'에서 '엄매'와 '단둘이서' 지내며 무서움을 느꼈던 시간으로, 그 기억은 청각적 이미지를 통해 구체적으로 형상화되고 있군.

② 2연의 밤은 '오줌 누려' 잠이 깨었는데 '조마구'의 '새까만 눈알'이 자신을 들여다본다고 생각해 두려움을 느꼈던 시간으로, 그 기억은 시각적 이미지를 통해 구체적으로 형상화되고 있군.

③ 3연의 밤은 '엄매'와 '시집갈' '막내고무'가 '바느질'을 할 때 그 옆에서 놀면서 화자가 가족 공동체와 보낸 정겨운 시간으로, 그 기억은 행위의 나열을 통해 구체적으로 형상화되고 있군.

④ 4연의 밤은 '명절날' '곰국'의 '구수한 내음새'가 나고 화자가 '설탕 든 콩가루 소를 먹'는 등 먹을거리로 풍요로운 시간으로, 그 기억은 후각적 이미지와 미각적 이미지를 통해 구체적으로 형상화되고 있군.

⑤ 5연의 밤은 '할미귀신'을 '든든히' 여기고 '눈'을 받아 '진상항아리'에 '채워두'는 전통적 풍속을 따르던 평온한 시간으로, 그 기억은 행위의 나열을 통해 구체적으로 형상화되고 있군.

9. <보기>를 바탕으로 ㉠~㉤을 이해한 내용으로 적절하지 <u>않은</u> 것은? [3점]

> ───────〈 보 기 〉───────
>
> 서정 갈래의 현재 시제는 물리적 시간으로서의 현재가 아닌 가상적 현재를 의미하며 이를 통해 시적 효과를 유발한다. 즉, 과거 혹은 특정할 수 없는 어느 시점에서의 시적 대상과 상황에 대한 화자의 시적 체험을 현재 시제로 표현하게 되면, 독자는 화자의 주관적 인상과 인식, 그리고 감정과 행위에 집중하게 되고 그 상황이 마치 지금 여기에서 벌어지고 있는 듯한 생생함을 느끼게 된다.

① (가)의 ㉠은 소를 잡아먹는 노나리꾼이 다니는 상황이 마치 지금 여기에서 벌어지고 있는 듯한 느낌을 유발한다.

② (가)의 ㉡은 정한 마음으로 냅일눈을 받는 화자의 행위와 주관적 감정에 집중하게 한다.

③ (나)의 ㉢은 밑둥만 남아 눈을 맞고 있는 나무들에 대한 인상을 물리적 시간인 현재로 표현하고 있다.

④ (나)의 ㉣은 나이테가 자신을 보고 있다는 화자의 인식을 가상적 현재로 표현하고 있다.

⑤ (나)의 ㉤은 밑둥 옆에 어린 나무가 자라고 있는 상황을 생생하게 느끼도록 하는 시적 효과를 얻고 있다.

10. (나)의 나이테에 대한 이해로 가장 적절한 것은?

① 자식을 향한 어머니의 모성을 떠올리게 하는 대상이다.

② 자식에게 어머니의 편안한 삶을 떠올리게 하는 계기이다.

③ 자식에 대한 어머니의 희생적 사랑을 단절시키는 소재이다.

④ 어머니를 위해 헌신하는 자식의 강인함을 의미하는 소재이다.

⑤ 성장한 자식을 떠나보낸 어머니의 무상감을 드러내는 대상이다.

총 문항					문항	맞은 문항				문항
개별 문항	1	2	3	4	5	6	7	8	9	10
채점										
개별 문항	11	12	13	14	15	16	17	18	19	20
채점										

6분　2020학년도 6월 학평 29~32번　★☆☆　정답 021쪽

【1~4】 다음 글을 읽고 물음에 답하시오.

(가)

ⓐ 해는 출렁거리는 빛으로
내려오며
제 빛에 겨워 흘러 넘친다
㉠ 모든 초록, 모든 꽃들의
왕관이 되어
자기의 왕관인 초록과 꽃들에게
웃는다, 비유의 아버지답게
초록의 샘답게
하늘의 푸른 넓이를 다해 웃는다
하늘 전체가 그냥
기쁨이며 신전이다

해여, 푸른 하늘이여,
그 빛에, 그 공기에
취해 찰랑대는 자기의 즙에 겨운,
공중에 뜬 물인
나뭇가지들의 초록 기쁨이여

흙은 그리고 깊은 데서
㉡ 큰 향기로운 눈동자를 굴리며
넌지시 주고받으며
싱글거린다

오 이 향기
싱글거리는 흙의 향기
㉢ 내 코에 댄 깔대기와도 같은
하늘의, 향기
나무들의 향기!

　　　　　- 정현종, 「초록 기쁨 - 봄숲에서」 -

(나)

㉣ 들길은 마을에 들자 붉어지고
마을 골목은 들로 내려서자 푸르러졌다
바람은 넘실 천 이랑 만 이랑
㉤ 이랑 이랑 햇빛이 갈라지고
보리도 허리통이 부끄럽게 드러났다
꾀꼬리는 엽태 혼자 날아 볼 줄 모르나니
암컷이라 쫓길 뿐
수놈이라 쫓을 뿐
황금빛 난 길이 어지럴 뿐
얇은 단장하고 아양 가득 차 있는
ⓑ 산봉우리야 오늘밤 너 어디로 가 버리런?

　　　　　- 김영랑, 「오월」 -

1. (가)와 (나)의 공통점으로 가장 적절한 것은?

① 화자가 인식한 사물의 특징에서 삶의 교훈을 이끌어내고 있다.
② 이상과 현실을 대비시켜 이상에 대한 화자의 염원을 나타내고 있다.
③ 과거와 현재를 교차시켜 현실의 삶에 대한 반성의 태도를 나타내고 있다.
④ 자연물에 인격을 부여하여 화자가 자연과 교감하는 모습을 보여주고 있다.
⑤ 자연의 모습을 부각하여 자연에 합일되지 못하는 인간의 고독감을 드러내고 있다.

2. (가)의 표현상 특징에 대한 설명으로 적절하지 않은 것은?

① 문장부호를 활용하여 호흡의 흐름을 조절하고 있다.
② 반어적 표현을 사용하여 숨은 의미를 나타내고 있다.
③ 동일한 시어를 반복함으로써 의미를 강조하고 있다.
④ 감각적 이미지로 대상에 대한 인상을 표현하고 있다.
⑤ 영탄적 표현을 사용하여 화자의 정서를 나타내고 있다.

3. ⓐ와 ⓑ에 대한 설명으로 가장 적절한 것은?

① ⓐ는 화자의 지난 삶을 떠올리게 하는 대상이다.
② ⓐ는 기쁨을 느끼는 화자와 동일시되는 대상이다.
③ ⓑ는 화자에게 새로운 행동을 촉구하는 대상이다.
④ ⓑ는 화자가 밤의 시간에 관찰하여 파악한 대상이다.
⑤ ⓐ, ⓑ는 모두 화자가 관심을 갖고 주관적으로 인식하는 대상이다.

4. <보기>를 참고하여 ㉠~㉤을 감상한 내용으로 적절하지 <u>않은</u> 것은? [3점]

— <보 기> —

두 시는 모두 봄을 소재로 한 작품이다. (가)는 숲을 배경으로 해, 하늘, 나무, 꽃, 흙 등이 어우러지는 조화로움을 보여준다. (나)는 보리밭이 펼쳐진 시골을 배경으로 봄날의 정감을 표현하고 있다. 이 시에서는 들, 보리, 꾀꼬리, 산봉우리 등으로 화자의 시선이 옮겨간다.

① ㉠: 햇빛이 나무와 꽃에 비쳐 빛나는 모습을 '왕관'으로 표현한 것이라 볼 수 있어.
② ㉡: '큰 향기로운 눈동자를 굴리며'의 주체는 흙을 바라보는 화자라 볼 수 있어.
③ ㉢: 자연의 향기가 코로 전해지는 것을 비유적으로 나타낸 것이라 볼 수 있어.
④ ㉣: 화자가 본 시골길과 들판의 모습을 감각적으로 표현한 것이라 볼 수 있어.
⑤ ㉤: 보리밭의 이랑 사이로 햇빛이 비쳐 반짝이는 모습을 나타낸 것이라 볼 수 있어.

【5~7】 다음 글을 읽고 물음에 답하시오.

(가)

진주 장터 생어물전에는
바닷밑이 깔리는 해 다 진 어스름을,

울 엄매의 장사 끝에 남은 고기 몇 마리의
빛 발(發)하는 눈깔들이 속절없이
은전(銀錢)만큼 손 안 닿는 한(恨)이던가
울 엄매야 울 엄매,

별 밭은 또 그리 멀리
우리 오누이의 머리 맞댄 골방 안 되어
손 시리게 떨던가 손 시리게 떨던가,

진주 남강 맑다 해도
오명 가명
신새벽이나 밤빛에 보는 것을,
울 엄매의 마음은 어떠했을꼬,
달빛 받은 옹기전의 옹기들같이
말없이 글썽이고 반짝이던 것인가.

— 박재삼, 「추억에서」 —

(나)

죽장의 김삿갓은 죽고
참빗으로 이 잡던 시절도 가고
대바구니 전성 시절에

새벽 서리 밟으며 어머니는 바구니 한 줄 이고 장에 가시고 고구마로 점심 때운 뒤 기다리는 오후, 너무 심심해 아홉 살 내가 두 살 터울 동생 손 잡고 신작로를 따라 마중갔었다. 이십 리가 짱짱한 길, 버스는 하루에 두어 번 다녔지만 ㉠꼬박 꼬박 걸어오셨으므로 가다보면 도중에 만나겠지 생각하며 낯선 아줌마에게 길도 물어가면서 ㉡하염없이…… 그런데 이 고개만 넘으면 읍이라는 곳에서 해가 ㉢덜렁 졌다. 배는 고프고 으스스 무서워져 ㉣한참 망설이다가 되짚어 돌아오는 길은 한 없이 멀고 캄캄 어둠에 동생은 울고 기진맥진 한밤중에야 호롱 들고 찾아나선 어머니를 만났다. — 어머니는 그날 따라 버스로 오시고

아, 요즘도 장날이면
허리 굽은 어머니
플라스틱에 밀려 시세도 없는 대바구니 옆에 쭈그려앉아
㉤멀거니 팔리기를 기다리는
담양장.

— 최두석, 「담양장」 —

5. (가)와 (나)의 표현상 공통점으로 가장 적절한 것은?

① 동일한 어미를 반복하여 리듬감을 주고 있다.
② 역설법을 활용하여 내면 심리를 부각하고 있다.
③ 자조적인 어조를 사용하여 시적 정서를 드러내고 있다.
④ 공감각적 이미지를 사용하여 표현 효과를 높이고 있다.
⑤ 수미상관의 기법을 활용하여 주제 의식을 강조하고 있다.

6. <보기>의 수업 상황에서 선생님이 제시한 과제를 수행한 것으로 적절하지 <u>않은</u> 것은? [3점]

> ─────< 보 기 >─────
>
> **선생님** : 「추억에서」와 「담양장」은 '시 엮어 읽기'의 방법으로 감상하기에 좋은 작품입니다. 시 엮어 읽기란 시적 맥락을 고려하여 다른 시를 서로 비교하며 감상함으로써 작품 감상의 폭을 넓히는 방법입니다. 여러분, 이 두 작품의 시적 상황, 정서, 소재, 배경 등을 고려하면서 시 엮어 읽기를 해 볼까요?

① (가)의 '고기'와 (나)의 '대바구니'는 어머니가 가족들의 생계 유지를 위하여 장터에서 팔아야 하는 소재라는 점에서 유사합니다.
② (가)의 '울 엄매야 울 엄매'와 (나)의 '허리 굽은 어머니'에는 고단한 삶을 살아온 어머니에 대한 연민의 정이 담겨 있다는 점에서 유사합니다.
③ (가)의 '골방'에 비해 (나)의 '신작로'는 어머니를 기다리는 마음이 더 능동적인 행위로 나타나는 공간이라는 점에서 차이가 있습니다.
④ (가)의 '신새벽'과 (나)의 '한밤중'은 어머니의 부재로 인해 어린 화자가 느끼는 불안감이 해소되는 시간적 배경이라는 점에서 유사합니다.
⑤ (가)의 '말없이 글썽이고 반짝이던 것인가'에서는 어머니의 과거 삶을, (나)의 '아, 요즘도 장날이면'에서는 과거로부터 이어지는 어머니의 현재 삶을 떠올리고 있는 시적 상황이라는 점에서 차이가 있습니다.

7. <보기>를 참고하여 ㉠~㉤을 이해한 내용으로 적절하지 <u>않은</u> 것은?

> ─────< 보 기 >─────
>
> 시에서는 정서나 상황 등을 효과적으로 표현하기 위해 부사어를 사용하기도 한다. 따라서 부사어를 사용한 의도를 파악해 보면 시적 의미를 섬세하게 해석할 수 있어 감상의 묘미가 높아진다.

① ㉠ : 늘 걸어서 장에 다니시는 어머니의 일상을 강조한다.
② ㉡ : 어머니를 마중 갔던 길이 길고 멀었다는 것을 부각한다.
③ ㉢ : 갑작스럽게 해가 져 놀라고 겁이 난 심리를 강조한다.
④ ㉣ : 더 갈지 돌아가야 할지 주저하는 내적 갈등을 부각한다.
⑤ ㉤ : 장이 끝나 가서 장사를 마쳐야 하는 아쉬움을 강조한다.

【8~10】 다음 글을 읽고 물음에 답하시오.

> **(가)**
>
> 봄은 푸른 수레를 타고 바다 건너 머언 산맥을 넘어서 어느 삼림에 투숙(投宿)을 했다가는 기어코 언덕길을 돌아오리라고 한다
>
> 아침에도 나리꽃같이 흰 안개가 걷기 전부터 **사람들**은 언덕길에서 만날 때마다 푸른 **봄**이 오리라는 **즐거운 이야기**를 했건만 헤어질 때마다 전설같이 믿을 수 없는 제 자신들의 슬픈 이야기에 목메어 울었다
>
> 그 중 어떤 젊은 친구는 말하기를 봄은 지구에서 아주 자취를 감추었으리라고 단념을 하기도 하였다
>
> 또 **어떤 친구**는 말하기를 봄은 어느 아득한 성좌로 **멀리 떠나버렸다**고도 하였다
>
> 그러면서도 **그들**은 봄은 어느 성좌에서 **다시 오지 않나** 하고 모조리 전설 같은 이야기를 **부질없이 소곤대기**도 하였다 그러나 아무리 **옥같이 흰 백매(白梅)**가 핀다기로서니 이미 **계절이 떠나간** 이 **빈 지구**에 봄이 온다는 이야기를 믿을 수야 있겠느냐고 제각기 만나는 대로 심장을 앓았다
>
> 푸른 계절을 잃어버린
> 이 몹쓸 지구에 서서
> 도시 봄을 부르는 자는 누구냐?
> 　　　　　　– 신석정, 「봄을 부르는 자는 누구냐」 –
>
> **(나)**
>
> ┌ 백두산에 도착하자 눈이 내리기 시작했다
> │ 흰 자작나무 사이로
> [A] 외롭게 걸려 있던 낮달은 어느새 사라지고
> │ 잣까마귀들이 떼지어 날던 하늘 사이로
> └ 서서히 함박눈은 퍼붓기 시작했다
> ┌ 바람은 점점 어두워지고
> [B] 멀리 백두폭포를 뒤로 하고
> └ 우리들은 말없이 천지를 향해 길을 떠났다
> ┌ 눈 속에 핀 흰 두견화를 만날 때마다
> [C] 사랑한다 사랑한다고 속삭이며
> └ 우리들은 저마다 하나씩 백두산이 되어갔다
> ┌ 눈보라가 장백송 나뭇가지를 후려 꺾는 풍구(風口)에서
> [D] 마침내 운명을 사랑하는 사람이 되는 일은 어려운 일이었다
> ┌ 올라갈수록 더 이상 올라갈 수 없는
> │ 내려갈수록 더 이상 내려갈 수 없는
> [E] 눈보라치는 백두산을 오르며
> │ 우리들은 다시 천지처럼
> └ 함께 살아가야 할 날들을 생각했다
> 　　　　　　– 정호승, 「백두산을 오르며」 –

8. (가)와 (나)의 공통점으로 가장 적절한 것은?

① 의문형 어미를 통해 시적 긴장감을 유발하고 있다.
② 색채어를 활용하여 대상을 감각적으로 제시하고 있다.
③ 의성어를 활용하여 상황을 생동감 있게 묘사하고 있다.
④ 수미상관의 방식을 통해 구조적 안정감을 부여하고 있다.
⑤ 말을 건네는 방식을 통해 대상과의 친밀감을 드러내고 있다.

10. (나)의 [A] ~ [E]에 대한 이해로 적절하지 <u>않은</u> 것은?

① [A]: 화자를 둘러싼 상황이 악화되고 있음이 드러나 있다.
② [B]: 묵묵히 목표를 향해 나아가는 화자의 모습이 드러나 있다.
③ [C]: 화자가 대상과 동화되어 가는 모습이 드러나 있다.
④ [D]: 억압적 현실에 저항하고 있는 화자의 행동이 드러나 있다.
⑤ [E]: 공동체적 삶에 대한 화자의 바람이 드러나 있다.

9. <보기>를 참고하여 (가)를 감상한 내용으로 적절하지 <u>않은</u> 것은?

[3점]

> 〈 보 기 〉
>
> 이 작품은 일제 강점기의 부정적인 시대 상황 속에서 민족의 운명을 자연의 순환을 바탕으로 이야기하며 해방에 대한 소망을 드러내고 있다. 화자에게 해방은 절망적 상황에서 벗어난 이상적 공간의 회복을 의미한다. 또한 화자는, 민족 공동체 구성원들이 현실에 대해 체념하거나 실천적 노력 없이 소망을 이야기하는 것만으로는 절망적인 현실에서 벗어날 수 없다고 인식하고 있다.

① '봄'에 대해 '즐거운 이야기'를 하는 '사람들'은 해방을 소망하는 민족 공동체 구성원이라고 할 수 있겠군.
② '어떤 친구'가 '봄'은 '멀리 떠나버렸다'라고 말한 것에서 현실에 체념하는 모습이 드러난다고 할 수 있겠군.
③ '봄'은 '다시 오지 않나'하고 '부질없이 소곤대'는 것에서 실천적 노력 없이 소망을 이야기하기만 하는 모습이 드러난다고 할 수 있겠군.
④ '옥같이 흰 백매'는 자연이 순환하듯 민족의 운명이 회복될 것이라는 '그들'의 믿음을 보여준다고 할 수 있겠군.
⑤ '계절이 떠나간' '빈 지구'는 이상적 공간의 회복을 이루지 못한 절망적 현실을 보여준다고 할 수 있겠군.

총 문항					문항	맞은 문항				문항
개별 문항	1	2	3	4	5	6	7	8	9	10
채점										
개별 문항	11	12	13	14	15	16	17	18	19	20
채점										

| 6분 | 2019학년도 6월 학평 30~33번 | ★★☆ | 정답 024쪽 |

【1~4】 다음 글을 읽고 물음에 답하시오.

(가)

　여승(女僧)은 합장(合掌)하고 절을 했다
　가지취의 내음새가 났다
　쓸쓸한 낯이 옛날같이 늙었다
　ⓐ나는 불경(佛經)처럼 서러워졌다

　평안도(平安道)의 어늬 산(山) 깊은 금점판*
　나는 파리한 여인(女人)에게서 옥수수를 샀다
　여인은 나 어린 딸아이를 따리며 가을밤같이 차게 울었다

　섶벌*같이 나아간 지아비 기다려 십 년(十年)이 갔다
　지아비는 돌아오지 않고
　어린 딸은 도라지꽃이 좋아 돌무덤으로 갔다

　산(山)꿩도 설게 울은 슬픈 날이 있었다
　산(山)절의 마당귀에 여인의 머리오리가 눈물방울과 같이 떨어진 날이 있었다

　　　　　　　　　　　　　　　　　　– 백석, 「여승」 –

　*금점판 : 금광의 일터.
　*섶벌 : 재래종의 일벌.

(나)

　김천의료원 6인실 302호에 산소마스크를 쓰고 암 투병 중인 그녀가 누워 있다
　ⓐ바닥에 바짝 엎드린 가재미처럼 그녀가 누워 있다
　ⓑ나는 그녀의 옆에 나란히 한 마리 가재미로 눕는다
　가재미가 가재미에게 눈길을 건네자 그녀가 울컥 눈물을 쏟아낸다
　한쪽 눈이 다른 한쪽 눈으로 옮아 붙은 야윈 그녀가 운다
　그녀는 죽음만을 보고 있고 ⓑ나는 그녀가 살아온 파랑 같은 날들을 보고 있다
　좌우를 흔들며 살던 그녀의 물속 삶을 나는 떠올린다
　그녀의 오솔길이며 그 길에 돋아나던 대낮의 뻐꾸기 소리며
　ⓒ가늘은 국수를 삶던 저녁이며 흙담조차 없었던 그녀 누대*의 가계를 떠올린다
　두 다리는 서서히 멀어져 가랑이고
　폭설을 견디지 못하는 나뭇가지처럼 등뼈가 구부정해지던 그 겨울 어느 날을 생각한다
　ⓓ그녀의 숨소리가 느릅나무 껍질처럼 점점 거칠어진다
　ⓔ나는 그녀가 죽음 바깥의 세상을 이제 볼 수 없다는 것을 안다
　한쪽 눈이 다른 쪽 눈으로 캄캄하게 쏠려버렸다는 것을 안다
　나는 다만 좌우를 흔들며 헤엄쳐 가 그녀의 물속에 나란히 눕는다
　산소호흡기로 들이마신 물을 마른 내 몸 위에 그녀가 가만히 적셔준다

　　　　　　　　　　　　　　　　　– 문태준, 「가재미」 –

　*누대 : 여러 대.

1. (가)와 (나)의 공통점으로 가장 적절한 것은?

① 자연물에 감정을 이입하여 화자의 심리를 드러내고 있다.
② 비유적 표현을 통해 시적 상황을 효과적으로 나타내고 있다.
③ 현재 시제를 사용하여 시적 상황을 현장감 있게 제시하고 있다.
④ 상승과 하강의 이미지를 대비하여 시적 의미를 강화하고 있다.
⑤ 음성 상징어를 사용하여 시적 대상이 지닌 정서를 생동감 있게 드러내고 있다.

2. ⓐ, ⓑ에 대한 설명으로 적절한 것은?

① ⓐ는 자신과 시적 대상의 삶을 비교하고 있다.
② ⓐ는 시적 대상으로 인해 삶을 바라보는 관점이 변하고 있다.
③ ⓑ는 시적 대상을 통해 자신이 추구하는 삶의 모습을 드러내고 있다.
④ ⓑ는 시적 대상과의 상호작용을 통해 정서적으로 교감하는 모습을 드러내고 있다.
⑤ ⓐ와 ⓑ는 모두 시상이 전개되면서 시적 대상과 하나가 되려는 의지를 드러내고 있다.

3. <보기>를 바탕으로 (가)를 감상한 내용으로 적절하지 <u>않은</u> 것은? [3점]

> ─── <보 기> ───
>
> 「여승」은 한 여인의 비극적 삶을 통해 일제의 식민지 수탈로 농촌 공동체가 몰락하고 가족 공동체가 파괴되는 당대의 현실을 그리고 있다. 이 작품은 가족의 생계를 위해 집을 떠난 지아비를 찾아 금점판을 떠돌다가 어린 딸마저 잃고 여승이 되어 버린 한 여인의 기구한 인생을 4연 12행의 짧은 구성으로 밀도 있게 보여 준다. 또한 이 시의 시상은 시간적 흐름에 따르지 않고 시간적 순서를 재구성하여 전개되고 있는 것이 특징이다.

① 여인이 '금점판'에서 '옥수수'를 팔고 '나'가 그 '옥수수'를 사는 것은 농촌 공동체의 몰락과 이를 회복하기 위한 행위로 볼 수 있군.

② '섶벌같이 나아간 지아비'가 '십 년이' 지나도록 '돌아오지' 않은 사실은 가난으로 인해 가족 공동체가 파괴된 모습으로 볼 수 있군.

③ '어린 딸'이 '도라지꽃이 좋아 돌무덤'으로 갔다는 것은 남편을 찾아 떠돌다가 딸마저 잃게 된 여인의 기구한 삶을 드러낸 것이군.

④ '여인의 머리오리가 눈물방울과 같이 떨어진 날'은 여인이 현실의 삶을 견디지 못하고 여승이 된 날로 볼 수 있군.

⑤ 여인의 비극적인 삶을 재구성하여 1연에서는 여승이 된 현재 모습을, 2~4연에서는 여승이 되기까지의 과거 모습을 보여 주고 있군.

4. ㉠ ~ ㉤에 대한 이해로 적절하지 <u>않은</u> 것은?

① ㉠: 병상에 누워 투병하는 그녀의 모습에서 납작한 가재미를 떠올리고 있다.

② ㉡: 투병 중인 그녀에 대한 나의 연민과 위로가 구체적 행위로 드러나 있다.

③ ㉢: 가난하고 힘들게 살았던 그녀의 과거 삶이 드러나 있다.

④ ㉣: 죽음이 임박해지고 있는 그녀의 현재 상황이 드러나 있다.

⑤ ㉤: 죽음을 받아들일 수밖에 없는 그녀의 체념적 태도가 나타나 있다.

【5~7】 다음 글을 읽고 물음에 답하시오.

(가)

설악산 대청봉에 올라
발아래 구부리고 엎드린 작고 큰 **산들**이며
떨어져 나갈까 봐 잔뜩 겁을 집어먹고
언덕과 골짜기에 바짝 달라붙은 **마을들**이며
다만 무릎께까지라도 다가오고 싶어
안달이 나서 몸살을 하는 **바다**를 내려다보니
온통 세상이 다 보이는 것 같고
또 **세상살이 속속들이** 다 알 것도 같다
그러다 속초에 내려와 하룻밤을 묵으며
중앙시장 바닥에서 다 늙은 **함경도 아주머니들**과
노령노래 안주 해서 소주도 마시고
피난민 신세타령도 듣고
다음 날엔 **원통**으로 와서 뒷골목엘 들어가
지린내 땀내도 맡고 악다구니도 듣고
싸구려 하숙에서 **마늘 장수**와 실랑이도 하고
젊은 군인 부부 사랑싸움질 소리에 잠도 설치고 보니
세상은 아무래도 산 위에서 보는 것과 같지만은 않다
지금 우리는 혹시 세상을
너무 **멀리**서만 보고 있는 것은 아닐까 아니면
너무 **가까이**서만 보고 있는 것은 아닐까
　　　　　　　　　　─ 신경림, 「장자를 빌려 ─ 원통에서」 ─

(나)

누군가 나에게 물었다. 시가 뭐냐고
나는 시인이 못됨으로 잘 모른다고 대답하였다.
무교동과 종로와 명동과 남산과
서울역 앞을 걸었다.
저녁녘 남대문 시장 안에서
빈대떡을 먹을 때 생각나고 있었다.
그런 사람들이
엄청난 고생 되어도
순하고 명랑하고 맘 좋고 인정이
있으므로 슬기롭게 사는 사람들이
그런 사람들이
이 세상에서 알파이고
고귀한 인류이고
영원한 광명이고
다름 아닌 시인이라고.
　　　　　　　　　　─ 김종삼, 「누군가 나에게 물었다」 ─

5. (가)와 (나)의 공통점으로 가장 적절한 것은?

① 도치의 방식을 활용하여 주제를 부각하고 있다.
② 자연물을 이용하여 화자의 정서를 표현하고 있다.
③ 계절적 배경을 통해 시적 분위기를 조성하고 있다.
④ 유사한 시구를 반복하여 시적 의미를 강조하고 있다.
⑤ 설의적 표현을 통해 현실에 대한 화자의 인식을 드러내고 있다.

6. <보기>를 참고하여 (가)를 감상한 내용으로 적절하지 <u>않은</u> 것은? [3점]

> ─────── <보 기> ───────
> 이 시는 장자의 '추수편'에 실린 '대지관어원근(大知觀於遠近)'을 빌려 '큰 지혜는 멀리서도 볼 줄 알고, 가까이서도 볼 줄 아는 것'이라는 생각을 드러낸 작품이다. 특히 공간의 이동에 따른 관점의 변화를 그리며, 삶을 바라보는 태도에 대한 성찰을 드러내고 있다.

① '설악산 대청봉'에서 화자가 본 '산들'과 '마을들'은 '멀리'에서 본 세상의 모습이라 할 수 있겠군.
② 화자는 '바다'를 내려다보며 '세상살이 속속들이' 알기 위해서는 '가까이'에서 보아야 함을 깨달았겠군.
③ '함경도 아주머니들', '마늘 장수' 등을 만난 것은 화자에게 '가까이'에서 세상을 보는 경험이 되었겠군.
④ '속초'와 '원통'에서 겪은 일들로 인해 삶을 바라보는 화자의 관점이 변화하였겠군.
⑤ 화자는 '멀리'와 '가까이'에서 본 세상의 모습을 비교하며 삶을 바라볼 때 두 관점이 모두 필요하다고 느꼈겠군.

7. 다음은 학생이 (나)를 감상한 내용이다. 적절하지 <u>않은</u> 것은?

> 이 시의 제목을 보니, ⊙시란 무엇인가에 대한 질문이 이 시를 쓴 계기가 된 것 같아. 화자는 이 질문에 대해, ⓒ자신은 '시인이 못됨으로' 모른다고 대답하였어. 그래서 ⓒ여러 곳을 다니며 사람들에게 그 답을 물어보던 중, ②남대문 시장에서 질문에 대한 답을 얻게 되었어. 화자는 이런 경험을 통해 ⑩삶이 고되어도 맘 좋고 인정 넘치는 사람들이 다름 아닌 시인이라고 생각하게 된 것 같아.

① ⊙   ② ⓒ   ③ ⓒ   ④ ②   ⑤ ⑩

【8~11】 다음 글을 읽고 물음에 답하시오.

(가)

어느 집 담장을 넘어 달려드는
이것은,
치명적인 ⊙냄새

식은 ⓒ감자알 갉작거리며 평상에 엎드려 산수 숙제를 하던, 엄마 내 친구들은 내가 감자가 좋아서 감자밥 도시락만 먹는 줄 알아. 열한 식구 때꺼리를 감자 없이 무슨 수로 밥을 해대냐고, 귀밝은 할아버지는 땅밑에서 감자알 크는 소리 들린다고 흐뭇해하셨지만 엄마 난 땅속에서 자라는 것들이 무서운데, 뿌리 끝에 댕글댕글한 어지럼증을 매달고 식구들이 밥상머리를 지킨다 하나둘 숟가락 내려놓을 때까지 엄마 밥주발엔 숟가락 꽂히지 않는다.

어릴 적 질리도록 먹은 건 싫어하게 된다더니, 감자 삶는 냄새
이것은,
치명적인 그리움

꽃은 꽃대로 놓아두고 저는 땅 밑으로만 궁그는,
ⓒ꽃 진 자리엔 얼씬도 하지 않는,
열한 개의 구덩이를 가진 늙은 애기집
– 김선우, 「감자 먹는 사람들」 –

(나)

[A]
산 너머 고운 노을을 보려고
그네를 힘차게 차고 올라 발을 굴렀지
노을은 끝내 **어둠**에게 잡아먹혔지
나를 태우고 날아가던 ②그넷줄이
오랫동안 삐걱삐걱 떨고 있었어

[B]
어릴 때는 ⑩나비를 좇듯
아름다움에 취해 땅끝을 찾아갔지
그건 아마도 끝이 아니었을지도 몰라
그러나 살면서 몇 번은 **땅끝**에 서게도 되지
파도가 끊임없이 땅을 먹어 들어오는 막바지에서
이렇게 뒷걸음질치면서 말야

[C]
살기 위해서는 이제
뒷걸음질만이 허락된 것이라고
파도가 아가리를 쳐들고 달려드는 곳
찾아나선 것도 아니었지만
끝내 발 디디며 서 있는 땅의 끝,
그런데 이상하기도 하지
위태로움 속에 아름다움이 스며 있다는 것이
땅끝은 늘 젖어 있다는 것이
그걸 보려고
또 몇 번은 **여기**에 이르리라는 것이
– 나희덕, 「땅끝」 –

8. (가)와 (나)에 대한 설명으로 가장 적절한 것은?

① (가)는 설의적 표현을 통해 대상의 속성을 강조하고 있다.
② (가)는 반어적 표현을 활용하여 대상에 대한 냉소적 태도를 드러내고 있다.
③ (나)는 구체적 청자와의 대화를 통해 시상을 전개하고 있다.
④ (나)는 특정한 종결 어미를 반복하여 운율을 형성하고 있다.
⑤ (가)와 (나)는 화자의 이동 경로에 따라 화자의 정서를 구체화하고 있다.

9. 다음은 (가)의 화자가 어머니께 쓴 편지의 일부이다. 시적 상황을 고려할 때, ⓐ~ⓔ 중 적절하지 <u>않은</u> 것은?

… 어머니, 그 시절 저는 ⓐ<u>학교에 감자밥 도시락을 싸서 다니는 것이 그렇게 좋지만은 않았습니다.</u> 그래서 어느 날인가 그 얘기를 했더니 곁에 계시던 ⓑ<u>할아버지께서는 감자 드시는 것이 오히려 좋다시며 저를 나무라셨지요.</u> 지금 생각해 보면 감자라도 밥에 섞지 않으면 11명이나 되는 식구들을 먹이기가 쉽지 않았음을 이해하게 됩니다. 특히 ⓒ<u>식구들의 밥이 모자랄까봐 식구들이 밥을 다 먹을 때까지 기다리시던 어머니의 모습이 아직도 눈에 선합니다.</u> 하지만 그때 저는 어렸고, ⓓ<u>감자에 대한 거부감까지 가지고 있었습니다.</u> ⓔ<u>그런데 지금은 왜 이렇게 그리운지 모르겠습니다.</u> 그것은 아마 어머니의 가족에 대한 사랑을 깨달아서가 아닌가 합니다. …

① ⓐ   ② ⓑ   ③ ⓒ   ④ ⓓ   ⑤ ⓔ

10. [A]~[C]에 대한 이해로 적절하지 <u>않은</u> 것은? [3점]

① [A]에서 화자는 '어둠'을 통해 자신이 느끼는 암담한 심정을 드러내고 있다.
② [A]에서 화자는 '그네'를 굴림으로써 이상적 대상에 다가가고 싶은 마음을 표현하고 있다.
③ [B]에서 화자는 '땅끝'을 현실에서 벗어난 이상적 공간으로 인식하고 있다.
④ [C]에서 화자는 달려드는 '파도'를 삶의 위태로움으로 인식하고 있다.
⑤ [C]에서 화자는 '여기'에서 삶에 대한 역설적 깨달음을 얻고 있다.

11. <보기>를 참고할 때, ㉠~㉤ 중 ㉮에 해당되는 것으로 가장 적절한 것은?

— <보 기> —

기억은 어떻게 재생되느냐에 따라 자발적 기억과 비자발적 기억으로 나눌 수 있다. 자발적 기억은 우리 의지에 따라 수행되는 기억이고, 비자발적 기억은 어떤 사건이나 사물 혹은 사람과 우연히 마주쳤을 때 발생하는 기억이다. 완전히 잊었다고 생각했던 과거의 일이 어떤 일을 계기로 우연히 떠오를 때가 있는데 이런 기억이 바로 비자발적 기억이다. 이때 ㉮<u>비자발적 기억을 우연히 떠오르게 하는 요인</u>으로 시각적 경험뿐 아니라 후각, 촉각적 경험 등도 작용한다.

① ㉠   ② ㉡   ③ ㉢   ④ ㉣   ⑤ ㉤

총 문항				문항	맞은 문항				문항
개별 문항	1	2	3	4	5	6	7	8	9	10
채점										
개별 문항	11	12	13	14	15	16	17	18	19	20
채점										

고전 산문

고전 산문

🏷️ 출제 트렌드

고전 산문은 이미 만들어진 작품들이 출제되므로 범위가 한정적이라고 볼 수 있습니다. 영웅 소설, 군담 소설, 가정 소설, 판소리계 소설, 우화 소설 등이 출제되며 한 번 출제된 작품이 다시 출제되기도 합니다. 그러므로 자주 출제되었던 작품들을 주제에 따라 정리해 두고 각각의 대략적인 줄거리를 알아 두면 도움이 됩니다. 현대 소설과 마찬가지로 인물 간의 관계와 갈등과 사건이 출제의 핵심인데, 등장인물은 주로 주인공에게 도움을 주는 조력자와 주인공의 반대 세력으로 구분되는 경우가 많습니다. 현대 소설과 다른 고전 산문만의 두드러지는 특징으로는 영웅의 일대기 구조, 적강 구조, 환몽 구조 등의 구성이 나타난다는 점입니다. 이러한 구조를 알아 둔다면 작품의 흐름을 이해하기 훨씬 쉬울 것입니다. 낯선 고전 어휘들이 작품 이해를 어렵게 하기도 하지만, 산문 문학인 만큼 앞뒤 내용과 맥락으로 단어의 뜻을 유추할 수 있습니다. 2022학년도 시험에서는 '춘향전', '숙향전'과 같이 익숙한 작품들이 출제되었지만 문제가 까다로워 체감 난도는 높았습니다.

시행	출제 지문	문제 수	난이도
2022학년도 11월 학평	작자 미상, '화산기봉'	4문제 출제	★★☆
2022학년도 9월 학평	작자 미상, '숙향전'	4문제 출제	★★★
2022학년도 6월 학평	유성준 창본, '수궁가'	3문제 출제	★★☆
2022학년도 3월 학평	작자 미상, '춘향전'	4문제 출제	★★★

🏷️ 1등급 꿀팁

하나 _ 낯선 어휘와 긴 문장에 익숙해지는 연습을 하자.

두울 _ 등장인물들의 갈등과 대립 양상에 중점을 두고 읽자.

세엣 _ 갈등이 해소되는 과정에서 작품의 주제가 드러난다는 것을 명심하자.

네엣 _ 공간적 배경(장소)의 변화와 이동에 주목하여 내용을 파악하자.

다섯 _ 기출 작품들을 주제별로 분류하여 학습하자.

여섯 _ 빈출 작품은 출제된 부분 외에 다른 장면을 찾아보고 전체 줄거리를 알아 두자.

일곱 _ 작품 속에서 의미 있는 역할을 하는 소재는 반드시 출제되므로 놓치지 말고 기억해 두자.

다음 글을 읽고 물음에 답하시오.

[중략 줄거리] 숙향은 온갖 시련을 겪지만 이선을 만나 부부의 연을 맺는다. 이후 황태후가 병이 들자, 병부 상서 이선은 선약을 구하기 위해 떠난다.

병부 상서가 용왕께 사례한 후 선관의 의복으로 갈아입고 물가로 나오니, 용자가 벌써 붉은 조롱박 하나를 가지고 기다리고 있었다. 상서가 용자와 함께 그 박을 타고 가니, 노를 젓지 않는데도 화살처럼 빠르게 바다 위를 떠갔다.

얼마쯤 가다가 용자가 상서에게 말했다.

"저 혼자 가면 아무 데도 걸릴 것 없이 쉽게 갈 수 있사오나, 여러 신령들이 지키고 있기 때문에 인간 세상 사람은 마음대로 선계에 들어갈 수 없나이다. 지금 상공께서는 인간 세상에 내려와 진객이 되었사오니, 어디를 가든 제가 하라는 대로만 하소서. 가는 곳마다 용왕께서 주신 공문을 보여 주고 가겠나이다."

이에 상서가 묻기를,

"수궁에서는 용왕이 으뜸이라. 바로 수로로 가면 쉬울 터인데, 어찌하여 번거롭게 육지에 있는 나라들을 거쳐 가려 하는가?"

하니 용자가 대답했다.

[B] "수로로 곧장 가면 얼마나 좋겠나이까? 그러나 상제께서 그것을 아시게 되면 용궁에 큰 변이 일어나고, 각 지경을 맡은 신령들에게도 좋지 않은 일이 생길 것이옵니다. 번거롭더라도 여러 나라를 지나면서 공문을 보여 주고 가야만 하나이다."

상서와 용자가 한 나라에 이르렀는데, 그 나라 이름은 ㉠회회국이었다. 그곳 사람들은 똑바로 걷지 못하고 게처럼 옆으로 다녔으며, 왕의 이름은 경성이었다. 용자가 물가에 배를 대고 혼자 들어가 왕에게 공문을 드리니 왕이 공문을 보고 물었다.

"함께 가는 사람이 태을성인가?"

용자가 대답하기를,

"그러하옵니다."

하니 왕이 즉시 공문에 날인해 용자에게 돌려주었다. 왕이 용자와 함께 물가로 나와 상서에게 반갑게 인사했으나, 상서는 그 왕이 누구인지 몰라 공경하기만 하더라.

용자가 왕에게 하직 인사를 올린 후 상서를 모시고 또 한 나라에 가니, 그곳은 함밀국이었다. 그곳 사람들은 화식은 먹지 않고 꿀만 먹고 살며, 왕의 이름은 필성이었다. 용자가 공문을 드리니, 왕이 보고 말하기를,

"그대가 태을성을 모시고 가는데, 이 앞이 제일 험하니 조심하라."

하고 날인한 후 공문을 돌려주었다.

또 한 나라에 가니, 그곳은 유리국이었다. 그 땅에 사는 사람들은 모두 중국 사람과 비슷했으나 생선처럼 비린 것을 먹지 않았으며, 왕의 이름은 기성이었다. 용자가 왕에게 공문을 드리니 왕이 화를 내며 묻기를,

"선계는 인간 세상과 다른데, 어떻게 진객이 마음대로 이곳에 들어왔는가?"

하고 공문을 본 척도 하지 않았다. 용자가 사정하며 말하기를,

"태을성이 인간 세상에 내려와 중국의 병부 상서가 되었는데, 황제의 명을 받들어 ㉡봉래산의 개언초를 얻으러 가다가 우리 ㉢용궁에 왔나이다. 그리하여 소자가 모시고 가는 길이오니, 저의 낯을 보아 허락해 주소서."

하니 왕이 말하기를,

"이번엔 통과시켜 주겠지만, 다시는 분수에 넘치는 일을 하지 말라."

하고 마지못해 날인하고 공문을 돌려주었다.

– 작자 미상, 「숙향전」 –

*두명: 물을 많이 담아 두고 쓰는 큰 가마나 독.

40. ㉠~㉢에 대한 설명으로 적절하지 않은 것은?

① ㉠은 용왕의 조력을 통해 상서가 통과할 수 있는 공간이다.
② ㉠은 천상계 존재인 태을성을 호의적으로 생각하는 왕이 지키는 공간이다.
③ ㉢은 상제의 권위에 의해 영향을 받는 공간이다.
④ ㉠과 ㉡은 누구에게도 자유로운 이동을 허용하지 않는 공간이다.
⑤ ㉡은 용자와 상서가 육지의 ㉠을 경유하여 향하는 곳이다.

| 7분 | 2022학년도 11월 학평 42~45번 | ★★☆ | 정답 028쪽 |

【1~4】 다음 글을 읽고 물음에 답하시오.

계모 장씨는 이성이 왕실의 한 사람이 되어 그 권세가 가볍지 않음을 알고 늘상 혜랑과 신광 법사에게 의논하였다. 그러던 차에 이성과 화양 공주가 화목하지 않음을 알아챈 혜랑이 말하였다.

"이러한 기회는 두 번 다시 오지 않습니다. 부인께서 뜻을 이루실 때입니다."

"무슨 말이냐?"

혜랑이 헤헤헤 웃으며 말하였다.

"이렇게 저렇게 하면 묘하지 않겠습니까?"

장씨가 잠시 동안 생각하더니 말하였다.

"이는 정말 중요한 일이니 다른 꾀를 생각해 보아라."

혜랑이 신광 법사를 돌아보며 말하였다.

"부인께서 이처럼 약하시니 어떻게 소원을 이루겠습니까?"

신광 법사가 말하였다.

"이때가 정말 좋으니 부인은 의심하거나 걱정하지 마십시오."

그러고는 비밀스럽게 계교를 행하였다.

한편 보모 정 상궁은 이성이 화양 공주를 박대하자 통한히 여기고 말하였다.

"공주께서는 임금님의 아주 귀한 딸입니다. 더욱이 임금님께서 특별히 부탁하신 혼인인데 부마께서 이렇게 매몰차시니 어찌 분하지 않겠습니까?"

화양이 그 말을 듣고는 볼을 붉히며 말하였다.

"이 무슨 말인가? 서방님이 드러나게 나를 박대함이 없고 도리어 나의 불초함을 예로 대한다. 이로 인해 내가 항시 조심하고 있거늘 네가 주인을 원망하며 권세를 운운하니 어찌 한심하지 않겠는가?"

말의 기운이 엄숙하니 정 상궁이 두려워하며 물러났다. 그때 갑자기 신발 소리가 나며 이성이 ㉠방으로 들어왔다. 화양이 물러 내려서며 이성을 맞은 후 자리를 잡고 앉았다. 이성이 화양의 기색을 살펴보니 조금도 방자함이 보이지 않았고, 잘난 척하는 마음이 조금도 얼굴에 드러나지 않았다. 이에 화양을 지극히 후대하며 정이 점점 솟아났다. 한밤중 동안 그곳에 있다가 부모가 있는 곳으로 가 문안 인사를 정성껏 올렸다.

혜랑은 장씨와 매일 화양을 해칠 계교를 짜는 한편, 신광 법사에게는 이렇게 저렇게 하되 비밀이 탄로나지 않게 하라고 당부하고 보냈다. 혜랑의 가르침을 들은 신광 법사는 개용단*으로 이성의 모습을 한 채 ㉡명월루에 숨었다. 밤이 깊어 인적이 고요해지자, 바로 ㉢화양 공주의 방으로 뛰어 들어가 칼을 빼어 즉시 화양을 찌르려고 하였다. 때마침 방 밖에 시비들의 소리가 시끄럽게 들리자 마음이 급해진 신광 법사는 엉겁결에 비껴 찌르고 도망갔다. 비명소리를 들은 시비들이 놀라 들어와 시신이 침상 위에 놓여 있는 것을 보고, 목놓아 울며 말하였다.

"이 무슨 일이란 말인가?"

발을 구르고 ㉣외당에 사실을 알리며 우왕좌왕하였다. 이성이 미처 나오지 못한 사이에 이영준이 이성을 급히 불렀다. 이성이 나와 보니 명월루에 울음소리가 진동하였다. 시비들은 급히 뜻하지 않은 재앙이 화양의 몸에 미쳤다고 전하였다. 이성은 크게 놀라면서도 얼굴빛을 태연히 하였다. 이성이 화양을 찔렀

다는 소식을 들은 이영준은 보자마자 어디에 있었는지 물었다. 이성이 정당에 있었다고 답하자, 이영준은 장씨를 의심하면서도 여러 시녀들이 이성이 찔렀다고 하는 말을 듣고는 정신없이 이성과 함께 명월루로 갔다. 시비들이 울부짖으며 어찌할 바를 모르다가 이영준과 이성을 보고 놀랐다. 이영준이 휘장 밖에 서서는 이성에게 들어가 보라고 하였다. 화양은 침상 아래 거꾸러진 채로 유혈이 낭자하니 그 모습이 매우 잔혹하였다. 왕실의 금지옥엽으로 이런 일을 당하였고, 그 누명이 이성에게 미칠 수 있으니 어찌 멸문지화*를 면할 수 있겠는가? 그럼에도 얼굴빛이 전혀 흔들리지 않고 천천히 나아가 공주를 살폈다. 두 눈이 감긴 채 두 뺨에는 혈기가 없고 손과 발은 얼음처럼 차가웠다. 살방도가 전혀 없어 보였으나 비단 저고리를 걷고 자세히 보니 눈같이 흰 피부에 붉은 피가 가득하되 약간의 생기가 있었다. 주머니에서 침을 내어 기를 통하게 할 곳을 짚어 찔렀다. 이성의 침법이 원래 신이하였기에 얼마 지나지 않아 얼굴에 붉은빛이 통하고 생기가 돌았다. 약을 주자 잠시 후 화양이 숨을 쉬더니 소스라치게 놀라며 깨어났다.

[중략 줄거리] 누명을 쓰고 유배되었던 이성은 외적이 쳐들어오자 풀려나 전장에서 활약하고, 반역의 무리를 제압하는 과정에서 누명을 벗는다.

그때 사신이 이르렀다는 전갈이 오자 이영준이 이상하게 여겨 즉시 당에서 내려가 임금의 교지를 받았다. 보니 장씨의 허물이 적지 않게 들어 있었다. 궁궐에서 자기 집의 허물이 드러나 모든 관리에게 파다하게 알려진 사실이 부끄러운 한편 장씨의 심술에 통분하였다. 이에 노비를 호령하여 장씨를 모시던 시녀와 유모 혜랑을 잡아들이게 한 후 실상을 파헤쳤다. 혜랑이 비록 크게 간악하지만 일이 이 지경에 이르렀으니 어찌 속일 수 있겠는가? 처음에 자객을 보내어 이성을 해하려고 한 일부터 화양을 해쳐 그 죄를 이성에게 뒤집어씌운 일까지 바로 자백하였다.

'장씨가 마음이 좁은 여자여서 이미 짐작은 하고 있었지만 간교함이 이 정도일 줄은 생각도 하지 못하였다.'

생각이 이에 미치자 소리를 높여 꾸짖었다.

"너의 간악한 꾀로 명공의 집안에 화란을 짓고, 요악한 도사와 결탁하여 그 화가 국가에까지 미쳤다. 또한 너의 주인을 아주 못된 아녀자로 만들었으니 어찌 죽음을 면하겠느냐?"

말을 마치고는 노비를 명하여 지져 죽이는 형벌을 더해 죽였다. 장씨는 아들의 얼굴을 보아 ㉤후원 냉옥에 가두었다가 개과천선하기를 기다린 후 다시 처치하고자 하였다. 이때 장씨는 자기 허물이 온 나라에 시끄럽게 드러나자 크게 부끄러워하며 사람을 멀리하였다.

한편 열한 살인 이무는 모든 일에 어른처럼 노련하였다. 이 일을 당하니 마치 벼락에 온몸이 부서지는 듯하였다. 어머니 장씨의 허물이 이처럼 심한 것에 새롭게 놀라며 부끄러워 죽고 싶은 마음이 들었다. 그러나 죄를 받은 어머니를 보살필 사람이 없음을 알고 목숨을 유지하다가 아버지 이영준의 분노가 조금 가라앉자 이성과 함께 나아가 울며 말하였다.

"소자들은 천륜의 죄인입니다. 엎드려 바라오니 아버님께서는 어머니의 망극한 죄를 더하지 마시어 불초한 저희들로 하여금 만고의 죄인이 되지 않게 해 주십시오."

말을 하며 눈물을 비처럼 흘리니 그 효성스러운 거동이 사람의 분한 마음을 봄눈 녹듯이 사라지게 할 정도였다.

– 작자 미상, 「화산기봉(華山奇逢)」 –

* 개용단: 마음 먹은 대로 모습을 바꿔 주는 묘약.
* 멸문지화: 한집안이 다 죽임을 당하는 끔찍한 재앙.

1. 윗글에 대한 이해로 가장 적절한 것은?
① 이영준은 직접 화양의 상태를 확인하고 이성을 의심했다.
② 장씨는 자신의 잘못이 드러났음에도 끝까지 결백을 주장했다.
③ 이영준은 혜랑이 자백하는 척하며 장씨를 모함한 것을 꾸짖었다.
④ 이성은 화양이 습격을 당할 것을 예상하고 미리 그녀에게 주의를 주었다.
⑤ 혜랑은 이성과 화양의 불화가 자신의 계획에 유리하게 작용한다고 판단했다.

2. 윗글의 서술상 특징으로 가장 적절한 것은?
① 외양을 세밀하게 묘사하여 인물을 희화화하고 있다.
② 꿈과 현실의 교차를 통해 사건의 진상을 밝히고 있다.
③ 대화와 삽입된 노래를 통해 인물들의 심회를 드러내고 있다.
④ 비현실적인 소재를 활용하여 낭만적 분위기를 형성하고 있다.
⑤ 서술자가 개입하여 사건에 대한 주관적 판단을 드러내고 있다.

3. ㉠ ~ ㉤에 대한 설명으로 적절하지 <u>않은</u> 것은?
① ㉠은 이성이 화양의 태도를 확인하고 화양에게 긍정적 감정을 느끼는 곳이다.
② ㉡은 신광 법사가 혜랑의 지시를 이행하기 위해 이동한 곳이다.
③ ㉢은 신광 법사가 외부적인 요인으로 인해 조급히 행동하는 곳이다.
④ ㉣은 이영준과 이성이 문제 해결에 대한 의견 차이를 드러내는 곳이다.
⑤ ㉤은 장씨가 자신의 행위를 반성하도록 이영준에 의해 보내진 곳이다.

4. <보기>를 참고하여 윗글을 감상한 내용으로 적절하지 <u>않은</u> 것은? [3점]

───〈 보 기 〉───
「화산기봉」에서 주인공의 혼인은 계모와의 갈등이 심화되는 계기가 된다. 이로 인해 가문 전체에 위협이 되는 사건이 초래되지만, 주인공은 비범한 능력을 발휘하여 위기에 대응한다. 한편 이러한 갈등의 해결 과정에서 가족 외 인물은 갈등 유발의 책임이 전가되어 처벌되는 반면, 가족 내 인물은 유교적 윤리를 바탕으로 포용의 대상이 된다. 이를 통해 가문의 안정을 지향하는 사대부의 면모를 보여 주고 있다.

① 장씨가 왕실의 사람이 된 이성을 경계하여 계교를 꾸미는 것을 보니, 주인공의 혼인으로 인해 계모와 주인공 사이의 갈등이 심화되고 있음을 엿볼 수 있군.
② 화양이 이성을 원망하는 정 상궁을 질책하는 것을 보니, 가족 내 갈등이 유발된 책임을 가족 외 인물에게 돌리고 있는 상황을 확인할 수 있군.
③ 장씨와 혜랑에 의해 이성이 누명을 쓰는 일이 멸문지화로 이어질 수 있다는 것을 보니, 계모가 일으킨 사건이 가문의 존속을 위협할 수 있음을 짐작할 수 있군.
④ 이성이 신이한 침술로 목숨이 위태로운 화양을 소생시키는 것을 보니, 주인공이 비범한 능력을 통해 급박한 상황에 대응하고 있음을 확인할 수 있군.
⑤ 이무와 이성이 장씨를 용서해 달라고 간청하는 것을 보니, 효라는 유교적 윤리를 바탕으로 악행을 저지른 가족 내 인물을 포용하려는 모습을 엿볼 수 있군.

[5~8] 다음 글을 읽고 물음에 답하시오.

숙향이 선녀들에게 말하기를,

"천상에서 내가 저지른 죄가 매우 크도다. 그러나 내가 인간 세상에서 겪은 고초 가운데 부모와 헤어진 일과 장 승상 댁에서 악명을 입은 일은 더욱 망극하니, 차라리 죽어서 모르고자 하노라."

하니 그 선녀가 공손하게 대답했다.

"그것은 조금도 염려하지 마소서. 그 모든 것이 이미 천상에서 마련하신 일이니 다시 고칠 길이 없나이다. 낭자의 부모도 전생에 지은 죄로 낭자를 잃고 간장을 썩이며 고행을 겪게 한 것이니, 어찌 한탄하리오. 장 승상 댁에서도 십 년만 머물도록 정한 것이니, 그것도 한탄할 일이 아니옵니다. 또한 항아께서 사향이 낭자를 모함한 것을 아시고 이미 상제께 아뢰어 벼락을 치게 했으며, 장 승상 부부와 모든 종들도 다 낭자가 억울한 처지인 줄 알고 있나이다. 그리하여 승상께서 종을 이 물가에 보내어 낭자를 찾아 모셔 오도록 명했으나 종이 낭자를 못 찾고 돌아갔으니, 그것도 염려하지 마소서. 그러나 앞으로도 두 번이나 죽을 액이 남아 있으니, 낭자께서는 부디 조심하소서."

"무슨 액이 또 있을꼬?"

"갈대밭에서 화재를 만나 죽을 위기에 처하고, 또 낙양 옥중에 가서 곤욕을 치르게 될 것이옵니다. 그런 후에야 태을선군을 만나 영화를 누릴 것이니, 너무 염려하지 마소서."

이에 숙향이 탄식하며 말하기를,

"이미 지나간 고행도 생각하면 천지가 망극하거늘, 이제 남은 두 액을 어떻게 견디리오? 장 승상 부인이 나를 지극히 사랑하시고 또 내게 잘못이 없다는 것을 아신다고 하니, 도로 그리 가서 두 액을 면할까 하노라."

하니 그 선녀가 웃으면서 말했다.

[A]
"하늘이 벌써 정하신 일이기 때문에 낭자 마음대로 할 수 없나이다. 이제 낭자께서는 비록 돌로 만든 갓을 쓰고 무쇠 두멍*에 들어가는 액일지라도 어찌 그 액을 면할 수 있겠나이까? 장 승상 댁과의 인연은 십 년뿐이요, 거기 계시면 태을선군이 사는 곳과는 삼천삼백육십오 리나 떨어져 있기 때문에 선군을 쉽게 만날 수도 없나이다. 또한 선군이 아니면 낭자의 힘으로는 결코 부모님을 다시 만나지 못하리이다."

숙향이 그 말을 듣고 탄식하며 묻기를,

"선군이 인간 세상에 왔다니, 이름은 무엇이라 하는가?"

하니 선녀가 대답했다.

"예전에 항아의 말씀을 듣자오니, '이름은 선이요, 자는 태을이며, 낙양 땅 이위공의 아들이 되어 천하의 부귀공명을 누리리라.' 하시더이다."

"똑같은 일로 죄를 지어 인간 세상에 귀양 왔다고 했는데, 나는 어찌 이렇듯 고행을 겪게 하고, 선군은 호화롭게 지내게 했는고?"

"천상에 계실 때 낭자께서 먼저 선군을 희롱했기에 낭자의 죄가 더 무겁나이다. 선군은 상제께서 가장 사랑하시어 잠

시도 곁을 떠나지 못하게 했으나, 항아께서 선군도 벌을 주어야 한다고 요청한 까닭에 상제께서 마지못해 선군을 인간 세상에 귀양 보냈나이다. 그러나 상제께서는 선군을 너무 사랑하시어 인간 세상에서도 부귀영화를 누리게 했나이다."

[중략 줄거리] 숙향은 온갖 시련을 겪지만 이선을 만나 부부의 연을 맺는다. 이후 황태후가 병이 들자, 병부 상서 이선은 선약을 구하기 위해 떠난다.

병부 상서가 용왕께 사례한 후 선관의 의복으로 갈아입고 물가로 나오니, 용자가 벌써 붉은 조롱박 하나를 가지고 기다리고 있었다. 상서가 용자와 함께 그 박을 타고 가니, 노를 젓지 않는데도 화살처럼 빠르게 바다 위를 떠갔다.

얼마쯤 가다가 용자가 상서에게 말했다.

"저 혼자 가면 아무 데도 걸릴 것 없이 쉽게 갈 수 있사오나, 여러 신령들이 지키고 있기 때문에 인간 세상 사람은 마음대로 선계에 들어갈 수 없나이다. 지금 상공께서는 인간 세상에 내려와 진객이 되었사오니, 어디를 가든 제가 하라는 대로만 하소서. 가는 곳마다 용왕께서 주신 공문을 보여 주고 가겠나이다."

이에 상서가 묻기를,

"수궁에서는 용왕이 으뜸이라. 바로 수로로 가면 쉬울 터인데, 어찌하여 번거롭게 육지에 있는 나라들을 거쳐 가려 하는가?"

하니 용자가 대답했다.

[B]
"수로로 곧장 가면 얼마나 좋겠나이까? 그러나 상제께서 그것을 아시게 되면 용궁에 큰 변이 일어나고, 각 지경을 맡은 신령들에게도 좋지 않은 일이 생길 것이옵니다. 번거롭더라도 여러 나라를 지나면서 공문을 보여 주고 가야만 하나이다."

상서와 용자가 한 나라에 이르렀는데, 그 나라 이름은 ⊙회회국이었다. 그곳 사람들은 똑바로 걷지 못하고 게처럼 옆으로 다녔으며, 왕의 이름은 경성이었다. 용자가 물가에 배를 대고 혼자 들어가 왕에게 공문을 드리니 왕이 공문을 보고 물었다.

"함께 가는 사람이 태을성인가?"

용자가 대답하기를,

"그러하옵니다."

하니 왕이 즉시 공문에 날인해 용자에게 돌려주었다. 왕이 용자와 함께 물가로 나와 상서에게 반갑게 인사했으나, 상서는 그 왕이 누구인지 몰라 공경하기만 하더라.

용자가 왕에게 하직 인사를 올린 후 상서를 모시고 또 한 나라에 가니, 그곳은 함밀국이었다. 그곳 사람들은 화식은 먹지 않고 꿀만 먹고 살며, 왕의 이름은 필성이었다. 용자가 공문을 드리니, 왕이 보고 말하기를,

"그대가 태을성을 모시고 가는데, 이 앞이 제일 험하니 조심하라."

하고 날인한 후 공문을 돌려주었다.

또 한 나라에 가니, 그곳은 유리국이었다. 그 땅에 사는 사람들은 모두 중국 사람과 비슷했으나 생선처럼 비린 것을 먹지 않았으며, 왕의 이름은 기성이었다. 용자가 왕에게 공문을 드리니 왕이 화를 내며 묻기를,

"선계는 인간 세상과 다른데, 어떻게 진객이 마음대로 이곳

에 들어왔는가?"

하고 공문을 본 척도 하지 않았다. 용자가 사정하며 말하기를,

"태을성이 인간 세상에 내려와 중국의 병부 상서가 되었는데, 황제의 명을 받들어 ⓛ봉래산의 개언초를 얻으러 가다가 우리 ⓒ용궁에 왔나이다. 그리하여 소자가 모시고 가는 길이오니, 저의 낯을 보아 허락해 주소서."

하니 왕이 말하기를,

"이번엔 통과시켜 주겠지만, 다시는 분수에 넘치는 일을 하지 말라."

하고 마지못해 날인하고 공문을 돌려주었다.

　　　　　　　　　　　　　　　　－ 작자 미상, 「숙향전」 －

＊두멍 : 물을 많이 담아 두고 쓰는 큰 가마나 독.

5. 윗글의 내용에 대한 이해로 가장 적절한 것은?

① 용자는 상서에게 공문의 사용을 주의하라고 당부하였다.

② 용자는 상서가 원하는 곳까지 혼자 갈 수 없는 이유를 설명해 주었다.

③ 장 승상은 사향이 숙향을 모함한 사실을 알지 못한 채 숙향을 찾았다.

④ 필성은 용자에게 일어날 불미스러운 일을 피할 방법에 대해 안내하였다.

⑤ 선녀는 갈대밭과 낙양 옥중에서 곤욕을 치른 숙향의 어리석음을 질타하였다.

6. ㉠~㉢에 대한 설명으로 적절하지 <u>않은</u> 것은?

① ㉠은 용왕의 조력을 통해 상서가 통과할 수 있는 공간이다.

② ㉠은 천상계 존재인 태을성을 호의적으로 생각하는 왕이 지키는 공간이다.

③ ㉢은 상제의 권위에 의해 영향을 받는 공간이다.

④ ㉠과 ㉡은 누구에게도 자유로운 이동을 허용하지 않는 공간이다.

⑤ ㉡은 용자와 상서가 육지의 ㉠을 경유하여 향하는 곳이다.

7. [A], [B]에 대한 설명으로 가장 적절한 것은?

① [A]는 과거의 사건을 요약적으로 진술하여 현재 상황을 변화시키기 위한 인물의 의지가 필요함을 강조하고 있다.

② [B]는 가정적 상황을 제시하여 상대방이 예상하지 못한 결과가 일어날 수 있음을 전달하고 있다.

③ [A]는 [B]와 달리 구체적인 수치를 언급하여 인물이 처한 상황의 다급함을 부각하고 있다.

④ [B]는 [A]와 달리 의문의 형식을 활용하여 정해진 운명에서 벗어날 수 없음을 강조하고 있다.

⑤ [A]는 유사한 상황을 나열하는, [B]는 여러 인물의 발화를 반복하는 방식으로 미래에 대한 우려를 드러내고 있다.

8. <보기>를 참고하여 윗글을 감상한 내용으로 적절하지 <u>않은</u> 것은? [3점]

─────── <보 기> ───────

「숙향전」은 이질적인 두 개의 서사로 이루어진 작품이다. 두 남녀 주인공의 지상에서의 삶에는 천상의 죄업이 공통으로 전제되었지만 그 죄업의 책임은 여성에게 두고 있다. 숙향이 지상에서 겪은 고난의 과정은 천상의 죄업에 대한 징벌적 의미이다. 이러한 숙향의 서사는 가부장제 사회에서 열세에 놓인 여성의 현실적 상황을 반영한 것이다. 반면 이선의 서사는 입신양명이라는 당대 남성의 이상적 소망을 형상화한 것이다. 이러한 소망을 이루려는 과정에는 환상성이 드러난다. 이 같은 이질적 서사는 당대 인식에 내재된 남녀 차별적 시선이 개입한 결과라 할 수 있다.

① 상제가 이선을 인간 세상에 보냈다는 것에서 입신양명이라는 당대 남성의 이상적 소망이 형상화되었음을 알 수 있군.

② 선녀가 숙향의 죽을 액을 하늘이 정했다고 말하는 것에서 숙향의 고난의 과정이 징벌적인 의미를 지님을 알 수 있군.

③ 이선이 조롱박을 타고 바다 위를 떠가거나 신이한 세계의 인물들을 만나는 과정에서 이선의 서사는 환상성이 드러남을 알 수 있군.

④ 상제가 선군을 마지못해 귀양 보낸 것과 달리 숙향은 고행을 겪도록 한 것에서 천상의 죄업에 대한 책임을 여성에게 두고 있음을 알 수 있군.

⑤ 이선이 호화롭게 지내는 것과 달리 숙향은 여러 차례의 죽을 위기에 처한다는 것에서 가부장제 사회에서 열세에 놓인 여성의 현실적 상황이 반영되었음을 알 수 있군.

[9~11] 다음 글을 읽고 물음에 답하시오.

[아니리] 우리 세상 같고 보면 일품 제상님네가 먼저 차례로 들어오실 터인데, 수국(水國)이라 물고기 등물이 각각 벼슬 이름을 맡아 가지고 들어오는데, 용국의 벼슬 이름이 사기(史記)에 있던 바라, 꼭 이렇게 들어오것다.

[자진모리]
[A]
승상은 거북, 승지는 도미, 판서 민어, 주서 오징어, 한림 박대, 대사성 도루묵, 방첨사 조개, 해운공 방게, 병사 청어, 군수 해구, 현감 홍어, 조부장 조기, 비변랑 낭청 장대, 성대, 청달이, 가오리, 좌우 나졸, 금군 모조리, 상어, 솔치, 눈치, 준치, 삼치, 멸치, 미끈 장어, 사수, 자가사리며, 꺽지, 금리어, 장뚱어, 망둥이, 빠각 빠각 들어와서 대왕전에 절을 꾸벅 꾸벅 꾸벅 꾸벅 하는구나.

[아니리] 용왕이 요만하고 보시더니, "경들 중에 세상을 나가서 ㉠천년 토끼 간을 얻어 짐의 병을 구원할 자 뉘 있느뇨?"

좌우 신하들이 서로 보기만 하고 묵묵부답이 되었것다. 용왕이 또다시 탄식하시는데,

[중모리] 왕이 똘똘 탄식헌다.

"남의 나라는 충신이 있어서, 할고사군 개자추와 광초망신 기신*이는 죽을 임금을 살렸건마는, 우리나라는 충신이 있어도 어느 누가 날 살리리오?"

정언 잉어가 여짜오되,

"세상이라 허는 곳은 인심이 박하여 지혜 용맹 없는 자는 성공하지를 못하리다."

"좌승상 거북이 어떠하뇨."

"승상 거북은 지략이 넓사오나 복판이 모두 다 대모*인 고로, 세상에를 나가오면 인간들이 잡어다가 복판 떼어 대모장도, 밀이개살쩍, 탕건 묘또기, 쥘쌈지 끈까지 대모가 아니면은 할 줄을 모르니 보내지는 못하리다."

[아니리] 이때 해운공 방게가 열 발을 쩍 벌리고 살살 기어 들어와서 공손히 엎드리더니, 장담하여 말을 하는데,

[중중모리] "신의 고향 세상이오. 신의 고향 세상이라. 청림벽계(青林碧溪) 산천수 가만히 몸 담그고 천봉만학(千峯萬壑)을 바라보니, 산토끼 달토끼 안면이 있사오니, 소신의 엄지발로 토끼놈의 가는 허리를 바드드드득 안어다가 대왕전 바치리다."

[아니리] "네 말은 그러하나, 너 생긴 눈이 허망하게 폭 솟았기로 왔다갔다를 잘하니, 가다가 뒷걸음질을 잘할 테니, 저리 물렀거라."

[중모리] "방첨사 조개가 어떠하뇨?"

정언이 여짜오되,

"방첨사 조개는 철갑이 꿋꿋 방신제도*가 좋사오나, 옛글에 이르기를, 휼조와 싸우다가 어부의 공이 된다 하였으니, 세상에를 나가오면, 휼조라는 새가 있어, 수루루 펄펄 펄펄 날아 들어, 휼조는 조개를 물고, 조개는 휼조를 물고, 서로 놓지를 못하다가 어부에게 잡히어 속절없이 죽을 터이니, 보내지를 못하리다."

[아니리] "그리하면 어찌하면 옳단 말이냐?"

[자진모리] "그럼 수문장 메기가 어떠한고?"

정언이 여짜오되,

"메기는 수염 길고 입 크고 풍채 좋거니와, 아가리가 너무 커서 식량이 너른 고로, 세상을 나가오면 요깃감을 얻으려고 조그마한

산천수 이리저리 기댈 제, 사립 쓴 어옹들이 비바람이 불어도 돌아가지 않는지라, 입감 꿰어서 물에 풍, 탐식으로 덜컥 삼켜 꼼짝없이 죽게 되면 탁 채어 낚어다가 인간의 이질, 복질, 설사, 배앓이 하는 데 약으로 먹사오니 보내지는 못하리다."

[아니리] 한참 이리 결정을 못하고 있을 적에, 저 영덕전 뒤에서 한 신하가 들어오는데,

[진양조] 영덕전 뒤로 한 신하가 들어온다. 눈 작고 다리 짧고, 목 길고 주둥이는 까마귀 부리 같구나. 등에다 방패를 지고 앙금앙금 기어 들어오더니, 몸을 굽혀 재배하고 상소를 올리거늘,

[아니리] 왕이 상소를 받아 보시니, 별주부 자라였다.

(중략)

[아니리] 용왕이 상소 받아 보시고 칭찬 왈,

"신하라! 별주부가 신하다, 충신이라! 별주부가 충신이로다. 참으로 충신일다. 그러나 우리 수국 충신이 다 세상 사람의 고기밥이 된다 하니, 그 아니 원통한고?"

별주부 여짜오되,

"소신은 네 발이 갖춰 있어 강상(江上)에 높이 떠 망보기를 잘하와 인간에게 잡힐 걱정은 없사오나, 바닷속에 태어나 토끼 얼굴을 모르오니, 화상(畫像)을 하나 그려주사이다."

"글랑은 그리 하여라."

[중중모리] "화공을 불러라."

화공을 불러 들여 토끼 화상을 그린다. 동정호 유리로 만든 벼루에 비단같은 물결 담은 거북 연적 오징어로 먹 갈아, 붓을 풀어 단청 채색을 두루 묻히어서 이리저리 그린다.

[B]
천하명산승지간의 경개 보던 눈 그리고, 두견앵무 지지 울제 소리 듣던 귀 그리고, 난초지초 온갖 향초 꽃 따먹던 입 그리고, 봉래 방장 운무* 중의 냄새 잘 맡던 코 그리고, 대한엄동 설한풍 어한(禦寒)*하던 털 그리고, 만화방창 꽃밭에서 펄펄 뛰던 발 그리고, 두 귀는 쫑긋, 눈은 도리도리, 허리는 늘씬, 꼬리가 뭉툭, 좌편 청산이요, 우편은 녹순데, 녹수청산의 애굽은 장송, 휘느러진 버드나무, 들랑달랑 오락가락 엉거주춤 기는 토끼 산토끼 달토끼 얼풋 그려, 아미산 위에 뜬 반달이 가을이 되었다는 말이 이에서 더할쏘냐.

"아나, 엿다, 별주부야. 어서 가지고 나가거라."

　　　　　　　　　　　　　　　　　　　　　 – 유성준 창본, 「수궁가」 –

* 할고사군 개자추와 광초망신 기신 : 임금을 위해 희생한 고사 속 충신들.
* 대모 : 바다거북의 등껍질. 장식품이나 공예품을 만드는 데 쓰임.
* 방신제도 : 제 몸을 지키는 방법.
* 봉래 방장 운무 : 신선이 사는 산의 안개.
* 어한 : 추위를 막아주는.

9. 윗글에 대한 이해로 적절한 것은?

① 용왕은 자신에게 신임을 얻기 위해 다투는 신하들을 못마땅하게 생각한다.

② 잉어는 지혜와 용맹이 있는 인물이 토끼의 간을 얻어 올 수 있을 것이라고 생각한다.

③ 잉어는 승상인 거북이 다양한 재주가 있으나 지략이 없는 것을 한탄한다.

④ 방게는 수국에서 벼슬을 얻지 못하자 자신의 고향인 육지로 돌아가고 싶어 한다.

⑤ 화공은 토끼의 모습을 모르는 자라를 돕기 위해 육지로 동행한다.

10. [A]와 [B]에 대한 이해로 가장 적절한 것은?

① [A]는 용궁의 모습을, [B]는 육지의 모습을 묘사하여 공간적 배경을 대비하고 있다.

② [A]는 수국의 신하를, [B]는 토끼의 신체 부위를 열거하여 장면을 구체화하고 있다.

③ [A]는 신하들의 생활 모습을, [B]는 토끼의 생활 모습을 제시하여 인물의 성격을 보여 주고 있다.

④ [A]는 용왕이 처한 문제를, [B]는 이에 대한 해결책을 제시하여 사건의 전개 방향을 예고하고 있다.

⑤ [A]는 용궁을 긍정적으로, [B]는 토끼를 부정적으로 평가하여 인물에 대한 작가의 태도를 드러내고 있다.

11. ㉠을 선정하는 과정을 다음과 같이 정리할 때, 이에 대한 설명으로 적절하지 <u>않은</u> 것은? [3점]

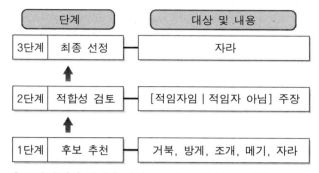

① '1단계'에서 방게와 자라는 스스로 후보로 나선다.

② '2단계'에서 용왕은 방게의 눈이 솟아 있어 다른 동물들 눈에 띄기 쉬우므로 적임자가 아니라고 주장한다.

③ '2단계'에서 잉어는 조개가 휼조와 서로 물고 싸우다가 인간에게 잡힐 것이므로 적임자가 아니라고 주장한다.

④ '2단계'에서 잉어는 메기가 탐식 때문에 돌아다니다가 인간들에게 잡힐 것이므로 적임자가 아니라고 주장한다.

⑤ '3단계'에서 자라가 선정된 것은, 망보기를 잘하여 인간에게 잡힐 염려가 없다는 자라의 주장이 받아들여졌기 때문이다.

총 문항					문항	맞은 문항				문항
개별 문항	1	2	3	4	5	6	7	8	9	10
채점										
개별 문항	11	12	13	14	15	16	17	18	19	20
채점										

7분 | 2022학년도 3월 학평 42~45번 | ★★★ | 정답 030쪽

【1~4】 다음 글을 읽고 물음에 답하시오.

이때 춘향 어미는 삼문간에서 들여다보고 땅을 치며 우는 말이,

"신관 사또는 사람 죽이러 왔나? 팔십 먹은 늙은 것이 무남독녀 딸 하나를 금이야 옥이야 길러내어 이 한 몸 의탁코자 하였더니, 저 지경을 만든단 말이오? 마오 마오. 너무 마오!"

와르르 달려들어 춘향을 얼싸안고,

"아따, 요년아. 이것이 웬일이냐? 기생이라 하는 것이 수절이 다 무엇이냐? 열 소경의 외막대 같은 네가 이 지경이 되었으니 어디 가서 의탁하리? 할 수 없이 죽었구나."

향단이 들어와서 춘향의 다리를 만지면서,

"여보 아가씨, 이 지경이 웬일이오? 한양 계신 도련님이 내년 삼월 오신댔는데, 그동안을 못 참아서 황천객이 되시겠네. 아가씨, 정신 차려 말 좀 하오. 백옥 같은 저 다리에 유혈이 낭자하니 웬일이며, 실낱같이 가는 목에 큰 칼*이 웬일이오?" [A]

(중략)

칼머리 세워 베고 우연히 잠이 드니, 향기 진동하며 여동 둘이 내려와서 춘향 앞에 꿇어앉으며 여쭈오되,

"소녀들은 **황릉묘 시녀**로서 부인의 명을 받아 낭자를 모시러 왔사오니 사양치 말고 가사이다."

춘향이 공손히 답례하는 말이,

"**황릉묘**라 하는 곳은 **소상강 만 리 밖** 멀고도 먼 곳인데, 어떻게 가잔 말인가?"

"가시기는 염려 마옵소서."

손에 든 **봉황 부채** 한 번 부치고 두 번 부치니 **구름같이 이는 바람** 춘향의 몸 훌쩍 날려 공중에 오르더니 여동이 앞에 서서 길을 인도하여 석두성을 바삐 지나 한산사 구경하고, 봉황대 올라가니 왼쪽은 동정호요 오른쪽은 팽려호로다. 적벽강 구름 밖에 열두 봉우리 둘렀는데, 칠백 리 동정호의 오초동남 여울목에 오고 가는 상인들은 순풍에 돛을 달아 범피중류 떠나가고, 악양루에서 잠깐 쉬고, 푸른 풀 무성한 군산에 당도하니, 흰 마름꽃 핀 물가에 갈까마귀 오락가락 소리하고, 숲속 원숭이가 자식 찾는 슬픈 소리, 나그네 마음 처량하다. 소상강 당도하니 경치도 기이하다. 대나무는 숲을 이루어 아황 여영 눈물 흔적 뿌려 있고, 거문고 비파 소리 은은히 들리는데, 십층 누각이 구름 속에 솟았도다. 영롱한 전주발과 안개 같은 비단 장막으로 주위를 둘렀는데, 위의도 웅장하고 기세도 거룩하다.

여동이 앞에 서서 춘향을 인도하여 문 밖에 세워 두고 대전에 고하니,

"춘향이 바삐 들라 하라."

춘향이 황송하여 계단 아래 엎드리니 부인이 명령하시되,

"대전 위로 오르라."

춘향이 대전 위에 올라 손을 모아 절을 하고 공손히 자리에서 일어나 좌우를 살펴보니, 제일 층 옥가마 위에 아황 부인 앉아 있고 제이 층 황옥가마에는 여영 부인 앉았는데, 향기 진동하고 옥으로 만든 장식 소리 쟁쟁하여 하늘나라가 분명하다. 춘향을 불러다 자리를 권하여 앉힌 후에,

"춘향아, 들어라. 너는 **전생** 일을 모르리라. 너는 부용성 영주궁의 **운화 부인** 시녀로서 서왕모 요지연에서 장경성에 눈길 주어 복숭아로 희롱하다 인간 세상에 귀양 가서 시련을 겪고 있거니와 머지않아 장경성을 다시 만나 부귀영화를 누릴 것이니 **마음을 변치 말고 열녀를 본받아** 후세에 이름을 남기라."

춘향이 일어서서 두 부인께 절을 한 후에 달나라 구경하려다가 발을 잘못 디뎌 깨달으니 한바탕 꿈이라. 잠을 깨어 탄식하는 말이,

"이 꿈이 웬 꿈인가? 뜻 이룰 큰 꿈인가? 내가 죽을 꿈이로다."

칼을 비스듬히 안고

"애고 목이야, 애고 다리야. 이것이 웬일인고?"

향단이 원미를 가지고 와서,

"여보, 아가씨. 원미 쑤어 왔으니 정신 차려 잡수시오." [B]

춘향이 하는 말이,

"원미라니 무엇이냐, 죽을 먹어도 이죽을 먹고, 밥을 먹어도 이밥을 먹지, 원미라니 나는 싫다. 미음물이나 하여 다오."

미음을 쑤어다가 앞에 놓고,

"이것을 먹고 살면 무엇할꼬? 어두침침 옥방 안에 칼머리 비스듬히 안고 앉았으니, 벼룩 빈대 온갖 벌레 무른 등의 피를 빨고, 궂은 비는 부슬부슬, 천둥은 우루루, 번개는 번쩍번쩍, 도깨비는 휙휙, 귀신 우는 소리 더욱 싫다. 덤비는 것이 헛것이라. 이것이 웬일인고? 서산에 해 떨어지면 온갖 귀신 모여든다. 살인하고 잡혀 와서 아흔 되어 죽은 귀신, 나라 곡식 훔쳐 먹다 곤장 맞아 죽은 귀신, 죽은 아낙 능욕하여 고문당해 죽은 귀신, 제각기 울음 울고, 제 서방 해치고 남의 서방 즐기다가 잡혀 와서 죽은 귀신 처량히 슬피 울며 '동무 하나 들어왔네' 하고 달려드니 처량하고 무서워라. 아무래도 못 살겠네. 동방의 귀뚜라미 소리와 푸른 하늘에 울고 가는 기러기는 나의 근심 자아낸다." [C]

한없는 근심과 그리움으로 날을 보낸다.

이때 이 도령은 서울 올라가서 밤낮을 가리지 않고 공부하여 글짓는 솜씨가 당대에 제일이라. 나라가 태평하고 백성이 평안하니 태평과를 보려 하여 팔도에 널리 알려 선비를 모으니 춘당대 넓은 뜰에 구름 모이듯 모였구나. 이 도령 복색 갖춰 차려 입고 시험장 뜰에 가서 글 제목 나오기 기다린다.

시험장이 요란하여 현제판을 바라보니 '강구문동요*'라 하였겠다. 시험지를 펼쳐놓고 한번에 붓을 휘둘러 맨 먼저 글을 내니, 시험관이 받아보고 글자마다 붉은 점이요 구절마다 붉은 동그라미를 치는구나. 이름을 뜯어 보고 승정원 사령이 호명하니, 이 도령 이름 듣고 임금 앞에 나아간다.

— 작자 미상, 「춘향전」 —

* 칼: 죄인에게 씌우던 형틀.
* 강구문동요(康衢聞童謠): 길거리에서 태평세월을 칭송하는 아이들 노래를 들음.

[고1 국어 문학]

1. [A]와 [B]를 통해 인물을 이해한 내용으로 가장 적절한 것은?

① [A]에서는 '춘향 어미'의 비난을 통해, [B]에서는 '향단'의 옹호를 통해 '신관 사또'에 대한 두 인물의 상반된 인식을 알 수 있다.

② [A]에서는 '춘향 어미'의 만류를 통해, [B]에서는 '향단'의 재촉을 통해 '춘향'의 수절에 대한 두 인물의 상반된 인식을 알 수 있다.

③ [A]에서는 앞날을 걱정하는 '춘향 어미'를 통해, [B]에서는 '춘향'의 현재 상태를 염려하는 '향단'을 통해 '춘향'의 고난에 대한 상이한 반응을 확인할 수 있다.

④ [A]에서는 격앙된 '춘향 어미'를 진정시키는 모습을 통해, [B]에서는 '춘향'에게 음식을 정성스레 건네는 모습을 통해 '향단'의 침착한 태도를 확인할 수 있다.

⑤ [A]에서 '도련님'의 약속을 신뢰하는 '춘향 어미'의 모습과 [B]에서 '춘향'의 앞날을 걱정하는 '향단'의 모습으로 인해 '춘향'의 내적 갈등이 심화되고 있음을 확인할 수 있다.

2. [C]에 대한 이해로 적절하지 <u>않은</u> 것은?

① 공간의 특징을 열거하여 자신의 비참한 처지를 드러내고 있다.

② 비현실적인 존재를 언급하며 자신이 느끼는 두려움을 드러내고 있다.

③ 청각적 경험을 자극하는 자연물을 통해 자신의 근심을 드러내고 있다.

④ 미래에 대한 부정적 전망과 함께 자신의 신세에 대한 한탄을 드러내고 있다.

⑤ 자신과 같이 억울한 처지에 놓인 사람들에 대한 연민의 감정을 드러내고 있다.

※ 〈보기〉를 참고하여 3번과 4번의 두 물음에 답하시오.

> **─ 〈 보 기 〉─**
>
> 서사적 모티프란 전체 이야기를 구성하는 작은 이야기 단위이다. 이 작품에서는 황릉묘의 주인이자 정절의 표상인 아황 부인과 여영 부인이 등장하는 황릉묘 모티프가 사용되었다. 이는 천상계와 인간 세상, 전생과 현생, 꿈과 현실의 대응을 형성하면서 공간적 상상력을 풍요롭게 하는 동시에 주인공의 또 다른 정체성을 드러낸다.
>
> 서사적 모티프는 작품을 읽는 독자에게 서사 이해의 실마리를 제공함으로써 작품의 전개 방향을 예측하게 한다. 황릉묘 모티프에서 '머지않아 장경성을 다시 만나 부귀영화를 누릴 것'이라는 두 부인의 말을 감안하여, 독자는 이어지는 내용에서 ⟨㉮⟩

3. 〈보기〉를 참고하여 윗글을 감상한 내용으로 적절하지 <u>않은</u> 것은? [3점]

① 춘향이 잠이 들어 '황릉묘 시녀'를 만난 것은 황릉묘 모티프를 통해 꿈과 현실의 연결이 일어나게 됨을 보여 주는군.

② '봉황 부채'에 의한 '구름 같이 이는 바람'을 타고 '소상강 만리 밖' 황릉묘까지 춘향이 날려가는 것은 꿈속 공간의 초월적 성격을 드러내는군.

③ 아황 부인과 여영 부인이 '춘향이 바삐 들라'라고 명령하는 것은 자신의 문제를 서둘러 해결하고자 하는 춘향에게 인간 세상에 대비되는 천상계의 질서가 있음을 보여 주는군.

④ '전생'에 춘향이 '운화 부인 시녀'였다는 아황 부인과 여영 부인의 말은 전생과 현생의 대응을 드러내면서 공간적 상상력의 확장을 유도하는군.

⑤ 아황 부인과 여영 부인이 춘향에게 '마음을 변치 말고 열녀를 본받'으라고 당부하는 것은 춘향이 정절을 지켜나갈 인물임을 암시하는군.

4. 〈보기〉의 ㉮에 들어갈 내용으로 가장 적절한 것은?

① '내가 죽을 꿈이로다'라는 춘향의 말보다는 이 도령이 과거에 급제한 상황에 주목하며 두 인물의 재회를 예상할 것이다.

② 꿈에 대해 자문하며 탄식하는 춘향의 모습을 보고 춘향이 현실에서의 정체성에 의문을 갖게 되리라고 예상할 것이다.

③ 두 부인과의 만남이 꿈임을 깨닫는 춘향의 모습을 보고 꿈과 현실의 대비가 주는 허무함을 절감하게 될 것이다.

④ 춘향이 자신의 실수로 꿈에서 깨어나는 장면을 춘향의 고난이 지속될 것이라는 암시로 받아들일 것이다.

⑤ 꿈에서 '달나라 구경'을 이루지 못하고 깨어난 춘향이 꿈에 대한 미련을 보이리라고 예상할 것이다.

III

【5~8】 다음 글을 읽고 물음에 답하시오.

> [앞부분 줄거리] 정소저는 양경의 계략으로 전쟁에 나가게 된 정원수를 그리워하며 힘든 나날을 보낸다. 이때 민가를 잠행하던 태자가 우연히 정소저를 보게 되고, 그녀의 아름다움과 기상에 반하여 그녀를 아내로 삼겠다고 결심한다.

정소저 시비를 데리고 관음사로 행하거늘 태자 또한 **여복(女服)으로 갈아 입고** 시비를 데리고 이날 **관음사로 찾아가**니 모든 스님들이 합장하며

"소저는 누구 집 행차이온지 알지 못하겠거니와 이런 누지(陋地)에 왕림하셨습니까?"

하니, 시비 답하기를

"**주상공 댁 소저**인데 부친께서 임지로 가서서 안위를 위하여 발원코자 왔나이다."

하니, 노승이 말하기를

"정강로댁 소저도 부친의 안위를 위하여 왔거니와 소저와 같은 딱한 사연이 있나이다."

하니, 주소저 짐짓 탄식하며 말하기를

"그 소저의 정도가 나와 같도다."

하며, 슬퍼하니 노승이 위로하기를

"주소저와 정소저 다 같이 발원코자 왔다 하니 함께 발원함이 좋겠습니다."

하고, 정소저를 보고 주소저의 사연을 설명하고 서로 생면함을 간청하니 정소저 듣고 말하기를

"세상에 또한 나와 같은 사람이 어디 있는가?"

하며,

"나도 딱한 사정을 듣고 서로 보고 슬픈 마음을 위로하고자 합니다."

하였다. 노승이 반기며

"주소저의 사연도 같으니 지성으로 발원하여 소원을 이루소서."

하고, 즉시 불전에 나아가 분향하고 주소저를 청하여 각각 시비를 데리고 좌정하였다. 잠시 후 주소저 눈을 들어 정소저를 살펴보니 **탁월한 풍채와 늠름한 기상**이 사람의 정신을 놀라게 하였다. 주소저 이르기를

"노승의 말씀을 들으니 낭자의 심정이 나와 같습니다. 부친이 전장에 가서 소식이 적조하옵기로 슬픈 마음을 이기지 못하여 불전에 발원하여 부친을 위로하고자 왔나이다."

하니, 정소저 탄식하며 말하기를

"제 팔자가 기구하여 열 살 전에 모친을 이별하고 다만 부친만 바라고 지냈더니 항명(降命)*이 지중하여 부친은 전장에 가시고 실로 몸이 의지할 곳이 없사와 불전에 지성으로 발원하와 부친께서 입성하여 쉬 돌아오시기를 바라고 있습니다." [A]

하고, **서로 슬픈 정회를 위로**하였다. 주소저 같이 앉으면 소저 **옥수를 잡고** 만난 정회를 설하는 듯하되 정소저 조금도 싫어하는 거동이 없었다.

이러구러 황혼이 되어 욕탕에 목욕하고 불전에 나가 빌기를

"분명 정낭자와 배필이 되게 하시려거든 이 금전이 방중에 내려오소서."

하며, 돈을 던지니 빈 공중에 솟았다가 방 가운데로 떨어졌다. 주소저가 신통히 여겨 또 금전을 잡고 축원하며 말하기를

"황상께서 양경의 딸로 간택하였으니, 만일 양 씨를 퇴할 수 거든 금전이 스스로 방 밖에 내려지게 하소서."

하고, 금전을 던지나 금전이 여러 번 돌다가 문 밖에 내려지는지라. 주소저 신기하게 여기던 차 정소저 또한 다가와 금전을 던지

며 축원하기를

"부친께서 전장에 나가 성공하고 쉬이 돌아오시게 하거든 금전이 방중에 내려지소서."

하고, 금전을 던지니 이 금전이 방문 밖으로 내려가는지라. 또다시 축원하고 재배하여 독축하기를

"이 몸이 비록 **여자이오나 어릴 적부터 병서를 공부**하였사오니 부친을 위로하려 전장에 나아가 선전(善戰)*하려 하시거든 금전이 방중에 내려지소서."

하고, 금전을 던지니 금전이 높이 올랐다가 방중에 내려오는지라. 소저 한편 기뻐하며 독축하기를

"이후로는 다시 험한 일이 없고 심중에 먹은 마음대로 되게 하시려거든 금전이 방중에 떨어지소서."

하고, 던지니 금전이 다시 방중에 떨어지는지라. 소저 일희일비하여 물러나오니 주소저 이르기를

"동전 축사(祝辭)는 어떻게 되었습니까?"

"길흉이 상반되는 것 같소이다."

주소저가 다시 위로하며

"이는 다 팔자이오니 너무 실망하지 마옵소서."

하니, 정소저 말하길

"우리 피차 함께 하였으니 대강 말씀을 통하게 되었거니와 저는 그렇다하더라도 조금 전에 말씀을 들어보니 부친께서는 만리 전장에 가시고 단 한 몸 의지할 곳이 막연하오니 가련하고 애연하지 아니하오리까?"

하며, 서로 위로하더니 한 노승이 마침 들어오시며 말하기를

"정원수 전장에서 패했다는 소식이 왔으니 이 난국이 큰 근심이로다."

(중략)

이때, 정원수 여러 달 적진 중에 있어 명이 경각에 있었더니 안남국 황제 항복했다는 소식을 듣고 마음이 즐거워 이르기를

"이제 이 사람 고향에 돌아가 우리 황상을 뵈옵고 조상 향화를 받들고 정녕 그리던 자식을 보겠도다."

하는데, 밖에 한 **장수** 찾아와 원수를 기다리더라. 나와 보니 **소년**이 대하며 앞에 와 재배하고 뵙거늘 정원수 백수(白首) 풍진에 눈물을 흘리며 슬퍼하며 소년에게 이르기를

"소장은 재주 용렬하여 대공을 이루지 못하고 또한 황상을 생각하니 어찌 한심치 아니하며 생전에 고향 돌아가지 못하고 이 땅에 죽음을 면치 못하게 되었더니 천만으로 장군의 구조함을 입어 종명(終命)*을 보존하여 본국에 돌아가 부모와 자식을 상봉하게 하니 그 은혜를 어찌 만분의 일이나마 갚으리오." [B]

하며, 양 볼에 흐르는 눈물을 그치지 못하거늘 소저 그 말씀을 듣고 일희일비하여 좌우를 물리치고 붙들고 대성통곡하며 말하기를

"여식 정모는 **부친의 위급함을 듣고** 잠깐 **남자 되어 적진을 진정시키고** 그 간에 그리던 부친 일시도 그냥 있을 수 없어 불초하나마 부친을 위하고자 하였사오니 부친은 안심하옵소서."

하고, 소저도 눈물을 금치 못함이 그지없으니 정원수 그 말을 듣고 대경 질색하여 한참 말을 못하다가 정신을 진정하여 다시보니 비록 남자 의복으로 환역(換易)하였으나 얼굴이 분명한지라.

— 작자 미상, 「정비전」 —

*항명: 임금 혹은 윗사람에게 받은 명.
*선전: 있는 힘을 다하여 잘 싸움.
*종명: 남은 수명.

5. 윗글에 대한 설명으로 가장 적절한 것은?

① 언어유희를 사용하여 시대의 현실을 비판하고 있다.

② 배경 묘사를 통해 인물의 내면 심리를 표출하고 있다.

③ 인물의 행동을 과장하여 해학적 분위기를 조성하고 있다.

④ 인물 간의 대화를 통해 인물이 처한 상황을 드러내고 있다.

⑤ 꿈과 현실의 교차를 통해 앞으로 일어날 사건을 암시하고 있다.

6. [A]와 [B]에 대한 설명으로 가장 적절한 것은?

① [A]에는 낙관적인 미래에 대한 확신이, [B]에는 부정적인 미래에 대한 불안이 나타나 있다.

② [A]에는 인물 간의 갈등을 해결한 주체가, [B]에는 인물 간의 갈등을 유발한 주체가 나타나 있다.

③ [A]에는 자신이 처한 어려움에 대한 체념이, [B]에는 상대가 처한 어려움에 대한 공감이 나타나 있다.

④ [A]에는 특정 인물과의 재회를 바라는 이유가, [B]에는 특정 인물과의 재회가 가능해진 이유가 나타나 있다.

⑤ [A]에는 기대가 실현된 상황에 대한 인물의 심경이, [B]에는 기대가 어긋나 버린 상황에 대한 인물의 심경이 나타나 있다.

7. 다음은 동전 축사(祝辭)를 정리한 것이다. 이에 대한 반응으로 적절하지 않은 것은?

구분	동전을 던지는 인물	알고 싶은 내용	동전의 위치 방중	동전의 위치 방 밖
㉠	주소저	정낭자와 배필이 될 수 있는가?	○	
㉡	주소저	간택된 양 씨를 퇴할 수 있는가?		○
㉢	정소저	부친이 전장에서 성공하고 쉽게 돌아올 수 있는가?		○
㉣	정소저	전장에 나아가 선전할 수 있는가?	○	
㉤	정소저	이후 험한 일 없이 마음 먹은 대로 일이 될 수 있는가?	○	

① ㉠에서 '동전을 던지는 인물'은 '동전의 위치'를 보고 자신이 바라는 일이 이루어질 것이라고 생각했겠군.

② ㉡에서 '동전의 위치'는 '동전을 던지는 인물'이 꺼리는 일이 이루어질 것이라는 뜻으로 해석되겠군.

③ ㉢에서 '동전의 위치'는 '동전을 던지는 인물'이 바라는 것이 이루어지지 않을 것이라는 뜻으로 해석되겠군.

④ ㉣에서 '알고 싶은 내용'은 '동전을 던지는 인물'이 하고자 하는 행동과 관련이 있겠군.

⑤ ㉤에서 '동전의 위치'는 '동전을 던지는 인물'이 바라는 대로 나타났다고 할 수 있겠군.

8. <보기>를 참고하여 윗글을 감상한 내용으로 적절하지 않은 것은? [3점]

> ───〈 보 기 〉───
>
> 고전소설에서 '복장전환'이라는 화소는 주체적인 삶을 살고자 하는 인물의 의지를 보여 준다. 복장전환은 자신의 실체를 상대에게 숨기는 수단으로 쓰이는데 이를 통해 인물들은 다양한 욕구를 실현하고자 한다. 이 작품에서는 사회적 한계를 극복하고, 위기 국면에서 고난에 적극적으로 대처하고, 때로는 이성과 교우를 맺기 위해 복장전환이 사용된다.

① 태자가 '여복으로 갈아 입'고 정소저를 뒤따라 '관음사로 찾아가'는 것에서, 애정 욕구를 실현하기 위해 복장전환을 선택한 인물의 의지를 확인할 수 있군.

② 태자가 자신을 '주상공 댁 소저'로 속이고 정소저와 '서로 슬픈 정회를 위로'하며 '옥수를 잡'을 수 있었던 것에서 복장전환이 이성과의 교우를 가능하게 해 주는 수단으로 쓰였음을 확인할 수 있군.

③ 주소저가 '탁월한 풍채와 늠름한 기상'을 지닌 정소저를 보고 놀라는 것에서 정소저가 자신의 실체를 상대에게 숨기는 수단으로 복장전환을 사용했음을 확인할 수 있군.

④ '여자이오나 어릴 적부터 병서를 공부'했다고 한 정소저가 '남자 되어 적진을 진정시'켰다고 하는 것에서 복장전환을 한 인물이 자신의 사회적 한계를 극복하고 능력을 발휘했음을 확인할 수 있군.

⑤ 정소저가 '부친의 위급함을 듣고' '소년' '장수'가 되었다는 것에서 인물이 위기 국면에서 고난에 적극적으로 대처하기 위해 복장전환을 선택했음을 확인할 수 있군.

[9~12] 다음 글을 읽고 물음에 답하시오.

종황이 친히 조정, 임응과 함께 병사를 거느리고 나아갔다. 과연 석벽 틈 사이에서 붉은 안개가 일어나고 독기가 어려 있었다. 종황이 손에 들고 있던 부채를 들어 한 번 둘러치자 그 기운이 사라졌다. 바로 그때 조정이 누런 궤짝을 열었다. 궤짝 속에서 한 짐승이 날개를 퍼덕이며 나왔다. 큰 누런 닭이었다. 닭의 등은 큰 산을 지고 있는 듯하였고, 날개는 하늘에 드리운 구름 같았다. 닭이 석벽 위로 날아오르더니 무지개 같은 긴 목을 빼고, 초승달 같은 부리를 벌리며 크게 울었다. 그러자 갑자기 바위가 절로 갈라지며 한 괴상한 짐승이 나왔다. 짐승은 바위를 기어 다니다가 스스로 죽어 버렸다. 크기가 십여 장이나 되는 황금빛 지네였다. 모두 크게 놀라 얼굴빛이 창백해졌다.

"선생은 과연 하늘이 내신 신이한 사람입니다. 이 짐승이 여기 있는 줄 어떻게 알고 대비하였습니까?"

임성의 말에 종황이 웃으면서 말하였다.

"궤 안에 들어 있던 것은 ㉠닭의 깃털입니다. 신이 늘상 큰 바다에는 온갖 괴이한 족속들과 요괴가 있을 것으로 생각하여 반수에게 준비시킨 것인데, 생각이 들어맞아 저 지네와 같은 독한 요괴를 없앨 수 있었습니다."

종황의 말을 들은 사람들이 종황의 재주에 칭찬을 아끼지 않았다.

즉시 섬을 떠나 배를 띄워 가는데, 바람이 순하고 물결이 고요하여, 배가 반석 위를 가듯 편하고, 화살같이 빨랐다. 임성이 종황에게 말하였다.

"내 일찍이 들으니 큰 바다에는 배를 삼키는 고기가 많다고 하는데, 지금까지 그런 환란을 당하지 않은 것은 정말 다행스런 일입니다."

"바다의 하찮은 족속들은 모두 동해신인 해약이 거느린 것들입니다. 해약이 이미 천명이 주공에게 향한 줄을 알고 물에 사는 생물들에게 우리를 훼방하지 못하도록 금지시킨 것입니다. 이전에 있었던 모든 요괴의 작변을 신이 약간 제어하기는 하였으나, 그 모든 것이 어찌 저 종황의 재주 때문이었겠습니까? 주공이 천명을 받았기 때문입니다. 주공이 만일 평범한 사람이었다면 이 같은 대해에서 그만한 곤경을 겪고도 한 사람도 상하지 않고 지금까지 올 수 있었겠습니까?"

[중략 부분 줄거리] 임성 일행은 배를 타고 가다가 바다에서 '하늘에서 명을 받았으니 나라가 번창하리라.'라는 글이 새겨진 '전국옥새'를 얻은 후 한 섬에 도착한다. 종황이 임성을 대신하여 섬의 주인을 만나지만, 섬의 주인은 옥새를 내어 줄 것을 요구한다.

"사물에는 각각 주인이 있다고 들었습니다. 따라서 그 물건의 임자가 아니면 그 물건이 오지 않는 법입니다. 나에게 보배가 있는 것은 그것이 본래 주인의 것이 아니어서 내가 먼저 얻었기 때문입니다. 주인이 어찌 망령스럽게 욕심을 내어 스스로 잘못된 사람이 되려고 하십니까?"

"그 보배는 본래 내게 합당한 것이고 그대에게는 당치도 않는 것이오. 그래서 그대들로 하여금 스스로 이곳에 이르게 한 것이오."

"그렇게 말씀하시니, 제가 더 이상 무슨 말씀을 드리겠습니까?"

종황이 소매를 떨치고 일어나니, 그 사람이 종황의 손을 어루만지고 크게 웃으며 말하였다.

"그대는 나중에 뉘우치지 마시오."

종황이 대답하지 않고 돌아와 보니, 배와 일행이 간 곳 없이 사라져 버렸다. 종황이 크게 놀라 급히 몸을 돌리니 그 사람이 벌써 뒤에 서서 크게 웃으며 말하였다.

"그대가 비록 온 천하를 다스릴 재주가 있다고 하여도 날개가 없으니 이 어려움을 어떻게 벗어나겠는가?"

종황이 즉시 주인을 청하여 바위에 함께 앉았다. 임응과 조정 또한 기척도 없이 뒤에 모시고 서 있었다. 종황이 마음속으로 이상하게 생각하면서도 얼굴빛을 바르게 하고 말하였다.

[A]「"주인의 재주가 범상치 않으니, 가히 하늘의 뜻을 알 것입니다. 옛사람이 말하기를 '하늘의 이치를 따르는 사람은 창성하고, 하늘의 이치를 거스르는 사람은 망한다.'고 하였습니다. 이제 하늘이 우리 주공을 내셔서 이 보배를 주셨으니, 이것으로 하늘의 뜻을 알 것입니다. 주인은 어찌 하늘의 뜻을 거스르는 망령된 심술을 내어 굳이 빼앗으려고 하십니까? 제가 비록 어리석고 용렬하지만 일찍이 하늘의 계시가 적힌 천서를 얻어 음양의 변화를 약간 알고 있습니다. 주인이 비록 바다를 엎고 산을 뒤집는 재주가 있다고 한들, 저는 조금도 두렵지가 않습니다."」

"그대의 말은 옳지 않소이다. 그대는 비록 신통하여 몸을 띄워 하늘에 오르는 재주가 있다고 하지만, 그대의 소중한 부하들의 목숨은 어찌하겠소?"

"결국 주인은 나와 싸우자고 하십니까?"

"그대가 진정 하늘이 명하신 사람으로 그 보배를 얻었다면 그대 말이 진실로 옳은 것이니 내 어찌 빼앗으려 하겠소. 하지만 그대의 관상을 보니 재주는 비록 주나라 때의 강태공이나 한나라 때의 제갈공명과 겨룰 만하지만, 제왕이 될 모습은 아니오. 그래서 그대가 보배의 임자가 아님을 아는 것이오."

종황이 웃으며 말하였다.

"주인은 나만 보고 우리 주공은 보지 못하였구려. 주인은 하늘이 정하신 진정한 인물을 보고 싶으십니까?"

"그대의 주공이 어디에 있소?"

"배 안에 계셨는데, 주인이 벌써 잡아가 놓고서 어찌 모르는 체하십니까?"

"만일 그대의 주공이 하늘의 명을 받은 사람이 아니면 어찌하겠소?"

종황이 웃으며 말하였다.

"만일 그렇다면 보배를 받들어 주인께 드리겠습니다."

그 사람이 가만히 웃고 하인들에게 명하여 배를 밀고 나오라고 하니, 하인들이 깊은 산속으로 들어갔다. 괴상히 여겨 의심하고 있는데, 이윽고 하인 몇 명이 산골짜기에서 배를 끌고 나왔다. 가볍게 다루는 것이 베를 짤 때 쓰는 북을 던지는 것 같았다. 모두 크게 놀라고 살펴보니 임성과 여러 장수, 장졸들이 모두 묶인 채 배 안에 엎드려 있었다. 종황이 즉시 맨 것을 풀고 임성을 청하여 바위 위에 앉게 하였다. 그 사람이 임성을 보고는 문득 놀라며 바위 아래 내려가 머리를 조아리며 사죄하였다.

"소인이 알아 뵙지 못하고 하늘이 정한 일을 범하였으니 그 죄 만 번 죽어도 오히려 가볍다 할 것입니다."

종황이 즉시 붙들어 자리에 앉히고 말하였다.

"그대는 도대체 어떤 사람이며, 또 어찌 천명을 아십니까?"

그 사람이 부끄러움을 머금고 스스로 낮추어 말하였다.

"저는 서해 용왕인 광덕왕입니다."

– 작자 미상, 「태원지(太原誌)」 –

9. 윗글에 대한 이해로 적절하지 <u>않은</u> 것은?

① 임성은 요괴를 물리친 종황을 신이한 사람이라고 여겼다.
② 종황은 요괴의 작변을 겪고도 사람이 상하지 않은 것이 임성 덕분이라고 생각했다.
③ 종황은 보배의 주인이 자신이라고 믿어 서해 용왕의 요구를 거절했다.
④ 서해 용왕은 종황의 관상을 보고 종황이 보배의 주인이 아니라고 생각했다.
⑤ 서해 용왕은 하늘이 정한 인물을 알아보지 못하고 배를 산골짜기에 숨겼다.

10. ㉠에 대한 이해로 가장 적절한 것은?

① 요괴의 작변을 제어하기 위해 동해신인 해약이 임성에게 준 것이다.
② 물결을 고요하게 만들어 배를 띄우기 위해 임성이 배에 실어 놓은 것이다.
③ 종황이 바다에 있을 수 있는 요괴에 대비하기 위해 반수에게 준비시킨 것이다.
④ 석벽 틈 사이에 어려 있던 붉은 안개와 독기를 없애기 위해 종황이 흔든 것이다.
⑤ 지네를 갈라진 바위에서 나오게 하기 위해 조정이 큰 누런 닭을 변하게 한 것이다.

11. [A]에 대한 설명으로 가장 적절한 것은?

① 상대방과의 관계 개선에 대한 기대를 드러내고 있다.
② 앞으로 일어날 상황에 대한 두려움을 드러내고 있다.
③ 동정심에 기대어 상대방의 행동 변화를 촉구하고 있다.
④ 상황을 과장하여 자신이 취한 행동에 대해 변명하고 있다.
⑤ 옛사람의 말을 인용하여 상대방의 요구가 잘못됐음을 지적하고 있다.

12. <보기>를 참고하여 윗글을 감상한 내용으로 적절하지 <u>않은</u> 것은? [3점]

> ──── <보 기> ────
>
> 「태원지」는 주인공 임성이 자신을 따르는 호걸들과 미지의 대륙인 태원에 새로운 나라를 세운다는 내용의 영웅 소설이다. 임성은 황제가 될 천명을 받은 인물로, 하늘로부터 '전국옥새'를 받고 신적 존재인 용왕으로부터 천명을 인정받는다. 임성은 일반적인 영웅 소설과 같이 조력자의 도움으로 시련을 극복한다. 하지만 임성은 일반적인 영웅 소설의 주인공과 달리 시련을 극복하는 과정에서 도술을 부리는 등의 신이한 능력을 보이기보다는 황제가 갖추어야 할 내면적인 덕목을 보여 준다.

① 임성에게 보배를 준 것을 통해 하늘의 뜻을 알 수 있다는 종황의 말은 임성이 황제가 될 천명을 받은 인물임을 보여 주는군.
② 임성을 보고 서해 용왕이 머리를 조아리며 사죄하는 장면은 임성이 신적 존재로부터 황제가 될 천명을 인정받은 인물임을 보여 주는군.
③ 종황이 황금빛 지네를 없애는 장면은 기존의 영웅 소설과 같이 임성이 조력자의 도움으로 시련을 극복하는 인물임을 보여 주는군.
④ 임성이 묶인 채 배에 잡혀 있는 장면은 일반적인 영웅 소설의 주인공과 달리 임성이 신이한 능력을 보이지 않는 인물임을 보여 주는군.
⑤ 서해 용왕이 임성 일행을 섬에 이르게 했다는 말은 임성이 황제가 갖추어야 할 내면적인 덕목을 가진 인물임을 보여 주는군.

Ⅲ

총 문항				문항		맞은 문항			문항
개별 문항	1	2	3	4	5	6	7	8	9	10
채점										
개별 문항	11	12	13	14	15	16	17	18	19	20
채점										

| 7분 | 2021학년도 6월 학평 29~32번 | ★☆☆ | 정답 032쪽 |

【1~4】 다음 글을 읽고 물음에 답하시오.

"여보 마누라, 슬퍼 마오. 가난 구제는 나라에서도 못한다 하니 형님인들 어찌하시겠소? 우리 부부가 품이나 팔아 살아갑시다."

흥부 아내 이 말에 순종하여 서로 나가서 품을 팔기로 하였다. 흥부 아내는 방아 찧기, 술집의 술 거르기, 초상난 집 제복 짓기, 대사 치르는 집 그릇 닦기, 굿하는 집의 떡 만들기, 얼음이 풀릴 때면 나물 캐기, 봄보리 갈아 보리 놓기. 흥부는 이월 동풍에 가래질하기, 삼사월에 부침질하기, 일등 전답의 무는 갈기, 이 집 저 집 돌아가며 이엉 엮기 등 이렇게 내외가 **온갖 품을 다 팔았다.** 그러나 역시 **살기는 막연**하였다.

(중략)

큰 구렁이가 제비 새끼를 모조리 잡아먹고 남은 한 마리가 허공으로 뚝 떨어져 피를 흘리며 발발 떠는 것이었다. 흥부 아내가 명주실을 급히 찾아내어 주니 흥부는 얼른 받아 제비 새끼의 상한 다리를 곱게 감아 매어 찬 이슬에 얹어 두었다. 그랬더니 하루 지나고 이틀 지나고 이리하여 십여 일이 지나자 상한 다리가 제대로 소생되어 날아다니게 되니, 줄에 앉아 재잘거리며 울고 둥덩실 떠서 날아갈 때 소상강 기러기는 왔노라 하고 강남 가는 제비는 가노라 하직하는 것이었다.

이리하여 제비가 강남 수천 리를 훨훨 날아가서 **제비 왕**을 뵈러 가니 제비 왕이 물었다.

"경은 어찌하여 다리를 절며 들어오느냐?"

"신의 부모가 조선국에 나가 흥부의 집에 깃들었는데 뜻밖에 큰 구렁이의 화를 입어 다리가 부러져 죽을 것을 흥부의 구조를 받아 살아서 돌아왔습니다. 흥부의 가난을 면케 해주신다면 소신은 그 은공을 만분의 일이라도 갚을까 합니다."

"흥부는 과연 어진 사람이다. 공 있는 자에게 보은함은 군자의 도리이니, 그 은혜를 어찌 아니 갚으랴? 내가 **박씨** 하나를 줄 테니 경은 가지고 나가 은혜를 갚도록 하라."

제비가 왕께 감사드리고 물러 나와서 그럭저럭 그 해를 넘기고 이듬해 춘삼월을 맞으니 모든 제비가 타국으로 건너갈 때였다. 그 제비 허공 중천에 높이 떠서 박씨를 입에 물고 너울너울 자주자주 바삐 날아 흥부네 집 동네를 찾아들어 너울너울 넘노는 거동은 마치 북해 흑룡이 여의주를 물고 오색구름 사이로 넘는 듯, 단산의 어린 봉이 대씨를 물고 오동나무에서 노니는 듯, 황금 같은 꾀꼬리가 봄빛을 띠고 수양버들 사이를 오가는 듯하였다. 이리 기웃 저리 기웃 넘노는 거동을 흥부 아내가 먼저 보고 반긴다.

"여보, 아이 아버지, 작년에 왔던 제비가 입에 무엇을 물고 와서 저토록 넘놀고 있으니 어서 나와 구경하오."

흥부가 나와 보고 이상히 여기고 있으려니 그 제비가 머리 위를 날아들며 입에 물었던 것을 앞에다 떨어뜨린다. 집어 보니 한가운데 '보은(報恩)박'이란 글 석 자가 쓰인 박씨였다.

그것을 울타리 밑에 터를 닦고 심었더니 이삼일에 싹이 나고, 사오일에 순이 뻗어 마디마디 잎이 나고, 줄기마다 꽃이 피어 박 네 통이 열린 것이다. 추석날 아침이었다. 배가 고파

죽겠으니 영근 박 한 통을 따서 박속이나 지져 먹자하고 박을 따서 먹줄을 반듯하게 긋고서 흥부 내외는 톱을 마주 잡고 켰다. 이렇게 밀거니 당기거니 켜서 툭 타 놓으니 오색 채운이 서리며 청의동자 한 쌍이 나오는 것이었다.

왼손에 약병을 들고 오른손에 쟁반을 눈 위로 높이 받쳐 들고 나온 그 동자들은,

"이것을 값으로 따지면 억만 냥이 넘으니 팔아서 쓰십시오." 라고 말하며 홀연히 사라져 버렸다.

박 한 통을 또 따놓고 슬근슬근 톱질이다. 쓱삭 쿡칵 툭 타 놓으니 속에서 온갖 **세간붙이**가 나왔다.

또 한 통을 따서 먹줄 쳐서 톱을 걸고 툭 타 놓으니 **순금 궤**가 하나 나왔다. 금거북 자물쇠를 채웠는데 열어 보니 황금, 백금, 밀화, 호박, 산호, 진주, 주사, 사향 등이 가득 차 있었다. 그런데 쏟으면 또 가득 차고 또 가득 차고 해서 밤낮 쏟고 나니 큰 부자가 된 것이다.

다시 한 통을 툭 타 놓으니 일등 목수들과 **각종 곡식**이 나왔다. 그 목수들은 우선 명당을 가려 터를 잡고 집을 지었다. 그다음 또 사내종, 계집종, 아이종이 나오며 온갖 것을 여기저기 다 쌓고 법석이니 흥부 내외는 좋아하고 춤을 추며 돌아다녔다.

이리하여 흥부는 좋은 집에서 즐거움으로 세월을 보내게 되었다.

이런 소문이 놀부 귀에 들어가니,

"이놈이 도둑질을 했나? 내가 가서 옥대기면* 반재산을 빼앗아 낼 것이다."

벼락같이 건너가 닥치는 대로 살림살이를 쳐부수는 것이었다.

한참 이렇게 소란을 피우고 있을 때 마침 출타 중이던 흥부가 들어왔다.

"네 이놈, 도둑질을 얼마나 했느냐?"

"형님 그 말씀이 웬 말씀이오?"

흥부가 앞뒷일을 자세히 말하자, 그럼 네 집 구경을 자세히 하자고 놀부가 나섰다.

흥부는 형을 데리고 돌아다니며 집 구경을 시키는데 놀부가 재물이 나오는 **화초장**을 달라고 했다. 그리고는 흥부가 화초장을 하인을 시켜 보내주겠다는 것도 마다하고 **스스로 짊어지고** 가서 집에 이르니 놀부 아내는 눈이 휘둥그레진다. 그리고 그 출처와 흥부가 부자가 된 연유를 알게 되자,

"우리도 다리 부러진 제비 하나 만났으면 그 아니 좋겠소?" 라며, 그해 동지섣달부터 제비를 기다렸다.

— 작자 미상, 「흥부전」 —

* 옥대기면: 난폭하게 윽박질러 협박하면.
* 화초장: 문짝에 유리를 붙이고 화초 무늬를 채색한 옷장.

1. 윗글에 대한 설명으로 가장 적절한 것은?

① 인물의 반복적 행위와 결과를 나열하여 극적 효과를 높이고 있다.
② 서술자를 작중 인물로 설정하여 사건의 현장감을 조성하고 있다.
③ 전기(傳奇)적인 요소를 활용하여 주인공의 영웅성을 부각하고 있다.
④ 권위 있는 새로운 인물이 등장하여 인물 간의 갈등을 해소하고 있다.
⑤ 꿈과 현실을 교차적으로 서술하여 사건을 입체적으로 구성하고 있다.

3. <보기>를 참고하여 윗글을 감상한 내용으로 적절하지 <u>않은</u> 것은? [3점]

<보 기>

조선 후기에는 잦은 자연재해와 관리들의 횡포 때문에 백성들은 아무리 노력해도 가난에서 벗어날 수 없었다. 이러한 시대적 배경에서 창작된 「흥부전」은 최소한의 의식주라도 해결하고 싶었던 당시 백성들의 소망이 반영된 작품으로 볼 수 있다. 특히 당시의 백성들은 성품이 착한 흥부 내외가 초월적인 존재의 도움으로 가난을 벗어나는 장면을 통해 대리만족을 얻기도 하였다. 하지만 착한 흥부에게 주어지는 보상이 환상성(幻想性)을 띠고 있다는 점은 가난이 실제 현실에서는 극복되기 어렵다는 것을 우회적으로 보여주고 있다.

① 흥부 내외가 '온갖 품을 다 팔았'지만 여전히 '살기는 막연'했던 것은 창작 당시의 시대적 배경과 관련이 있겠군.
② 흥부 집을 찾아간 놀부가 '화초장'을 '스스로 짊어지고' 간 것은 가난을 극복하기 위한 백성들의 노력으로 볼 수 있겠군.
③ '제비 왕'이 제비에게 준 '박씨'를 통해 흥부가 가난을 벗어날 수 있었다는 점에서 초월적 존재의 도움을 확인할 수 있겠군.
④ 흥부가 타는 박 속에서 '세간붙이'와 '각종 곡식'이 나온 것은 의식주 문제를 해결하고 싶었던 백성들의 소망과 관련이 있겠군.
⑤ '사오일' 만에 열린 박에서 '순금 궤'가 나와 부자가 된다는 점에서 흥부에게 주어진 보상이 환상성을 띠고 있음을 알 수 있겠군.

2. 윗글에 대한 이해로 적절하지 <u>않은</u> 것은?

① 흥부 부부는 먹고 살기 위해 온갖 노력을 다하였다.
② 박에서 나온 목수들은 흥부 부부를 위해 좋은 터에 집을 지어 주었다.
③ 흥부는 자신이 치료해 준 제비가 박씨를 물고 온 사실을 알아채고 그를 매우 반겼다.
④ 제비는 다리를 다친 사연을 제비 왕에게 말하며 흥부에게 받은 은혜를 갚기를 원하였다.
⑤ 놀부는 흥부의 집을 방문하기 전까지 흥부가 어떻게 부자가 되었는지를 정확히 알지 못했다.

4. 윗글의 놀부를 평가하는 말로 가장 적절한 것은?

① 불난 집에 부채질하는 인물이군.
② 소 잃고 외양간 고치는 인물이군.
③ 사촌이 땅을 사면 배 아파하는 인물이군.
④ 간에 붙었다 쓸개에 붙었다 하는 인물이군.
⑤ 오르지 못할 나무는 쳐다도 보지 않는 인물이군.

【5~8】 다음 글을 읽고 물음에 답하시오.

각설 토끼는 만수산에 들어가 바위 구멍에 숨어 사니 신세가 태평하고 만사에 무심하여 혹은 일어났다 앉았다 하고 혹은 벽에 기대어 눕기도 하는 중 용왕의 말이 귀에 들리는 듯하고 용궁의 경치가 눈앞에 삼삼하여 기쁨을 이기지 못한 채 마음에 생각하기를,

'내 만수산의 일개 토끼로서 간사한 놈의 꼬임으로 거의 죽을 뻔하였지. 그러나 두세 치밖에 안 되는 혀로 만승의 임금을 유혹하여 용궁을 두루 구경하고 만수산으로 돌아왔으니 비록 소장*의 구변*이나 양평*의 지혜라도 이보다 낫지 못할 거야. 이후에 다시는 동해 가를 밟지도 말고 맹세코 용궁 사람들과 말도 말고 돌베개나 팔이나 괴고 살아갈 뿐이야.'

이때 홀연히 한 떼의 검은 구름이 남쪽으로부터 오더니 조금 있다가 광풍이 일어나 소나기가 쏟아진다. 또 우레 소리가 울리고 번갯불이 번쩍번쩍하더니 조용하고 컴컴해져 지척을 분간할 수 없었다. 토끼가 크게 놀라,

'이는 필시 용왕의 조화야.'

하고, 막 피하여 숨으려 할 제 뇌공이 바위 구멍으로 쳐들어오더니 토끼를 잡아가는데 날아가듯 빨라 잠깐 사이에 남천문 밖에 이르렀다. 토끼가 혼이 나가고 기운을 잃어 땅에 엎어졌다가 다시 깨어나 머리를 들고 보니 천상의 백옥경이었다. 토끼가 영문을 몰라 섬돌 아래에 기고 있는데 문지기가 달려들어와,

"동해용왕 광연이 명을 받아 문 밖에 왔습니다."

한다. 토끼가 이 말을 듣고 크게 놀라 마음속으로 생각하기를,

'이는 반드시 용왕이 상제에게 고하여 나를 죽이려 하는구나. 지난 번에는 궤변으로 죽을 고비를 넘겼으나 이번에는 죽음을 면할 수 없을 거야.'

하고, 머리를 구부리고 턱을 고인 채 말없이 정신 나간 듯 있었더니 조금 이따가 전상에서 한 선관이 부른다.

"상제의 명이니 용왕과 토끼를 판결하라."

말이 끝나기도 전에 용왕은 전하에 꿇어 앉고 토끼를 바라보면서 몹시 한스러워 했다. 한 선관이 지필묵을 두 사람 앞에 놓더니,

"상제의 명이니 각자 느낀 바를 진술하고 **처분을 기다리라**."

한다. 용왕이 붓을 잡고 진술을 하는데 그 대강은 이러했다.

"엎드려 생각건대 소신은 모든 관리들의 장으로서 직책이 사해의 우두머리가 되어 구름과 안개를 일으키는 변화를 부리고 하늘에 오르내려 비를 내립니다. 삼가 나라의 신을 받들어 아래로 수많은 백성을 훈육하고 감히 어리석은 정성을 다하여 위로 임금님의 은혜에 보답하여 왔습니다. 하온데 한 병이 깊이 들어 몸의 위태로움이 바늘 방석에 앉은 듯하고 백 가지 약이 효험이 없으니 목숨이 조석에 달려 있습니다. 그러나 삼신산이 아득히 머니 선약을 어디서 구하며 편작이 이미 죽고 양의가 다시 나오지 않았습니다만 도사의 한마디 말을 듣고 만수산에서 토끼를 얻었으나 마침내 그 간교한 꾀에 빠져 후회한들 무슨 소용이 있겠습니까마는 세상에 놓쳐 버렸으니 다만 속수무책일 뿐입니다. 오늘 이렇게 다시 와 뵈오니 굶은 자가 밥을 얻은 듯하고 온갖 병이 다 나아 고목에 꽃이 핀 듯합니다. 엎드려 원하옵건대 전하께서는 제왕께서 작은 것을 가지고 큰 것을 바꾼 인자함을 본받아 소신의 병으로 죽게 된 목숨을 구해주소서. [A]

엎드려 임금님께 비오니 가엾고 불쌍히 여겨 주소서."

토끼가 또한 진술하기를,

"엎드려 생각건대 소신은 만수산에서 낳고 만수산에서 자라 오로지 성명*을 산중에서 다하였을 뿐 세상에 출세함을 구하지 않았습니다. 수양산에서 고사리 캐 먹다 죽은 백이의 높은 절개를 본받고 동고에서 시를 읊은 도잠의 기풍을 따랐습니다. 아침에 구름 낀 산에 올라 고라니 사슴들과 짝하여 놀고 밤에는 월궁에서 상아*와 함께 약방아를 찧었습니다. 그러는 동안에 세상 사람들에게 해를 끼치지 않았는데 어쩌다 용왕에게 원망을 사서 결박하여 섬돌 아래 놓이니 절인 생선이 줄에 꿰인 듯하고 전상에서 호령하니 뜨거운 불바람이 부는 듯합니다. 사는 것을 좋아하고 죽는 것을 싫어하는 마음에 어찌 대소가 있겠습니까? 목숨을 살려 몸을 보전함에 귀천이 있을 수 없고 더불어 죄 없이 죽게 됨은 속여서라도 살아남과 같지 않으니 오늘 뜻밖에 용왕의 비위를 거슬렀으니 어찌 감히 삶을 구하겠으며 다시 위태로운 땅을 밟아 스스로 화를 받을 것을 알겠습니다. 말을 이에 마치고자 하오니 엎드려 비옵건대 살펴주소서." [B]

옥황이 다 읽고 나서 여러 신선들과 의논하니 일광노가 나와 말한다.

"두 사람이 진술한 바로 그 옳고 그름이 불을 보듯 환하게 되었습니다. 폐하께서 병든 자를 위하여 죄 없는 자를 죽인다면 그 원망을 어찌하겠습니까? **강자를 누르고 약자를 도와 공정한 처결을 하소서**."

옥황이 그 말이 옳다 하고 다음과 같이 판결하였다.

"대체로 천지는 만물이 머물다 가는 여관과 같고 세월은 백 대에 걸쳐 지나는 손님과 같다. **낳으면 늙고 늙으면 죽는 것은 인간의 일상적 일이오** 사물의 항상 되는 일인즉 진실로 이에 초연하여 혼자 존재함을 듣지 못 했고 날개가 돋아 신선이 된다함을 듣지 못 했노라. 또 혹 병이 들어 일찍 죽는 자나 혹 상처를 입어 죽는 자는 모두 다 명이니 어찌 원혼이겠는가? 동해용왕 광연은 병이 들었으나 도리어 살고 만수산 토끼는 죄가 없으나 죽는다면 이는 마땅히 살 자가 죽는 것이다. 광연이 비록 살아날 약이 있다 하나 **토끼인들 어찌 죽음을 싫어하는 마음이 없겠는가?** 광연은 용궁으로 보내고 토끼는 세상으로 놓아주어 그 천명을 즐기게 함이 하늘의 뜻에 순응함이라."

이에 다시 뇌공을 시켜 토끼를 만수산에 압송하니 토끼가 백배사례하며 가버렸다.

이날 용왕이 적혼공에게,

"옥황이 죄 없이 죽는다 하여 토끼를 보내주는 모양이니 너는 문 밖에 그가 나오는 것을 기다리고 있다가 바로 죽여라. 그렇지 않으면 죽음을 면할 수 없으리니 입조심을 하여 비밀이 새어나지 않도록 해라."

하니 적혼공이,

"대왕의 입에서 나와 소신의 귀에 들어온 말을 어찌 아는 이가 있겠습니까?" [C]

말을 마치자 우레 소리가 나고 광풍이 갑자기 일어 뇌공이 토끼를 압령하여 북쪽을 향하여 가니 날아가는 화살 같고 추상 같았다. 적혼공이 감히 손도 못 대고 손을 놓고 물러가니 용왕이 크게 탄식하며,

"하늘이 망해놓은 화이니 다시 바랄 게 없구나."

하고 적혼공과 더불어 손을 잡고 통곡하며 돌아갔다.

— 작자 미상, 「토공전」 —

*소장: 중국 전국 시대의 소진과 장의를 아울러 이르는 말.
*구변: 말을 잘하는 재주나 솜씨.

* 양평: 중국 한나라 시대의 장양과 진평을 아울러 이르는 말.
* 성명: '목숨'이나 '생명'을 달리 이르는 말.
* 상아: 달 속에 있다는 전설 속의 선녀. 항아.

5. 윗글을 이해한 내용으로 적절하지 <u>않은</u> 것은?

① 만수산에서 토끼는 갑작스러운 날씨 변화가 옥황 때문이라고 생각하여 두려워했다.
② 토끼는 백옥경에서 용왕을 만나기 전까지는 자신이 잡혀 온 이유를 알지 못했다.
③ 만수산에서 토끼는 자신의 뛰어난 말솜씨에 대해 자부심을 느꼈다.
④ 토끼는 용궁에서 만수산으로 돌아온 것에 대해 만족감을 느꼈다.
⑤ 만수산에서 지내던 토끼는 용궁에서의 기억을 떠올렸다.

6. [A]와 [B]를 비교한 내용으로 적절하지 <u>않은</u> 것은?

① [A]와 [B]는 모두 자신의 내력을 요약하며 진술을 시작하고 있다.
② [A]와 [B]는 모두 비유적 표현을 사용하여 자신이 고난에 처했음을 부각하고 있다.
③ [A]는 제안의 문제점을 스스로 인정하고 있고, [B]는 제안에 대한 확신을 드러내고 있다.
④ [A]에는 자신에게 유리한 결과를 기대하는 모습이, [B]에는 자신에게 불리한 결과를 예상하는 모습이 나타나 있다.
⑤ [A]와 [B]는 모두 자신의 요구를 제시하며 진술을 마무리하고 있다.

7. <보기>를 바탕으로 윗글을 감상한 내용으로 적절하지 <u>않은</u> 것은? [3점]

> ─── < 보 기 > ───
> 윗글은 『토끼전』을 고쳐 쓴 한문 소설로 재판을 통해 갈등을 해결하는 송사 설화의 모티프가 나타난다. 용왕과 토끼는 옥황상제가 주관하는 재판 상황에 놓이게 되고, 이 상황에서는 지위의 우열보다는 진술의 우위가 판결에 영향을 미친다. 이 판결의 내용은 지위의 높고 낮음보다 생명의 가치를 존중하는 작가의 의식을 드러내고 있다.

① '상제의 명이니 용왕과 토끼를 판결하라.'라는 말에서, 송사 설화의 모티프가 쓰였음을 확인할 수 있군.
② 꿇어 앉아 함께 '처분을 기다리'는 것에서, 용왕과 토끼가 재판 당사자로서 대등한 처지에 놓이게 되었음을 알 수 있군.
③ '강자를 누르고 약자를 도와 공정한 처결을 하소서.'라는 일광노의 말에서, 토끼의 진술에 대한 지지를 확인할 수 있군.
④ '낳으면 늙고 늙으면 죽는 것은 인간의 일상적 일'이라는 말에서, 옥황이 판결을 망설이는 이유를 짐작할 수 있군.
⑤ '토끼인들 어찌 죽음을 싫어하는 마음이 없겠는가?'라는 말에서, 모든 생명은 소중하다는 작가의 의식을 확인할 수 있군.

8. [C]의 서사적 기능으로 가장 적절한 것은?

① 적혼공의 말을 통해 앞서 일어난 사건을 평가하고 있다.
② 용왕의 시도가 실패하였음을 보여 주어 주제 의식을 강조하고 있다.
③ 용왕의 탄식을 통해 용왕과 옥황 간의 새로운 갈등을 예고하고 있다.
④ 뇌공에 의해 공간이 전환되는 과정에서 공간적 배경의 사실성을 강조하고 있다.
⑤ 용왕의 지시를 따르지 않는 적혼공의 반응을 제시하여 독자의 흥미를 유발하고 있다.

【9~12】 다음 글을 읽고 물음에 답하시오.

수적들이 현의 다리를 잡고 물에 던졌을 때, 풍랑이 현을 휩쓸다가 모래사장으로 내굴렸다. 어린 현이 물을 끝없이 토하며 어머니를 부르고 통곡하다가 사방을 둘러보니 무인지경(無人之境)이었다.

이때 절강 소흥부에 유 소사라는 재상이 있었다. 황성에서 벼슬을 하다가 나이가 들어 퇴사(退仕)하고 고향으로 돌아오는 중이었는데, 문득 울음소리가 들려왔다. 사공에게 분부하여 그 울음소리가 나는 곳에 배를 대고 내려와 보니 한 아이가 울고 있었다.

유 소사가 그 아이에게 다가가 물었다.

"네 어찌 된 아이이건대 홀로 이렇게 슬피 우느냐?"

현이 울음을 그치고 올려다보니 한 백발노인이었다. 유 소사가 이어서

"네 어디에 살고 나이는 몇이며 이름은 무엇이냐?"

하고 묻자 현이 대답했다.

"나이는 일곱 살이옵고 성명은 최현이오며, 모친을 따라 부친 적소로 찾아가다가 모친도 없사옵고 시종도 없삽기로 갈 바를 알지 못해 홀로 울었나이다."

소사가 다시금 묻기를

"부친이 어디로 갔건대 찾아가느냐?"

라 하니, 현이 대답하였다.

"부친은 벼슬을 하시다가 참소(讒訴)에 들어 유배 가셨기로, 모친과 그 적소에 찾아가는 길이었사옵니다."

유 소사가 현을 데리고 집으로 돌아와서는 부인에게 말했다.

"간밤에 한 꿈을 얻었는데, 백발노인이 와 이르되 '그대 일생 자식 없음을 서러워하매 양자를 데려왔으니 수양아들로 삼아 잘 기르라' 하시기로 이 아이를 데려왔소이다."

그러자 부인이 말하기를,

"첩도 간밤에 한 꿈을 얻었는데, 하늘에서 칠성(七星)이 떨어져 치마에 싸이거늘 이를 더욱 사랑하였습니다. 지금 짐작하옵건대 그 꿈이 허사가 아니옵니다."

하였다.

[중략 부분의 줄거리] 유 소사의 양자로 살아가던 최현은 유 소사 부부가 죽자 의지할 곳이 없어 양식을 빌며 정처 없이 떠돌던 중 한 도사를 만나게 된다.

"이 칼은 천사검(天賜劍)이요, 이 책은 옥갑경(玉甲經)이라. 성인군자가 가질 만한데, 만일 그대 곧 아니면 가질 사람이 없는 까닭으로, 사해를 두루 돌아 이제야 전하노라. 그대는 삼가 누설하지 말라."

현이 일어나 두 번 절하고,

"소생은 인간의 천한 것이라, 이 두 보배를 어찌 지니리까? 바라노니 존공은 지닐 사람에게 주옵소서."

라 하니, 도사가 웃으며 말했다.

"하늘이 그대를 내실 때 대명(大明)을 위하여 내셨도다. 또한 천사옥갑은 그대를 위하여 내신 것이니, 어찌 사양하리오?"

"설령 보배라 한들 내어 쓰지 못하오니 그 어찌 소생이 가질 바이리까? 엎드려 바라건대 존공은 가져가시어 제 임자에게 전하옵소서."

"어찌 이같이 고집하는가? 이 두 가지를 가지면 영화(榮華)를 누리며 대국을 편안하게 하고 이름이 사해(四海)에 진동

[A]

할 것이니, 어찌 사양함이 이같이 심하리오? 이 칼이 비록 서리었으나 쓸 때를 당하면 자연히 저절로 빠져나와 펼치면 길이가 팔 척이라. 이 두 가지 보배는 서천서역국(西天西域國)에 떨어져서 서기가 천하에 비추었으되 찾아갈 사람이 없어 이 늙은 것이 삼 년을 수고하고 그대를 찾다가, 오늘 여기에 와서 전하는 것이니 부디 잘 간수하라. 멀지 아니하여 상장군의 절월(節鉞)*과 대원수의 인신(印信)*을 찰 것이니, 그때를 당하면 이 노인의 말을 생각하리라."

현이 공손히 대답했다.

"정녕 그러하오면 사양할 수 없삽거니와, 미천한 소생을 위하여 여러 세월을 수고하시니 마음에 황송무지하옵니다. 감히 묻고자 하니, 존공의 거주와 존호(尊號)를 알고 싶습니다."

"나의 이름은 ㉠공신술이요, 살기는 공동산에 있으니, 차후에 혹여 급한 일이 있거든 공동산으로 찾아오라. 할 말은 무궁하나 급히 떠나니, 그대는 칠 년 전에 갔던 남경 순천부로 찾아가라."

도사가 떠나가더니 불과 몇 걸음에 홀연히 사라져 보이지 않아 어디로 가는지 알 수 없었다.

현이 도사를 이별하고, 천사옥갑을 품에 품고 남경으로 향했다. 현이 여러 날만에 순천부에 이르러서는 밥을 빌러 한 집에 들어갔는데, 그 주인이 현의 구걸하는 소리를 듣고 불쌍하게 여겨 가까이 부르고는 물었다.

"그대는 어디 사람이며 어찌 이리 빌어먹는가?"

"가화공참(家禍孔慘)*하기로 자연히 걸식하오이다."

주인이 가만히 현을 보다가 다시 물었다.

"그대의 이름과 얼굴이 본 듯하니 알지 못할 일이라. 그대 혹여 남에게 적선한 일이 있는가?"

"구걸하는 아이가 어찌 사람을 구제함이 있으리오?"

"칠 년 전에 진주강 모래사장에서 금은보화로 사람을 구제한 일이 없는가? 공자는 숨기지 말고 바로 이르소서."

현이 말했다.

"서촉으로 가려 하던 중 상인 완삼이 파선하고 물가에서 울거늘, 자연히 마음에 측은하여서 약간 물건을 준 일이 있는데, 이것을 어찌 구제하였다 하리오?"

주인이 이 말을 듣고는 크게 놀라고 크게 기뻐하며 현을 붙들고 반기며 말했다.

"공자는 나를 몰라보나이까? 내가 바로 ㉡완삼이로소이다. 간밤에 한 꿈을 얻었는데 공자를 만나 은혜를 갚는 꿈이었으나, 내 어찌 공자를 뵈올 줄 알았으리오?"

완삼이 현을 붙잡고 집으로 들어가 못내 반가워하며 처자를 불러 말했다.

"진주강에서 나를 구하던 공자가 이제 오셨으니, 만일 이 공자가 아니었던들 너희들이 순천부 관비될 것을 어찌 면하였으며, 오늘날 먹고 입는 것이 어찌 군색(窘塞)을 면했으리오? 이제 뵈옵기는 천만몽매(千萬夢寐)의 일이요 하늘이 지시함이라."

완삼이 못내 사례하니 현이 또한 공손히 대답했다.

"작은 것을 주고 큰 인사를 받으니 도리어 민망하오이다."

완삼이 즉시 현의 의복을 갈아입히고는 아침저녁으로 공경을 극진히 하였다.

– 작자 미상, 「최현전」 –

---

* 절월: 임금이 관리가 지방에 부임할 때 주는 물건.
* 인신: 도장이나 관인.
* 가화공참: 집안이 당한 화가 매우 참혹함.

9. 윗글에 대한 설명으로 가장 적절한 것은?

① 언어유희를 활용하여 인물을 희화화하고 있다.
② 세밀한 외양 묘사를 통해 인물의 심리를 나타내고 있다.
③ 대화를 통해 이전에 일어난 사건의 정황을 드러내고 있다.
④ 풍자적 기법을 통해 인물의 부정적 성격을 강조하고 있다.
⑤ 서술자가 개입하여 사건에 대해 주관적인 평가를 하고 있다.

10. [A]에 대한 이해로 가장 적절한 것은?

① 자신의 권위를 내세우며 상대방의 책임을 추궁하고 있다.
② 과거와 현재를 비교하며 상대방의 달라진 태도를 비판하고 있다.
③ 제안을 수용할 경우 일어날 일을 언급하며 상대방을 설득하고 있다.
④ 자신의 본심을 숨긴 채 질문을 던지며 상대방의 궁금증을 유발하고 있다.
⑤ 상대방의 말과 행동이 불일치함을 지적하며 자신의 결백을 입증하고 있다.

11. ㉠과 ㉡에 대한 이해로 가장 적절한 것은?

① ㉠과 달리 ㉡은 뛰어난 지략을 활용해 최현을 돕는다.
② ㉠과 달리 ㉡은 최현이 베푼 선행에 대한 보답으로 최현을 돕는다.
③ ㉡과 달리 ㉠은 최현이 처한 개인적 위기를 해결할 수 있도록 최현을 돕는다.
④ ㉠과 ㉡은 모두 최현과의 약속을 지키기 위해 최현을 돕는다.
⑤ ㉠과 ㉡은 모두 최현이 초월적 능력을 가질 수 있도록 최현을 돕는다.

12. <보기>를 참고하여 윗글을 감상한 내용으로 적절하지 <u>않은</u> 것은? [3점]

----<보 기>----

「최현전」과 같은 영웅 소설에는 공통적인 서사 구조가 나타난다. 주인공은 하늘이 낸 비범한 인물로, 어린 시절 고난을 겪지만 새로운 인물들과 운명적으로 만나며 고난을 극복해 간다. 주인공은 고난과 극복의 과정을 반복하다가 결국 승리하도록 예정되어 있다.

① 하늘이 대명을 위해 최현을 냈다고 공신술이 말하는 것을 보니 최현은 비범한 인물이라고 볼 수 있겠군.
② 천사옥갑을 자신이 지닐 수 없다고 최현이 말하는 것을 보니 최현의 승리가 예정되어 있다고 볼 수 있겠군.
③ 최현이 수적을 만나 어머니와 헤어지게 되는 것을 보니 최현은 어린 시절에 고난을 겪는다고 볼 수 있겠군.
④ 유 소사 부부가 죽어서 최현이 의지할 곳을 잃은 것을 보니 최현은 또다시 고난을 겪게 된다고 볼 수 있겠군.
⑤ 유 소사가 꿈속 암시대로 최현을 만나게 되는 것을 보니 최현과 유 소사의 만남은 운명적이라고 볼 수 있겠군.

III

총 문항					문항	맞은 문항				문항
개별 문항	1	2	3	4	5	6	7	8	9	10
채점										
개별 문항	11	12	13	14	15	16	17	18	19	20
채점										

【1~3】 다음 글을 읽고 물음에 답하시오.

> [앞부분의 줄거리] 명나라 효종 때, 김생이라는 선비는 상사동 길가에서 영영을 보고 사랑에 빠진다. 영영을 만날 궁리를 하던 김생은 막동의 도움으로 영영의 이모인 노파에게 접근한다.

그 날도 두 사람은 술이 떨어질 때까지 마셨다.

김생은 빨간 보자기를 풀어 비단 적삼 하나를 내놓았다.

"매일 할머니를 괴롭히고도 갚을 것이 없어 걱정했는데 이것이라도 제 정성으로 아시고 받아 주시오."

노파는 김생의 마음 씀씀이에 감동하면서도 그 속마음을 알 수 없어 근심이 되었다. 노파는 아무래도 안 되겠다 싶었는지 바로 일어나서 절을 하였다.

"제가 과부 되어 살아온 지 오래지만 이웃 사람조차 도와주지 않았습니다. 그런데 도련님께서 이렇게 마음을 써 주시니 몸 둘 바를 모르겠습니다. 혹 도련님께서 소망이 있으시다면 비록 죽는 일이라도 말씀하소서."

그제야 김생은 얼굴에 슬픈 빛을 띠고 입을 열기 시작했다.

"그렇게 말씀하시니 어찌 사실대로 말하지 않겠소? 제가 어느 날 집으로 가는 길에 한 낭자를 보았습니다. 나이 어린 협기로 뒤를 쫓아왔더니 그 낭자가 들어 간 곳이 바로 이곳이었소. 그런데 그 낭자를 본 뒤부터 마음이 취한 듯 모든 일에 흥미를 잃고 그 낭자만 생각하니, 애끊는 괴로움이 벌써 여러 날이라오."

노파는 김생이 여인을 본 날짜와 여인의 복장을 물었다. 노파는 짚이는 사람이 있는 모양이었다.

"도련님께선 제 죽은 언니의 딸을 보신 것 같습니다. 그 애의 이름은 영영(英英)이라 하는데 정말 탐스러운 아이지요. 하지만……."

"하지만 뭐란 말이요?"

김생은 노파가 무슨 말을 할지 걱정되었다. 그걸 아는지 모르는지 노파는 김생보다 더 심각한 표정으로 말을 이었다.

"도련님은 그 애를 만나는 것조차 어려울 것입니다."

"그건 무슨 말이요?"

"그 애는 회산군(檜山君)의 시녀입니다. **궁중에서 나고 자라 문 밖을 나서지 못합니다.**"

"그렇다면 전에 내가 본 날은 어인 나들이었소?"

"그 때는 마침 그 애 부모의 제삿날이라 제가 회산군 부인께 청하고 겨우 데려왔지요."

"……."

"영영은 자태가 곱고 음률이나 글에도 능통해 회산군께서 첩을 삼으려 하신답니다. 다만 그 **부인의 투기가 두려워 뜻대로 못할 뿐이랍니다.**"

김생은 크게 한숨을 내쉬며 탄식하였다.

"결국 하늘이 나를 죽게 하는구나!"

노파는 김생의 병이 깊은 것을 보고 안타까워했다. 노파는 그렇게 김생을 바라보고 있다가 한참만에 입을 열었다.

"방법이 없는 것은 아닙니다."

"그래요? 그, 그것이 무엇이오? 빨리 말해 보시오."

"단오가 한 달이 남았으니 그 때 다시 작은 제사상을 벌이고 부인에게 **영아를 보내 주십사고 청하면** 그리 될 수도 있습니다."

김생은 그 말을 듣고 뛸 듯이 기뻐했다.

"할머니 말대로 된다면 인간의 오월 오일은 곧 천상의 칠석이오."

김생과 노파는 그렇게 서로 이야기를 하면서 **영영을 불러낼 계획을 세웠다.**

마침내 노파와 약속한 날이 되었다. 김생은 날이 밝기도 전에 그 집으로 달려갔다.

(중략)

영영을 그리는 마음은 예전보다 두 배나 더 간절하였다. 그러나 청조가 오지 않으니 소식을 전하기 어렵고, 흰기러기는 오래도록 끊기어 편지를 전할 길도 없었다. 끊어진 거문고 줄은 다시 맬 수가 없고 깨어진 거울은 다시 합칠 수가 없으니, 가슴을 졸이며 근심을 하고 이리저리 뒤척이며 잠 못 이룬들 무슨 소용이 있겠는가? 김생은 마침내 몸이 비쩍 마르고 병이 들어 자리에 누워 있었다. 그렇게 두어 달이 지나니 김생은 죽은 몸이나 다름없었다. 마침 김생의 친구 중에 이정자(李正字)라고 하는 이가 문병을 왔다. 정자는 김생이 갑자기 병이 난 것을 이상해했다. 병들고 지친 김생은 그의 손을 잡고 모든 이야기를 털어놓았다. 정자는 모든 이야기를 듣고 놀라며 말했다.

[A] ┌ "자네의 병은 곧 나을 걸세. 회산군 부인은 내겐 고모가
│ 되는 분이라네. 그 분은 의리가 있고 인정이 많으시네.
│ 또 부인이 소천(所天)*을 잃은 후로부터, 가산과 보화를
│ 아끼지 아니하고 희사(喜捨)와 보시(布施)를 잘 하시니,
└ 내 자네를 위하여 애써 보겠네."

김생은 뜻밖의 말을 듣고 너무 기뻐서 병든 몸인데도 일어나 정자의 손이 으스러져라 꽉 잡을 정도였다. 김생은 신신 부탁하며 정자에게 절까지 하였다. 정자는 그 날로 부인 앞에 나아가 말했다.

"얼마 전에 장원 급제한 사람이 문 앞을 지나다가, 말에서 떨어져 정신을 차리지 못한 것을 고모님이 시비에게 명하여 사랑으로 데려간 일이 있사옵니까?"

"있지."

"그리고 영영에게 명하여 차를 올리게 한 일이 있사옵니까?"

"있네."

[B] ┌ "그 사람은 바로 저의 친구로 김 모라 하는 이웁니다.
│ 그는 재기(才氣)가 범인(凡人)을 지나고 풍도(風度)가
│ 속되지 않아, 장차 크게 될 인물입니다. 불행하게도
│ 상사의 병이 들어 문을 닫고 누워서 신음하고 있은 지
│ 벌써 두어 달이 되었다 하더이다. 제가 아침저녁으로 왔
│ 다 갔다 하면서 문병하는데, 피부가 파리해지고 목숨이
│ 아침저녁으로 불안하니, 매우 안타까이 여겨 병이 든 이
│ 유를 물어 본 즉 영영으로 인함이라 하옵니다. 영영을
└ 김생에게 주시는 것이 어떻겠습니까?"

부인은 듣고 나서,

"내 어찌 영영을 아껴 사람이 죽도록 하겠느냐?"

하였다. 부인은 곧바로 영영을 김생의 집으로 가게 하였다. 그리하여 꿈에도 그리던 두 사람이 서로 만나게 되니 그 기쁨이야 말할 수 없을 정도였다. 김생은 기운을 차려 다시 깨어나고, 수일 후에는 일어나게 되었다. 이로부터 김생은 공명(功名)을 사양하고, **영영과 더불어 평생을 해로하였다.**

— 작자 미상, 「영영전」 —

* 소천(所天) : 아내가 남편을 일컫는 말

1. 윗글에 대한 설명으로 가장 적절한 것은?

① 전기적 요소를 활용해 긴박한 분위기를 조성하고 있다.
② 비유적 표현을 활용해 인물 간의 갈등을 심화하고 있다.
③ 인물의 외양 묘사를 통해 영웅적 면모를 보여주고 있다.
④ 역순행적 구성을 통해 사건을 입체적으로 구성하고 있다.
⑤ 서술자의 주관적 논평을 통해 인물의 심리를 드러내고 있다.

2. [A]와 [B]에 나타난 인물의 말하기에 대한 설명으로 가장 적절한 것은?

① [A]는 상대에게 조언하고, [B]는 상대에게 거래를 제안하고 있다.
② [A]는 상대에게 칭찬하고, [B]는 상대에게 서운함을 토로하고 있다.
③ [A]는 상대에게 위로하고, [B]는 상대에게 원하는 것을 부탁하고 있다.
④ [A]는 상대에게 공감하고, [B]는 상대에게 자신의 능력을 자랑하고 있다.
⑤ [A]는 상대에게 충고하고, [B]는 상대에게 자신의 친구를 소개하고 있다.

3. <보기>를 참고하여 윗글을 감상한 내용으로 적절하지 <u>않은</u> 것은? [3점]

<보 기>

「영영전」은 궁녀인 영영과 선비인 김생의 신분을 초월한 사랑을 그린 작품이다. 주인공 영영을 통해 조선 시대 궁녀들의 폐쇄적인 생활상을 엿볼 수 있으며, 영영의 신분은 김생과의 사랑을 가로막는 장애물로 작용한다. 김생은 영영을 만나기 위해 노력하며, 이 과정에서 김생이 영영을 만나도록 도와주는 인물들이 등장한다. 결국, 조력자들의 도움으로 영영과 김생은 사랑의 장애물을 극복하고 사랑을 성취하여 행복한 결말을 맞이하게 된다.

① '궁중에서 나고 자라 문밖을 나서지 못합니다.'에서 조선 시대 궁녀들의 폐쇄적인 생활상을 확인할 수 있군.
② '부인의 투기가 두려워 뜻대로 못할 뿐이랍니다.'에서 회산군 부인의 투기가 김생과 영영의 사랑을 가로막는 장애물임을 확인할 수 있군.
③ '영아를 보내 주십사고 청하면 그리 될 수도 있습니다.'에서 노파도 김생이 영영을 만나도록 도와주는 조력자임을 확인할 수 있군.
④ '영영을 불러낼 계획을 세웠다.'에서 김생이 영영을 만나기 위해 노력하고 있음을 확인할 수 있군.
⑤ '영영과 더불어 평생을 해로하였다.'에서 영영과 김생이 사랑을 성취하여 행복한 결말을 맞이했음을 확인할 수 있군.

【4~6】 다음 글을 읽고 물음에 답하시오.

중국 황제가 크게 화를 내어 신라를 침공하고자 하여 계란을 솜으로 여러 번 싸서 돌함에 넣고 황초를 불에 녹여 그 안을 채워서 흔들리지 않게 하고 또 구리쇠를 녹여 함에 부어 열어 보지 못하게 하여 봉서와 함께 신라에 보내었다. 봉서의 내용인즉,
㉠'너희 나라가 만약 이 함 속에 있는 물건을 알아내어 시를 바치지 못한다면, 너희 나라를 도살하여 없애 버리겠다.' 하였더라. 대국 사신이 조서를 받들고 신라에 도착하니 신라왕이 몸소 사신을 맞이하고 조서를 읽어 보시고는 즉시 나라의 선비들을 불러 모아 이르시기를,
㉡"너희 유생 중에 이 함 속에 있는 물건을 알아내어 시를 짓는 사람은 장차 관직을 높여 땅을 나누어 줄 것이다." 하시매 아무도 그 속 물건을 알아내지 못하여 온 조정이 들끓더라.
이때 아이도 왕이 내린 명령을 들었다. 또 나 승상의 딸아이가 아름답고 재예*가 뛰어나며 게다가 절개가 있다는 소문을 들은 터인지라, 떨어진 옷으로 갈아입고 거울을 수선하는 장사로 사칭하고는 서울로 들어갔다. 그러고는 승상 댁 문 앞에 이르러 '거울 수선하라'는 말을 여러 차례 외쳤다. 이에 나 승상의 딸이 그 소리를 듣고 낡은 거울을 유모에게 주어 보내고, 인해 유모를 따라 외문 밖으로 나와 사립문 틈으로 엿보았다. 그 장사 역시 몰래 눈으로 바라보고 아름다운 아가씨라 여기고는 쥐고 있던 [거울]을 고의로 떨어뜨려 깨뜨렸다. 유모가 발을 구르며 다급하게 화를 내자 장사 아이가 말하기를,
"이미 거울이 깨졌으니 발은 굴러 무엇하겠습니까? 이 몸이 노복이 되어 거울 깨뜨린 보상을 하겠으니 청을 들어주소서."
하는지라. 유모가 돌아가 승상께 고하니 승상께서 허락하시고 묻기를,
"너의 이름은 무엇이며 어디에 살고 있느냐?"
아이가 대답하되,
"거울을 고치다 깨뜨렸으니 파경노라 불러 주시옵고, 일찍 부모를 여의고 갈 곳이 없나이다."
하는지라. 승상은 파경노에게 말 먹이는 일을 하도록 하였다. 파경노가 말을 타고 나가면 말 무리들이 열을 지어 뒤따랐으며 조금도 싸우는 일이 없었다. 이후로 말들이 살찌고 여윈 말이 없었다. ㉢아침에 파경노가 말 무리들을 이끌고 나가 사방에 흩어 놓고 숲 속에서 온종일 시를 읊으면, 청의동자* 수 명이 어디서 왔는지 혹은 말을 먹이고 혹은 채찍으로 훈련시키더라. 해가 지면 말들이 구름같이 모여 파경노 앞에 늘어서서 머리를 조아리니 보는 이마다 신기함을 칭찬하지 않는 이 없더라. 나 승상 부인께서 이 소문을 들고 승상에게 말하기를,
"파경노는 생김새가 기이하고 말 다룸도 또한 기이하니 필시 비범한 사람일 것입니다. 천한 일을 맡게 하지 마옵소서."
하니 승상도 옳게 여기고 그 말을 따랐다. 예전에 동산에다 나무와 꽃을 많이 심었으나 잘 가꾸지 못하여 거칠어지고 매몰되어 잡초 속에 묻혀 버렸는지라, 파경노로 하여금 꽃밭 가꾸는 일을 맡기었다. 파경노는 또한 한가로이 꽃밭에 앉아서 시만 읊고 있을 뿐 가꾸는 일은 하지 않으나 하늘에서 선녀가 밤에 내려와 혹은 거름을 주어 가꾸고 혹은 풀을 뽑으니 전보다 배나 더 아름답고 무성하였다.

[중략 부분의 줄거리] 승상은 시를 지으라는 임금의 명을 받고 시름에 빠진다. 파경노의 비범함을 알아차린 딸의 권유로 승상이 파경노에게 시 짓는 일을 명하자 파경노는 자신을 사위로 삼는다면 시를 짓겠다고 말한다. 파경노가 노비라는 이유로 혼인을 반대하던 승상은 딸이 설득하자 결국 파경노를 사위로 맞이한다.

다음날 아침 승상이 사람을 시켜 시 짓는 모습을 엿보라 하였다. 이때 파경노가 자기 이름을 지어 치원이라 하고, 자를 고운이라 하더라. 승상의 딸이 옆에 앉아서 시 짓기를 재촉하니 치원이 말하기를,
"시는 내일 중으로 지을 것이니 너무 재촉하지 마오."
하고는 승상의 딸더러 종이를 벽 위에 붙여 놓도록 하고 스스로 붓 대롱을 잡아 발가락에 끼우고 잤다. 승상의 딸이 근심하다가 고단하여 자는데 꿈속에 쌍룡이 하늘에서 내려와 함 위에서 서로 벗하며 무늬 옷을 입은 동자 십여 명이 함을 받들고 서서 소리 내어 노래하니 함이 열리는 듯하였다. 이윽고 쌍룡의 콧구멍에서 여러 가지 빛깔의 상서로운 기운이 나와 함 속을 환히 비추니 그 안에 붉은 옷을 입고 푸른 수건을 쓴 사람이 좌우로 늘어서서 어떤 자는 시를 지어 읊고 어떤 자는 붓을 잡아 글씨를 쓰는데, 승상이 빨리 시를 지으라고 재촉하는 소리에 놀라 깨어 보니 꿈이더라. ㉣치원 역시 깨어나 시를 지어 벽에 붙은 종이에다 써 놓으니 용과 뱀이 놀라 꿈틀거리는 듯하더라. 시의 내용인즉,

둥글고 둥근 함 속의 물건은
반은 희고 반은 노란데,
밤마다 때를 알아 울려 하건만
뜻만 머금을 뿐 토하지 못하도다.

이더라. 치원이 승상의 딸을 시켜 승상께 바치게 하니 승상이 믿지 않다가 딸의 꿈 이야기를 듣고서야 믿고 대궐로 들어가 왕께 바치었다. 왕이 보시고서 크게 놀라 물으시기를,
"경이 어떻게 알아 가지고 시를 지었느뇨?"
하시니 대답하여 아뢰되,
㉤"신이 지은 것이 아니옵고 신의 사위가 지은 것이옵니다."
하니 왕은 사신으로 하여금 대국 황제께 바치었다. 황제가 그 시를 보시고 말씀하시기를,
"둥글고 둥근 함 속의 물건은 반은 희고 반은 노란데'는 맞는 구절이나 '밤마다 때를 알아 울려 하건만 뜻만 머금을 뿐 토하지 못하도다'라 한 것은 잘못이로다."
하고 함을 열고 달걀을 보시니 여러 날 따뜻한 솜 속에서 병아리로 되어 있으매 황제가 탄복하면서 말하기를,
"이는 천하의 기재로다."
하고 학사를 불러 보이시니, 칭찬하지 않는 자가 없었다.
— 작자 미상, 「최고운전」 —

* 재예: 재능과 기예를 아울러 이르는 말.
* 청의동자: 신선의 시중을 든다는 푸른 옷을 입은 사내아이.

4. 윗글에서 알 수 있는 내용으로 적절하지 않은 것은?
① '아이'는 승상 댁의 노복이 된 이후에 돌함의 존재에 대해 알게 되었다.
② '승상의 부인'은 파경노의 외모와 행동을 근거로 그가 범상한 인물이 아님을 알아보았다.
③ '승상'은 파경노에게 천한 일을 맡기지 말라는 부인의 말을 따랐다.
④ '파경노'는 승상의 딸과 결혼한 이후 자신의 이름을 스스로 치원이라 지었다.
⑤ '승상의 딸'은 치원이 지은 시에 대해 회의적인 태도를 보이는 승상에게 자신의 꿈 이야기를 들려주었다.

5. 윗글의 거울에 대한 설명으로 가장 적절한 것은?
① 아이가 승상에게 자신의 능력을 증명하는 데 사용된 소재이다.
② 승상 댁에 노복으로 들어간 아이가 겪게 될 고난을 암시하는 소재이다.
③ 아이가 승상의 사위가 되려는 내적 욕망을 실현하는 데 동원된 소재이다.
④ 혼인을 둘러싸고 아이와 승상 사이에 긴장감이 조성될 것을 예고하는 소재이다.
⑤ 아이가 승상 딸의 뛰어난 재예와 절개를 시험할 수 있는 기회를 제공하는 소재이다.

6. <보기>를 바탕으로 ㉠ ~ ㉤을 이해한 내용으로 적절하지 않은 것은? [3점]

< 보 기 >
「최고운전」은 '시 짓기'를 통해 주인공과 국가가 당면한 문제 상황이 해결되는 구조로 서사가 전개되고 있다. 이 작품은 뛰어난 능력을 가지고 있으나 신분적 한계로 인해 자신의 능력을 제대로 펼치지 못했던 실존 인물 최치원의 삶을 바탕으로 창작되었다. 최치원의 삶이 주인공에 투영되어 형상화되는 과정에서 그의 비범함이 극적으로 부각되며, 이는 주로 '시 짓기'를 통해 발휘된다.

① ㉠에서 '시 짓기'는 중국 황제가 신라를 문제 상황에 빠뜨리기 위해 내세운 불합리한 요구로군.
② ㉡에서 '시 짓기'는 국가적 문제를 해결할 수 있는 인재가 없는 신라의 상황을 보여 주는군.
③ ㉢에서 '시 짓기'는 초월적 요소와 결합하여 인물의 비범함을 드러내는군.
④ ㉣에서 '시 짓기'는 신분적 한계로 인한 울분을 직접적으로 토로하는 수단이로군.
⑤ ㉤에서 '시 짓기'는 개인의 능력을 드러냄과 동시에 국가의 위기를 해결하는 방법이 되는군.

【7~10】 다음 글을 읽고 물음에 답하시오.

조중인이 무녀를 보내어 요사한 모함을 저질러 놓고, 녹재에게 부탁하여 황성 왕래하는 길에 주막을 차려 놓게 하였음이라. 지나가는 사람 중 왕진사 댁 하인이라 하면 억지로라도 데려와서 술과 고기를 많이 먹이고 밥값을 적게 받으니, 내왕하는 하인들이 어디로 갈 때는 반드시 녹재의 주막에 들르는 것처럼 되어 어길 때가 없더라.

무녀가 녹재의 주막으로 돌아와 하는 말이,

"㉠이리이리하여 불을 질러 놓았으니 조만간에 하인이 이리를 지나가리라." 하더라.

과연 며칠이 지나매, 소주 왕진사 댁 하인이 서간을 가지고 가는 중이라. 그가 주막 앞을 지나가자 녹재가 깜짝 놀라는 척 반기며 오래 못 본 안부를 묻고, 술을 많이 먹이자 하인이 취하여 편지보를 녹재에게 맡기고는 거꾸러져 잠이 드는지라. 녹재가 편지보를 헤치고 봉한 것을 떼어 보니 편지 사연이 과연 그 말이매, 편지를 없애고 다시 글씨를 본떠 써넣되

"안부를 전하노니 집안은 무사하고 공직에 힘쓰라."

라는 내용으로 하여 다시 봉하여 편지보에 넣었더라. 이튿날 하인이 떠나려 하여, 편지보를 내어 주니 의심 없이 받아 가지고 올라가더라.

하인이 황성에 득달하여 서간을 올리되 왕시랑도 범연히 간과하고, 집안은 무사한 모양이라 답장을 봉하여 환송하였더니, 하인이 내려가는 길에 다시 녹재의 집에 찾아들었는지라. 녹재가 반가워하며 간곡하게 술대접을 하니 하인이 또한 술 힘을 이기지 못하여 대취하매, 녹재가 답장 편지를 또 떼어 없애고 다시 시랑의 필적으로 답장을 위조하여,

"집안 괴변을 어찌 일부러 뜻하였으리까마는, 들자오매 소자의 처로 인하여 심란한 일이 많사옵니다. 그 전에도 의심할 일이 많사오나 그 허물을 따로 묻지 않은 채 그저 집에 두었삽는데, 필경은 탄로나게 되었으니 소자의 사람 몰라본 불찰입니다. 복중에 무엇이 있다는 말씀은 더구나 소자는 모르는 일이라, 어찌하여 거짓을 사뢰리까? 소자의 소견에는 그런 더러운 인물은 어찌 잠시라도 집에 두며, 죽어도 죄가 남사오니 내치면 저에게 덕이 될 것이오나 처분대로 하사이다." 하였더라.

이튿날 하인이 편지를 찾아보고 내려가 왕진사께 올리니, 진사가 그 사연을 보고 안으로 들어와 오부인과 의논하였는데, 죽이자 하여도 거지중난(擧止重難)*하고 내쳐도 남에게 부끄러운지라. 이리저리 생각하다가 마지못하여 즉시 송부인을 불러 앞에 세우고는 수죄(數罪)*하여,

"㉡네 내 집에 들어와 몇 해 아니 되었는데 내가 너를 믿고 내 집안 살림을 맡겼거늘, 요망한 무녀를 통하여 흉측한 태도로 음담패설을 주고받느냐? 네 복중에 있다는 자식에 대해서도 네 남편은 모른다 하니 그것은 어찌된 일이냐?"

하고는 장패주의 편지와 왕시랑의 답장을 던지는지라. 송씨가 기색(氣塞)하여 한동안 진정하지 못하다가,

"자부(子婦)가 불초(不肖)하여 구고(舅姑)*님의 노함을 끼쳤사오니 산들 무엇하리까마는, 다만 신명을 생각하니 절통한 일이옵니다. 부모 양친을 십여 세에 여의옵고 부앙천지(俯仰天地) 의지할 데 없사와 어린 동생과 외가에 탁신(託身)하온바 외숙부께 사랑을 받지는 못하였으나 무한히 공경하며 대하여 나갔삽더니, 천우신조(天佑神助)하여 어진 시댁을 만났사와 일평생을 모시고자 하였사오나, 이런 악명(惡名)을 입사오니 다시 무슨 말씀을 하오리까? 처분대로 할 뿐이로소이다."

[중략 부분의 줄거리] 강제 결혼의 무산에 대한 보복으로 조중인에 의해 모함 받은 송부인은 시댁에서 쫓겨나게 되고 홀로 아들인 갈용을 낳아 기른다. 어느 날 갈용은 살인 사건에 휘말리고, 이를 해결하기 위해 조정에서 명사관으로 파견된 왕시랑은 송부인과 재회하게 된다.

이때 송부인, 명사관*이 들어와 갈용의 초사를 받는다는 말에 오가는 말을 듣고자 하여 관문 밖에서 엿보고 있었더라. 바라보니 그 명사관이 다른 이 아니라 자신의 남편 왕시랑이라. 이것이 어찌된 일인고 하여, 송부인이 여광여취(如狂如醉)하여 부지불각(不知不覺) 중에 몸이 절로 움직여 뜰 아래 들어서서는,

"첩은 죄인의 어미옵더니, 사람이 불민(不敏)하여 시댁에서 쫓겨났사오나, 가장은 천 리 밖에 있사왔고, 첩을 불쌍히 생각하기는커녕 인편에 대어 죽여라, 내쫓아라 하오니, 첩이 어디 가서 살며 어찌 시댁이 용납하리니까? 그런 연유로 이 지경이 되었삽는데, 듣사오매 명사관께서 명사를 잘하신다 하오니, 살옥*은 차치(且置)하옵고 그 일부터 명사하옵소서. 첩의 무고함을 어찌 보지 못하고, 멀리 있음에도 그리 집안을 자세히 알면서 복중지물(腹中之物)이 자기 자식인 줄 어찌 모르며, 첩이 그전부터 수상한 짓을 하는 것을 보았다 하나 무슨 일을 보셨던고? 첩에게 죄가 설령 있거든 여기서 죽여 주시고, 만일 무죄한 듯하거든 소상히 명사하와 애매한 누명을 씻어 주옵소서. 복명지신(復命之臣)이 그만 일을 명사치 못하오면 그 녹을 자시옵기 어찌 부끄럽지 아니하시리까? 만일 첩의 말을 곧이 아니 들을 터이면, 여기 증거할 것이 있사오니 이것을 보옵소서."

하고 송부인이 품에서 편지봉투를 내어 앉은 앞에 던지니, 왕시랑이 상혼실백(傷魂失魄)*하여 그것을 아니 보지 못할 터이라. 차차로 펴 보니 한 장은 자신의 답장이라 하나 사연은 전혀 알지 못하는 것이라 막측단*하여, 다시 묻고자 하나 하인들 앞에 말하기가 편치 않기에 따로 분부하여

"㉢심기 불평하니 죄인을 물리라."

하시니 갈용과 송부인이 함께 물러나오더라.

이 날 밤에 왕시랑이 일을 마친 후에, 통인 하나를 불러 초롱을 들리고 호장의 집을 찾아 별당으로 들어가니, 송부인이 촛불을 돋우고 혼자 앉았다가 처연히 보고는

"㉣이 어찌된 일이시니까? 더러운 죄라 하신 터에 무엇이 답답하여 첩을 찾아보러 와서는 서 계시니이까? 모르는 자식을 낳았으니 더럽다고 하다가 죽이거라 내치거라 하와 다시 준절답장(峻節答狀)하오시고 다시 보려 하심은 천만뜻밖이로소이다."

왕시랑이 다 듣고는

"이것이 어찌된 일이오?" 라고 도리어 물으니, 송부인이 대답하여

"날더러 도로 물으시니 무슨 말씀으로 대답하오리까?"

하매, 왕시랑이 대답하기를

"나도 내 죄를 아오이다. 비록 그러하오나 이 일은 알아보고 말 것이니, 그리 염려하지 마소서. 편지도 답장도 내 한 바 아니라, 난들 어찌 알았으리오? 이것이 운명사이니, 분명히 괴상한 용무를 꾸민 놈이 있는 모양이라. ㉤설마 그 놈을 잡지 못하리니까? 내 사환이 분주하여 오래 근친 못한 탓이로소이다."

라고 하더라. 송부인이 그 말을 들으니 자신의 발명도 대강된 듯하고, 왕시랑의 편지에 서운했던 것이 비로소 풀리는지라. 그런 줄 이제 알았으니 어찌 소회를 서로 풀어놓으며 정다운 이야기가 서로 없으리오?

― 작자 미상, 「송부인전」 ―

* 거지중난: 일을 함이 중대하고도 어려움.
* 수죄: 범죄 행위를 들추어냄.
* 구고: 시부모님.

* 명사관: 중요한 사건을 조사하는 일을 맡아 하는 관리.
* 살옥: 살인 사건에 대한 죄를 다스리는 일.
* 상혼실백: 상심하여 제정신을 잃음.
* 막측기단: 일의 시작을 헤아려 알지 못함.

7. 윗글에 대한 설명으로 가장 적절한 것은?

① 대화를 통해 인물이 처한 상황을 보여 주고 있다.
② 전기적 요소를 통해 비현실적 장면을 부각하고 있다.
③ 과장된 상황을 통해 인물의 해학성을 강조하고 있다.
④ 배경에 대한 묘사를 통해 낭만적 분위기를 형성하고 있다.
⑤ 꿈과 현실의 교차를 통해 사건을 입체적으로 구성하고 있다.

8. ㉠ ~ ㉤에 대한 설명으로 적절하지 <u>않은</u> 것은?

① ㉠: 왕진사 댁 하인이 주막을 지나갈 것이라는 무녀의 예측이 드러나 있다.
② ㉡: 송부인이 죄를 지었다고 생각하여 질책하는 왕진사의 태도가 드러나 있다.
③ ㉢: 주변 상황을 의식하여 질문하기를 미루는 왕시랑의 모습이 드러나 있다.
④ ㉣: 왕시랑이 명사관으로서 공과 사를 구분하기를 바라는 송부인의 마음이 드러나 있다.
⑤ ㉤: 사건의 진상을 밝히려는 왕시랑의 태도가 드러나 있다.

9. <보기>를 바탕으로 윗글을 감상한 내용으로 적절하지 <u>않은</u> 것은? [3점]

> ───────〈 보 기 〉───────
>
> 이 작품은 남편이 부재한 상황에서 가족 외부의 인물에 의해 모함을 받게 된 주인공이, 남성 중심 사회의 현실적 모순에 의해 희생당하는 모습을 다루고 있다. 이 과정에서 주인공은 자신의 억울함을 적극적으로 항변하지 못하고 가정에서 퇴출당해 시련과 고난을 겪게 되지만, 이후 입신양명을 이룬 남편과의 만남에서 적극적인 태도로 오해를 풀고 모함에서 벗어나게 된다.

① 송부인이 왕시랑에게 명사를 부탁하는 장면에서, 오해를 풀고자 하는 적극적인 모습을 확인할 수 있겠군.
② 왕진사가 송부인을 수죄하는 장면에서, 여성의 정절을 중시하는 남성 중심 사회의 모습을 짐작할 수 있겠군.
③ 왕시랑이 송부인에게 누명을 벗겨주기로 약속하는 장면에서, 왕시랑이 입신양명을 이룬 목적을 짐작할 수 있겠군.
④ 녹재가 왕진사 댁 하인에게 술을 먹이는 장면에서, 가족 외부의 인물이 주인공을 모함하려는 모습을 확인할 수 있겠군.
⑤ 송부인이 왕시랑에게 자신의 처지를 밝히며 억울함을 호소하는 장면에서, 과거에 송부인이 겪은 시련과 고난을 짐작할 수 있겠군.

10. <보기>는 윗글의 서간의 이동을 도식화한 것이다. 이를 이해한 내용으로 가장 적절한 것은?

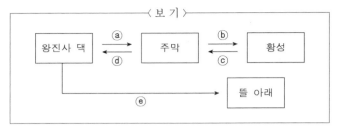

① ⓐ의 서간에는 집안은 무사하고 공직에 힘쓰라는 내용이 담겨있다.
② 왕시랑은 ⓑ의 서간을 통해 집안에 문제가 생겼음을 알게 되었다.
③ ⓑ의 서간과 ⓓ의 서간은 모두 녹재에 의해 위조된 것이다.
④ ⓒ의 서간과 ⓓ의 서간은 모두 송부인에게 전달되지 않았다.
⑤ 왕시랑은 ⓔ의 서간의 내용을 송부인과 만나기 전부터 알고 있었다.

총 문항				문항	맞은 문항				문항
개별 문항	1	2	3	4	5	6	7	8	9	10
채점										
개별 문항	11	12	13	14	15	16	17	18	19	20
채점										

7분 | 2019학년도 9월 학평 42~45번 | ★★☆ | 정답 038쪽

【1~4】 다음 글을 읽고 물음에 답하시오.

[앞부분의 줄거리] 유연과 최월혜의 혼례 날 도적 장군이 최 씨를 납치하여 서해무릉으로 끌고 간다. 유연은 부모의 명을 거역하고 최 씨를 찾기 위해 집을 나온다.

마침내 일 년이 지났을 때 유생은 강원도 금산사에 이르렀다. 여기서 유생은 부처님에게 빌어볼 결심을 하고 머리를 깎고 중이 되었다. 이어 부처님에게 나아가 이렇게 빌었다.

[A] ┌ "소생 유연은 부모님께 근심을 끼치고 길가를 떠도는 나그네가 되었다가 이곳에 이르렀습니다. 이렇게 노상유객(路上遊客)이 되어 떠도는 이유는 잃어버린 배필을 다시 만나 끊어진 인연을 잇기 위해서입니다. 엎드려 바라건대 부처님께서는 대자대비의 은덕을 내리시어 유연의 정성을 살펴주시기 바랍니다. 부처님의 은덕으로 최 씨를 만난다면 금은보화를 아끼지 않고 절을 중수(重修)
└ 하여 부처님께 공양하겠습니다."

이렇게 축원하고 절 방으로 돌아와 그 밤을 지낼 때 유생이 한 꿈을 꾸었는데, 꿈속에서 부처님이 나타나 말하였다.

"너희 부부의 정성이 이미 하늘에 이르렀으니 장차 하늘의 도움이 있을 것이다. 또 네 아내는 아직 빙옥(氷玉) 같은 절행을 지키며 살아 있으니 안심하여라. 그러나 네게는 아직 인연이 멀었으니 삼 년이 지나야 만날 수 있으리라. 아내를 찾게 되거든 절을 중수하여라."

유생이 놀라 잠에서 깨어 보니 남가일몽이었다. 놀랍기도 하고 기쁘기도 하여 다시 절을 올리고 축원을 드린 뒤 유생은 금산사를 떠났다.

동구 밖에 나오자마자 유생은 곧바로 동네 아낙에게 고깔과 누비 바랑을 만들어 달라 하여 어깨에 걸쳐 메고 구절죽장(九節竹杖)을 짚고 길을 나섰는데 영락없는 스님의 행색이었다.

유생이 길을 나선 뒤 팔도강산 방방곡곡과 사해팔방으로 두루 돌아다니며 산속이든 바닷가든 아니 간 곳이 없었다. 고갯마루 남쪽이나 북쪽에 들어가든지 산골짜기에 들어가든지 집집마다 하나하나 방문하여 탐문하였으니 그가 겪은 천신만고의 고생과 세상사의 모진 고통은 말로 표현할 수 없을 정도였다.

이렇게 길거리를 전전하며 어느덧 이 년의 세월이 지난 어느 봄날이었다. 이때 유생은 장삿배를 따라 아니 간 데 없이 다녔는데, 아무리 찾아도 최 씨의 거처를 알 수 없었다. 또 기력도 다하여 겨우 근근이 머리 들 힘밖에 없었다. 이에 하늘을 우러러보며 길이 탄식하여 말하였다.

[B] ┌ "아득하고 아득한 하늘이시여! 유연과 최 씨를 낳으시고 어찌 이처럼 서로의 연분을 막으십니까? 저는 이제 조상과 부모에게 큰 죄를 지은 몸이 되었습니다. 천 가지 만 가지 일을 겪으며 고생한 것은 모두 최 씨를 만나 연분을 잇기 위하온데, 천지신명께서는 어찌 이다지
└ 무심하시어 끝내 조금의 도움도 주지 않으십니까?"

말을 마치고 유생은 정신이 아득해져 선창(船窓)에 기대어 쓰러지고 말았다. 이때 비몽사몽 사이에 문득 금산사 부처님이 나타나 이렇게 말하였다.

"네 수액(數厄)이 이제 거의 다 사라졌으므로 머지않아 최 씨를 만날 것이니라. 그러나 최 씨의 거처가 깊고 깊으니 신중하게 찾아야 하느니라. 이후 다시 몽조(夢兆)가 있을 것이다."

유생이 깨어나 꿈속의 일을 생각해보니 바로 최 씨를 만날 수 있다는 몽조였다. 이에 마음속으로 크게 기뻐하고 다시 기운을 차려 최 씨를 찾아 나섰다.

이때 도적 장군이 최 씨를 훔쳐온 뒤, 그녀가 옥 같은 얼굴에 선녀 같은 자태를 지녔음을 보고 만고의 절색이라 여겼다. 이에 크게 기뻐하고 즐거워하며 급히 길일을 택하여 혼례를 치르고자 하였으나, 최 씨가 송죽(松竹)처럼 꼿꼿한 마음으로 정절을 지키며 목숨을 지푸라기처럼 여겼기 때문에 만약 위력으로 핍박하다가는 아름다운 보옥이 부서지고 향기로운 꽃이 떨어지는 환란이 있을 것 같았다. 이에 장군은 다만 빨리 세월이 지나 최 씨가 체념하고 마음을 돌릴 때까지 기다리기로 하였다.

(중략)

최 씨가 서해무릉에 온 지 수삼 년이 지났으나 몸을 일으켜 연보(蓮步)를 옮김이 없었는데, 이 날은 꿈속 일에 의심이 생겨 한번 나갈 결심을 하였다. 이에 계선이 크게 기뻐하며 하인들에게 채비를 차리라고 일렀다.

계선이 이끄는 대로 따라와 나와 보니, 서쪽으로 강물이 굽돌아 흐르는 곳에 산 우물이 있었고, 그 앞에 흰 옷을 입은 여승이 바랑을 메고 대나무 막대기를 쥐고 표연히 서 있었다. 최 씨가 은근히 눈을 들어 살펴보니, 삿갓 밑에 옥 같은 얼굴을 한 여승은 다름이 아니라 바로 자신의 지아비 유연이었다.

최 씨가 보니 낯빛과 용모가 바뀌고 풍채와 신수가 초췌하여 가슴이 찢어지는 듯하였다. 더구나 이렇게 머리를 깎고 중이 되는 부끄러움도 무릅쓰고 허다한 풍상(風霜)과 천신만고의 고생을 겪은 것이 모두 자신 때문이었으니, 최 씨의 심정이 오죽하였겠는가?

아주 놀라고 무척 기뻐하며 침통해하다 가만히 생각해보니 지금이 오히려 아주 위태로운 상황이었다. 남들이 유생의 정체를 안다면 어찌 될 것인가? 생각이 여기에 미치자 몸과 마음이 어지러워 능히 진정할 수 없었으나, 옆에 계선이 있고 또 좌우의 눈과 귀가 두려워 반갑고 놀라운 기색을 억지로 참으며 어찌할 바를 몰라 하였다.

한편 유생은 온 나라를 떠돌아다녔어도 끝내 찾지 못하다가 오늘 여기서 최 씨를 만나게 되니 천만의외였다. 그때 유생은 그저 대문 밖에 앉아 좌우로 경치를 구경하고 있었는데 안으로부터 사람 소리가 아스라이 들리더니 한 소저가 아리따운 비단 옷을 입고 걸어오고 있었다. 혹시나 하여 여러 번 살펴보니 초췌해진 얼굴과 슬픔에 젖은 모습 때문에 바로 알아보기 어려웠으나 선명하고 참신하며 미려한 그 모습은 완연히 최 씨였다.

— 작자 미상, 「서해무릉기(西海武陵記)」 —

1. 윗글에 대한 설명으로 가장 적절한 것은?

① 언어유희를 통해 웃음을 유발하고 있다.
② 풍자적 서술을 통해 인물의 행위를 비판하고 있다.
③ 서술자의 개입을 통해 주관적 견해를 드러내고 있다.
④ 구체적 시대 상황을 통해 인물의 처지를 나타내고 있다.
⑤ 사건의 반전을 통해 인물 간의 갈등을 구체화하고 있다.

2. <보기>를 참고하여 윗글을 이해한 내용으로 적절하지 <u>않은</u> 것은?

─── <보 기> ───

ⓐ		ⓑ		ⓒ
유연과 최 씨가 이별함.	→	유연과 최 씨가 고난을 겪음.	→	유연과 최 씨가 재회함.

① ⓐ는 도적 장군이 최 씨를 납치한 사건으로 인한 것이군.
② ⓑ에서 유연은 ⓒ를 위해 팔도강산을 헤매게 되는군.
③ ⓑ에서 유연은 초월적 존재를 통해 ⓒ를 예상하게 되는군.
④ ⓑ에서 최 씨는 계선의 신뢰를 얻어 ⓒ를 준비하게 되는군.
⑤ ⓒ에서 최 씨는 유연의 정체가 탄로날까 봐 걱정하고 있군.

3. [A]와 [B]의 말하기 방식으로 가장 적절한 것은?

① [A]는 예상되는 부정적 결과를 경고하고 있고, [B]는 자신의 말을 들어주지 않는 상대를 비판하고 있다.
② [A]는 문제의 원인을 찾아 해결 방법을 제시하고 있고, [B]는 상황을 가정하며 자신의 요구를 드러내고 있다.
③ [A]는 조건을 내세워 자신의 입장을 밝히고 있고, [B]는 자신의 잘못을 인정하며 상대에게 용서를 구하고 있다.
④ [A]는 상대의 잘못으로 인해 겪은 어려움을 호소하고 있고, [B]는 자신의 어려움을 해결해 줄 것을 요청하고 있다.
⑤ [A]는 행동의 이유를 밝히며 원하는 바를 드러내고 있고, [B]는 자신에게 도움을 주지 않는 상대를 원망하고 있다.

4. 다음은 윗글을 읽고 문학 탐구 보고서를 쓰기 위해 작성한 계획서이다. (가)에 들어갈 내용으로 적절하지 <u>않은</u> 것은? [3점]

> **[의문]**
> 왜 제목을 '유연전'이나 '최씨전'이라고 하지 않고 '서해무릉기'라고 했을까?
>
> **[탐구 과제 설정]**
> '서해무릉'이라는 장소가 지닌 의미가 중요한 것 같으니 인물별로 그 의미를 탐구해 봐야겠어.
>
> **[자료 조사]**
> '서해무릉'에서 등장인물들은 개인적 욕망을 꿈꾸기도 하고 시련을 겪기도 한다. 또한 애정을 지켜 나가거나 소망을 실현하기도 하며 내적으로 성숙해지기도 한다.
>
> **[탐구 결과]**
> | (가) |
> |---|

① 수삼 년이 지나도록 유연과 떨어져 지낸 것을 보니 '최 씨'에게는 시련을 겪는 공간으로 볼 수 있다.
② 최 씨를 납치한 뒤 혼례하려고 한 것을 보니 '도적 장군'에게는 욕망을 드러내는 공간으로 볼 수 있다.
③ 잃어버린 배필인 최 씨와 다시 만나게 된 것을 보니 '유연'에게는 소망을 실현하는 공간으로 볼 수 있다.
④ 도적 장군으로부터 정절을 지키며 마음을 돌리지 않은 것을 보니 '최 씨'에게는 애정을 지키는 공간으로 볼 수 있다.
⑤ 유연이 최 씨의 도움으로 용맹과 지략을 갖추게 되는 것을 보니 '유연'에게는 내적으로 성숙해지는 공간으로 볼 수 있다.

【5~7】 다음 글을 읽고 물음에 답하시오.

> 앞부분 줄거리 | 경기도 장단에 사는 선비 김 주부는 무남독녀 매화를 슬하에 두고 있었다. 조정의 간신들이 김 주부를 해치려고 하자, 그는 매화를 남장시켜 길거리에 두고 부인과 함께 구월산으로 몸을 피한다. 부모를 잃은 매화는 조 병사 집 시비에게 발견되어 그 집 아들인 양유와 함께 글공부를 하면서 성장한다.

이때에 양유 매화를 찾아 학당으로 돌아오매 매화 눈물 흔적 있거늘 양유가 가로되,

"그대 어찌하여 먼저 왔으며 슬픈 기색이 있느뇨. 아마도 곡절이 있도다. 오늘 사람들이 여자가 남복을 입었다 하니 그 일로 그러한가 싶으니 그럼 여자가 분명한가?"

하더라. 매화 흔연히 웃으며 가로되,

"어린아이 부모를 생각하니 어찌 아니 슬프리요. 또 내 몸이 여자면 여자로 밝히고 길쌈을 배울 것이지 남복을 입고 남을 속이리요. 본디 골격이 연연하매 지각없는 사람들이 여자라 하거니와, 일후 장성하여 골격이 웅장하면 장부 분명할지라."

하고 단정히 앉아 풍월을 읊으니 소리 웅장하여 호치(皓齒)를 들어 옥반(玉盤)을 치는 듯 진시 남자의 소리 같은지라. 양유 그 소리 들으며 남자가 분명하되 이향(異香)이 만당(滿堂)하여 다만 매화의 태도를 보고 마음만 상할 따름일러라.

이때는 놀기 좋은 춘삼월이라. 춘풍을 못 이겨 양유 매화를 데리고 경개(景槪)를 따라 놀더니 서로 풍월 지어 화답하매 매화 ⓐ양유 글을 받아 보니 하였으되,

> 양유선득춘(楊柳先得春) 양유는 먼저 봄빛을 얻었는데,
> 매화하불락(梅花何不樂) 매화는 어찌 즐겁지 아니하는고.

하였더라. 양유가 ⓑ매화의 글을 받아 보니 하였으되,

> 호접미지화(胡蝶未知花) 나비가 꽃을 알지 못하고,
> 원앙부득수(鴛鴦不得水) 원앙새가 물을 얻지 못하였도다.

하였거늘 이에 양유가 그 글을 받아 보고 크게 놀라 기뻐하여 가로되,

"그대 행색이 다르기로 사랑하였더니 풍모가 정녕 여자로다. 그러하면 백년해로 어떠하뇨."

매화 고개를 숙이고 수색(愁色)이 만안하여 가로되,

"나는 과연 여자이거니와 그대는 사부(士夫)집 자제요, 나는 유리걸식하는 사람이라. 어찌 부부 되기 바라리요. 낸들 양지작을 모르리요마는 피차 부모의 명이 없삽고 또한 예절을 행치 못하면 문호에 욕이 되올 것이니 어찌 불효짓을 하리요. 부모의 명을 받아 백년해로한다면 낸들 아니 좋으리까."

양유 희색이 만안하여 가로되,

"그대 말이 당연하도다."

마침 이때에 시비 옥란이 급히 와 여쭈오되,

"외당에 상객이 왔으매 생원님이 급히 찾나이다."

양유 매화를 데리고 외당으로 들어가매 과연 상객이 있는지라. 병사가 가로되,

"두 아이 상을 보라."

한대 상객이 가로되,

"매화의 상을 보니 여자로소이다."

병사가 가로되,

"그대 상을 잘못 보았도다. 어찌 여자라 하리요."

상객이 가로되,

"여자가 남복을 입고 남을 속이려니와, 내 눈에 어찌 벗어나리요."

매화 무료하여 학당에 돌아가니라. 양유의 상을 보고 가로되,

"내두(來頭)*에 일국의 재상이 되었으되, 불쌍코 가련토다. 나이 16세 되면 호식(虎食)*할 상이오니 어찌 가련치 아니하리요."

병사가 크게 놀라 가로되,

"어디서 미친놈이 상객이라 하고 왔도다."

하인을 불러 쫓아내라 한대 상객 일어나 두 걸음에 인홀불견(仞忽不見)*이거늘 실로 고이하여 살펴보니 상객 앉았던 자리에 한 봉서 놓였거늘 즉시 개탁(開坼)*하니 하였으되,

> '양유와 매화로 부부 아니 되면 임진 3월 초삼일에 필연 호식(虎食)하리라.'

하였더라. 병사 대경하여 무수히 슬퍼하다가 매화를 불러 가로되,

"너를 보고 여자라 하니 실로 고이하도다."

하시고 무수히 슬퍼하시거늘 매화 두 번 절하고 가로되,

"소녀 어찌 기망(欺罔)*하오리까. 소녀 과연 여자로소이다. 일찍 부모를 이별하옵고 일신을 감출 길 없사와 남복을 입고 기망하였사오니 죄를 범하였나이다."

하거늘 병사 크게 놀라며 또한 크게 기뻐하여 더욱 사랑하여 가로되,

"오늘부터 내당에 들어가 출입치 말라."

하시고 매화의 손을 이끌어 내당에 들어가 부인을 대하여 가로되,

"매화는 여자라 하니 어찌 사랑치 아니하리요. 행실을 가르치라."

하거늘 최 씨 부인이 크게 기뻐하여 연연하더라. 이때 병사 외당에 나가 양유를 불러 가로되,

"매화는 여자라 하니 일후는 매화로 더불어 한자리에 앉지 말라."

하신대 양유 어찌 부모의 명령을 거역하리요.

차설이라. 매화는 여복을 입고 내당에 거처하고, 양유는 학당에 있으매, 시서(詩書)에 뜻이 없고 다만 생각이 매화뿐이로다. 월명사창(月明紗窓)* 빈 방 안에 홀로 앉아 탄식할 제,

"매화야, 너는 무슨 일로 남복을 입고 나를 속였느냐. 부모의 명이 지엄하시니 뉘로 하여금 공부하며 뉘로 하여금 노잔 말가."

이렇듯이 자탄할 제, 이때 최 씨 부인 양유의 계모라 매화의 인물 탐하여 매일 사랑하시더니 제 상처한 남동생 있으매 혼사할 뜻이 있어 모계(謀計)를 꾸미더라. 하루는 병사 내당에 들어와 부인 최 씨를 대하여 가로되,

"전일 상객이 이러이러하니 내두 길흉을 어찌하리요. 매화는 양유와 동갑이요, 인물이 비범하니 혼사함이 어떠하리까."

부인이 변색하여 가로되,

"병사 어찌 그런 말씀을 하시나이까. 양유는 사부 후계요, 매화는 유리걸식하는 아이라, 근본도 아지 못하고 어찌 인물만 탐하리까."

병사 옳이 여겨 가로되,

"부인의 말씀이 옳도다. 일후에 장단골 가서 매화 근본을 알리라."

— 작자 미상, 「매화전」 —

* 내두(來頭): 지금부터 다가오게 될 앞날.
* 호식(虎食): 호랑이에게 잡아 먹힘.
* 인홀불견(仞忽不見): 보이다가 슬쩍 없어져 보이지 않음.
* 개탁(開坼): 봉한 편지나 서류를 뜯음.
* 기망(欺罔): 그럴듯하게 속여 넘김.
* 월명사창(月明紗窓): 달이 밝게 비치는 창.

5. 윗글의 서술상의 특징으로 가장 적절한 것은?

① 사건 진행 과정에서 과거와 현재가 교차되고 있다.
② 장면을 빈번하게 전환하여 긴박한 분위기를 조성하고 있다.
③ 공간적 배경을 활용하여 주제를 암시적으로 드러내고 있다.
④ 인물과 인물의 첨예한 갈등을 중심으로 사건이 전개되고 있다.
⑤ 인물의 심리를 서술자가 직접 제시하여 독자의 이해를 돕고 있다.

6. 윗글의 인물에 대한 이해로 적절하지 않은 것은?

① 양유는 여자가 남복을 입었다는 사람들의 말을 듣고 매화의 정체를 의심하고 있다.
② 매화는 부모의 허락을 전제로 양유의 청혼을 긍정적으로 받아들이고 있다.
③ 상객은 양유와 매화가 혼인하지 않으면 양유에게 불행이 닥칠 것을 예고하고 있다.
④ 병사는 매화의 용모와 양유의 적극적인 결혼 의지를 바탕으로 둘의 혼인에 대해 최 씨의 동의를 구하고 있다.
⑤ 최 씨는 매화의 근본을 핑계 삼아 양유와 매화의 혼인을 반대하고 있다.

7. <보기>를 참고할 때, ⓐ와 ⓑ에 대한 이해로 적절하지 않은 것은? [3점]

<보 기>

고전 소설 속에 삽입된 시는 서사 맥락 속에서 다양한 역할을 수행한다. 인물의 심리를 함축적으로 드러내거나 인물을 비유적으로 표현하기도 하고, 주제를 집약적으로 전달하기도 한다. 또한 사건을 전개시키거나 사건 전개의 방향을 암시하기도 하고 분위기 형성, 인물들 간의 의사소통의 매개체 역할을 수행하기도 한다.

① ⓐ는 양유의 심리 상태를 함축적으로 드러내고 있다.
② ⓐ를 본 후 매화가 ⓑ로 답한 것은 인물 간의 의사소통 행위로 볼 수 있다.
③ ⓑ에서 '나비'는 양유를, '꽃'은 매화를 비유적으로 표현한 것으로 볼 수 있다.
④ ⓑ를 본 후 양유가 매화에게 청혼한 것으로 볼 때 ⓑ는 사건을 전개하는 역할을 했다고 볼 수 있다.
⑤ ⓐ와 ⓑ는 양유와 매화의 앞날이 순탄하지 않을 것이라는 사건 전개의 방향을 암시하고 있다.

【8~11】 다음 글을 읽고 물음에 답하시오.

[앞부분 줄거리] 선관의 점지로 태어난 신유복은 어려서 부모를 잃고 유리걸식한다. 유복의 인물됨을 알아본 상주 목사는 호장의 딸 경패를 유복과 혼인하게 한다. 그러나 유복은 가난하다는 이유로 호장 부부, 경패의 두 언니, 그 남편 유소현, 김평의 미움을 받고 경패와 함께 쫓겨난다.

해는 서산에 걸렸다. 처녀가 저녁연기를 쫓아 밥을 빌러 다녔다. 유복이 처녀와 마을로 들어가 밥을 빌어먹고 방앗간을 찾아가 거적을 얻어다 깔고 둘이 마주 누워 팔을 베고 같이 자니 신세가 궁했다. 유복은 활달한 영웅이요, 처녀 역시 여자 중의 군자였다. 고어에 흥이 다하면 슬픔이 오고 괴로움이 다하면 즐거움이 온다고 하였는데 하늘이 어찌 어진 사람을 곤궁 속에 던져두시겠는가. 처녀도 유복의 늠름한 풍채와 잘 생긴 용모를 대하니 정이 깊이 들었다. 그러므로 고생을 어찌 한탄할 것인가. 이튿날 밥을 빌어먹고 처녀가 유복에게 말했다.
"슬프도다. 이 세상에서 가장 귀한 것이 사람인데, 사람만 못한 짐승도 집이 있건만, 우리는 어째서 의지할 곳조차 없나 하고 생각하면 애달픈 생각이 듭니다. 저 건너 북쪽 돌각담이 임자가 없는 것이니 돌각담을 헐고 움이나 한 간 묻어 봅시다."
동리로 재목과 이엉을 구걸하니 사람들이 불쌍히 여겨 서로 다투어가며 주었다. 처녀가 유복과 더불어 움을 묻고 거적을 얻어 깔고 밥을 빌어다가 나눠 먹고 그 밤을 지내니, 마치 커다란 저택에서 좋은 음식을 먹은 것같이 흐뭇하였다. 그러나 깊은 정이야 어디다 비할 수 있으랴. 남의 방앗간에서 잠자던 것은 한바탕 꿈이었다. 인근 사람들이 유복의 가련한 정상과 경패의 지극한 정성을 불쌍히 여겨 음식을 아끼지 않고 주며, 호장 부부를 욕하지 않는 사람이 없었다. 유복이 남의 집의 물도 길어주고 방아질도 해주니 허기를 면하였다. 그러나 의복이 없어 초라하였다.
처녀가 하루는 유복에게 말했다.

[A] ┌ "옛글에 '장부 세상에 나서 입신하여 세상에 이름을 드날려 문호를 빛나게 하며, 조상 향불을 빛나게 하라' 하였으니 문필을 배우지 않으면 공명을 어떻게 바라겠습니까? 그래서 옛 사람도 낮이면 밭 갈고, 밤이면 글을 읽어, 성공하여 길이길이 기린각에 화상을 그린 족자가 붙어 훗날에 유전하는 것을 장부다운 일로 여겼습니다. 무식한 사람으로 영
　└ 웅호걸이 되었다는 말은 듣지 못했습니다."
유복이 처녀의 말을 듣고 감동되어 말했다.

[B] ┌ "내 어려서 글자나 읽었지만 어찌 이런 마음이 없겠소마는 글을 배우려 한들 어디서 배우며 책 한 권도 없으니 어찌
　└ 겠소. 또한 장차 외로운 당신은 누구를 의지한단 말이요?"
낭자가 말했다.
"그것은 염려 마십시오. 나는 혼자라도 이 움을 떠나지 않을 것이오. 내가 양식을 당할 것이니 아무 염려 마십시오. 들리는 말에 의하면 뒤 절에 원강 대사라 하는 중이 도승이며, 또한 천하 문장이라 하니 거기 가서 간절히 부탁하면 글을 가르쳐 줄 듯하오니 올라가십시오."
낭자는 바로 나아가 책 한 권을 얻어다가 주며 말했다.
"공자의 나이 열세 살이니 팔 년을 공부하여 이십이 되거든 내려오십시오. 그렇게 하시면 반가이 맞아들이겠지만 만일 그 전에 내려오시면, 절대로 세상에 있지 않겠습니다."

이렇듯 가기를 재촉하였다. 유복이 낭자의 정성을 거절 못하여 책을 옆에 끼고 절로 올라갔다. 그리고 대사를 보고 자초지종을 말하니 대사는 유복을 보고 놀라며 위로하였다.

"십삼 년 전에 규성이 무주 땅에 떨어졌기 때문에 영웅이 난 줄 알았으나 다시 광명이 없기에 분명히 곤란이 있다는 것을 짐작했지만, 오늘에야 겨우 만나게 되었군. 장부의 초년고생은 영웅호걸의 사업 재료가 되는 법, 사람이 고초를 겪지 못하면 교만한 사람이 되리라."

그 날부터 글을 가르쳐 주니 유복은 본래 하늘의 선동이라 한 자를 가르치면 백 자를 능통하였다.

(중략)

유복은 그럭저럭 과거 날이 당도하여 과거 보는 장소의 기구를 차려 가지고 과거 보는 곳으로 들어갔다. 자리를 얻지 못하고 민망해 하다가 한 곳을 바라보니 유소현, 김평이 자리를 넓게 점령하고 앉았다. 그러나 저네들이 제 글을 짓지 못하여 남의 손을 빌려 과거를 보려고 주안을 많이 차려 같이 과거 보는 이를 관대히 대하고 있었다. 유복이 속마음에 반가워 그 옆으로 들어갔다. 세상에 용서받지 못할 놈이 유복을 보고 벌컥 화를 내며 꾸짖었다.

"이 거지 놈이 어디로 들어왔냐? 저놈을 어서 잡아내라. 사람이 많이 모인 것을 보고 쫓아 왔으니 빨리 잡아내라. 눈앞에서 썩 없어져라."

유복이 분한 마음을 먹고 다른 곳으로 가서 헌 거적을 얻어 깔고 앉았다. 이윽고 글 제목이 내어 걸리었다. 유복이 한번 보고 한숨에 줄기차게 써 내려가서 순식간에 제일 먼저 바치고 여관으로 돌아와 방 붙기를 기다리고 있었다.

그런데 유소현, 김평 두 놈이 겨우 남에게 글장이나 얻어 보고는 방 기다릴 염치가 없었던지 곧 출발하여 내려갔다. 이때 호장 부부와 경옥 경란이 반기며 나와 영접하였다. 술상을 차려 놓고 술을 권하니 그 두 놈이 널리 친구를 청하여 흥청댔다. 이때 경패 그 두 사람이 과거에 갔다가 무사히 돌아온 것을 알고 행여나 낭군을 과거 보는 장소에서 만나 보았는가 궁금히 여겨 소식을 들으러 갔었다. 마침 흘러나오는 소리를 들었다. 유소현, 김평이 바깥사랑에서 호장더러 '유복을 과거 보는 장소에서 만나 끌어 쫓아냈다.'는 말을 하니까 호장이 듣고 큰소리로 '그 놈을 잘 박대하였네.'하고 손뼉을 치며 말했다. 이때 낭자는 그 지껄이는 말을 듣고 낭군이 과거 보는 장소에 무사히 간 것을 알고 기뻐했으나 그 두 놈의 소위를 생각하면 패씸하기 짝이 없었다. 움집으로 돌아와 탄식하며 말했다.

"세상에 몹쓸 놈도 있구나. ⊙낭군이 타인과 달라 찾아갔으면 함께 과거를 볼 것이지 도리어 많은 사람 앞에서 모욕을 주다니! 낭군인들 오죽이나 분통이 터졌나?"

겨죽을 쑤어 놓고 먹으려 하나 목이 메어 못 먹고 하늘을 우러러 축원하였다.

"유유히 공중 높이 솟아 있는 일월은 굽어 살피소서. 낭군의 몸이나 무사히 돌아오게 하여 주옵소서."

낭자는 몹시 서러워하였다.

유복이 궐문 밖에서 기다리고 있었다. 이 날 전하께서 시험관을 데리고 글을 고르시더니 갑자기 유복의 글을 보시고 칭찬하시었다.

"이 글은 만고의 충효를 겸하였으니 만장 중에 제일이라."

급히 비밀히 봉한 것을 뜯어보시니 전라도 무주 남면 고비촌 신유복이라 있었다. 그래서 장원랑의 신유복을 대궐에 입시시키라고 하교를 전달하는 전명사알에게 하교하시었다.

— 작자 미상, 「신유복전(申遺腹傳)」 —

8. 윗글의 서술상 특징으로 가장 적절한 것은?

① 순간적으로 장면을 전환하여 사건의 환상적 면모를 부각하고 있다.

② 서술자가 등장인물이나 사건에 대한 자신의 생각을 직접 드러내고 있다.

③ 장면마다 서술자를 달리 설정하여 사건의 전모를 명확히 드러내고 있다.

④ 시대적 배경에 대한 요약적 설명을 통해 사건의 인과 관계를 드러내고 있다.

⑤ 인물의 외양을 과장되게 묘사하여 부정적 인물에 대한 풍자를 드러내고 있다.

9. [A]와 [B]에 나타난 인물의 말하기에 대한 설명으로 적절하지 <u>않은</u> 것은?

① [A]에서 경패는 옛글을 인용하여 상대방의 각성을 촉구하고 있다.

② [A]에서 경패는 상대방의 동정심에 호소해 자신의 결정을 따르도록 유도하고 있다.

③ [A]에서 경패는 설의적 물음을 구사하여 자신의 의중을 상대방에게 드러내고 있다.

④ [B]에서 유복은 자신의 현재 처지를 들어 답답한 심경을 토로하고 있다.

⑤ [B]에서 유복은 상대방이 처하게 될 상황을 우려하여 행동에 나서기를 주저하고 있다.

10. ⊙에 나타난 '경패'의 마음을 속담으로 표현할 때, 가장 적절한 것은?

① '선무당이 사람 잡는다'라고 어설픈 행동을 마구 일삼아 낭군을 곤경에 빠뜨리려 했군.
② '믿는 도끼에 발등 찍힌다'라고 낭군이 철석같이 믿었던 사람들인데 도리어 배신하고 괴로움을 주었군.
③ '달면 삼키고 쓰면 뱉는다'라고 베풀어 준 은혜도 모르고 낭군이 어려울 때 헌신짝처럼 도리를 저버렸군.
④ '동냥은 못 줘도 쪽박은 깨지 마라'라고 도움을 주지는 못할망정 낭군을 곤란한 지경에 처하게 만들었군.
⑤ '닭 잡아먹고 오리발 내민다'라고 얕은꾀로 자신들의 이익을 취하고도 낭군에게 아무 잘못이 없는 척했군.

11. <보기>를 바탕으로 윗글을 정리할 때, ⓐ~ⓔ에 대한 설명으로 적절하지 <u>않은</u> 것은? [3점]

< 보 기 >

「신유복전」은 하늘에서 내려온 적강(謫降)의 인물인 유복의 일대기를 다룬 영웅담이다. 이 소설에는 쫓겨난 여성이 남편을 출세시키는 이야기인 '쫓겨난 여인 발복(發福) 설화'가 수용되어 있다. 이 소설은 대체로 아래와 같은 기본 구조를 바탕으로 서사가 전개된다.

| 적강을 한 남성 주인공이 태어남. …… ⓐ |
| ↓ |
| 비천한 처지의 남성 주인공이 뛰어난 품성을 지닌 여성 주인공과 인연을 맺음. …… ⓑ |
| ↓ |
| 주인공들이 친지에 의해 쫓겨나 고난을 겪음. …… ⓒ |
| ↓ |
| 여성 주인공의 뜻에 따라 남성 주인공이 수학(修學)함. …… ⓓ |
| ↓ |
| 남성 주인공이 시험을 통과해 입신출세함. …… ⓔ |

① ⓐ : 규성이 무주 땅에 떨어져서 영웅이 난 줄 알았다는 원강 대사의 말에서 유복이 적강의 인물임이 제시된다.
② ⓑ : 떠돌아다니는 처지였던 유복이 여자 중의 군자인 경패와 부부가 되어 서로 사랑하며 살아간다.
③ ⓒ : 호장 부부에 의해 쫓겨나고 인근 동리 사람들에게조차 외면을 당하여 움집에서 곤궁하게 살아간다.
④ ⓓ : 이십이 될 때까지는 절에서 내려오지 말라는 경패의 뜻에 따라 유복이 원강 대사에게 글을 배운다.
⑤ ⓔ : 유복이 과거 시험에서 뛰어난 실력을 발휘하여 장원 급제하고 전하의 명령으로 대궐에 입시하게 된다.

총 문항				문항	맞은 문항					문항
개별 문항	1	2	3	4	5	6	7	8	9	10
채점										
개별 문항	11	12	13	14	15	16	17	18	19	20
채점										

IV

고 전 시 가

 **Ⅳ** 고전 시가

출제 트렌드

고전 시가도 고전 산문처럼 작품의 범위가 한정적인 편입니다. 그럼에도 문학 영역에서 수험생들이 가장 어려워하는 갈래가 바로 고전 시가일 것입니다. 그 이유는 어휘가 낯설어 해석이 어렵기 때문인데, 맞힌 문제라고 하더라도 뜻을 정확히 모르는 어휘가 있었다면 짚고 넘어가는 것이 좋습니다. 다행히도 강호한정, 연군지정, 이별과 그리움 등 주로 출제되는 주제가 정해져 있으므로 주제가 무엇인지 파악하면 내용을 어느 정도 가늠할 수 있습니다. 현대시와 마찬가지로 화자의 정서와 태도가 중요하며, 표현상의 특징과 소재의 기능을 파악하는 문제가 자주 출제됩니다. 고전 시가의 여러 갈래 중에서도 특히 시조와 가사의 출제 빈도가 높으니 주요 작품들은 완전하게 해석할 수 있을 만큼 공부해 두는 것이 좋습니다. 2021학년도부터는 고전 시가 단독 지문은 출제되지 않았으며 주로 수필과 함께 묶여 갈래 복합 지문으로 출제되고 있습니다. 그렇다고 해서 비중이 작아진 것은 아니므로 고전 시가 학습은 꾸준히 성실하게 할 필요가 있습니다.

시행	출제 지문	문제 수	난이도
2020학년도 11월 학평	정철, '훈민가' / 작자 미상, '복선화음록'	4문제 출제	★★☆
2020학년도 9월 학평	윤선도, '어부사시사' / 남석하, '초당춘수곡'	3문제 출제	★★☆
2019학년도 9월 학평	어무적, '유민탄' / 이별, '장육당육가'	3문제 출제	★★★

1등급 꿀팁

하나 _ 고전 시가의 대표적인 주제에 맞는 작품들을 분석하자.

두울 _ 빈출 작품은 현대어 풀이를 외워 두자.

세엣 _ 낯선 고어의 뜻을 정확히 이해하고 넘어가는 습관을 들이자.

네엣 _ 화자의 정서와 태도는 운문 문학을 이해하는 데 기초가 된다는 점을 명심하자.

다섯 _ 고전 갈래가 주는 당대의 내용적, 형식적 특징을 미리 알아 두자.

여섯 _ 시 문학에서 사용되는 다양한 표현 방법들을 알아 두자.

일곱 _ 제목의 의미를 알아 둔다면 작품의 상황과 분위기를 감지할 수 있음을 기억하자.

다음 글을 읽고 물음에 답하시오.

(가)
석양(夕陽)이 비꼈으니 그만하고 돌아가자
돛 내려라 돛 내려라
버들이며 물가의 꽃은 굽이굽이 새롭구나
지국총 지국총 어사와
㉠삼공(三公)*을 부러워하랴 만사(萬事)를 생각하랴
<춘(春) 6>

궂은 비 멎어 가고 시냇물이 맑아 온다
빈 떠라 빈 떠라
낚싯대 둘러메니 깊은 흥(興)을 못 금(禁)하겠다
지국총 지국총 어사와
㉡연강(煙江)* 첩장(疊嶂)*은 뉘라서 그려낸고
<하(夏) 1>

㉢물외(物外)에 조흔 일이 어부 생애 아니러냐
빈 떠라 빈 떠라
어옹(漁翁)을 욷디 마라 그림마다 그렷더라
지국총 지국총 어사와
사시(四時) 흥(興)이 혼 가지나 **추강(秋江)**이 으뜸이라
<추(秋) 1>

㉣물가의 외로운 솔 혼자 어이 씩씩흔고
빈 미어라 빈 미어라
험한 구름 혼(恨)치 마라 세상(世上)을 가리운다
지국총 지국총 어사와
㉤파랑성(波浪聲)*을 싫어 마라 진훤(塵喧)*을 막는도다
<동(冬) 8>
– 윤선도, 「어부사시사(漁父四時詞)」 –

* 삼공: 삼정승으로, 영의정, 좌의정, 우의정을 일컬음.
* 연강: 안개 긴 강.
* 첩장: 겹겹이 둘러싼 산봉우리.
* 파랑성: 물결 소리.
* 진훤: 속세의 시끄러움.

(나)
초당 늦은 날에 깊이 든 잠 겨우 깨어
대창문을 바삐 열고 작은 뜰에 방황하니
시내 위의 버들잎은 봄바람을 먼저 얻어
위성 땅 아침 비*에 원객(遠客)의 근심이라
수풀 아래 **뻐꾹새**는 계절을 먼저 알아
태평세월 들일에는 **농부**를 재촉한다
아아 내 일이야 잠을 깨어 생각하니

세상의 모든 일이 모두가 허랑(虛浪)하다
공명(功名)이 때가 늦어 백발은 귀밑이요
산업(産業)에 꾀가 없어 초가집 몇 칸이라
백화주 두세 잔에 산수에 **정**이 들어
홍도 벽도(紅桃碧桃)* 난발(爛發)한데 지팡이 짚고 들어가니
산은 첩첩 기이하고 물은 청청 깨끗하다
안개 걷혀 구름 되니 남산 서산 백운(白雲)이요
구름 걷혀 안개 되니 계산 안개 봉이 높다
앉아 보고 서서 보니 별천지가 여기로다
때 없는 두 귀밑을 돌시내에 다시 씻고
탁영대(濯纓臺) 잠깐 쉬고 세심대(洗心臺)로 올라가니
풍대(風臺)의 맑은 바람 심신이 시원하고
월사(月榭)의 **밝은 달**은 맑은 의미 일반이라
– 남석하, 「초당춘수곡(草堂春睡曲)」 –

* 위성 땅 아침 비: 왕유의 시 구절로 벗과 이별하던 장소에 아침 비가 내리는 풍경을 말함.
* 홍도 벽도: 복숭아 꽃.

30. (가)와 (나)에 대한 설명으로 적절하지 않은 것은?
① (가)의 '버들'과 (나)의 '뻐꾹새'는 계절감을 드러내는 소재이다.
② (가)의 '흥'과 (나)의 '정'은 자연에서 화자가 느끼는 정서이다.
③ (가)의 '어옹'과 (나)의 '농부'는 화자의 처지에 공감하는 인물이다.
④ (가)의 '추강'과 (나)의 '밝은 달'은 화자가 긍정적으로 인식하는 대상이다.
⑤ (가)의 '낚싯대'와 (나)의 '백화주'는 풍류를 즐기는 화자의 모습을 드러내는 소재이다.

6분 | 2020학년도 11월 학평 39~42번 | ★★☆ | 정답 041쪽

【1~4】 다음 글을 읽고 물음에 답하시오.

(가)

무율 사롬들하 올흔 일 하쟈스라
사름이 되여 나셔 올티곳 못하면
무쇼를 갓 곳갈 싀워 밥 머기나 다르랴
<제8수>

풀목 쥐시거든 두 손으로 바티리라
나갈 데 겨시거든 막대 들고 ⓐ조츠리라
향음쥬 다 파흔 후에 뫼셔 가려 하노라
<제9수>

오늘도 다 새거다 호미 메고 가쟈스라
내 논 다 매여든 네 논 졈 매여 주마
올 길에 뽕 따다가 누에 먹겨 보쟈스라
<제13수>

― 정철, 「훈민가」 ―

(나)

일곱 되 사온 쌀 꾸어 온 쌀 두 되 갑고
부족타 하지 않는 말이 뜻을 순하게 하오미라
깨진 그릇 좋단 말은 시가를 존중하미라
날고 기는 개 달긴덜 어른 압헤 감히 치며
부인의 목소리를 문 밧게 감히 내며
해가 져셔 황혼되니 무탈과경* 다행이요
달기 우러 새벽 되면 오는 날을 엇지 할고
전전긍긍 조심 마음 시각을 노흘손가
행여 혹시 눈 밖에 날가 조심도 무궁하다
㉠친정에 편지하여 서러운 스셜 불가하다
시원치 아닌 달란 말이 한 번 두 번 아니여든
번번이 염치 읍시 편지마다 하잔 말가
㉡빈궁(貧窮)이 내 팔즈니 뉘 탓슬 하잔 말가
설매를 보내어서 이웃집에 꾸러가니
도라와서 우넌 말이 전에 꾼 쌀 아니 주고
㉢염치 읍시 또 왔너냐 두 말 말고 바삐 가라
한심하다 이 내 몸이 금의옥식 길녀 느셔
전곡(錢穀)을 모르다가 일조(一朝)에 이을 보니
이목구비 남 갓트되 엇지 이리 되얏넌고
수족이 건강하니 내 힘써 벌게 되면
어느 뉘가 시비하리 천한 욕을 면하리라
분한 마음 다시 먹고 치산범절* 힘쓰리라
김장즈 이부즈가 제 근본 부즈런가
㉣밤낮으로 힘써 벌면 난들 아니 부즈될가
오색당즈 가는 실을 오리오리 즈아내니
유황제 곤베틀에 필필이 즈아내어
한림 주셔 관복감이며 병스 수스 군복감이며
㉤길쌈도 하려니와 전답 으더 역농하니
때를 맞춰 힘써 하니 가업이 초성*이라

(중략)

산에 가 제수하기 절에 가 불공하기
불효부제* 제살흔덜 귀신인덜 도와줄가
악병이며 중병이며 이질이며 구창이며
이질 앓던 시아버지 초상흔덜 상관하랴
저의 심스 그러하니 서방인덜 온전할가
아들 죽고 우넌 말이 아기딸이 마저 죽어
세간이 탕진하니 노복인덜 잇슬손가
제스음식 츠릴 적에 정셩 읍시 하엿스니
앙화(殃禍)가 엇지 읍실손가 셋째 아들 반신불수
문전옥답 큰 농장이 물난리에 내가 되고
안팎 기와 수백간이 불이 붓터 밧치 되고
태산갓치 쌓인 전곡 뉘 물건이 되단말가
참혹하다 괴똥어미 단독일신 뿐이로다
일간 움집 으더 드니 기한(飢寒)을 견딜손가
다 떠러진 베치마를 이웃집의 으더 입고
뒤축 읍넌 흔 집신을 짝을 모와 으더 신고
압집에 가 밥을 ⓑ빌고 뒤집에 가 장을 빌고
초요기를 겨우 하고 불 못때넌 찬 움집에
헌 거적을 뒤여스고 밤을 겨우 새여느셔
새벽 바람 찬바람에 이 집 가며 저 집 가며
다리 절고 곰배팔에 희희소리 요란하다
불효악행 하던 죄로 앙화를 바더시니
복선화음* 하넌 줄을 이를 보면 분명하다
딸아딸아 요내딸아 시집스리 조심하라
어미 행실 본을 바다 괴똥어미 경계하라

― 작자 미상, 「복선화음록」 ―

*무탈과경: 아무 탈 없이 하루를 보냄.
*치산범절: 재산을 늘리는 일.
*초성: 기반이 마련됨.
*불효부제: 효도와 공경을 하지 않음.
*복선화음: 착한 이에게 복을 주고 악한 이에게 재앙을 줌.

1. (가)와 (나)의 공통점으로 가장 적절한 것은?
① 청유형 어미를 활용하여 대상을 예찬하고 있다.
② 선경후정 방식을 활용하여 시상을 전개하고 있다.
③ 고사성어를 활용하여 주제 의식을 강조하고 있다.
④ 유사한 통사 구조를 활용하여 운율을 형성하고 있다.
⑤ 계절의 순환을 활용하여 시적 의미를 부각하고 있다.

2. ㉠~㉤을 이해한 내용으로 적절하지 <u>않은</u> 것은?

① ㉠: 자신의 서러운 처지를 친정에 알리기 어려워하고 있는 화자의 모습이 나타나 있다.

② ㉡: 가난의 원인을 타인의 잘못이 아닌 자신의 운명으로 돌리는 화자의 모습이 나타나 있다.

③ ㉢: 쌀을 꾸러 찾아간 이웃집에서 들은 말을 설매에게 하소연하는 화자의 모습이 나타나 있다.

④ ㉣: 자신도 김 장자와 이 부자처럼 부자가 될 수 있다고 생각하는 화자의 모습이 나타나 있다.

⑤ ㉤: 재산을 늘리기 위해 열심히 일하는 화자의 모습이 나타나 있다.

---

3. ⓐ와 ⓑ에 대한 이해로 가장 적절한 것은?

① ⓐ는 타인을 위한, ⓑ는 자신을 위한 주체의 행위를 의미한다.

② ⓐ는 절망감이 반영된, ⓑ는 기대감이 반영된 주체의 행위를 의미한다.

③ ⓐ는 단절을 초래하는, ⓑ는 화합을 유도하는 주체의 행위를 의미한다.

④ ⓐ는 자연에 순응하는, ⓑ는 자연으로 도피하는 주체의 행위를 의미한다.

⑤ ⓐ는 제기된 문제를 해결하기 위한, ⓑ는 해결된 문제의 원인을 찾기 위한 주체의 행위를 의미한다.

---

4. <보기>를 바탕으로 (가)와 (나)를 감상한 내용으로 적절하지 <u>않은</u> 것은? [3점]

> ─────〈 보 기 〉─────
> 조선 시대에는 옳은 일의 실천, 어른 공경, 상부상조, 부녀자의 덕목과 같은 가르침을 전달하고자 하는 작품들이 있었다. 이러한 작품들은 가르침의 전달 효과를 높이기 위해 비유 대상 혹은 화자와 대비되는 대상을 활용하고, 구체적인 청자를 제시했다. 또한 화자가 스스로 실천하려는 행위를 제시하는 방식을 활용하여 설득 효과를 높이기도 하였다.

① (가)에서 '갓 곳갈'을 쓰고 '밥'을 먹는 'ᄆᆞ쇼'를 통해, 비유 대상으로 옳은 일의 실천을 강조하고 있음을 짐작할 수 있군.

② (나)에서 '이질 앓던 시아버지'를 도와주지 않는 '귀신'을 통해, 화자와 대비되는 대상으로 상부상조를 강조하고 있음을 짐작할 수 있군.

③ (가)의 'ᄆᆞᆯ 사람들'에게 '올흔 일 ᄒᆞ쟈스라'라고 한 것과 (나)의 '딸'에게 '시집ᄉᆞ리 조심ᄒᆞ라'라고 한 것을 통해, 구체적인 청자를 제시하고 있음을 짐작할 수 있군.

④ (가)의 '풀목'을 '쥐시'면 '두 손으로 바티리라'는 것을 통해 어른에 대한 공경을, (나)의 '시가를 존중'하여 '깨진 그릇 좋단 말'을 한 것을 통해 부녀자의 덕목을 드러내고 있음을 짐작할 수 있군.

⑤ (가)의 '내'가 자신의 '논'을 다 매거든 '네 논'도 매어 준다는 것과 (나)의 '수족이 건강'한 '내'가 '힘써' 벌겠다는 것을 통해, 화자가 스스로 실천하려는 행위를 제시하고 있음을 짐작할 수 있군.

【5~7】 다음 글을 읽고 물음에 답하시오.

(가)

석양(夕陽)이 비꼈으니 그만하고 돌아가자
돛 내려라 돛 내려라
버들이며 물가의 꽃은 굽이굽이 새롭구나
지국총 지국총 어사와
㉠삼공(三公)*을 부러워하랴 만사(萬事)를 생각하랴
　　　　　　　　　　　　　　<춘(春) 6>

궂은 비 멎어 가고 시냇물이 맑아 온다
비 떠라 비 떠라
낚싯대 둘러메니 깊은 흥(興)을 못 금(禁)하겠다
지국총 지국총 어사와
㉡연강(煙江)* 첩장(疊嶂)*은 뉘라서 그려낸고
　　　　　　　　　　　　　　<하(夏) 1>

㉢물외(物外)에 조흔 일이 어부 생애 아니러냐
비 떠라 비 떠라
어옹(漁翁)을 욷디 마라 그림마다 그럿더라
지국총 지국총 어사와
사시(四時) **흥(興)**이 ᄒᆞᆫ 가지나 **추강(秋江)**이 으뜸이라
　　　　　　　　　　　　　　<추(秋) 1>

㉣물가의 외로운 솔 혼자 어이 씩씩ᄒᆞ고
비 ᄆᆡ여라 비 ᄆᆡ여라
험한 구름 흔(恨)치 마라 세상(世上)을 가리운다
지국총 지국총 어사와
㉤파랑성(波浪聲)*을 싫어 마라 진훤(塵喧)*을 막ᄂᆞᆫ도다
　　　　　　　　　　　　　　<동(冬) 8>
　　　　　　　　　　– 윤선도, 「어부사시사(漁父四時詞)」 –

* 삼공: 삼정승으로, 영의정, 좌의정, 우의정을 일컬음.
* 연강: 안개 긴 강.
* 첩장: 겹겹이 둘러싼 산봉우리.
* 파랑성: 물결 소리.
* 진훤: 속세의 시끄러움.

(나)

초당 늦은 날에 깊이 든 잠 겨우 깨어
대창문을 바삐 열고 작은 뜰에 방황하니
시내 위의 버들잎은 봄바람을 먼저 얻어
위성 땅 아침 비*에 원객(遠客)의 근심이라
수풀 아래 **뻐꾹새**는 계절을 먼저 알아
태평세월 들일에는 **농부**를 재촉한다
아아 내 일이야 잠을 깨어 생각하니
세상의 모든 일이 모두가 허랑(虛浪)하다
공명(功名)이 때가 늦어 백발은 귀밑이요
산업(産業)에 꾀가 없어 초가집 몇 칸이라
백화주 두세 잔에 산수에 **정**이 들어
홍도 벽도(紅桃碧桃)* 난발(爛發)한데 지팡이 짚고 들어가니
산은 첩첩 기이하고 물은 청청 깨끗하다
안개 걷어 구름 되니 남산 서산 백운(白雲)이요
구름 걷혀 안개 되니 계산 안개 봉이 높다

앉아 보고 서서 보니 별천지가 여기로다
때 없는 두 귀밑을 돌시내에 다시 씻고
탁영대(濯纓臺) 잠깐 쉬고 세심대(洗心臺)로 올라가니
풍대(風臺)의 맑은 바람 심신이 시원하고
월사(月榭)의 **밝은 달**은 맑은 의미 일반이라
　　　　　　 － 남석하, 「초당춘수곡(草堂春睡曲)」 －

> *위성 땅 아침 비: 왕유의 시 구절로 벗과 이별하던 장소에 아침 비가 내리
> 　는 풍경을 말함.
> *홍도 벽도: 복숭아 꽃.

5. (가)와 (나)의 공통점으로 가장 적절한 것은?
① 의인화된 대상을 통해 세태를 비판하고 있다.
② 설의적 표현을 통해 시적 의미를 강조하고 있다.
③ 영탄적 어조를 통해 화자의 정서를 부각하고 있다.
④ 촉각적 심상을 통해 시적 분위기를 조성하고 있다.
⑤ 역설적 표현을 통해 이상향에 대한 의지를 드러내고 있다.

6. (가)와 (나)에 대한 설명으로 적절하지 <u>않은</u> 것은?
① (가)의 '버들'과 (나)의 '뻐꾹새'는 계절감을 드러내는 소재이다.
② (가)의 '흥'과 (나)의 '정'은 자연에서 화자가 느끼는 정서이다.
③ (가)의 '어옹'과 (나)의 '농부'는 화자의 처지에 공감하는 인물이다.
④ (가)의 '추강'과 (나)의 '밝은 달'은 화자가 긍정적으로 인식하는 대상이다.
⑤ (가)의 '낚싯대'와 (나)의 '백화주'는 풍류를 즐기는 화자의 모습을 드러내는 소재이다.

7. <보기>를 참고하여 ㉠~㉤을 감상한 내용으로 적절하지 <u>않</u>은 것은? [3점]

> ─────── <보 기> ───────
> 　(가)에는 속세를 벗어나 자연의 아름다움을 즐기면서 유유자적한 삶을 살고자 하는 화자의 모습이 드러나 있다. 이 작품에서 자연은 화자가 지향하는 공간으로 인간 세상과 대립되는 공간을 의미한다. 화자는 인간 세상을 멀리하고 자연에 귀의하고자 하는 태도를 보이고 있다.

① ㉠은 속세의 사람들이 추구하는 가치에서 벗어난 화자의 모습을 드러낸다고 볼 수 있군.
② ㉡은 화자가 자연의 아름다움에 감탄하며 이를 즐기고 있다고 볼 수 있군.
③ ㉢은 인간 세상과 대립되는 자연으로 화자가 지향하는 공간으로 볼 수 있군.
④ ㉣은 자연에 귀의하지 못한 사람으로 화자가 안타까워하는 대상으로 볼 수 있군.
⑤ ㉤은 인간 세상을 멀리하고자 하는 화자의 태도를 드러낸다고 볼 수 있군.

[8~10] 다음 글을 읽고 물음에 답하시오.

(가)

백성들의 어려움이여, 백성들의 어려움이여	蒼生難蒼生難
흉년 들어 ㉠너희들은 먹을 것이 없구나	年貧爾無食
㉡나는 너희들을 구제할 마음이 있어도	我有濟爾心
너희들을 구제할 힘이 없구나	而無濟爾力
백성들의 괴로움이여, 백성들의 괴로움이여	蒼生苦蒼生苦
날이 추워 네가 이불이 없을 때	天寒爾無衾
㉢저들은 너희들을 구제할 힘이 있어도	彼有濟爾力
너희들을 구제할 마음이 없구나	而無濟爾心
원컨대, 잠시라도 소인배의 마음을 돌려서	願回小人腹
군자의 생각을 가져 보게나	暫爲君子慮
군자의 귀를 빌려	暫借君子耳
백성의 말을 들어 보게나	試聽小民語
백성은 할 말 있어도 임금은 알지 못하니	小民有語君不知
오늘 백성들은 모두 살 곳을 잃었구나	今歲蒼生皆失所
궁궐에서는 매양 백성을 걱정하는 조서 내리는데	北闕雖下憂民詔
지방 관청에 전해져서는 한갓 헛된 종이 조각	州縣傳看一虛紙
서울에서 관리를 보내 백성의 고통을 물으려	特遣京官問民瘼
역마로 날마다 삼백 리를 달려도	馹騎日馳三百里
백성들은 문턱에 나설 힘도 없어	吾民無力出門限
어느 겨를에 마음속 일을 말이나 하겠소	何暇面陳心內事
비록 한 고을에 한 서울 관리 온다고 해도	縱使一郡一京官
서울 관리는 귀가 없고 백성은 입이 없다네	京官無耳民無口
급회양* 같은 착한 관리를 불러다가	不如喚起汲淮陽
아직 죽지 않은 백성을 구해봄만 못하리라	未死孑遺猶可救

— 어무적, 「유민탄(流民歎)」 —

*급회양: 중국 한나라 때 선정(善政)을 베푼 것으로 유명한 태수.

(나)

내 이미 **백구** 잊고 백구도 **나**를 잊네
둘이 서로 잊었으니 누군지 모르리라
언제나 해옹을 만나 이 둘을 가려낼꼬

붉은 잎 산에 가득 **빈 강**에 쓸쓸할 때
가랑비 낚시터에 낚싯대 제 맛이라
세상에 득 찾는 **무리** 어찌 알기 바라리

내 귀가 시끄러움 네 바가지 버리려믄
네 귀를 씻은 샘에 내 소는 못 먹이리*
공명은 해진 신이니 벗어나서 즐겨보세
옥계산 흐르는 물 못 이루어 **달** 띄우네
맑으면 갓끈 씻고 흐리거든 발 씻으리
어쩌타 **세상 사람 청탁(淸濁)*** 있는 줄 모르는고

— 이별, 「장육당육가(藏六堂六歌)」 —

*네 귀를~못 먹이리: 벼슬 제안을 듣고 귀가 더럽혀졌다며 영수에 귀를 씻은 허유와 그 물을 소에게도 먹이지 않으려 했다는 소부의 고사에서 차용한 것임.
*청탁: 맑음과 흐림을 아울러 이르는 말.

8. (가)와 (나)에 대한 설명으로 가장 적절한 것은?
① (가)는 (나)와 달리 색채 대비를 통해 시적 분위기를 환기하고 있다.
② (가)는 (나)와 달리 선경후정의 방식을 통해 시상을 전개하고 있다.
③ (나)는 (가)와 달리 대구적 표현을 사용하여 시적 운율감을 형성하고 있다.
④ (가)와 (나) 모두 설의적 표현을 활용하여 시적 의미를 부각하고 있다.
⑤ (가)와 (나) 모두 자연물에 인격을 부여하여 화자의 정서를 드러내고 있다.

9. ㉠~㉢에 대한 설명으로 적절하지 않은 것은?
① ㉠은 자신들의 삶을 돌보지 않는 ㉡을 원망하고 있다.
② ㉡은 ㉠을 구제하지 못하는 것에 안타까움을 느끼고 있다.
③ ㉡은 ㉢이 군자와 같은 생각을 갖기를 바라고 있다.
④ ㉢은 ㉠의 삶을 구제할 힘을 지니고 있다.
⑤ ㉢은 ㉠이 겪고 있는 문제를 해결하지 않고 있다.

10. <보기>를 참고하여 (나)를 감상한 내용으로 적절하지 <u>않은</u> 것은? [3점]

─── <보 기> ───

(나)는 갑자사화로 인해 유배되었다 풀려난 작가가 옥계산에 은거하며 쓴 작품이다. 이 작품을 통해 작가는 세속적 가치를 멀리하고 자연 속에서 자연과 하나 되어 풍류를 즐기는 삶을 추구하고 있음을 보여주고 있다. 또한 옳고 그름을 분간하지 못하는 사람들을 비판하면서 분별 있는 삶의 자세에 대한 의지도 드러내고 있다.

---

① '백구'와 '나'가 서로 잊어 누군지 모른다는 것에서 화자가 자연과 하나가 된 삶을 살고 있음을 보여주는군.

② '빈 강'에서 쓸쓸해 하는 모습에서 유배되었다 풀려나도 '득 찾는 무리'로부터 벗어나기 어려운 화자의 현실이 드러나는군.

③ '공명'을 '해진 신'에 비유한 것에서 화자가 세속적 삶의 가치를 멀리하고 있음이 드러나는군.

④ '옥계산'에서 '물', '달'과 함께 지내는 모습에서 화자의 자연 친화적 삶의 태도가 드러나는군.

⑤ '세상 사람'을 '청탁'을 모르는 사람들로 여기는 것에서 맑고 탁함을 분간할 수 있어야 한다는 화자의 인식이 드러나는군.

총 문항				문항	맞은 문항				문항
개별 문항	1	2	3	4	5	6	7	8	9	10
채점										
개별 문항	11	12	13	14	15	16	17	18	19	20
채점										

6분　2018학년도 11월 학평 29~32번　★★☆　정답 044쪽

【1~4】 다음 글을 읽고 물음에 답하시오.

(가)

㉠남은 다 쟈는 밤에 내 어이 홀로 씨야
옥장(玉帳) 깊푼 곳에 쟈는 님 싱각는고
㉡천리(千里)예 외로운 쑴만 오락가락 호노라

- 송이 -

(나)

그립고 그리워도 볼 수가 없어
마음은 바람에 나부끼는 종이 연 같아라
㉢돗자리라면 말아 두고 돌이라면 굴러 낼 수 있으련만
이 마음의 응어리 어느 때나 고칠까
그리운 사람은 멀리 하늘 모퉁이에 있는데
구름 뜬 하늘 아래 늘어진 푸른 버들
아득한 시름은 끝이 없어라
㉣홀로 앉아 공후를 타니
공후는 하소연하는 듯 흐느끼는 듯
다 타도록 비단 적삼 젖는 줄도 몰랐네
원컨대 쌍쌍이 나는 재가 되어서
임 향한 창 앞에 서 있고자
원컨대 **밝은 달이 되어**
임의 창문 휘장 뚫어 비춰 들고자
㉤슬픈 노래 잠 못 드는 밤 어찌 이리 긴고
꿈속에서도 요산 남쪽 건너지 못하였네
기나긴 그리움에 공연히 애만 끊노라

- 성현, 「장상사(長相思)」 -

(다)

명황(明皇)*은 귀비(貴妃)*를 주겨나 여희여니
셟다 셟다 흔들 우리 구티 셜울런가
사라셔 못 보니 더욱 흐나 망극(罔極)ᄒ다
수심(愁心)은 블이 되여 가슴애 픠어나니
절로 난 그 블이 **놈의 탓도 아니로되**
내히 하 셜워 수인씨(燧人氏)*룰 원(怨)ᄒ노라
함양궁전(咸陽宮殿)*이 다믄 삼월(三月) 블거셔도
지금(至今)에 그 블롤 오래 타다 ᄒ것마는
이 원수(怨讎) 이 블은 몃 삼월(三月)을 디내연고
눈물은 임우(霖雨)이 되고 한숨은 ᄇ람이 되여
블거니 쓰리거니 그츨 적도 업서시니
이 비로 뎌 블을 쎔즉도 ᄒ다마는
엇찌흔 별인디 풍우중(風雨中)에 트노왜라
수화상극(水火相克)*도 거줏말이 되엿고야
픠거니 쓰리거니 승부(勝負) 업시 싸호거든
죠고만흔 몸은 전장(戰場)이 되엿느다
아이고 하느님아
칠석(七夕)비 느리워 이 싸홈 말이쇼셔
어엿썬 이 몸은 살가 너겨 ᄇ라닌다

알고져 전생(前生)의 므슴 죄(罪)룰 지어두고
여휠 제 검던 머리 희도록 못 보는고
ᄉ랑은 혜염업서* 노소(老少)도 모르는가
십년전(十年前) 맹서(盟誓)룰 오늘 믄득 싱각ᄒ니
금석(金石) 구튼 말쑴이 어제론덧 그제론덧 귀예 징징ᄒ야시니
이 ᄆᄋᆞᆷ 이 맹서(盟誓) 진토(塵土)이 되다 니줄소냐
아소온 **내 쯧은 다시 볼가 ᄇ라거든**
일년(一年) 삼백일(三百日)에 니친 홀니 이실소냐

　　　　　- 박인로, 「상사곡(相思曲)」 -

* 명황, 귀비: 당나라 현종과 양귀비. 안사의 난으로 양귀비가 죽음.
* 수인씨: 중국 고대 전설상의 제왕. 불을 쓰는 법을 전하였다고 함.
* 함양궁전: 진나라 때 중국 함양에 지어진 궁전으로 항우가 불태웠는데 삼 개월 동안 꺼지지 않았다고 함.
* 수화상극: 물과 불은 서로 용납하지 않는다는 뜻.
* 혜염업서: 생각이 없어서.

1. (가) ~ (다)에 대한 공통점으로 가장 적절한 것은?
① 의문형 표현을 활용하여 화자의 정서를 강조하고 있다.
② 색채어를 활용하여 대상을 감각적으로 형상화하고 있다.
③ 언어유희를 활용하여 화자의 태도를 해학적으로 표현하고 있다.
④ 풍자의 기법을 활용하여 대상에 대한 비판 의식을 드러내고 있다.
⑤ 계절감을 나타내는 시어를 활용하여 시적 분위기를 조성하고 있다.

2. ㉠ ~ ㉤에 대한 설명으로 적절하지 <u>않은</u> 것은?
① ㉠: '남'과 화자의 서로 다른 상황을 통해 화자가 놓인 외로운 처지를 표현하고 있다.
② ㉡: 화자의 '쑴'을 통해 화자가 먼 곳에서 여유롭게 살고자 하는 염원을 표현하고 있다.
③ ㉢: '돗자리', '돌'과 대비되는 화자의 마음을 통해 화자의 맺혀 있는 감정을 강조하고 있다.
④ ㉣: 화자가 연주하는 '공후'의 소리를 통해 화자의 답답함과 슬픔을 표현하고 있다.
⑤ ㉤: 화자가 '밤'에 잠을 자지 못하는 상황을 통해 화자의 애절한 감정을 강조하고 있다.

3. <보기>를 바탕으로 (나)와 (다)를 감상한 내용으로 적절하지 <u>않은</u> 것은? [3점]

> ─────〈 보 기 〉─────
> '충신연주지사'는 충성스러운 신하가 왕을 그리워하며 부른 노래를 의미하는데, (나)와 (다)가 여기에 속한다. 이러한 주제 의식을 담은 노래들은 신하가 왕으로부터 멀리 떨어져 이별이 오래 지속된 상황에서 생긴 감정을 표현하고 있다. 왕에 대한 신하의 사랑과 그리움을 주로 표현하며, 자신의 마음을 몰라주는 왕에 대한 원망을 드러내기도 한다.

① (나)의 '그리운 사람'이 '멀리 하늘 모퉁이에 있는데'라고 한 것은 신하가 왕으로부터 멀어져 있는 상황을 나타낸 것이겠군.

② (나)의 '기나긴 그리움에 공연히 애만 끊노라'라고 한 것은 신하가 왕을 그리워하고 있음을 나타낸 것이겠군.

③ (다)의 '수심'이 '가슴'에 피어난 것이 '늄의 탓도 아니로디'라고 한 것은 신하가 자신의 마음을 몰라주는 왕을 원망하고 있음을 나타낸 것이겠군.

④ (다)의 '여흴 제 검던 머리 희도록 못 보는고'라고 한 것은 신하와 왕이 오랫동안 이별하고 있음을 나타낸 것이겠군.

⑤ (나)의 '밝은 달이 되어' '임의 창문 휘장'에 비추겠다는 것과 (다)의 '내 뜻은 다시 볼가 브라거든'이라고 한 것은 왕에 대한 신하의 사랑을 나타낸 것이겠군.

4. 새와 믈에 대한 설명으로 가장 적절한 것은?

① 새는 화자의 심리 전환을 표출하고, 믈은 화자의 성격 변화를 유도하고 있다.

② 새는 화자의 현재 상황을 표현하고, 믈은 화자의 미래 모습을 암시하고 있다.

③ 새는 화자의 내적인 갈등을 강조하고, 믈은 화자의 외적인 화해를 보여주고 있다.

④ 새는 화자의 간절한 바람을 드러내고, 믈은 화자의 애타는 정서를 부각하고 있다.

⑤ 새는 화자의 반성적인 태도를 나타내고, 믈은 화자의 실천적인 행위를 제시하고 있다.

【5~7】 다음 글을 읽고 물음에 답하시오.

> (가) 방(房) 안에 켜 있는 촉(燭)불 눌과 이별하였기에
> 겉으로 눈물 지고 속 타는 줄 모르는고
> 저 촉(燭)불 날과 같아서 속 타는 줄 모르도다
> ― 이 개 ―
>
> (나) 꿈에 다니는 길이 자취가 남는다면
> 님의 집 창(窓) 밖에 석로(石路)라도 닳으리라
> 꿈길이 자취 없으니 그를 슬퍼하노라
> ― 이명한 ―
>
> (다) 님이 오마 하거늘 저녁밥을 일찍 지어 먹고
> 중문 나서 대문 나가 지방 위에 치달아 앉아 이수(以手)로 가액(加額)하고* 오는가 가는가 건넌 산 바라보니 거머횟들* 서 있거늘 저야 님이로다. 버선 벗어 품에 품고 신 벗어 손에 쥐고 곰븨님븨 님븨곰븨 천방지방 지방천방 진 데 마른 데 가리지 말고 워렁충창* 건너가서 정(情)엣말 하려 하고 곁눈을 흘깃 보니 상년(上年) 칠월 사흘날 갉아 벗긴 주추리 삼대* 살뜰이도 날 속였구나
> 모쳐라 밤일세망정 행여 낮이런들 남 웃길 뻔 하괘라
> ― 작자 미상 ―

* **이수로 가액하고** : 손을 들어 이마에 얹고.
* **거머횟들** : 검은 듯 흰 듯한 것.
* **곰븨님븨 님븨곰븨 천방지방 지방천방** : 엎치락뒤치락 허둥거리는 모양.
* **워렁충창** : 우당탕퉁탕.
* **주추리 삼대** : 밭머리에 모아 세워 둔 삼의 줄기.

5. (가) ~ (다)의 공통점에 대한 설명으로 가장 적절한 것은?

① 청각적 심상을 활용하여 애상적 분위기를 조성하고 있다.

② 영탄적 표현을 통해 시적 상황에 대한 화자의 정서를 부각하고 있다.

③ 자조적 어조를 통해 과거의 행동에 대한 화자의 자책감을 드러내고 있다.

④ 역설적 표현을 통해 부정적인 상황에 대한 화자의 극복 의지를 나타내고 있다.

⑤ 가정적 상황을 제시하여 현재에 비해 미래가 나아질 것이라는 기대감을 드러내고 있다.

6. (가), (나)에 대한 이해로 적절하지 <u>않은</u> 것은?

① (가)의 '겉으로 눈물 지고'에서 '눈물'은 촛농이 흘러내리는 모습을 비유한 것으로 화자의 슬픔을 형상화하고 있다.
② (가)의 '저 촉(燭)불 날과 같아서'에서 '촉(燭)불'은 화자와 동일시되는 대상이다.
③ (나)의 '꿈에 다니는 길'에서 '꿈'에는 화자의 소망이 투영되어 있다.
④ (나)의 '석로(石路)라도 닳으리라'에서 '닳으리라'는 임에 대한 화자의 간절한 그리움을 드러내고 있다.
⑤ (나)의 '그를 슬퍼하노라'에서 '슬퍼하노라'는 자신을 찾아 주지 않는 임에 대한 화자의 원망이 담겨 있다.

7. <보기>를 바탕으로 (다)를 감상한 내용으로 적절하지 <u>않은</u> 것은? [3점]

<보 기>

조선 후기에 등장한 사설시조는 형식 면에서 평시조와 달리 중장이 제한 없이 길어졌다. 내용 면에서는 실생활 소재들을 활용하여 일상에서 일어나는 문제를 주로 다루었는데 솔직함, 해학성, 애정을 서슴없이 표현하려는 대담성 등을 그 특징으로 하며 비유, 상징 등 다양한 표현기법을 활용하여 대상을 생동감 있게 그려 냈다.

① '곰븨님븨', '천방지방' 같은 음성상징어를 활용하여 화자의 행동을 생동감 있게 표현하고 있군.
② 일상에서 흔히 볼 수 있는 '버선', '신'이라는 소재를 활용하여 임의 소중함을 상징하고 있군.
③ '주추리 삼대'를 임으로 착각하여 달려가는 화자의 우스꽝스러운 모습에서 해학성을 느낄 수 있군.
④ 임을 그리워하는 절실한 마음을 드러내기 위해 화자의 행동을 구체적으로 제시하다 보니 중장이 길어졌군.
⑤ '진 데 마른 데 가리지' 않고 임에게 가서 '정(情)엣말'을 하려는 모습에서 애정을 표현하려는 화자의 대담성을 엿볼 수 있군.

【8~10】 다음 글을 읽고 물음에 답하시오.

적객*에게 벗이 없어 공량(空樑)*의 제비로다
㉠종일 하는 말이 무슨 사설 하는지고
어즈버 내 풀어낸 시름은 널로만 하노라*

<4장>

인간(人間)에 유정*한 벗은 명월밖에 또 있는가
㉡천 리를 멀다 아녀 간 데마다 따라오니
어즈버 반가운 옛 벗이 다만 너인가 하노라

<5장>

설월(雪月)에 매화를 보려 잔을 잡고 창을 여니
섞인 꽃 여윈 속에 잦은 것이 향기로다
어즈버 호접(胡蝶)*이 이 향기 알면 애 끊일까 하노라

<6장>

― 이신의, 「단가육장」 ―

* 적객 : 귀양살이하는 사람.   * 공량 : 들보.
* 널로만 하노라 : 너보다 많도다.   * 유정 : 인정이나 동정심이 있음.
* 호접 : 나비.

8. 윗글에 대한 설명으로 가장 적절한 것은?

① '4장'은 동일한 시어를 반복하여 주제 의식을 강화하고 있다.
② '5장'은 설의적 표현을 사용하여 화자의 정서를 효과적으로 드러내고 있다.
③ '6장'은 점층적으로 시상을 전개하여 화자의 의지를 강조하고 있다.
④ '4장'과 '5장'은 현재와 과거를 대조하여 화자의 내적 갈등을 드러내고 있다.
⑤ '5장'과 '6장'은 색채의 대비를 활용하여 대상을 구체적으로 묘사하고 있다.

IV

9. <보기>를 참고하여 윗글을 감상한 내용으로 적절하지 <u>않은</u> 것은? [3점]

> ─────── < 보 기 > ───────
>
> 이신의는 충절과 신의를 중시했던 사대부로, 인목대비 폐위에 반대하는 글을 올렸다는 이유로 귀양을 가게 된다. 「단가육장」은 그가 귀양살이를 하면서 느낀 생각과 감정을 풀어낸 작품으로, 화자는 자연물을 친화적인 시선으로 바라보며 자신의 감정을 투영하기도 한다. 또한 자연물에 자신이 지향하는 유교적 이념을 투사하기도 한다.

① '풀어낸 시름'은 '적객'으로 살아가는 화자의 처지와 관련이 있다고 볼 수 있군.

② '간 데마다 따라오'는 '명월'은 화자가 지향하는 '신의'가 투사된 자연물로 볼 수 있겠군.

③ '명월'을 '너'로 지칭하고 '매화를 보려 잔을 잡고 창을 여'는 행위에서 자연물에 친화적인 화자의 시선을 엿볼 수 있군.

④ '설월'에 핀 '매화'는 화자가 지향하는 '충절'의 이념과 관련지을 수 있겠군.

⑤ '이 향기'에는 귀양살이를 오기 전의 삶에 대한 화자의 동경이 투영되어 있군.

10. ㉠과 ㉡에 대해 이해한 내용으로 적절한 것은?

① ㉠과 ㉡은 화자의 '벗'에 대한 태도 변화를 이끌어 낸다고 볼 수 있다.

② ㉠과 ㉡은 화자가 처한 상황을 부각하는 시간과 거리로 볼 수 있다.

③ ㉠과 ㉡은 화자와 '인간'과의 심리적 거리감을 구체화한 것으로 볼 수 있다.

④ ㉠은 화자의 내적 갈등이 심화되는 시간, ㉡은 화자의 내적 갈등이 해소되는 공간으로 볼 수 있다.

⑤ ㉠은 미래에 대한 화자의 낙관적 전망을, ㉡은 비관적 전망을 드러낸다고 할 수 있다.

총 문항					문항	맞은 문항				문항
개별 문항	1	2	3	4	5	6	7	8	9	10
채점										
개별 문항	11	12	13	14	15	16	17	18	19	20
채점										

갈래 복합

 갈래 복합

📌 출제 트렌드

갈래 복합 지문은 한 지문당 4~5문제씩 출제되며 지문의 길이도 긴 편이므로 문학 영역에서 차지하는 비중이 꽤 큽니다. 또한 2021학년도부터는 매 시험마다 빠지지 않고 출제되는 필수이자 기본 유형으로 자리 잡았습니다. 고전 시가와 수필이 복합된 경우를 가장 흔하게 볼 수 있고, 종종 현대시와 고전 시가, 소설과 희곡 또는 시나리오가 함께 출제되기도 합니다. 서로 다른 갈래의 작품을 한 지문으로 엮었다는 것은 곧 작품들에 공통적인 요소가 있음을 의미합니다. 이때 글의 표현 방법이나 내용 전개 방식이 공통점이 되는 경우가 많고, 작품의 주제 의식에 공통점이 있는 경우도 있습니다. 그리고 이를 묻는 문제는 반드시 출제됩니다. 갈래 복합 지문은 문제를 풀기 전부터 어려울 것이라 생각해서 겁을 먹는 경향이 있는데, 앞서 단일 갈래에 대한 학습을 충분히 했기 때문에 복합 갈래라고 해서 특별히 더 어려울 것이라고 생각하지 않아도 됩니다.

시행	출제 지문	문제 수	난이도
2022학년도 11월 학평	윤이후, '일민가' / 이효석, '화춘의장'	4문제 출제	★★☆
2022학년도 9월 학평	정철, '훈민가' / 장영희, '괜찮아'	4문제 출제	★★★
2022학년도 6월 학평	정철, '속미인곡' / 권근, '주옹설'	4문제 출제	★★☆
	이문열, '우리들의 일그러진 영웅' / 이문열 원작 · 박종원 각색, '우리들의 일그러진 영웅'	5문제 출제	★★★
2022학년도 3월 학평	송순, '면앙정가' / 백석, '가재미 · 나귀'	4문제 출제	★★★

📌 1등급 꿀팁

하나 _ 수필은 핵심 소재와 글쓴이의 생각을 파악하자.

두울 _ 시는 기본적으로 화자의 정서와 태도를 중심으로 생각하자.

세엣 _ 소설은 기본적으로 등장인물들의 관계, 갈등과 사건을 중심으로 생각하자.

네엣 _ 희곡과 시나리오는 무대 혹은 상영 장면의 연출을 전제하는 문학임을 명심하자.

다섯 _ 각 작품을 공통적으로 아우르는 주제와 분위기를 캐치하자.

여섯 _ 한 지문에만 해당하는 문제는 그 지문을 읽은 직후에 푸는 방법을 활용하여 시간을 단축하자.

일곱 _ 다양한 갈래의 작품을 함께 엮어 이해하는 종합적 사고력을 기르자.

다음 글을 읽고 물음에 답하시오.

(가)

저기 가는 저 각시 본 듯도 하구나
천상 백옥경(白玉京)*을 어찌하여 이별하고
해 다 져 저문 날에 누굴 보러 가시는고
어와 너로구나 이 내 사설 들어 보오
내 얼굴 이 거동이 임 사랑 받을 만할까만
어쩐 일로 날 보시고 너로다 여기시니
나도 임을 믿어 군뜻이 전혀 없어
아양이야 교태야 어지러이 하였더니
반기시는 낯빛이 전과 어찌 다르신고
누워 생각하고 일어나 앉아 헤아리니
내 몸의 지은 죄 산같이 쌓였으니
하늘이라 원망하며 사람이라 허물하랴
서러워 풀어 헤아리니 조물*의 탓이로다
그리 생각 마오
맺힌 일이 있소이다
임을 모셔 있어 임의 일을 내 알거니
물 같은 얼굴이 편하실 적 몇 날일꼬
(중략)
반벽 푸른 등은 누굴 위하여 밝았는고
오르며 내리며 헤매며 오락가락하니
어느덧 힘이 다해 풋잠을 잠깐 드니
정성이 지극하여 꿈에 임을 보니
옥 같던 얼굴이 반이 넘게 늙었어라
마음에 먹은 말씀 실컷 사뢰자 하니
눈물이 이어져 나니 말씀인들 어이 하며
정을 못다 풀고 목조차 메어 오니
방정맞은 닭 울음에 잠을 어찌 깨었던고
어와 허사로다 이 임이 어디 간고
바로 일어나 앉아 창을 열고 바라보니
불쌍한 그림자 날 좇을 뿐이로다
차라리 사라져 낙월(落月)이나 되어서
임 계신 창 안에 번듯이 비추리라
각시님 달이야커녕 굿은 비나 되소서
　　　　　　　　　　　　　－ 정철, 「속미인곡(續美人曲)」 －

* 백옥경: 옥황상제가 지내는 궁궐.
* 조물: 조물주.

(나)

손[客]이 주옹(舟翁)에게 물었다.
"그대가 배에서 사는데, 고기를 잡는다 하자니 낚시가 없고, 장사를 한다 하자니 팔 것이 없고, 뱃사공 노릇을 한다 하자니 물 가운데만 있어 오고감이 없구려. 변화불측한 물에 조각배 하나를 띄워 가없는 ⓐ넓은 바다를 헤매다가, 바람 미치고 물결 놀라 돛대는 기울고 노까지 부러지면, 정신과 혼백이 흩어지고 두려움에 싸여 목숨이 지척에 있게 될 것이로다. 이는 지극히 험한 데서 위태로움을 무릅쓰는 일이거늘, 그대는 도리어 이를 즐겨 오래오래 물에 떠가기만 하고 돌아오지 않으니 무슨 재미인가?"
주옹이 대답했다.
"아아, 그대는 생각하지 못하는가? 대개 사람의 마음이란 변덕스러운 것이어서, ⓑ평탄한 땅을 디디면 느긋해지고, 험한 지경에 처하면 두려워 조심하는 법이다. 두려워 조심하면 든든하게 살지만, 느긋하면 반드시 흐트러져 위태롭게 되나니, 내 차라리 위험을 딛고서 항상 조심할지언정, 편안한 데 살아 스스로 쓸모없게 되지 않으려 한다. 하물며 내 배는 정해진 꼴이 없이 떠도는 것이니, 혹시 무게가 한쪽에 치우치면 그 모습이 반드시 기울어지게 된다. 왼쪽으로도 오른쪽으로도 기울지 않고, 무겁지도 가볍지도 않게끔 내가 배 한가운데서 평형을 잡아야만 기울어지지도 뒤집히지도 않아 내 배의 평온을 지킬 수 있다. 비록 ⓒ풍랑이 거세게 인다 한들 편안한 내 마음을 어찌 흔들 수 있겠는가? 또, 무릇 인간 세상이란 한 거대한 물결이요, 인심(人心)이란 ⓓ한바탕 큰 바람이니, 하잘 것없는 내 한 몸이 아득한 그 가운데 떴다 잠겼다 하는 것보다는, 오히려 ⓔ한 잎 조각배로 만 리의 부슬비 속에 떠 있는 것이 낫지 않은가? 내가 배에서 살면서 세상 사람을 보니, 안전한 때는 후환을 생각지 못하고, 욕심을 부리느라 나중을 돌보지 못하다가, 마침내는 빠지고 뒤집혀 죽는 자가 많다. 그대는 어찌 이를 두려워하지 않고 도리어 나를 위태롭다 하는가?"
　　　　　　　　　　　　　－ 권근, 「주옹설(舟翁說)」 －

32. (가)와 (나)의 공통점으로 가장 적절한 것은?

① 설의적 표현을 활용하여 의미를 강조하고 있다.
② 점층적 방식을 활용하여 주제를 부각하고 있다.
③ 다양한 감각적 심상을 사용하여 대상을 예찬하고 있다.
④ 반어적 진술을 통해 대상에 대한 태도를 드러내고 있다.
⑤ 명령적 어조를 통해 현실에 대한 비판 의식을 드러내고 있다.

문제풀이

두 개 이상의 작품이 하나의 지문으로 제시되는 경우, 작품들의 공통점과 차이점을 파악할 수 있어야 한다. 공통점은 32번 문제와 같이 표현상의 특징으로 나타나는 경우가 많고, 작품의 주제 의식이나 화자의 태도가 공통점이 되는 경우도 있다.

❶ (가)에서는 '하늘이라 원망하며 사람이라 허물하랴'에서 설의적 표현으로 화자의 심정을 강조하고 있으며, (나)에서는 '비록 풍랑이 거세게 인다 한들 편안한 내 마음을 어찌 흔들 수 있겠는가?' 등의 설의적 표현을 통해 '주옹'의 가치관을 강조하고 있다.
② (가)와 (나) 모두 자신의 감정을 점점 강하게 표현하는 점층법을 활용하여 주제를 부각한 부분은 찾을 수 없다.
③ (가)에는 '반벽 푸른 등'과 같은 시각적 심상, '닭 울음'과 같은 청각적 심상이 사용되었지만 (나)에는 시각적 심상만 나타난다. 또한 이를 통해 대상을 예찬하고 있지는 않다.
④ (가)와 (나) 모두 지니고 있는 생각과 반대로 표현하는 반어적 진술이 나타난 부분은 찾을 수 없다.
⑤ (가)에서 명령적 어조와 현실에 대한 비판 의식을 확인할 수 없다. (나)에는 '내가 배에서 살면서 세상 사람을 보니, ~ 죽는 자가 많다.'와 같이 세상에 대한 비판은 나타나지만, 명령적 어조는 확인할 수 없다.

7분 | 2022학년도 11월 학평 34~37번 | ★★☆ | 정답 047쪽

[1~4] 다음 글을 읽고 물음에 답하시오.

(가)

이몸이 늦게 나서 세상에 할 일 없어
강호의 임자 되야 풍월로 늙어가니
물외청복(物外淸福)이 없다야 하랴마는
돌이켜 생각하니 애달픈 일 하고 많다
만물의 귀한 것이 사람이 으뜸인데
그중의 남자 되야 이목총명(耳目聰明) 갖춰 삼겨
평생의 먹은 뜻이 일신부귀 아니러니
세월이 훌쩍 가고 지업(志業)에 때를 놓쳐
백수공명(白首功名)을 겨우 굴어 이뤄내니
종적이 저어하고 세로(世路)도 기구하야
수년(數年) 낮은 벼슬로 남 따라 다니다가
삼춘휘(三春暉) 쉬 가니 촌초심*이 그지없어
동장(銅章)을 빌어 차고 오마(五馬)를 바삐 몰아
남주(南州) 백리지(百里地)에 여민휴식(與民休息)* 하랴터니
이마 흰 모진 범이 어디서 나타났고
가뜩이나 엷은 환정(宦情)* 하루아침에 재 되거다
젖은 옷 벗어놓고 황관(黃冠)*으로 갈아 쓰고
채 하나 떨쳐 쥐고 호연히 돌아오니
산천이 의구하고 송죽이 반기는 듯
시비(柴扉)를 찾아들어 삼경(三逕)을 다스리니
금서일실(琴書一室)*이 이 아니 내 분인가
앞내에 고기 낚고 뒷뫼에 약을 캐야
수업(手業)을 일로 삼아 여년(餘年)을 보내노니
인생지락(人生至樂)이 이밖에 또 없도다
　　　　　　　　　(중략)
박잔에 술을 부어 알맞게 먹은 후에
수조가(水調歌)를 길이 읊고 혼자 서서 흔들대니
호탕한 미친 흥을 행여 아니 남이 알겠는가
하마 저물었느냐 먼 뫼에 달 오른다
그만하야 쉬어보자 바위에 배 매어라
패랭이 빗기쓰고 오죽장(烏竹杖) 흩어 짚어
모래 둑을 돌아들어 석경(石逕)으로 올라가니
오류댁(五柳宅)* 소쇄한데 경물이 새로워라
솔 그늘에 흣걸으며 원근을 바라보니
수월(水月)이 영롱하야 건곤이 제각기인 듯
희희호호(熙熙皞皞)하야 신세를 다 잊겠구나
이 중에 맺힌 마음 북궐(北闕)에 달렸으니
사안(謝安)의 사죽도사(絲竹陶瀉)* 옛일이 오늘일세
내 근심 무익(無益)한 줄 모르지 아니하되
천성(天性)을 못 변하니 진실로 가소롭다
두어라 강호(江湖)의 일민(逸民)*이 되야 축성수(祝聖壽)*나
하리라
　　　　　　　　　－ 윤이후, 「일민가(逸民歌)」 －

* 촌초심: 부모의 은혜와 사랑에 보답하려는 마음.
* 여민휴식: 백성과 함께 지내는 마음으로 다스림.
* 환정: 벼슬을 하고 싶어 하는 마음.

* 황관: 풀로 만든 관으로 평민이 씀.
* 금서일실: 거문고와 책이 있는 방.
* 오류댁: 진나라 시인 도연명의 집으로 은거하는 집을 일컬음.
* 사안의 사죽도사: 진나라 사람 사안이 음악으로 시름을 달래며 지냈다고 함.
* 일민: 학식과 덕행이 있으면서도 세상에 나서지 않고 묻혀 지내는 사람.
* 축성수: 임금의 장수를 빎.

(나)

붉은 튤립의 열(列) 옆으로 나무장미의 만발한 이랑이 늘어서고 달리아가 장성하며 한편에는 우방의 활엽(闊葉)이 온통 빈틈없는 푸른 보료*를 편다. ㉠가구(街區)*에서는 좀체 얻어 볼 수 없는 귀한 경물이니 아침저녁으로 손쉽게 그것을 바라볼 수 있는 나는 자신을 행복스럽게 여긴다. 그 한 조각의 밭을 다스려 아름다운 꽃을 보이는 사람은 놀라운 재인(才人)도 장정도 아니라 별사람 아닌 한 사람의 육십을 넘은 노인인 것이다. 봄에 씨를 뿌려 꽃을 피우고 가을에 뒷거둠을 마치고 다시 갈아엎을 때까지 그 밭을 만지는 사람은 참으로 그 육십 옹 단 한 사람인 것이다. 씨를 뿌리기 시작한 날부터는 하루도 번기는 날이 없이 아침만 되면 육십 옹은 보에 쟁기를 싸가지고 어디선지 나타난다. 살수(撒水) 중경시비(中耕施肥) 제초 배토 — 그때그때를 따라 일과에는 조금의 소홀도 없으며, 일정한 필요의 과정이 오십 평의 구석구석까지 알뜰히 미처 이윽고 제때에 아름다운 성과를 맺게 한다. ㉡옹은 허리가 휘고 기력이 부실하나 서두르는 법 없이 지치는 법 없이 말하는 법 없이 날이 맞도록 묵묵히 일하며 그의 장기(匠器)가 미치는 뒷자취는 나날이 면목이 새롭고 아름다워진다. 침착하게 움직이는 그의 양을 바라볼 때 거기에는 고로(苦勞)의 의식의 표정은 조금도 눈에 띄지 않으며 도리어 한 이랑 한 이랑의 흙을 아끼고 사랑하는 그 거동에는 만신(滿身)의 희열이 드러나 보인다. ㉢때때로 얼굴이 마주칠 때의 아이같이 방긋 웃어 보이는 동심의 표정을 읽으면 그는 괴롭게 노동하고 있는 것이 아니라 그 오십 평 속에서 천진하게 장난하고 예술하고 있는 것이라고 번역된다. 참으로 오십 평 속에서의 그의 생활은 싫은 노력이 아니라 즐거운 예술이라고 보여진다. 근로와 예술을 동시에 가진 생활 — 생활의 미화, 노동의 예술화 — 진부한 어투인지는 모르나 노동의 참된 경지를 그 구체적 실례를 나는 그 육십 옹에게 보는 것이다.

생산만이 아니라 미를 겸했으며 미만이 있는 것이 아니라 생산의 열매가 아울러 온다. 반드시 꽃밭을 가꾸게 됨으로써의 미를 일컬음이 아니라 만족스런 노동의 표정의 미를 말함이다.

　　　　　　　　　(중략)

한편 그의 착실한 자태를 바라볼 때 나는 그 허리 굽은 육십 옹의 여일한 생활의식에 비겨 자신의 그것이 때때로 월등 저하되고 소침(消沈)됨을 깨닫고 부끄러운 생각을 마지 못한다. 주기적으로 생활의욕이 급거히 저락되고 침체된 일종의 플래토*의 지대에 다다르게 될 때 주위가 어둡고 진퇴가 귀치않고 우울, 저미(低迷)되어 결과는 생활력조차 감퇴하여 버린다. 욕심이 없고 희망이 없는 탓이라면 육십 옹의 앞에 너무도 보람 없고 비굴하여 얼굴이 붉어질 지경이나, ㉣솔직하게 말하여 그 대체 희망이라는 것이 어떤 내용 어느 정도 어느 거리의 것인가를 생각할 때 역시 답답해지는 것이 당연하며 뜻 없는 명랑은 도리어 천치의 소위로밖에는 생각되지 않는다. 같은 세대의 젊은 이들에게 그대는 생활의 신조를 어떻게 세웠느냐고 묻고 싶은

때조차 있다. 빈틈없는 이론으로 든든히 무장을 해본다 하더라도 행동이 없는 이상 갑을흑백을 어떻게 가린단 말인가. 참으로 웃을 수 있는 사람은 웃어 보라고 다시 청해 보고 싶다. 우울을 말할 때가 아닌지는 모르나 때때의 생활의식의 저조에는 너무도 절실함이 있다.

ⓜ 할 바를 모르는 것이 아니라 길이 없는 것이다. 여기에 좀체 구하기 어려운 저미의 근인(根因)*이 있기는 있는 것이나 그러나 그렇다고 허구한 날 상을 찌푸리고만 지낼 수도 없는 노릇이니 가까운 손잡이를 잡고 억지로라도 플래토를 정복하고 식물 이하의 무기력에서 식물 이상의 행(行)의 생활로 애써 솟아올라야 할 것이다.

　　　　　　　　　　　　　　　　－ 이효석, 「화춘의장(花春意匠)」－

* 보료: 바닥에 까는 두툼한 요.
* 가구: 거리의 구역.
* 플래토: 정체기.
* 근인: 근본이 되는 원인.

1. (가)와 (나)의 공통점으로 가장 적절한 것은?
① 설의적 표현을 활용하여 의미를 강조하고 있다.
② 구체적 지명을 활용하여 현장감을 드러내고 있다.
③ 청각적 이미지를 통해 대상의 특성을 강조하고 있다.
④ 연쇄의 방식을 사용하여 상황의 심각성을 표현하고 있다.
⑤ 언어유희를 통해 현실에 대한 태도를 간접적으로 드러내고 있다.

2. ㉠~㉤에 대한 설명으로 적절하지 <u>않은</u> 것은?
① ㉠: 풍경의 가치를 인식하며 이를 수시로 감상할 수 있는 데 따른 글쓴이의 심정이 드러나 있다.
② ㉡: 대상에 대한 의혹이 해소되어 가는 데 대한 글쓴이의 인식이 드러나 있다.
③ ㉢: 주의 깊게 살펴본 대상의 면모를 주관적으로 해석하는 글쓴이의 인식이 드러나 있다.
④ ㉣: 희망의 의미를 구체화하지 못하는 것에 대한 글쓴이의 심정이 드러나 있다.
⑤ ㉤: 자신이 현재 상태에 이르게 된 근본적 원인에 대한 글쓴이의 판단이 드러나 있다.

3. (가)와 (나)를 비교하여 이해한 내용으로 가장 적절한 것은?
① (가)의 '오마'는 화자를 과거에 억압하던 대상이고, (나)의 '꽃'은 글쓴이가 관찰한 대상이 자신의 이상을 펼치도록 돕는 소재이다.
② (가)의 '옷'은 화자가 자연 풍경에 대한 감탄을 자아내게 하는 소재이고, (나)의 '손잡이'는 글쓴이가 이를 사용하는 인물의 능력에 대해 감탄을 자아내는 소재이다.
③ (가)의 '송죽'은 화자가 새로운 공간으로 돌아와서 만난 소재이고, (나)의 '튤립'은 글쓴이가 벗어나고자 하는 공간의 특징을 나타내는 소재이다.
④ (가)의 '달'은 화자의 행동 변화가 일어나는 시간적 배경을 나타내는 소재이고, (나)의 '아침'은 글쓴이가 관찰한 대상의 일관된 행동이 나타나는 시간적 배경이다.
⑤ (가)의 '오류댁'은 화자가 동경하는 행위가 드러나는 공간이고, (나)의 '꽃밭'은 글쓴이가 경계하는 행위가 드러나는 공간이다.

4. <보기>를 바탕으로 (가), (나)를 감상한 내용으로 적절하지 <u>않은</u> 것은? [3점]

〈 보 기 〉
　(가)와 (나)는 자기 성찰과 현실에 대한 고민이 드러나 있는 작품이다. (가)의 화자는 속세에서 갈등을 겪고 은거하는 삶을 살고 있다. 이때 화자는 자연을 통해 위안을 얻기도 하지만 번민을 떨치지 못하는 자신을 인식하며 자연에서의 삶에서도 세상을 향한 마음을 드러낸다. (나)의 글쓴이는 자신과 대조적인 삶을 살고 있는 대상을 통해 자신의 삶을 돌아보게 된다. 이러한 과정에서 글쓴이는 가치 있는 삶의 모습을 깨닫고 무기력한 삶을 극복하고자 하는 의지를 드러낸다.

① (가)의 '앞내에 고기 낚고 뒷뫼에 약을 캐'며 '인생지락'을 느끼는 것에서 화자가 자연에서의 삶 속에서 위안을 얻고 있음을 알 수 있군.
② (나)의 '근로와 예술을 동시에 가진 생활'이 '노동의 참된 경지'라는 것에서 글쓴이가 깨달은 가치 있는 삶의 모습이 드러나고 있음을 알 수 있군.
③ (가)의 '금서일실'을 '내 분'으로 여긴다는 것에서 화자가 속세로 돌아가고 싶어 하는 고민이 드러나 있음을, (나)의 '소침됨을 깨닫고' '생활의욕이 급거히 저락되'었다는 것에서 글쓴이가 해결하고 싶어 하는 고민이 드러나 있음을 알 수 있군.
④ (가)의 '내 근심 무익한 줄 모르지' 않지만 '천성을 못 변'해 '가소롭다'는 것에서 화자가 번민을 떨치지 못하는 자신을 성찰하고 있음을, (나)의 '육십 옹'의 '생활의식에 비겨' 보며 '부끄러'워 한 것에서 글쓴이가 타인과 대조하며 자신을 성찰하고 있음을 알 수 있군.
⑤ (가)의 '강호의 일민이 되야 축성수나 하리라'에서 화자가 은거하면서도 세상을 향한 마음을 드러내고 있음을, (나)의 '상을 찌푸리고만 지낼 수' 없다며 '행의 생활'을 다짐하는 것에서 글쓴이가 무기력한 삶을 극복하고자 하는 의지를 드러내고 있음을 알 수 있군.

【5~8】 다음 글을 읽고 물음에 답하시오.

(가)

아버님 날 낳으시고 어머님 날 기르시니
두 분곳 아니시면 이 몸이 살았을까
하늘 같은 가없는 은덕을 어찌 다 갚사오리 　　〈제1수〉
네 아들 효경 읽더니 얼마큼 배웠는가
내 아들 소학은 모레면 마치도다
어느 때 이 두 글 배워 어질 것을 보려뇨 　　〈제7수〉

㉠마을 사람들아 옳은 일 하쟈스라
사람이 되어 나서 옳지곳 못하면
마소를 갓 고깔 씌워 밥 먹이나 다르랴 　　〈제8수〉

팔목 쥐시거든 두 손으로 받치리라
나갈 데 계시거든 막대 들고 좇으리라
향음주(鄕飮酒)* 다 파한 후에 뫼셔 가려 하노라 　　〈제9수〉

오늘도 다 새거다 호미 메고 가쟈스라
내 논 다 매거든 네 논 좀 매어 주마
올 길에 뽕 따다가 누에 먹여 보쟈스라 　　〈제13수〉

　　　　　　　　　　　　　－ 정철, 「훈민가(訓民歌)」－

* 향음주: 마을에서 어른들을 모시기 위해 마련한 술자리.

(나)

　　초등학교 때 우리 집은 서울 동대문구 제기동에 있는 작은 한옥이었다. 골목 안에는 고만고만한 한옥 여섯 채가 서로 마주 보고 있었다. 그때만 해도 한 집에 아이가 보통 네댓은 됐으므로 골목길 안에만도 초등학교 다니는 아이가 줄잡아 열 명이 넘었다. 학교가 파할 때쯤 되면 골목은 시끌벅적, 아이들의 놀이터가 되었다.

　　어머니는 내가 집에서 책만 읽는 것을 싫어하셨다. 그래서 방과 후 골목길에 아이들이 모일 때쯤이면 대문 앞 계단에 작은 방석을 깔고 나를 거기에 앉히셨다. 아이들이 노는 걸 구경이라도 하라는 뜻이었다.

　　딱히 놀이 기구가 없던 그때, 친구들은 대부분 술래잡기, 사방치기, 공기놀이, 고무줄놀이 등을 하고 놀았지만 나는 공기놀이 외에는 그 어떤 놀이에도 참여할 수 없었다. 하지만 골목 안 친구들은 나를 위해 꼭 무언가 역할을 만들어 주었다. 고무줄놀이나 달리기를 하면 내게 심판을 시키거나 신발주머니와 책가방을 맡겼다. 그뿐인가. 술래잡기할 때는 한곳에 앉아 있어야 하는 내가 답답해할까 봐 어디에 숨을지 미리 말해 주고 숨는 친구도 있었다.

　　우리 집은 골목에서 중앙이 아니라 모퉁이 쪽이었는데 내가 앉아 있는 계단 앞이 늘 친구들의 놀이 무대였다. 놀이에 참여하지 못해도 난 전혀 소외감이나 박탈감을 느끼지 않았다. 아니, 지금 생각하면 내가 소외감을 느낄까 봐 친구들이 배려해 준 것이었다.

　　그 골목길에서의 일이다. 초등학교 1학년 때였던 것 같다. 하루는 우리 반이 좀 일찍 끝나서 나 혼자 집 앞에 앉아 있었다. 그런데 그때 마침 골목을 지나던 ㉡깨엿 장수가 있었

다. 그 아저씨는 가위를 쩔렁이며, 목발을 옆에 두고 대문 앞에 앉아 있는 나를 흘낏 보고는 그냥 지나쳐 갔다. 그러더니 리어카를 두고 다시 돌아와 내게 깨엿 두 개를 내밀었다. 순간 아저씨와 내 눈이 마주쳤다. 아저씨는 아무 말도 하지 않고 아주 잠깐 미소를 지어 보이며 말했다.

　　"괜찮아."

　　무엇이 괜찮다는 건지 몰랐다. 돈 없이 깨엿을 공짜로 받아도 괜찮다는 것인지, 아니면 목발을 짚고 살아도 괜찮다는 말인지…… 하지만 그건 중요하지 않다. 중요한 것은 내가 그날 마음을 정했다는 것이다. 이 세상은 그런대로 살 만한 곳이라고, 좋은 친구들이 있고 선의와 사랑이 있고, '괜찮아'라는 말처럼 용서와 너그러움이 있는 곳이라고 믿기 시작했다는 것이다.

　　오래전 학교 친구를 찾아 주는 방송 프로그램이 있다. 한번은 가수 김현철이 나와서 초등학교 때 친구를 찾았는데, 함께 축구하던 이야기가 나왔다. (중략) 그때 김현철이 나서서 말했다고 한다.

　　"괜찮아. 얜 골키퍼를 시키면 우리 함께 놀 수 있잖아!"

　　그래서 그 친구는 골키퍼를 맡아 함께 축구를 했고, 몇십 년이 지난 후에도 김현철의 따뜻한 말과 마음을 그대로 기억하고 있었다.

　　괜찮아 – 난 지금도 이 말을 들으면 괜히 가슴이 찡해진다. 2002년 월드컵 4강에서 독일에 졌을 때 관중들은 선수들을 향해 외쳤다.

　　"괜찮아! 괜찮아!"

　　혼자 남아 문제를 풀다가 결국 골든 벨을 울리지 못해도 친구들이 얼싸안고 말해 준다.

　　"괜찮아! 괜찮아!"

　　'그만하면 참 잘했다'고 용기를 북돋아 주는 말, '너라면 뭐든지 다 눈감아 주겠다'는 용서의 말, '무슨 일이 있어도 나는 네 편이니 넌 절대 외롭지 않다'는 격려의 말, '지금은 아파도 슬퍼하지 말라'는 나눔의 말, 그리고 마음으로 일으켜 주는 부축의 말, 괜찮아.

　　그래서 세상 사는 것이 만만치 않다고 느낄 때, 죽을 듯이 노력해도 내 맘대로 일이 풀리지 않는다고 생각될 때, 나는 내 마음속에서 작은 속삭임을 듣는다. 오래전 내 따뜻한 추억 속 골목길 안에서 들은 말 – '괜찮아! 조금만 참아, 이제 다 괜찮아질 거야.'

　　아, 그래서 '괜찮아'는 이제 다시 시작할 수 있다는 희망의 말이다.

　　　　　　　　　　　　　　　　－ 장영희, 「괜찮아」－

5. (가)와 (나)의 공통점으로 가장 적절한 것은?

① 과장된 표현을 활용하여 극적 상황을 제시하고 있다.
② 역설적 표현을 사용하여 주제 의식을 강조하고 있다.
③ 영탄법을 사용하여 대상에 대한 경외감을 표현하고 있다.
④ 다양한 상황을 가정하여 상반된 가치관을 드러내고 있다.
⑤ 유사한 구조의 어구를 활용하여 삶의 태도를 드러내고 있다.

6. ⊙과 ⓒ에 대한 설명으로 가장 적절한 것은?

① ⊙과 ⓒ은 모두 심리 변화가 일어나는 대상이다.

② ⊙과 ⓒ은 모두 경각심을 불러일으키는 대상이다.

③ ⊙은 화자가 이질감을 느끼는 대상이고 ⓒ은 글쓴이가 동질 감을 느끼는 대상이다.

④ ⊙은 화자를 예찬하는 대상이고 ⓒ은 글쓴이의 상황을 안타 까워하는 대상이다.

⑤ ⊙은 화자가 행동의 실천을 바라는 대상이고 ⓒ은 글쓴이에 게 깨달음의 계기를 제공하는 대상이다.

7. <보기>를 참고하여 (가)를 이해한 내용으로 적절하지 <u>않은</u> 것은? [3점]

<보 기>

설득을 발화 목적으로 하는 설득형 시조의 관점에서는 설 득 전략을 중심으로 작품을 살펴볼 수 있다. 먼저 논리적 전 략에는 구체적인 행동이나 모습을 보여 주는 '사례 제시하 기', 비교 대상의 유사성을 드는 '유추하기', 원인과 결과를 드러내는 '인과 관계 활용하기' 등이 있다. 수사적 전략에는 청자에게 권위 있다고 인정을 받는 경전에 기대는 '권위에 의존하기', 논의 대상을 흑 아니면 백으로 바라보는 '흑백 사 고 활용하기' 등이 있다.

① <제1수>에서 '두 분'의 '은덕'을 '하늘'에 빗대는 것을 보니, 효의 실천을 권유하기 위해 권위에 의존하기 전략을 활용한다 고 볼 수 있겠군.

② <제7수>에서 사람이 '효경'과 '소학'을 배워야 '어질'게 될 것 이라고 하는 것을 보니, 학문의 권장을 강조하기 위해 인과 관 계 활용하기 전략을 활용한다고 볼 수 있겠군.

③ <제8수>에서 '옳은 일'을 하지 않으면 '마소'라고 하는 것을 보니, 올바른 행동을 권유하기 위해 흑백 사고 활용하기 전략 을 활용한다고 볼 수 있겠군.

④ <제9수>에서 '두 손으로 받치'고 '막대 들고'의 행동을 보니, 어른 공경을 권유하기 위해 사례 제시하기 전략을 활용한다고 볼 수 있겠군.

⑤ <제13수>에서 '내 논 다 매거든 네 논 좀 매어'의 모습을 보니, 상부상조의 정신을 권장하기 위해 사례 제시하기 전략 을 활용한다고 볼 수 있겠군.

8. 다음은 (나)를 읽고 블로그에 올린 글이다. ⓐ~ⓔ 중 (나)를 통해 알 수 있는 내용으로 적절하지 <u>않은</u> 것은?

지치고 힘들 때 읽는 수필이 있다. 「괜찮아」가 그렇다. ⓐ<u>골목길 안에서 아이들과 놀던 작가의 어린 시절이 드러 난다.</u> 그는 다리가 불편했지만, ⓑ<u>그를 생각하고 배려해 주 는 좋은 사람들이 주변에 있었다.</u> 그래서 ⓒ<u>긍정적인 생각 으로 희망을 품고 살아갈 수 있는 사람</u>이 되었다. 게다가, 그의 글은 반짝반짝 빛난다. 어려운 말도, 거창한 표현도 없다. 이 글에는 ⓓ<u>삶에 좌절하고 희망을 잃었던 사람들의 이야기</u>도 있지만, 그래도 '괜찮아'의 의미를 생각하게 해 준 다. ⓔ<u>용기, 용서, 격려, 나눔, 부축의 의미를 담은 '괜찮아'</u> 를 되새기다 보면 나 역시 마음이 따뜻해진다.

① ⓐ   ② ⓑ   ③ ⓒ   ④ ⓓ   ⑤ ⓔ

【9~12】 다음 글을 읽고 물음에 답하시오.

(가)

저기 가는 저 각시 본 듯도 하구나
천상 백옥경(白玉京)*을 어찌하여 이별하고
해 다 져 저문 날에 누굴 보러 가시는고
어와 너로구나 이 내 사설 들어 보오
내 얼굴 이 거동이 **임** 사랑 받을 만할까만
어쩐 일로 날 보시고 너로다 여기시니
나도 임을 믿어 군뜻이 전혀 없어
아양이야 교태야 어지러이 하였더니
반기시는 낯빛이 전과 어찌 다르신고
누워 생각하고 일어나 앉아 헤아리니
내 몸의 지은 죄 산같이 쌓였으니
하늘이라 원망하며 사람이라 허물하랴
서러워 풀어 헤아리니 **조물***의 **탓**이로다
그리 생각 마오
맺힌 일이 있소이다
임을 모셔 있어 임의 일을 내 알거니
물 같은 얼굴이 편하실 적 몇 날일꼬
(중략)

반벽 푸른 등은 누굴 위하여 밝았는고
오르며 내리며 헤매며 오락가락하니
어느덧 힘이 다해 풋잠을 잠깐 드니
정성이 지극하여 꿈에 임을 보니
옥 같던 얼굴이 반이 넘게 늙었어라
마음에 먹은 말씀 실컷 사뢰자 하니
눈물이 이어져 나니 말씀인들 어이 하며
정을 못다 풀고 목조차 메어 오니
방정맞은 닭 울음에 잠을 어찌 깨었던고
어와 허사로다 이 임이 어디 간고
바로 일어나 앉아 창을 열고 바라보니
불쌍한 그림자 날 좇을 뿐이로다
차라리 사라져 **낙월(落月)**이나 되어서
임 계신 창 안에 번듯이 비추리라
각시님 달이야커녕 궂은 비나 되소서
　　　　　　　　　　　　– 정철, 「속미인곡(續美人曲)」 –

* 백옥경 : 옥황상제가 지내는 궁궐.
* 조물 : 조물주.

(나)

손[客]이 주옹(舟翁)에게 물었다.

"그대가 배에서 사는데, 고기를 잡는다 하자니 낚시가 없고, 장사를 한다 하자니 팔 것이 없고, 뱃사공 노릇을 한다 하자니 물 가운데만 있어 오고감이 없구려. 변화불측한 물에 조각배 하나를 띄워 가없는 ㉠넓은 바다를 헤매다가, 바람 미치고 물결 놀라 돛대는 기울고 노까지 부러지면, 정신과 혼백이 흩어지고 두려움에 싸여 목숨이 지척에 있게 될 것이로다. 이는 지극히 험한 데서 위태로움을 무릅쓰는 일이거늘, 그대는 도리어 이를 즐겨 오래오래 물에 떠가기만 하고 돌아오지 않으니 무슨 재미인가?"

주옹이 대답했다.

"아아, 그대는 생각하지 못하는가? 대개 사람의 마음이란 변덕스러운 것이어서, ㉡평탄한 땅을 디디면 느긋해지고, 험한 지경에 처하면 두려워 조심하는 법이다. 두려워 조심하면 든든하게 살지만, 느긋하면 반드시 흐트러져 위태롭게 되나니, 내 차라리 위험을 딛고서 항상 조심할지언정, 편안한 데 살아 스스로 쓸모없게 되지 않으려 한다. 하물며 내 배는 정해진 꼴이 없이 떠도는 것이니, 혹시 무게가 한쪽에 치우치면 그 모습이 반드시 기울어지게 된다. 왼쪽으로도 오른쪽으로도 기울지 않고, 무겁지도 가볍지도 않게끔 내가 배 한가운데서 평형을 잡아야만 기울어지지도 뒤집히지도 않아 내 배의 평온을 지킬 수 있다. 비록 ㉢풍랑이 거세게 인다 한들 편안한 내 마음을 어찌 흔들 수 있겠는가? 또, 무릇 인간 세상이란 한 거대한 물결이요, 인심(人心)이란 ㉣한바탕 큰 바람이니, 하잘 것없는 내 한 몸이 아득한 그 가운데 떴다 잠겼다 하는 것보다는, 오히려 ㉤한 잎 조각배로 만 리의 부슬비 속에 떠 있는 것이 낫지 않은가? 내가 배에서 살면서 세상 사람을 보니, 안전한 때는 후환을 생각지 못하고, 욕심을 부리느라 나중을 돌보지 못하다가, 마침내는 빠지고 뒤집혀 죽는 자가 많다. 그대는 어찌 이를 두려워하지 않고 도리어 나를 위태롭다 하는가?"

　　　　　　　　　　　　– 권근, 「주옹설(舟翁說)」 –

9. (가)와 (나)의 공통점으로 가장 적절한 것은?

① 설의적 표현을 활용하여 의미를 강조하고 있다.
② 점층적 방식을 활용하여 주제를 부각하고 있다.
③ 다양한 감각적 심상을 사용하여 대상을 예찬하고 있다.
④ 반어적 진술을 통해 대상에 대한 태도를 드러내고 있다.
⑤ 명령적 어조를 통해 현실에 대한 비판 의식을 드러내고 있다.

10. <보기>를 바탕으로 (가)를 이해한 내용으로 적절하지 **않은** 것은?

> ──────── <보 기> ────────
> 연군 가사는 임금과 떨어진 신하가 임금을 그리워하고 걱정하며 충성심을 드러낸 가사 작품들을 가리킨다. 「속미인곡」은 정철이 정쟁(政爭)으로 인해 관직에서 물러난 후 낙향하였을 때 쓴 연군 가사의 대표적 작품이다.

① '천상 백옥경'은 화자가 '임'과 지냈던 곳으로 임금이 있는 궁궐에 대응된다.
② '내 몸의 지은 죄'가 '조물의 탓'이라는 화자의 한탄을 통해 작가가 자신을 관직에서 물러나게 한 사람들을 원망하고 있음을 알 수 있다.
③ 화자가 꿈속에서 '임'의 모습을 보고 '눈물이 이어져'난다고 하는 것에서 임금에 대한 작가의 걱정과 그리움의 깊이를 짐작할 수 있다.
④ '임'과 헤어지게 된 화자가 자신의 그림자를 '불쌍한'으로 표현한 것에서 임금과 떨어져 지내야 하는 것에 대한 작가의 안타까운 심정을 알 수 있다.
⑤ '낙월'이 되어서라도 '임 계신 창 안에 번듯이 비추'려는 화자의 모습에서 임금에 대한 작가의 충성심을 알 수 있다.

11. 다음은 수업의 일부이다. 선생님의 설명에 따라 (가)와 (나)의 인물을 분석한 내용으로 적절하지 <u>않은</u> 것은? [3점]

> **선생님 :** 시나 수필을 창작할 때 주제 의식을 효과적으로 표현하기 위해 인물 간의 대화로 작품을 구성하기도 합니다. 이 경우 인물들은 중심 인물과 주변 인물로 나누어 볼 수 있는데, 중심 인물은 대화를 주도하며, 작가 의식을 대변하는 역할을 합니다. 주변 인물은 중심 인물의 말을 이끌어내거나 중심 인물을 위로하고 대안을 제시하는 보조적 인물, 중심 인물과 대립하면서 중심 인물에게 문제 제기를 하는 대립적 인물로 나눌 수 있습니다.

	인물	특징적 발화	인물 유형	인물의 역할	
(가)	각시	내 사설 들어 보오	중심 인물	대화를 주도함.	
	너	누굴 보러 가시는고	주변 인물	중심 인물의 말을 이끌어냄.	①
		그리 생각 마오	주변 인물	중심 인물과 대립함.	②
		궂은 비나 되소서	주변 인물	대안을 제시함.	③
(나)	주옹	그대는 어찌 이를 두려워하지 않고 도리어 나를 위태롭다 하는가?	중심 인물	작가 의식을 드러냄.	④
	손	그대는 도리어 이를 즐겨 오래오래 물에 떠가기만 하고 돌아오지 않으니 무슨 재미인가?	주변 인물	중심 인물에게 문제 제기를 함.	⑤

12. (나)의 ㉠~㉤을 이해한 내용으로 적절하지 <u>않은</u> 것은?

① ㉠ : 변화불측한 특성을 가진 곳으로, '세상 사람들'이 위험하다고 생각하는 공간이다.

② ㉡ : '주옹'이 사는 곳과 대비되는 장소로, '세상 사람들'이 안전하다고 생각하는 공간이다.

③ ㉢ : 조각배의 돛대를 기울게 하고 노를 부러뜨릴 수 있는 바람과 물결로, '주옹'이 위태로움을 느끼는 외적 요인이다.

④ ㉣ : 욕심을 부리는 세상 사람들의 마음을 비유한 것으로, 그들의 삶을 위태롭게 만드는 요인이다.

⑤ ㉤ : 바람에 쉽게 흔들릴 수 있는 곳이지만, 인간 세상과 비교했을 때 오히려 '주옹'이 안전함을 느끼는 곳이다.

V

총 문항					문항	맞은 문항				문항
개별 문항	1	2	3	4	5	6	7	8	9	10
채점										
개별 문항	11	12	13	14	15	16	17	18	19	20
채점										

7분　2022학년도 3월 학평 34~37번　★★★　정답 050쪽

【1~4】 다음 글을 읽고 물음에 답하시오.

(가)

가마를 급히 타고 솔 아래 굽은 길로 오며 가며 하는 때
녹양에 우는 **꾀꼬리 교태 겨워하는**구나
나무 풀 우거지어 녹음이 짙어진 때
기다란 난간에서 긴 졸음을 내어 펴니
물 위의 서늘한 바람은 그칠 줄을 모르도다
된서리 걷힌 후에 산빛이 금수(錦繡)로다
누렇게 익은 벼는 또 어찌 넓은 들에 펼쳐졌는가
㉠ 어부 피리도 흥에 겨워 달을 따라 부는구나
초목이 다 진 후에 강산이 묻혔거늘
조물주 야단스러워 빙설로 꾸며 내니
경궁요대*와 옥해은산*이 눈 아래 벌였구나
천지가 풍성하여 **간 데마다 승경(勝景)**이로다
인간 세상 떠나와도 내 몸이 쉴 틈 없다
이것도 보려 하고 저것도 들으려 하고
바람도 쐬려 하고 달도 맞으려 하고
밤일랑 언제 줍고 고기는 언제 낚고
사립문 뉘 닫으며 진 꽃일랑 뉘 쓸려뇨
㉡ 아침 시간 모자라니 저녁이라 싫을쏘냐
오늘이 부족하니 내일이라 넉넉하랴
이 산에 앉아보고 **저 산**에 걸어 보니
번거로운 마음에도 버릴 일이 전혀 없다
쉴 사이 없는데 오는 길을 알리랴
다만 지팡이가 다 무디어 가는구나
ⓐ 술이 익었으니 벗이야 없을쏘냐
노래 부르게 하고 악기를 타고 또 켜게 하고 방울 흔들며
온갖 소리로 취흥을 재촉하니
근심이라 있으며 시름이라 붙었으랴
누웠다가 앉았다가 굽혔다가 젖혔다가
읊다가 휘파람 불다가 마음 놓고 노니
천지도 넓디넓고 세월도 한가하다
태평성대 몰랐는데 이때가 그때로다
신선이 어떠한가 이 몸이 그로구나
㉢ 강산풍월 거느리고 내 백 년을 다 누리면
악양루* 위의 이백이 살아온들
호탕한 회포는 이보다 더할쏘냐

　　　　　　　　　　　　　－ 송순, 「면앙정가」 －

* 경궁요대(瓊宮瑤臺): 아름다운 구슬로 장식한 집과 누각.
* 옥해은산(玉海銀山): 옥같이 맑은 바다와 은빛의 산.
* 악양루: 당나라 시인 이백이 시를 지으면서 풍류를 즐긴 곳.

(나)

　동해 가까운 거리로 와서 나는 **가재미**와 가장 친하다. 광어, 문어, 고등어, 평메, 횟대…… 생선이 많지만 모두 한두 끼에 나를 물리게 하고 만다. 그저 **한없이 착하고 정다운** 가재미만이 흰밥과 빨간 고추장과 함께 **가난하고 쓸쓸한** 내 상에 한 끼도 빠지지 않고 오른다. 나는 이 가재미를 처음 십 전 하나

에 뼘가웃*씩 되는 것 여섯 마리를 받아 들고 왔다. 다음부터는 할머니가 두 두름 마흔 개에 이십오 전씩에 사오시는데 큰 가재미보다도 잔 것을 내가 좋아해서 모두 손길만큼 한 것들이다. 그동안 나는 한 달포 이 고을을 떠났다 와서 오랜만에 내 가재미를 찾아 생선장으로 갔더니 섭섭하게도 이 물선*은 보이지 않았다. 음력 팔월 초상이 되어서야 이내 친한 것이 온다고 한다. ㉣ 나는 어서 그때가 와서 우리들 흰밥과 고추장과 다 만나서 아침저녁 기뻐하게 되기만 기다린다. 그때엔 또 이십오 전에 두어 두름씩 해서 나와 같이 ⓑ이 물선을 좋아하는 H한테도 보내어야겠다.
　묘지와 뇌옥과 교회당과의 사이에서 생명과 죄와 신을 생각하기 좋은 운흥리를 떠나서 오백 년 오래된 이 고을에서도 다 못한 곳 옛날이 헐리지 않은 **중리**로 왔다. 예서는 물보다 구름이 더 많이 흐르는 성천강이 가까웁고 또 백모관봉*의 시허연 눈도 바라보인다. 이곳의 좌우로 긴 회담*들이 맞붙고 늘어선 좁은 골목이 나는 좋다. 이 골목의 공기는 하이야니 밤꽃의 내 음새가 난다. 이 골목을 나는 나귀를 타고 **일없이 왔다갔다 하고 싶다.** 또 예서 한 오 리 되는 학교까지 나귀를 타고 다니고 싶다. 나귀를 한 마리 사기로 했다. ㉤그래 소장 마장을 가보나 나귀는 나지 않는다. 촌에서 다니는 아이들이 있어서 수소문해도 나귀를 팔겠다는 데는 없다. 얼마 전엔 어느 아이가 **재래종의 조선 말** 한 필을 사면 어떠냐고 한다. 값을 물었더니 한 오 원 주면 된다고 한다. 이 좀말*로 할까고 머리를 기울여도 보았으나 그래도 나는 그 **처량한 당나귀**가 좋아서 좀더 이 놈을 구해보고 있다.

　　　　　　　　　　　　　－ 백석, 「가재미·나귀」 －

* 뼘가웃: 한 뼘의 반 정도 되는 길이.
* 물선: 음식을 만드는 재료.
* 백모관봉: 흰 관모 모양의 봉우리. 정상에 흰 눈이 덮인 산의 모습을 가리키는 말로, 여기서는 백운산을 말함.
* 회담: 석회를 바른 담.
* 좀말: 아주 작은 말.

1. (가)와 (나)의 공통점으로 가장 적절한 것은?

① 색채어를 활용하여 사물의 역동성을 표현하고 있다.
② 말을 건네는 방식을 통해 독자의 주의를 환기하고 있다.
③ 영탄적 표현을 활용하여 대상에 대한 경외감을 드러내고 있다.
④ 연쇄적 표현을 통해 주변 사물을 사실감 있게 제시하고 있다.
⑤ 계절감을 환기하는 사물을 통해 자연의 모습을 드러내고 있다.

2. ⊙~⑩에 대해 이해한 내용으로 적절하지 <u>않은</u> 것은?

① ⊙ : 감각적 경험을 통해 환기된 장면을 묘사하여 인간이 자연물과 어우러지는 상황을 제시하고 있다.

② ⓛ : 시간을 표현하는 시어를 대응시켜 현재와 같은 상황이 이후에도 이어질 것임을 드러내고 있다.

③ ⓒ : 역사적 인물과 견주며 삶에 대한 만족감을 드러내고 있다.

④ ⓔ : 기대하는 일이 실현되었을 때 느낄 심정을 직접적으로 표출하고 있다.

⑤ ⑩ : 원하는 것을 구하기 위해 시도한 방법이 실패하는 과정에서 느낀 체념을 드러내고 있다.

3. <보기>를 바탕으로 (가), (나)를 이해한 내용으로 적절하지 <u>않은</u> 것은? [3점]

―――――――< 보 기 >―――――――

　문학 작품에서 공간을 체험하는 주체는 공간 및 주변 경물에 대한 인식을 드러내며, 이 인식은 주체의 지향이나 삶에서 중시하는 가치를 암시한다. (가)의 화자는 '면앙정' 주변의 자연에 대한 인식과 함께 풍류 지향적인 태도를 드러내고 있고, (나)의 글쓴이는 공간의 변화와 대상에 대한 인식을 관련지으며 자신이 소중하게 생각하는 삶의 가치를 암시하고 있다.

① (가) : '솔 아래 굽은 길'을 오가는 화자는 '꾀꼬리'의 '교태 겨워하는' 모습에 주목하면서 자연을 즐기는 자신의 태도와의 동일성을 발견하고 있다.

② (가) : '간 데마다 승경'이라는 화자의 인식은 '내 몸이 쉴 틈 없'는 다양한 일들을 통해 자연의 다채로운 풍광을 즐길 수 있으리라는 기대로 이어지고 있다.

③ (가) : '이 산'과 '저 산'에서 '번거로운 마음'과 '버릴 일이 전혀 없'음을 동시에 느끼는 화자의 모습에는 '인간 세상'의 번잡한 일상을 여전히 의식하고 있음이 드러나 있다.

④ (나) : '동해 가까운 거리로 와서' 주목하게 된 '가재미'에 대한 글쓴이의 인식은 '가난하고 쓸쓸한' 삶 속에서 '한없이 착하고 정다운' 것을 소중히 여기는 태도를 드러내고 있다.

⑤ (나) : '중리'로 와서 '재래종의 조선 말'보다 '처량한 당나귀'와 '일없이 왔다갔다 하고 싶다'는 글쓴이의 바람은 일상의 작은 존재에 대해 느끼는 우호적 인식을 드러내고 있다.

4. ⓐ와 ⓑ에 대한 이해로 가장 적절한 것은?

① ⓐ는 화자에게 심리적 위안을 주는, ⓑ는 글쓴이에게 고독감을 느끼게 하는 매개체이다.

② ⓐ는 화자가 느끼는 흥을 심화하는, ⓑ는 글쓴이가 느끼는 기쁨을 확장하는 매개체이다.

③ ⓐ는 화자가 내면의 만족감을 드러내는, ⓑ는 글쓴이가 현실에 대한 불만을 표출하는 매개체이다.

④ ⓐ는 화자에게 삶의 목표를 일깨워 주는, ⓑ는 글쓴이에게 심경 변화의 계기를 제공하는 매개체이다.

⑤ ⓐ는 화자에게 이상적 세계의 모습을, ⓑ는 글쓴이에게 윤리적 삶의 태도를 떠올리게 하는 매개체이다.

【5~8】 다음 글을 읽고 물음에 답하시오.

(가)

도연히 취한 후에 **선판(船板)**＊ 치며 즐기더니
서북간 일진광풍 홀연히 일어나니
태산 같은 높은 물결 하늘에 닿았구나
주중인(舟中人)이 황망하여 **조수(措手)할**＊ 길 있을쏘냐
나는 새 아니니 어찌 살기 바라리오
밤은 점점 깊어가고 풍랑은 더욱 심하다
만경창파(萬頃蒼波) **일엽선(一葉船)**이 끝없이 **떠나가니**
슬프다 무슨 죄로 하직 없는 이별인가
일생일사(一生一死)는 자고로 예사로대
어복(魚腹) 속에 영장(永葬)함＊은 이 아니 **원통**한가
부모처자 우는 거동 생각하면 목이 멘다
죽기는 자분(自分)＊하나 기갈(飢渴)＊은 무슨 일인가
명천(明天)이 감동하시어 대우(大雨)를 내리심에
돛대 안고 우러러서 낙수(落水)를 먹었으니
갈(渴)한 것은 진정하나 입에서 성에 나네＊
밝으면 낮이런가 어두우면 밤이런가
오륙일 지낸 후에 원원(遠遠)히 바라보니
동남간 **삼대도(三大島)**가 은은히 솟아났다
일본인가 짐작하여 **선구(船具)를 보집(補緝)**하니＊
무슨 일로 바람 형세 또다시 변하는가
그 섬을 벗어나니 다시 못 보리로다
대양(大洋)에 표탕(飄盪)＊하여 물결에 부침(浮沈)＊하니
하늘을 부르짖어 죽기만 바라더니
선판(船板)을 치는 소리 귓가에 들리거늘
물결인가 의심하여 황급히 나가 보니
자 넘는 **검은 고기** 배 안에 뛰어든다
생으로 토막 잘라 팔인(八人)이 나눠 먹고
경각에 끊을 목숨 힘입어 보전하니
황천(皇天)이 주신 겐가 해신(海神)의 도움인가
이 고기 아니었으면 우리 어찌 살았으리
어느덧 시월이라 초사일 아침 날에
⊙**큰 섬**이 앞에 뵈나 인력(人力)으로 어찌 하리
자연히 바람결에 섬 아래 닿았구나

　　　　　　　　　－ 이방익, 「표해가(漂海歌)」－

＊선판: 배의 갑판.
＊조수할: 손쓸.
＊어복 속에 영장함: 고기 뱃속에 장사지냄.
＊자분: 자기 분수.
＊기갈: 배고픔과 목마름.
＊입에서 성에 나네: 입에 성에가 돋을 정도로 차갑네.
＊선구를 보집하니: 배에서 쓰는 기구를 수리하니.
＊표탕: 헤매어 떠돎.
＊부침: 물 위에 떠올랐다 물속에 잠겼다 함.

(나)

　나는 책상 위에 지도를 펴놓는다. 수없는 산맥, 말할 수 없이 많은 바다, 호수, 낯선 항구, 숲, 어찌 산만을 좋다고 하겠느냐. 어찌 바다만을 좋다고 하겠느냐. 산은 산의 기틀을 감추고 있어서 좋고 바다는 또한 바다대로 호탕해서, 경솔히 그 우열을 가려서 말할 수 없다. ⓐ그렇지만 날더러 둘 가운데서 오직 하나만을 가리라고 하면 부득불 바다를 가질 밖에 없다. 산의 웅장과 침묵과 수려함과 초연함도 좋기는 하다. 하지만 저 바다의

방탕한 동요만 하랴. 산이 「아폴로」라고 하면 우리들의 「디오니소스」는 바로 바다겠다.

나는 눈을 감고 잠시 그 행복스러울 **어족들**의 여행을 머리 속에 그려 본다. 해류를 따라서 **오늘은 진주(眞珠)의 촌락, 내일은 해초의 삼림(森林)으로 흘러다니는 그 사치한 어족들**, 그들에게는 천기예보도 「트렁크」도 차표도 여행권도 필요치 않다. 때때로 사람의 그물에 걸려서 「호텔」의 식탁에 진열되는 것은 물론 어족의 여행실패담(旅行失敗譚)이지만 그것도 결코 그들의 실수는 아니고, 차라리 「카인」의 자손의 악덕 때문이다. 나는 그들이 **해저(海底)에 국경을 만들었다는** 정열도 「프랑코」 정권을 승인했다는 방송도 들은 일이 없다. 그렇다. 나는 동그란 선창(船窓)에 기대서 홀수선(吃水線)*으로 모여드는 **어린 고기들**의 **청초**와 **활발**을 끝없이 사랑하리라. 남쪽 바닷가 생각지도 못하던 「서니룸」에서 씹는 수박 맛은 얼마나 더 청신하랴. ⓑ 만약에 제비같이 재잴거리기 좋아하는 이국(異國)의 소녀를 만날지라도 나는 조금도 두려워하지 않고 서투른 외국말로 대담하게 대화를 하리라. 그래서 그가 구경한 땅이 나보다 적으면 그때 나는 얼마나 자랑스러우랴. 그렇지 않고 도리어 나보다 훨씬 많은 땅과 풍속을 보고 왔다고 하면 나는 진심으로 그를 경탄할 것이다.

(중략)

나는 「튜리스트·뷔로*」로 달려간다. 숱한 여행 안내를 받아가지고 뒤져본다. 비록 직업일망정 사무원은 오늘조차 퍽 다정한 친구라고 지녀 본다.

필경 정해지는 길은 말할 수 없이 겸손하게 짧다. 사무원의 책상 위나, 설합 속에 엿보이는 제일 먼 ㉡차표가 퍽으나 부럽다. 안내서에 붙은 1등 선실 그림을 하염없이 뒤적거린다.

그러나 나는 오늘 그 「보스톤·백」과 그리고 단장(短杖)을 기어이 사고 말겠다. 내일(來日)은 그 속에 두어벌 내복과 잠옷과 세수기구와 그러고 ──「악(惡)의 꽃」과 불란서말 자전을 집어 넣자. 동서고금의 모든 시집 속에서 오직 한권을 고른다고 하면 물론 나는 이 책을 집을 것이다. ⓒ 그리고는 짧은 바지에 「노타이」로 한 손에는 「보스톤·백」을 드리우고 다른 한 손으로는 단장을 획획 내두르면서 차표가 끝나는 데까지 갈 것이다.

ⓓ 모든 걱정은, 번뇌는, 울분은, 의무는 잠시 미정고(未定稿)*들과 함께 먼지낀 방안에 묶어서 두고 될 수만 있으면 모든 괴로운 과거마저 잊어버리고 떠나고 싶다. 행장은 경할수록 더욱 좋다.

나는 충고한다. 될 수만 있으면 제군의 배좁은 심장을, 사상을, 파쟁(派爭)을 연애를 잠시라도 좋으니 바닷가에 해방해 보면 어떻냐고 ──.

여행(旅行) ── 그것 밖에 남은 것은 없다. ⓔ 내가 뽑을 행복의 최후의 제비다. 그것마저 싱거워지면 그때에는 「슈르리얼리스트」의 그 말썽 많던 설문(設問)을 다시 한번 참말 생각해 보아야지.

집이 배좁았다.
고향이 배좁았다.
나라가 배좁아진다.
세계(世界)마저 배좁아지면 다음에는 어디로 갈까.

― 김기림, 「여행(旅行)」 ―

*홀수선: (잔잔한 물에 떠 있는 배의) 선체가 물에 잠기는 한계선.
*튜리스트·뷔로: 여행사.
*미정고: 아직 완성되지 않은 원고.

5. (가)와 (나)의 공통점으로 가장 적절한 것은?
① 계절의 변화를 중심으로 내용을 전개하고 있다.
② 설의적인 표현을 사용하여 의미를 강조하고 있다.
③ 명령형 어미를 사용하여 긴장감을 고조하고 있다.
④ 동일한 색채어를 나열하여 현장감을 표현하고 있다.
⑤ 특정 대상과 대화하는 방식으로 주제를 부각하고 있다.

6. ㉠과 ㉡에 대한 설명으로 가장 적절한 것은?
① ㉠과 ㉡은 모두 화자나 글쓴이가 경계하는 대상이다.
② ㉠과 ㉡은 모두 화자나 글쓴이가 소망하는 대상이다.
③ ㉠과 ㉡은 모두 화자나 글쓴이가 극복하려고 하는 대상이다.
④ ㉠과 ㉡은 모두 화자나 글쓴이가 동화되려고 하는 대상이다.
⑤ ㉠과 ㉡은 모두 화자나 글쓴이가 우월감을 갖게 하는 대상이다.

7. ⓐ~ⓔ에 대한 이해로 적절하지 않은 것은?
① ⓐ: 두 대상에 대한 평가를 바탕으로 자신의 선택을 드러내고 있다.
② ⓑ: 여행에서의 낯선 상황을 가정하며 자신이 취할 행동을 떠올리고 있다.
③ ⓒ: 자신이 원하는 여행자의 모습을 상상하고 있다.
④ ⓓ: 자신이 아직 해결하지 못한 일을 여행지에서 마무리하고 싶은 마음을 드러내고 있다.
⑤ ⓔ: 여행이 자신에게 지니는 의미를 드러내고 있다.

8. <보기>를 바탕으로 (가)와 (나)를 감상한 내용으로 적절하지 않은 것은? [3점]

── < 보 기 > ──
문학 작품에서 바다는 다양한 의미를 지닌 공간으로 나타난다. (가)의 바다는 화자가 직접 체험하는 공간으로, 예상치 못한 조난을 당한 화자가 생명의 위협을 느끼며 벗어나고 싶어 하는 공간이다. 한편, (나)의 바다는 글쓴이가 상상하는 공간이자 자유롭고 생명력 넘치는 공간으로, 이를 통해 글쓴이는 일상에서 벗어날 수 있는 꿈을 꾸게 된다.

① (가)에서 '선판 치며 즐기'다가 '조수할 길' 없이 '일엽선이 끝없이 떠나가'게 된 것을 통해 바다가 예상치 못한 조난을 겪는 공간으로 나타나고 있음을 알 수 있군.
② (나)에서 '어족들'이 '오늘은 진주의 촌락'을 다니고 '내일은 해초의 삼림'을 다닌다는 것을 통해 바다가 글쓴이에게 자유로운 공간으로 인식되고 있음을 알 수 있군.
③ (가)에서 '삼대도'를 보자 '선구를 보집'하는 것을 통해 화자는 바다를 벗어나고 싶은 공간으로, (나)에서 '사치한 어족들'이 '해저에 국경을 만들었다는' 것을 통해 글쓴이는 바다를 일상에서 벗어날 수 있는 공간으로 인식하고 있음을 알 수 있군.
④ (가)에서 '어복 속에 영장'할 수 있음에 '원통'해하는 것을 통해 바다는 화자가 생명의 위협을 느끼는 공간으로, (나)에서 '어린 고기들'이 '청초'하고 '활발'하다고 하는 것을 통해 글쓴이가 바다를 생명력이 넘치는 공간으로 인식하고 있음을 알 수 있군.
⑤ (가)에서 '선판을 치는 소리'를 듣고 '검은 고기'를 먹는 것을 통해 바다는 화자의 생존을 위한 체험이 이루어지는 공간으로, (나)에서 '눈을 감고' 바다의 모습을 '머리 속에 그려' 보는 것을 통해 바다는 글쓴이의 상상이 담긴 공간으로 나타나고 있음을 알 수 있군.

【9~12】 다음 글을 읽고 물음에 답하시오.

(가)

어리고 성근 가지 너를 믿지 않았더니
눈 기약(期約) 능(能)히 지켜 두세 송이 피었구나
촛불 잡고 가까이 사랑할 때 암향부동(暗香浮動)*하더라
　　　　　　　　　　　　　　　　　　　＜제2수＞

[A]
┌ 빙자옥질(氷姿玉質)*이여 눈 속에 네로구나
│ 가만히 향기 놓아 황혼월(黃昏月)을 기약하니
└ 아마도 아치고절(雅致高節)*은 너뿐인가 하노라
　　　　　　　　　　　　　　　　　　　＜제3수＞

동쪽 누각에 숨은 꽃이 철쭉인가 두견화(杜鵑花)인가
온 세상이 눈이어늘 제 어찌 감히 피리
알괘라 백설 양춘(白雪陽春)*은 매화밖에 뉘 있으리
　　　　　　　　　　　　　　　　　　　＜제8수＞

　　　　　　　　　　　－ 안민영, 「매화사(梅花詞)」 －

* 암향부동 : 그윽한 향기가 은근히 떠돎.
* 빙자옥질 : 얼음같이 맑고 깨끗한 살결과 구슬같이 아름다운 자질.
* 아치고절 : 우아하고 높은 절개.
* 백설 양춘 : 흰 눈이 날리는 이른 봄.

(나)

　나이가 들수록 격이 높아지는 것이 나무다. 경기도 용문사에는 천여 년 전에 심었다는 고령의 은행나무가 있어 45미터의 키에 아래 부분의 직경이 4미터가 된다니 산으로 치자면 백두요, 한라가 아닐 수 없다. 뜨락에 자질구레한 나무만 심어 놓고 바라보아도 한결 마음이 든든한데 그쯤 고령의 거목이고 보면, 내 하잘것없는 인생을 송두리째 맡기고 살아도 뉘우칠 게 없을 것 같다.

　홍야항야*로 일삼는 세속적인 생각에 젖어 사는 것이 너무나 치사한 것만 같아 새삼 허탈을 느낄 때가 한두 번이 아니다. 창 앞에 대를 심어 소슬한 가을바람을 즐길 줄 모르는 바 아니요, 또한 눈부신 장미꽃이 싫은 바도 아니요, 오색영롱한 철쭉도 싫은 바 아니지만, 그런 관목*보다는 아교목*이 좋고 아교목보다는 교목*이 믿음직해서 더 좋다. 욕심껏 꽂아 놓은 나무가 좁은 뜨락에 초만원이 되어 이제 어찌 할 도리가 없어 제일 먼저 장미를 담 옆으로 분산시키고 아교목의 호랑가시와 교목인 태산목, 은행나무, 낙우송을 알맞게 자리 잡아 세운 것도 호화찬란한 장미처럼 눈부신 여생이기보다는 담담하기를 바라는 탓도 있지만, 차라리 그보다는 날로 거목의 몸매가 잡혀가는 아교목들에게 끌리는 정이 더욱 도탑고 믿음직한 탓이기도 하리라.

　낙우송 사이로 바라다보이는 유월 하늘에서는 가지가 흔들릴 때마다 그 짙푸른 쪽물이 금시 쏟아질 것만 같아 좋거니와, 오월부터 개화하기 비롯한 태산목은 겨우 십 년이 되었는데도 두세 송이씩 연이어 꽃이 피는가 하면 그 맑은 향기가 어찌도 그윽한지 문향(文香) 십 리를 자랑하는 난(蘭) 또한 감히 따를 바 못 되리라.

[B]
┌ 백련꽃 송이처럼 탐스러운 봉오리에 어쩌면 향기를 가득
│ 저장하고 있는 것만 같다. 아침저녁 솔깃이 흘러드는 그 향

└ 기를 맡아 본 사람이면 알리라.
　ⓐ집 주변에 오류(五柳)를 가꾸어 '한정소언 불모영리(閑靜少言 不慕榮利)*'의 도를 터득한 도연명(陶淵明)은 그대로 향기 높은 저 태산목 같은 거목이 아니었을까 생각될 때, 장미류의 관목처럼 눈부신 꽃이고 싶어 하는 데는 머리를 써도, 태산목처럼 격 높은 향기를 마음에 지니기란 쉬운 일이 아니기에, 내 스스로 향기 지닐 마음의 여유 없음을 슬퍼할 따름이다.

　　　　　　　　　　　　（중략）

　문 밖에 심은 버드나무도 벌써 10년이 가깝게 자라고 보니, 이른 봄부터 찾아와서 옥을 굴리듯 울어 주는 밀화부리*도 버드나무가 없었던들 엄두도 낼 수 없는 일이다. 그러기에 이 근방에서는 버드나무집으로 통할 뿐 아니라, 혹시 전화로라도 우리 집 위칠 묻는 친구가 있으면 어느 지점에 와서 문 앞에 버드나무가 세 그루 서 있는 집이라면 무난히들 찾아오게 마련이다. 당초엔 다섯 그루를 심어 정성 들여 가꾸었는데 이웃집에서 가을 낙엽에 성화를 내고 자기 집 옆에 서 있는 놈만 베어 주었으면 하기에, 그 집 주인에게 처분을 맡겼더니 베어다가 장작으로 패 땐 모양이고, 또 한 그루는 동네 애들이 매일 짓궂게 매달리는가 했더니 끝내는 껍질을 홀랑 벗겨대는 등쌀에 기어이 고사(枯死)하고 보니, 남은 세 그루가 옆채를 사이에 두고 태산목과 마주 보고 서 있게 되었다.

　ⓑ그대로 다섯 그루가 자랐더라면 집 주변에 오류를 가꾸어 '한정소언 불모영리'의 도를 터득한 저 도연명의 풍모를 배우고자 함이었더니, 세 그루가 남게 되어 짓궂은 친구가 찾아올라치면 숫제 삼류선생(三流先生)이라 부르는 데는 긍정도 부정도 하지 않는 까닭은 삼류 인생을 살아가는 나에게 오류(五柳)선생은 못 될지언정, 삼류선생의 칭호도 오히려 과분한 것만 같아 설마 삼류선생이라 부르는 것은 아니겠지 하고 스스로를 위로하기 때문인지도 모른다.

　　　　　　　　　　　－ 신석정, 「향기 있는 사람」 －

* 홍야항야 : 남의 일에 쓸데없이 참견하는 모양을 의미함.
* 관목 : 키가 작고 원줄기가 가늘며 밑둥에서 가지를 많이 치는 나무.
* 아교목 : 교목과 관목의 중간 식물.
* 교목 : 줄기가 곧고 굵으며 높이가 8미터를 넘는 나무.
* 한정소언 불모영리 : 한가하고 조용하며 말이 적고 명예나 실리를 바라지 않음.
* 밀화부리 : 참새목 되새과의 새.

9. [A]와 [B]의 공통점으로 가장 적절한 것은?
① 비유적 표현을 사용하여 대상의 속성을 드러내고 있다.
② 시선의 이동을 통해 대상의 변화 과정을 제시하고 있다.
③ 색채 이미지를 활용하여 애상적 분위기를 조성하고 있다.
④ 자연물에 말을 건네는 어투를 활용하여 친근감을 드러내고 있다.
⑤ 대상에 감정을 이입하여 자연물에 대한 자신의 심정을 강조하고 있다.

10. (가)와 (나)의 두세 송이와 철쭉에 대한 이해로 적절하지 <u>않은</u> 것은?

① (가)와 (나)의 '철쭉'은 모두 화자가 거부하는 대상이다.

② (가)와 (나)의 '철쭉'은 모두 화자가 추구하는 대상을 부각하기 위해 사용되는 소재이다.

③ (가)와 (나)의 '두세 송이'는 모두 다른 자연물과 비교되는 소재이다.

④ (가)와 (나)의 '두세 송이'는 모두 화자가 긍정적으로 인식하는 대상이다.

⑤ (나)의 '두세 송이'와 달리 (가)의 '두세 송이'는 추운 계절임에도 불구하고 개화를 한 대상이다.

11. ㉠과 ㉡에 대한 설명으로 가장 적절한 것은? [3점]

① ㉠은 '향기 지닐 마음'을 지니고 살아가는 삶에 대한 '나'의 자부심을, ㉡은 '삼류선생'이라 불리는 삶에 대한 '나'의 부끄러움을 나타낸다.

② ㉠은 '태산목 같은 거목'이 되고 싶은 '나'의 꿈을 실현한 만족감을, ㉡은 '도연명의 풍모'를 배우고자 노력했던 '나'에 대한 자족감을 나타낸다.

③ ㉠은 '한정소언 불모영리'의 도를 터득하지 못해 느꼈던 '나'의 슬픔을, ㉡은 '한정소언 불모영리'의 도를 터득한 후 느꼈던 '나'의 기쁨을 나타낸다.

④ ㉠은 '격 높은 향기를' 지니고 살아가지 못하는 삶에 대한 '나'의 안타까움을, ㉡은 '오류선생'의 풍모에 미치지 못한다고 생각하는 '나'의 겸손함을 나타낸다.

⑤ ㉠은 '오류를 가꾸어' 도연명의 도를 터득하고 싶었던 '나'의 소망을, ㉡은 '집 주변에 오류를 가꾸지 못한 상황을 핑계로 도연명의 도를 져버리려는 '나'의 의도를 나타낸다.

12. <보기>는 '선생님'의 안내에 따라 학생들이 (나)를 감상한 내용이다. ⓐ~ⓔ 중 적절하지 <u>않은</u> 것은?

<보 기>

선생님 : 수필은 글쓴이가 생활 주변에서 찾은 글감을 바탕으로 자신의 주관적 정서를 드러내는 글입니다. 자기 고백적인 성격이 강한 수필은 삶에 대한 통찰과 가치관을 담고 있으며, 개성 있는 표현으로 자신의 생각을 드러냅니다. 또한 독자들은 수필을 읽으며 글쓴이의 성격이나 삶에 대한 태도 등을 파악할 수 있습니다. 그러면 이 작품에 나타난 수필의 특징을 확인해 봅시다.

학생 1 : 아끼던 버드나무를 베고 싶다는 이웃에게 성화를 내는 모습에서 글쓴이의 성격을 엿볼 수 있어요. ······ ⓐ

학생 2 : 자신의 삶이 눈부시기보다 담담한 인생이기를 바란다는 것에서 글쓴이의 삶에 대한 가치관을 엿볼 수 있어요. ·· ⓑ

학생 3 : 세속적인 생각에 젖어 사는 것에 대해 허탈함을 느끼는 모습에서 글쓴이의 삶에 대한 태도를 엿볼 수 있어요. ····················· ⓒ

학생 4 : '-(으)리라'를 반복하여 나무에 대한 자신의 생각을 나타내는 것에서 글쓴이의 개성 있는 표현을 찾아볼 수 있어요. ···················· ⓓ

학생 5 : 키우던 다섯 그루의 버드나무가 세 그루만 남게 된 일화에서 글쓴이가 자신의 생활 주변에서 글감을 찾은 것을 알 수 있어요. ······················ ⓔ

① ⓐ   ② ⓑ   ③ ⓒ   ④ ⓓ   ⑤ ⓔ

총 문항				문항	맞은 문항				문항
개별 문항	1	2	3	4	5	6	7	8	9	10
채점										
개별 문항	11	12	13	14	15	16	17	18	19	20
채점										

8분 | 2021학년도 6월 학평 38~42번 | ★★☆ | 정답 053쪽

[1~5] 다음 글을 읽고 물음에 답하시오.

(가)

십 년(十年)을 경영(經營)ᄒᆞ여 **초려삼간(草廬三間)** 지여 내니
나 ᄒᆞᆫ 간 ᄃᆞᆯ ᄒᆞᆫ 간에 **청풍(淸風)** ᄒᆞᆫ 간 맛져 두고
강산(江山)은 들일 듸 업스니 둘러 두고 보리라

– 송순 –

(나)

서산의 아침볕 비치고 구름은 낮게 떠 있구나
비 온 뒤 **묵은 풀**이 뉘 **밭**에 더 짙었든고
두어라 차례 정한 일이니 매는 대로 매리라 <제1수>

둘러내자* 둘러내자 긴 고랑 둘러내자
바라기 역고*를 고랑마다 둘러내자
잡초 짙은 긴 사래 마주 잡아 둘러내자 <제3수>

땀은 듣는 대로 듣고 볕은 쬘대로 쬔다
청풍에 옷깃 열고 긴 휘파람 흘리 불 때
어디서 길 가는 손님네 아는 듯이 머무는고 <제4수>

밥그릇에 **보리밥**이요 사발에 **콩잎 나물**이라
내 밥 많을세라 네 반찬 적을세라
먹은 뒤 한 숨 졸음이야 너나 나나 다를소냐 <제5수>

돌아가자 돌아가자 해 지거든 돌아가자
냇가에 손발 씻고 **호미 메고 돌아올** 제
어디서 **우배초적(牛背草笛)***이 함께 가자 재촉하는고
<제6수>

– 위백규, 「농가구장(農歌九章)」 –

* 둘러내자 : 휘감아서 뽑자.
* 바라기 역고 : 잡초의 일종.
* 우배초적 : 소의 등에 타고 가면서 부는 풀피리 소리.

(다)

우리 집 뒷동산에 복숭아나무가 하나 있었다. 그 꽃은 **빛깔이 시원치 않고** 그 열매는 맛이 없었다. 가지에도 **부스럼이 돋고** 잔가지는 무더기로 자라 참으로 볼 것이 없었다. 지난 봄에 이웃에 박 씨 성을 가진 이의 손을 빌어 **홍도 가지**를 접붙여 보았다. 그랬더니 그 꽃이 아름답고 열매도 아주 튼실하였다. 애초에 한창 잘 자라는 나무를 베어 버리고 잔가지 하나를 접붙였을 때에 나는 그것을 보고 '대단히 어긋난 일을 하는구나'하고 생각하였다. 그런데 어느새 밤낮으로 싹이 나 자라고 비와 이슬이 그것을 키워 눈이 트고 가지가 뻗어 얼마 지나지 않아 울창하게 자라 제법 그늘을 드리우게 되었다. 올봄에는 꽃과 잎이 많이 피어서 붉고 푸른 비단이 찬란하게 서로 어우러진 듯하니 그 경치가 진실로 볼 만하였다.

오호라, 하나의 복숭아나무, 이것이 심은 땅의 흙도 바꾸지 않고 그 뿌리의 종자도 바꾸지 않았으며 단지 접붙인 한 줄기의 기운으로 줄기도 되고 가지도 되어 아름다운 꽃이 밖으로 피어나 그 **자태가 돌연히 다른 모습**으로 바뀌니 보는 이로 하여금 눈을 씻게 하고 지나가는 이가 많이 찾아 오솔길을 내게 되었다. 이러한 기술을 가진 이는 그 조화의 비밀을 아는 이가 아닌가! 신기하고 또 신기하도다.

내가 여기에 이르러 느낀 바가 있었다. 사물이 변화하고 바뀌어 개혁을 하게 되는 것은 오로지 초목에 국한한 것이 아니오, 내 몸을 돌이켜 본다 하여도 그런 것이니 어찌 그 관계가 멀다 할 것인가! **악한 생각**이 나는 것을 결연히 내버리는 일은 나무의 옛 가지를 잘라 내버리듯 하고 **착한 마음**의 실마리 싹을 끊임없이 움터 나오게 하기를 새 가지로 접붙이듯 하여, 뿌리를 북돋아 잘 기르듯 마음을 닦고 가지를 잘 자라게 하듯 깊은 진리에 이른다면 이것은 시골 사람에서 성인에 이르기까지 나무 접붙임과 다른 것이 무엇이겠는가!

『주역』에 이르기를 ㉠"땅에서 나무가 자라나는 것은 승괘(升卦)*이니 군자가 이로써 덕을 순하게 하여 작은 것을 쌓아 높고 크게 한다." 하였으니, 이것을 보고 어찌 스스로 힘쓰지 아니하겠는가. 그리고 또 느낀 바가 있다. 오늘부터 지난 봄을 돌이켜 보면 겨우 추위와 더위가 한 번 바뀐 것뿐인데 한 치 가지를 손으로 싸매어 놓은 것이 저토록 지붕 위로 높이 자라 꽃을 보게 되었고, 또 장차 그 열매를 먹게 되었으니 만약 앞으로 내가 몇 해를 더 살게 된다면 이 나무를 즐김이 그 얼마나 더 많을 것인가! 세상 사람들은 자기가 **늙는 것만 자랑하여 팔다리를 게을리 움직이**고 그 마음 씀도 별로 소용되는 바가 없다. 이로 미루어 보면 또한 어찌 마음을 분발하여 뜻을 불러일으키기를 권하지 아니하겠는가. 이 모든 것은 다 이 늙은이를 경계함이 있으니 이렇게 글을 지어 마음에 새기노라.

– 한백겸, 「접목설(接木說)」 –

* 승괘 : 육십사괘의 하나. 땅에 나무가 자라남을 상징함.

1. (가)~(다)에 대한 설명으로 적절한 것은?

① (가)는 공간의 이동에 따라 시상을 전개하고 있다.
② (나)는 색채어의 대비를 활용하여 주제를 강조하고 있다.
③ (다)는 음성 상징어를 사용하여 생동감을 드러내고 있다.
④ (가)와 (나)는 시어의 반복을 통해 리듬감을 형성하고 있다.
⑤ (가)와 (다)는 구체적인 묘사를 통해 계절감을 부각하고 있다.

2. (나)를 활용하여 '전원일기'라는 제목으로 영상시를 제작하기 위해 학생들이 협의한 내용으로 적절하지 <u>않은</u> 것은?

① <제1수>는 아침부터 농기구를 가지고 밭을 가는 농부의 모습을 보여주면 좋겠어.
② <제3수>는 농부들이 함께 잡초를 뽑고 있는 모습을 보여주면 좋겠어.
③ <제4수>는 옷깃을 열고 바람을 쐬고 있는 농부의 모습을 보여주면 좋겠어.
④ <제5수>는 농부들이 모여 식사하고 있는 모습을 보여주면 좋겠어.
⑤ <제6수>는 해 질 무렵에 농사일을 마치고 마을로 돌아오는 농부의 모습을 보여주면 좋겠어.

3. <보기>를 참고하여 (가)와 (나)를 감상한 내용으로 적절하지 <u>않은</u> 것은? [3점]

> ─────<보 기>─────
> 조선 시대 사대부들의 시조에는 자연이 자주 등장하는데, 작품 속 자연에 대한 인식이 같지는 않다. (가)에서의 자연은 속세를 벗어난 화자가 동화되어 살고 싶어 하는 공간이자 안빈낙도(安貧樂道)의 공간으로 그려져 있다. 반면에 (나)에서의 자연은 소박하게 살아가는 삶의 현장이자 건강한 노동 속에서 흥취를 느끼는 공간으로 그려져 있다.

① (가)의 '초려삼간'은 화자가 안빈낙도하며 사는 공간으로 볼 수 있군.
② (가)의 화자는 '강산'에서 벗어나 '달', '청풍'과 하나가 되어 살아가려는 태도를 보이고 있군.
③ (나)의 '묵은 풀'이 있는 '밭'은 화자가 땀 흘리며 일해야 하는 공간으로 볼 수 있군.
④ (나)의 '보리밥'과 '콩잎 나물'은 노동의 현장에서 맛보는 소박한 음식으로 볼 수 있군.
⑤ (나)의 화자가 '호미 메고 돌아올' 때에 듣는 '우배초적'에서 농부들의 흥취를 느낄 수 있군.

4. (다)의 글쓴이가 ㉠을 인용한 이유로 가장 적절한 것은?

① 자신이 깨달은 바를 뒷받침하기 위해
② 자신의 상황을 반어적으로 드러내기 위해
③ 자신의 지식이 보잘것없음을 성찰하기 위해
④ 자신과 군자의 삶이 다르지 않음을 강조하기 위해
⑤ 자신이 살고 있는 세태를 지난날과 비교하기 위해

5. 다음은 학생이 (다)를 읽고 정리한 메모이다. ⓐ~ⓔ 중 적절하지 <u>않은</u> 것은?

> **접목설(接木說)**
> ⓐ 글쓴이는 '빛깔이 시원치 않은' 꽃과 '부스럼이 돋은' 가지가 달린 복숭아나무를 소재로 글을 썼다.
> ⓑ 글쓴이는 이웃에 사는 박 씨의 도움으로 '홍도 가지'를 접붙인 후 자라난 꽃과 열매를 본 경험을 제시하였다.
> ⓒ 글쓴이는 사물이 '자태가 돌연히 다른 모습'으로 바뀌기 위해서는 근본의 변화가 중요함을 강조하였다.
> ⓓ 글쓴이는 사물이 변화하는 이치를 사람들이 깨달아 실천하게 되면, '악한 생각'을 버리고 '착한 마음'을 자라게 하는 변화가 가능하다고 여겼다.
> ⓔ 글쓴이는 '늙는 것만 자랑하여 팔다리를 게을리 움직이'는 사람들에게 삶의 태도를 바꾸도록 권하고 싶어 한다.

① ⓐ   ② ⓑ   ③ ⓒ   ④ ⓓ   ⑤ ⓔ

【6~9】 다음 글을 읽고 물음에 답하시오.

(가)

[A]
 고인(古人)*도 날 못 보고 나도 고인 못 뵈네
 고인을 못 봐도 가던 길 앞에 있네
 가던 길 앞에 있거든 아니 가고 어찌할까

<제9수>

[B]
 당시(當時)에 가던 길을 몇 해를 버려 두고
 어디 가 다니다가 이제야 돌아왔는고
 이제야 돌아왔으니 딴 데 마음 말으리

<제10수>

청산(靑山)은 어찌하여 만고(萬古)에 푸르르며
유수(流水)는 어찌하여 주야(晝夜)에 그치지 않는고
우리도 그치지 마라 만고상청(萬古常靑)*하리라

<제11수>

– 이황, 「도산십이곡」 –

*고인 : 옛 성인(聖人), 성현.
*만고상청 : 아주 오랜 세월 동안 항상 푸름.

(나)

　지나간 성인들의 가르침은 하나같이 간단하고 명료했다. 들으면 누구나 다 알아들을 수 있는 내용이었다. 그런데 학자(이 안에는 물론 신학자도 포함되어야 한다)라는 사람들이 튀어나와 불필요한 접속사와 수식으로써 **말의 갈래를 쪼개고 나누어** 명료한 진리를 어렵게 만들어 놓았다. 어떻게 살아야 할 것인가에 대한 자기 **자신의 문제는 묻어** 둔 채, 이미 뱉어 버린 말의 찌꺼기를 가지고 시시콜콜하게 뒤적거리며 이러쿵저러쿵 따지려 든다. 생동하던 언행은 이렇게 해서 지식의 울안에 갇히고 만다.

　이와 같은 학문이나 지식을 나는 신용하고 싶지 않다. 현대인들은 자기 행동은 없이 남의 흉내만을 내면서 살려는 데에 맹점이 있다. 사색이 따르지 않는 지식을, 행동이 없는 지식인을 어디에다 쓸 것인가. 아무리 바닥이 드러난 세상이기로, 진리를 사랑하고 실현해야 할 지식인들까지 곡학아세(曲學阿世)*와 비겁한 침묵으로써 처신하려 드니, 그것은 지혜로운 일이 아니라 진리에 대한 배반이다.

　얼마만큼 많이 알고 있느냐는 것은 대단한 일이 못 된다. 아는 것을 어떻게 살리고 있느냐가 중요하다. 인간의 탈을 쓴 인형은 많아도 인간다운 인간이 적은 현실 앞에서 지식인이 할 일은 무엇일까. 먼저 무기력하고 나약하기만 한 그 인형의 집에서 나오지 않고서는 어떠한 사명도 할 수가 없을 것이다.

　ꕯ무학(無學)ꕯ이란 말이 있다. 전혀 배움이 없거나 배우지 않았다는 뜻이 아니다. 학문에 대한 무용론도 아니다. 많이 배웠으면서도 배운 자취가 없는 것을 가리킴이다. 학문이나 지식을 코에 걸지 않고 지식 과잉에서 오는 관념성을 경계한 뜻에서 나온 말일 것이다. 지식이나 정보에 얽매이지 않은 자유롭고 발랄한 삶이 소중하다는 말이다. 여러 가지 지식에서 추출된 진리에 대한 신념이 일상화되지 않고서는 지식 본래의 기능을 다할 수 없다. 지식이 인격과 단절될 때 그 지식인은 사이비요 위선자가 되고 만다.

　책임을 질 줄 아는 것은 인간뿐이다. 이 시대의 실상을 모른 체하려는 무관심은 비겁한 회피요, 일종의 범죄다. 사랑한다는 것은 함께 나누어 짊어진다는 뜻이다. 우리에게는 우리 이웃의 기쁨과 아픔에 대해 나누어 가질 책임이 있다. 우리는 인형이 아니라 살아 움직이는 인간이다. 우리는 끌려가는 짐승이 아니라 신념을 가지고 당당하게 살아야 할 인간이다.

– 법정, 「인형과 인간」 –

*곡학아세 : 바른 길에서 벗어난 학문으로 세상 사람들에게 아첨함.

6. (가)와 (나)의 공통점으로 가장 적절한 것은?

① 옛사람의 행적을 긍정적으로 바라보고 있다.
② 새로운 도전에 대한 기대감을 형상화하고 있다.
③ 사물의 아름다움에 대한 예찬적 태도를 드러내고 있다.
④ 자연과 하나 되는 삶의 과정을 순차적으로 제시하고 있다.
⑤ 지식인의 부정적 태도에 대한 냉소적인 인식을 나타내고 있다.

7. [A]와 [B]에 대한 설명으로 적절하지 않은 것은?

① [A]는 유사한 문장 구조를 활용하여 운율감을 형성하고 있다.
② [B]는 시간과 관련된 표현을 활용하여 상황 변화의 기점을 강조하고 있다.
③ [A]와 [B]는 모두 의문형 어구를 활용하여 화자의 태도를 드러내고 있다.
④ [A]와 [B]는 모두 부정 표현을 사용하여 반성하는 자세를 드러내고 있다.
⑤ [A]와 [B]는 모두 앞 구절의 일부를 다음 구절에서 반복하여 내용을 연결하고 있다.

※ 〈보기〉를 참고하여 8번과 9번의 두 물음에 답하시오.

> ─── < 보 기 > ───
> 문학 작품의 감상 과정에서 독자는 작품에 제시된 대상이나 상황 간의 관계를 파악함으로써 내용을 더 잘 이해할 수 있다. (가)와 (나)의 독자는 이러한 방식을 통해 ⊙학문의 길을 걷는 사람이 지녀야 하는 올바른 삶의 태도를 발견하게 된다.

8. (가)와 (나)를 감상한 내용으로 적절하지 <u>않은</u> 것은? [3점]

① (가)의 9수에서는 '고인'과 '나'가 만나지 못하는 현실을 인식하고 학문 수양이라는 '가던 길'을 매개로 '고인'을 따르겠다는 화자의 의도가 드러나고 있다.

② (가)의 10수에서는 '당시에 가던 길'과 '딴 데'가 대비되면서 학문 수양 이외에 다른 것에는 힘을 쏟지 않겠다는 화자의 의지가 드러나고 있다.

③ (가)의 11수에서는 '청산'과 '유수'의 공통적 속성이 '우리도 그치지' 않겠다는 다짐과 연결되면서 끊임없이 학문에 정진하겠다는 자세가 드러나고 있다.

④ (나)에서는 '말의 갈래를 쪼개고 나누'는 태도와 '자신의 문제는 묻어' 두는 태도가 대비되면서 학문 수양에서 자기 중심적 태도를 버려야겠다는 다짐이 드러나고 있다.

⑤ (나)에서는 '살아 움직이는 인간'과 '끌려가는 짐승'이 대비되면서 학문을 통해 배운 신념을 바탕으로 당당하게 살아가겠다는 태도가 드러나고 있다.

9. (나)의 무학(無學)의 의미를 바탕으로 <보기>의 ⊙을 설명한 내용으로 적절하지 <u>않은</u> 것은?

① 지식의 과잉에서 오는 관념성을 경계하는 태도이다.
② 배움이 부족하여 지식을 인격과 별개로 보는 태도이다.
③ 많이 배웠으면서 배운 자취를 자랑하지 않는 태도이다.
④ 지식에서 추출된 진리에 대한 신념이 일상화된 태도이다.
⑤ 지식이나 정보에 얽매이지 않은 자유롭고 발랄한 태도이다.

 8분 2020학년도 9월 학평 21~25번 ★☆☆ 정답 055쪽

【10~14】 다음 글을 읽고 물음에 답하시오.

(가)

순이(順伊)가 떠난다는 아침에 말 못할 마음으로 함박눈이 나려, 슬픈 것처럼 창밖에 아득히 깔린 지도 우에 덮인다. 방안을 돌아다 보아야 아무도 없다. 벽과 천정이 하얗다. 방안에까지 눈이 나리는 것일까, 정말 너는 잃어버린 역사처럼 훌훌이 가는 것이냐, 떠나기 전에 일러둘 말이 있던 것을 편지를 써서도 네가 가는 곳을 몰라 어느 거리, 어느 마을, 어느 지붕 밑, 너는 내 마음속에만 남아 있는 것이냐, 네 쪼고만 발자욱을 눈이 자꾸 나려 덮여 따라갈 수도 없다. 눈이 녹으면 남은 발자욱 자리마다 꽃이 피리니 꽃 사이로 발자욱을 찾아 나서면 일 년 열두 달 하냥 내 마음에는 눈이 나리리라.

― 윤동주, 「눈 오는 지도」 ―

(나)

　┌어린 시절, 어머니에게 물었습니다
　│ 내일은 언제 오나요
　│ 하룻밤만 자면 내일이지
[A]│ 다음 날 다시 어머니에게 물었습니다
　│ 오늘이 내일인가요?
　│ 아니란다 오늘은 오늘이고 내일은
　└ 또 하룻밤 더 자야 한단다

　┌고향에서 급한 전갈이 왔습니다
　│ 어머니 임종의 이마에
　│ 둘러앉아 있는 어제의 것들이 물었습니다
　│ 애야 내일까지 갈 수 있을까?
　│ 그럼요 하룻밤만 지나면 내일인 걸요
[B]│ 어제의 것들은 물도 들고 간신히 기운도 차렸습니다
　│ 다음 날 어머니의 베갯모에
　│ 수실로 뜨인 학 한 마리가 날아오르며 다시 물었습니다
　│ 오늘이 내일이지
　│ 아니에요 오늘은 오늘이고 내일은
　└ 하룻밤을 지내야 해요

　┌이제 더 이상 고향에서 급한 전갈이 오지 않았습니다
　│ 우리 집에는
　│ 어머니는 어제라는 집에
[C]│ 아내는 오늘이라는 집에
　│ 딸은 내일이라는 집에 살면서
　└ 나와 쉽게 만나는 법을 알고 있기 때문입니다

― 김종철, 「만나는 법」 ―

(다)

나산 처사는 나이가 거의 팔십인데도 눈동자는 새까맣고 얼굴은 발그레하며 여유로운 모습이 마치 신선과 같다. 어느 날, 다산에 있는 암자로 나를 찾아와 말하였다.

"아름답도다, 이 암자여! 화초와 약초를 보기 좋게 심었고, 샘 가에는 바위를 둘렀으니 아무 걱정 없는 사람이 사는 곳이로다. 그러나 그대는 귀양 온 사람이라, 임금께서 그대를 사면하여 고향으로 돌아가게 하라는 명을 내렸으니, 만약 오늘이라도 사면장이 도착하면 내일 이미 그대는 여기에 없을 것이다. 그런데 무엇 때문에 꽃모종을 심고 약초 씨앗을 뿌

리며 샘을 파고 못과 도랑을 만들고 바위를 세우는 등, 마치 오래오래 여기 살 것처럼 일을 벌이는가?

나는 30여 년 전 나산의 남쪽에 암자를 세우고, 거기에 사당을 모시고 거기서 자손들을 길렀다네. 그러나 대충 깎은 나무로 기둥을 세우고 낡은 밧줄로 얽어 놓았으며, 뜰과 채마밭은 가꾸지 않아 잡초가 무성하다네. 겨우 그때그때 수리만 할 뿐이라네. 왜 이와 같이 하겠는가? 내 삶이란 떠 있는 것이기 때문이네. 혹은 떠서 동쪽으로 가고, 혹은 떠서 서쪽으로 가며, 혹은 떠서 다니고, 혹은 떠서 머무네. 떠서 갔다가 떠서 돌아오니, 그 떠 있음은 그치질 않지.

그래서 내 호(號)를 '떠 있는 사람'이라는 뜻에서 '부부자(浮浮子)'라 하고, 내 사는 집을 '떠 있는 집'이라는 뜻에서 '부암(浮菴)'이라 하였네. 나도 이와 같은데, 하물며 자네야 어떠하겠나? 자네가 이렇게 정원을 가꾸는 것이 나는 이해가 되지 않네."

나는 일어나 경의를 표하며 말했다.

"아아, 통달하신 말씀이십니다. 선생께서는 삶이 떠 있다는 걸 잘 알고 계십니다. 호수 물이 넘치면 거기 있던 부평초가 도랑에 가 있고, 큰비가 내리면 나무로 깎은 인형이 물에 떠내려갑니다. 사람들은 이런 걸 잘 알고 있고, 선생께서도 스스로의 삶을 이에 비유하셨습니다.

떠 있는 것이 어찌 이뿐이겠습니까? 고기는 부레로 떠 있고, 새는 날개로 떠 있고, 물방울은 공기로 떠 있고, 구름과 안개는 수증기로 떠 있고, 해와 달은 운행하면서 떠 있고, 별자리는 연결되어서 떠 있고, 하늘은 태허(太虛)로 말미암아 떠 있고, 지구는 작은 구멍들로 말미암아 떠 있으면서 만물과 만민을 그 위에 살게 합니다. 이렇게 보면 천하에 떠 있지 않은 것이 어디 있겠습니까?

여기 어떤 사람이 있어 큰 배를 타고 바다로 나가서 배 위에 한 잔의 물을 쏟아 놓고 거기에 작은 풀잎을 배처럼 띄운다고 합시다. 그러고는 그것이 떠 있는 걸 비웃으면서 정작 자기가 바다에 떠 있는 사실은 잊어버린다면 그를 어리석다고 여기지 않을 사람이 드물 테지요. 지금 천하에 떠 있지 않은 것이 없거늘 선생께서는 떠 있음을 홀로 상심하시어 자신의 이름과 집에 그런 뜻을 드러내셨는데요, 떠 있음을 슬프게 생각하는 것은 잘못이 아닐까요?

여기 있는 화초와 약초, 물과 바위는 모두 나와 함께 떠 있는 것들입니다. 떠 있다가 서로 만나면 기뻐하고, 떠 있다가 서로 헤어지면 훌훌 잊을 따름입니다. 안 될 게 무어 있겠습니까?

그리고 떠 있는 것이 슬픈 건 아닙니다. 어부는 떠다니며 고기를 잡고, 장사꾼은 떠다니며 이익을 얻습니다. 범려는 강호를 떠다녀 화를 면했고, 서불은 바다를 떠다니다 나라를 세웠고, 장지화는 강물을 떠다니며 삶을 즐겼고, 예원진은 호수를 떠다니며 편안하게 지냈습니다. 그러니 떠다니는 것을 어찌 하찮게 생각하겠습니까? 그러므로 공자 같은 성인도 일찍이 바다를 떠 가고 싶다고 말씀하셨습니다. 생각해 보면 떠다닌다는 게 아름답지 않습니까? 물에 떠다니는 사람도 그럴진대 땅에 떠 있는 사람이 어찌 스스로 상심하겠습니까? 청컨대, 오늘 함께 나눈 말씀으로 '떠 있는 집'에 대한 글을 써서 선생의 장수를 축원하고자 합니다."

— 정약용, 「떠 있는 삶」 —

---

10. (가)~(다)에 대한 설명으로 가장 적절한 것은?

① (가)와 (나)에는 대상의 부재에서 느끼는 정서가 드러나 있다.

② (가)와 (다)에는 자신의 현재 모습에 대한 긍정적 인식이 드러나 있다.

③ (나)와 (다)에는 부정적인 현실이 개선되리라는 믿음이 드러나 있다.

④ (가)에는 과거에 대한 만족감이, (나)에는 미래에 대한 기대감이 드러나 있다.

⑤ (나)에는 외적 갈등이 해소되는 과정이, (다)에는 내적 갈등이 해소되는 과정이 드러나 있다.

11. 다음은 (가)를 감상하기 위한 학습 활동이다. ㉠~㉤ 중, 감상 내용으로 적절하지 않은 것은?

> **학습 활동 : 질문을 통해 작품 감상하기**
>
> ○ '함박눈'이 왜 슬픈 것처럼 덮인다고 했을까?
> → ㉠ 순이가 떠난다는 아침에 화자의 마음이 슬펐기 때문인 것 같아.
>
> ○ '벽과 천정'이 왜 하얗다고 했을까?
> → ㉡ 화자는 아무도 없는 방안에 눈이 내리고 있는 것처럼 느꼈기 때문인 것 같아.
>
> ○ '순이'가 마음속에만 남아 있는 이유는 무엇일까?
> → ㉢ 화자는 순이가 가는 곳을 몰라서 순이를 만날 수 없기 때문인 것 같아.
>
> ○ '발자욱'을 왜 따라갈 수도 없다고 했을까?
> → ㉣ 눈이 내려 순이가 간 흔적을 덮었기 때문이야.
>
> ○ '일 년 열두 달' 마음에 눈이 내리는 이유는 무엇일까?
> → ㉤ 화자는 꽃이 피면 순이를 만나게 된다고 확신하고 있기 때문이야.

① ㉠　　② ㉡　　③ ㉢　　④ ㉣　　⑤ ㉤

12. (나)의 [A]~[C]에 대한 설명으로 적절하지 <u>않은</u> 것은?

① [A]에서 시간에 대해 묻던 주체가 [B]에서 답하는 사람으로 바뀌고 있다.

② [B]에서 만남에 대한 화자의 긍정적인 인식이 [C]에서 부정적인 인식으로 전환되고 있다.

③ [A]와 [B]에는 화자의 경험이, [C]에는 화자의 깨달음이 드러나 있다.

④ [A]와 [B]는 대화의 형식을 통해, [C]는 독백의 형식을 통해 시적 의미를 전달하고 있다.

⑤ [A]에서 [B], [B]에서 [C]로 시간의 흐름에 따라 시상이 전개되고 있다.

13. 편지 와 전갈 에 대한 설명으로 가장 적절한 것은?

① '편지'와 달리 '전갈'은 화자가 대상을 만나러 가는 계기가 되는 소재이다.

② '편지'와 달리 '전갈'은 시대 상황에 대한 화자의 인식을 드러내는 소재이다.

③ '전갈'과 달리 '편지'는 화자에게 대상의 소식을 전해 주는 소재이다.

④ '편지'와 '전갈'은 모두 과거의 상황에 대한 화자의 반성을 담고 있는 소재이다.

⑤ '편지'와 '전갈'은 모두 대상에 대한 화자의 태도를 부정적으로 바꾸는 소재이다.

14. <보기>를 참고하여 (다)를 감상한 내용으로 가장 적절한 것은? [3점]

<보 기>
'떠 있음'이라는 말에는 '가변적, 유동적'이라는 의미와 '덧없다, 무상하다'는 의미가 중첩되어 있다. 우리의 삶이란 덧없는 것이고, 우리가 만나는 대상들도 덧없는 것이다. 하지만 이 작품은 그 덧없음을 슬퍼하지 말고 순순히 받아들이며 삶을 즐길 것을 제안하고 있다. 존재의 무상성을 통찰함으로써 오히려 근원적인 긍정에 도달하는 것이다.

① '나산 처사'가 자신의 집을 떠 있는 집이라고 한 것은 떠 있는 것이 아름답다는 근원적인 긍정에 도달했기 때문이겠군.

② '나산 처사'가 나산의 남쪽에 암자를 세우고 사당을 모신 것은 자신의 삶이 덧없다는 것을 인정하지 않았기 때문이겠군.

③ 글쓴이가 어부와 장사꾼을 슬프게 여기지 않은 것은 자신이 만나는 대상이 덧없는 존재임을 깨닫지 못했기 때문이겠군.

④ 글쓴이가 날개로 떠 있는 새의 처지가 자신과 비슷하다고 여긴 것은 존재의 무상성에 대해 안타까워한 것으로 볼 수 있군.

⑤ 글쓴이가 꽃모종을 심고 약초 씨앗을 뿌리는 것은 가변적인 상황에서도 덧없음을 슬퍼하지 않고 자신의 삶을 즐기고 있는 것으로 볼 수 있군.

총 문항					문항	맞은 문항				문항
개별 문항	1	2	3	4	5	6	7	8	9	10
채점										
개별 문항	11	12	13	14	15	16	17	18	19	20
채점										

7분 2020학년도 6월 학평 42~45번 ★★☆ 정답 056쪽

【1~4】 다음 글을 읽고 물음에 답하시오.

(가)

태산이 높다 하되 하늘 아래 뫼히로다.
오르고 또 오르면 못 오를 리 업건마는
사람이 제 아니 오르고 뫼만 높다 하더라.
— 양사언의 시조 —

(나)

乍晴還雨雨還晴 언뜻 개었다가 다시 비가 오고 비 오다가
　　　　　　　　　 다시 개이니,
天道猶然況世情 하늘의 도도 그러하거늘, 하물며 세상 인
　　　　　　　　　 정이라. [A]
譽我便是還毀我 나를 기리다가 문득 돌이켜 나를 헐뜯고,
逃名却自爲求名 공명을 피하더니 도리어 스스로 공명을 구
　　　　　　　　　 함이라. [B]
花門花謝春何管 꽃이 피고 지는 것을, 봄이 어찌 다스릴고.
雲去雲來山不爭 구름 가고 구름 오되, 산은 다투지 않음이라. [C]
寄語世人須記認 세상 사람들에게 말하노니, 반드시 기억해
　　　　　　　　　 알아 두라.
取歡無處得平生 기쁨을 취하려 한들, 어디에서 평생 즐거
　　　　　　　　　 움을 얻을 것인가를. [D]
— 김시습, 「사청사우(乍晴乍雨)*」 —

*사청사우(乍晴乍雨): 날이 맑았다 비가 오다 함, 변덕스런 날씨를 가리킴

(다)

　행랑채가 퇴락*하여 지탱할 수 없게끔 된 것이 세 칸이었다. 나는 마지못하여 이를 모두 수리하였다. 그런데 그 두 칸은 앞서 장마에 비가 샌 지가 오래 되었으나, 나는 그것을 알면서도 망설이다가 손을 대지 못했던 것이고, 나머지 한 칸은 비를 한 번 맞고 샜던 것이라 서둘러 기와를 갈았던 것이다. ㉮이번에 수리하려고 본즉 비가 샌 지 오래된 것은 그 서까래, 추녀, 기둥, 들보가 모두 썩어서 못 쓰게 되었던 까닭으로 수리비가 엄청나게 들었고, 한 번밖에 비를 맞지 않았던 한 칸의 재목들은 완전하게 하여 다시 쓸 수 있었던 까닭으로 그 비용이 많지 않았다.
　나는 이에 느낀 것이 있었다. 사람의 몸에 있어서도 마찬가지라는 사실을. 잘못을 알고서도 바로 고치지 않으면 곧 그 자신이 나쁘게 되는 것이 마치 나무가 썩어서 못 쓰게 되는 것과 같으며, 잘못을 알고 고치기를 꺼리지 않으면 해(害)를 받지 않고 다시 착한 사람이 될 수 있으니, 저 집의 재목처럼 말끔하게 다시 쓸 수 있는 것이다.
　뿐만 아니라 나라의 정치도 이와 같다. 백성을 좀먹는 무리들을 내버려두었다가는 백성들이 도탄*에 빠지고 나라가 위태롭게 된다. 그런 연후에 급히 바로잡으려 하면 이미 썩어 버린 재목처럼 때는 늦은 것이다. 어찌 삼가지 않겠는가.
— 이규보, 「이옥설(理屋說)」 —

*퇴락(頹落): 낡아서 무너지고 떨어짐
*도탄(塗炭): 몹시 곤궁하거나 고통스러운 지경을 이르는 말

1. (가) ~ (다)의 공통점으로 가장 적절한 것은?

① 자신의 가치관을 성찰하며 개선하고 있다.
② 현재 처한 상황을 극복하고자 노력하고 있다.
③ 바른 삶을 살아가는 자세에 대해 말하고 있다.
④ 이념과 현실 사이의 갈등 속에서 방황하고 있다.
⑤ 추구하는 이상 세계의 모습을 구체적으로 언급하고 있다.

2. [A] ~ [D]에 대한 설명으로 적절하지 않은 것은?

① [A]에서는 자연 현상에 빗대어 세상 인정에 대한 화자의 부정적 인식을 드러내고 있다.
② [B]에서는 대구법을 사용하여 세상 인정에 대한 구체적인 사례를 들고 있다.
③ [C]에서는 가변적인 대상과 불변적인 대상을 대조하여 화자의 의도를 분명히 하고 있다.
④ [D]에서는 도치법을 활용하여 화자가 전달하고자 하는 바를 강조하고 있다.
⑤ [A] ~ [D]에서는 세상 사람들을 청자로 설정하여 묻고 답하며 시상을 전개하고 있다.

3. <보기>를 참고하여 (다)를 이해한 내용으로 가장 적절한 것은? [3점]

<보 기>
　설(設)은 일반적으로 두 단계의 구조로 나뉜다. 글쓴이의 개인적인 경험을 들려주는 ㉠전반부와 그로부터 얻은 결과를 독자에게 전하는 ㉡후반부로 구분된다. 글쓴이의 주관이 직접적으로 드러나고 경험담이 기반이 되기 때문에 수필과 비슷하다.

① ㉠은 문제에 대해 다양한 해결책을 제시하고 있다.
② ㉠과 ㉡은 서로 상반되는 견해를 제시하고 있다.
③ ㉠이 사건의 결과라면 ㉡은 그 원인에 해당한다.
④ ㉡은 ㉠의 사실적 상황을 바탕으로 유추한 것이다.
⑤ ㉠은 ㉡에서 얻은 깨달음을 자신의 생활에 적용한 것이다.

4. ㉮에 대한 반응으로 가장 적절한 것은?

① 호미로 막을 걸 가래로 막았군.
② 낫 놓고 기역자도 모르는 격이군.
③ 까마귀 날자 배 떨어진 상황이군.
④ 개구리 올챙이 적 생각 못 하는군.
⑤ 우물에 가서 숭늉을 찾는 경우이군.

【5~9】 다음 글을 읽고 물음에 답하시오.

(가)

내 벗이 몇이나 하니 수석(水石)과 송죽(松竹)*이라.
동산(東山)에 달 오르니 긔 더욱 반갑구나.
두어라 이 다섯 밧긔 또 더하여 무엇하리.
　　　　　　　　　　　　　　　　　<제1수>

구름 빛이 좋다 하나 검기를 자로 한다.
바람 소리 맑다 하나 그칠 적이 하노매라.
좋고도 그칠 뉘 없기는 물뿐인가 하노라.
　　　　　　　　　　　　　　　　　<제2수>

㉠꽃은 무슨 일로 피면서 쉬이 지고
풀은 어이 하여 푸르는 듯 누르나니
아마도 변치 아닐손 바위뿐인가 하노라.
　　　　　　　　　　　　　　　　　<제3수>

더우면 꽃 피고 추우면 잎 지거늘
솔아 너는 어찌 눈서리를 모르느냐.
구천(九泉)의 뿌리 곧은 줄을 글로 하여 아노라.
　　　　　　　　　　　　　　　　　<제4수>

나무도 아닌 것이 풀도 아닌 것이
곧기는 뉘 시키며 속은 어이 비었느냐.
저렇게 사시(四時)에 푸르니 그를 좋아하노라.
　　　　　　　　　　　　　　　　　<제5수>

작은 것이 높이 떠서 만물을 다 비추니
밤중에 광명(光明)이 너만한 이 또 있느냐.
보고도 말 아니 하니 내 벗인가 하노라.
　　　　　　　　　　　　　　　　　<제6수>
　　　　　　　　　　　　　　– 윤선도, 「오우가(五友歌)」 –

* 송죽: 소나무와 대나무.

(나)

　작년 가을에 이웃집에서 복수초를 나누어 받았다. 뿌리는 구근이 아니라 흑갈색 잔뿌리와 검은 흙이 한데 엉겨 있고, 키는 땅에 닿을 듯이 작은데 잎도 새의 깃털처럼 잘게 갈라져 있어서 전체적으로 볼륨이 느껴지지 않아 하찮은 잡초처럼 보였다. 그전에 나는 복수초라는 화초를 사진으로 본 적은 있지만 실물을 본 적은 없기 때문에 그게 과연 눈 속에서 핀다는 그 복수초인지 잘 믿기지 않았다. 생각해서 나누어 준 분 앞이라 당장 양지바른 곳에 심긴 했지만 곧 가을이 깊어지니 워낙 시원치 않아 보이던 이파리들은 자취도 없어지고 나 역시 그게 있던 자리조차 기억 못하게 되었다.
　아마 3월이 되자마자였을 것이다. 샛노란 꽃이 두 송이 땅에 닿게 피어 있었다. 하도 키가 작아서 하마터면 밟을 뻔했다. 그러나 빛깔은 진한 황금색이어서 아직 아무것도 싹트지 않은 황량한 마당에 몹시 생뚱스러워 보였다. 그리고 곧 큰 눈이 왔다. 아무리 눈 속에도 피는 꽃이라고 알려져 있어도 그 작은 키로 견디기엔 너무 많은 눈이었다. 나는 눈으로는 눈의 무게를 이기지 못해 꺾인 듯이 축 처진 소나무 가지를 바라보면서 마음으로는 그 샛노란 꽃의 속절없음을 생각하고 있었다. 대문 밖의 눈은 쳐 주었지만 마당의 눈은 그대로 방치해 두었기 때문에 녹아 없어지는 데 며칠 걸렸다. 놀랍게도 제일 먼저 녹은 데가 복수초 언저리였다. ㉡고 작은 풀꽃의

머리칼 같은 뿌리가 땅속 어드메서 따뜻한 지열을 길어 올렸기에 그 두터운 눈을 녹이고 더욱 샛노랗게 더욱 싱싱하게 해를 보고 있었다. 온종일 그렇게 피어 있다가 해질 무렵에는 타원형으로 오므라든다. 그러다가 아주 시들어 버릴 줄 알았는데 다음날 해만 뜨면 다시 활짝 핀다. 그러나 마냥 그럴 수는 없는 일이다. 곧 안 깨어나고 져 버리는 날이 있겠기에 그게 피어 있는 동안만이라도 누구에겐가 보여 주고 자랑하고 싶어서 나는 집에 손님만 오면 그걸 구경시킨다. 그러나 내가 기대하는 것만치 신기해 해 주는 이가 별로 없다. 어떤 친구는 마당에 피는 꽃이 백 가지도 넘는다고 해서 부러워했는데 이런 것까지 쳐서 백 가지냐고 기막힌 듯이 물었다. 듣고 보니 내가 그런 자랑을 한 적이 있는 것 같았다. 그러나 거짓말을 한 건 아니다. 그 친구는 아마 기화요초*가 어우러진 광경을 상상했나 보다. 내가 백 가지도 넘는다고 한 것은 복수초 다음으로 피어날 민들레나 제비꽃, 할미꽃까지 다 합친 수효다. 올해는 복수초가 1번이 되었지만 작년까지만 해도 산수유가 1번이었다. 곧 4월이 되면 목련, 매화, 살구, 자두, 앵두, 조팝나무 등이 다투어 꽃을 피우겠지만 그래도 조금씩 날짜를 달리해 순서대로 피면서 그 그늘에 제비꽃이나 민들레, 은방울꽃을 거느린다. 꽃이 제일 먼저 핀 것은 복수초지만 잎이 제일 먼저 흙을 뚫고 모습을 드러낸 것은 상사초고 그 다음이 수선화다. 수선화는 벚꽃이 필 무렵에나 필 것 같고 상사초는 잎이 시들어 지상에서 사라지고 나서도 한참이나 더 있다가 꽃대를 밀어 올릴 것이다. 이렇게 그것들을 기다리고 마중하다 보니 내 머릿속에 ⓐ출석부가 생기게 되고, 출석부란 원래 이름과 함께 번호를 매기게 되어 있는지라 100번이 넘는다는 걸 알게 되었다. 이름을 모르면 100번이라는 숫자도 나오지 않았을 것이다. 그것들이 순서를 지키지 않고 멋대로 피고 지면 이름이 궁금하지 않았을지도 모른다.
　내가 출석을 부르지 않아도 그것들은 올 것이다. 그대로 나는 그것들이 올해도 하나도 결석하지 않고 전원 출석하기를 바라기 때문에 그것들이 뿌리로, 씨로 잠든 땅을 함부로 밟지 못한다. 그것들이 왕성하게 자랄 여름에는 그것들이 목마를까 봐 마음 놓고 어디 여행도 못 할 것이다. 그것들은 출석할 때마다 내 가슴을 기쁨으로 뛰놀게 했다. 100식구는 대식구다. 나에게 그것들을 부양할 마당이 있다는 걸 생각만 해도 뿌듯한 행복감을 느낀다. 내가 이렇게 사치를 해도 되는 것일까. 괜히 송구스러울 때도 있다.
　그것들은 내가 기다리지 않아도 올 것이다. 그래도 나는 기다린다. 기다리는 기쁨 때문에 기다린다.
　　　　　　　　　　　　　　– 박완서, 「꽃 출석부 1」 –

* 기화요초: 옥같이 고운 풀에 핀 구슬같이 아름다운 꽃.

5. (가)와 (나)의 공통점으로 가장 적절한 것은?

① 색채어를 사용하여 대상을 감각적으로 묘사하고 있다.
② 설의적 표현을 통해 대상에 대한 그리움을 강조하고 있다.
③ 음성 상징어를 사용하여 상황을 생동감 있게 그리고 있다.
④ 말을 건네는 방식을 통해 대상과의 유대감을 드러내고 있다.
⑤ 반어적 표현을 사용하여 심리 변화의 양상을 나타내고 있다.

6. <보기>를 바탕으로 (가)와 (나)를 감상한 내용으로 적절하지 <u>않은</u> 것은? [3점]

> ─── < 보 기 > ───
> (가)의 화자와 (나)의 글쓴이는 모두 관찰한 경험을 바탕으로 사물의 속성을 인식하고 있다. 사물의 속성을 인식하는 것은 사물의 모습에서 추상적인 의미를 발견해 내는 것이다. 그런데 관찰된 겉모습은 사물의 속성을 인식하는 데 도움이 되기도 하지만, 경우에 따라서는 방해가 되기도 한다.

① (가)의 <제4수>에서 화자는 눈서리 속에서도 잎이 지지 않는 모습에서, 시련에 굴하지 않는 굳건함을 '솔'의 속성으로 인식하고 있군.

② (가)의 <제5수>에서 화자는 곧고 사계절 그 푸름을 잃지 않는 모습에서, 본모습을 지켜 나가는 꿋꿋함을 '대나무'의 속성으로 인식하고 있군.

③ (가)의 <제6수>에서 화자는 '달'이 높이 떠 있는 것이, 보고도 말 아니 하는 과묵함이라는 속성을 인식하는 데 방해가 된다고 생각하고 있군.

④ (나)에서 글쓴이는 하찮은 잡초처럼 보이는 겉모습으로 인해 눈 속에서 피는 '복수초'의 강인함이라는 속성을 한동안 인식하지 못했던 것이군.

⑤ (나)의 글쓴이는 작은 키로는 견디기 어려운 두터운 눈을 녹이고 꽃을 피운 모습에서, 역경을 이겨 내는 생명력을 '복수초'의 속성으로 인식하고 있군.

7. <보기>는 (가)의 시상 전개 과정을 나타낸 것이다. 이를 바탕으로 (가)를 이해한 내용으로 적절하지 <u>않은</u> 것은?

> ─── < 보 기 > ───
>
> | 제1수 | 제2, 3수 | 제4, 5수 | 제6수 |
> |---|---|---|---|
> | A | B | C | D |

① A에서는 중심 소재를 무생물, 생물, 천상의 자연물로 묶어 제시하고 있다.

② B에서는 대조의 방식을 활용하여 중심 소재를 예찬하고 있다.

③ C에서는 B와 유사하게 대구의 방법을 활용하여 시적 운율감을 이어가고 있다.

④ B와 C에서 중심 소재로 향했던 화자의 시선이 D에서는 내면으로 이동하고 있다.

⑤ B, C, D의 각 수에서는 A에서 언급된 중심 소재를 순차적으로 배치하고 있다.

8. '꽃'에 대한 심리적 태도를 고려할 때 ㉠과 ㉡에 대한 이해로 가장 적절한 것은?

① ㉠에는 화자의 동질감이, ㉡에는 글쓴이의 이질감이 담겨 있다.

② ㉠에는 화자의 안도감이, ㉡에는 글쓴이의 불안감이 담겨 있다.

③ ㉠에는 화자의 거리감이, ㉡에는 글쓴이의 친근감이 담겨 있다.

④ ㉠에는 화자의 비애감이, ㉡에는 글쓴이의 애상감이 담겨 있다.

⑤ ㉠에는 화자의 자괴감이, ㉡에는 글쓴이의 만족감이 담겨 있다.

9. (나)의 내용을 고려할 때, ⓐ에 담긴 의미로 가장 적절한 것은?

① 더 많은 종류의 꽃들을 마당에 심고 싶어 하는 글쓴이의 소망이 담겨 있다.

② 소박한 꽃보다 화려한 꽃의 가치를 우선시했던 자신을 돌아보는 태도가 담겨 있다.

③ 추웠던 겨울이 지나고 꽃이 피는 봄이 빨리 오기를 기다리는 글쓴이의 조급함이 담겨 있다.

④ 자연의 질서에 따라 차례대로 피고 지는 꽃들에 대한 글쓴이의 애정과 기대감이 담겨 있다.

⑤ 소중하게 가꾼 꽃들을 자신만이 아니라 주변 사람들과 함께 즐기기를 바라는 마음이 담겨 있다.

【10~13】 다음 글을 읽고 물음에 답하시오.

(가)

일조(一朝) 낭군(郎君) **이별 후에 소식조차 돈절(頓絶)***하야
자네 일정 못 오던가 **무삼 일로 아니 오더냐**
이 아해야 말 듣소
황혼 저문 날에 개가 짖어 못 오는가
이 아해야 말 듣소
춘수(春水)가 만사택(滿四澤)*하니 **물**이 깊어 못 오던가
이 아해야 말 듣소
하운(夏雲)이 다기봉(多奇峰)*하니 **산**이 높아 못 오던가
이 아해야 말 듣소
한 곳을 들어가니 육관대사 성진(性眞)이는 석교상(石橋上)
에서 팔선녀 다리고 희롱한다
지어자 좋을시고
병풍에 그린 황계(黃鷄) 수탉이 두 나래 둥덩 치고 짜른 목
을 길게 빼어 긴 목을 에후리어
사경일점(四更一點)*에 날 새라고 **꼬끼요 울거든 오랴는가**
자네 어이 그리하야 아니 오던고
너란 죽어 **황하수(黃河水)** 되고 날란 죽어 **도대선(都大船)*** 되야
밤이나 낮이나 낮이나 밤이나
바람 불고 물결치는 대로 어하 둥덩실 **떠서 노자**
저 ⊙**달아** 보느냐
임 계신 데 명휘(明暉)를 빌리려문* 나도 보게
이 아해야 말 듣소
추월(秋月)이 양명휘(揚明暉)하니 달이 밝아 못 오던가
어데를 가고서 네 아니 오더냐
지어자 좋을시고

– 작자 미상, 「황계사」 –

* 돈절: 편지, 소식 따위가 갑자기 끊어짐.
* 춘수가 만사택: 봄철의 물이 사방의 못에 가득함.
* 하운이 다기봉: 여름 구름이 많은 기이한 봉우리를 이룸.
* 사경일점: 새벽 1시에서 3시 사이인 사경(四更)의 한 시점(時點).
* 도대선: 큰 나룻배.
* 명휘를 빌리려문: 밝은 빛을 비춰주렴.

(나)

온갖 꽃들 피어나 고운 비단을 펼쳐 놓은 듯한데, 푸른 숲 사이로 다문다문 보이니 참으로 알록달록하다. 들판에는 푸른 풀이 무성이 돋아 소들이 흩어져 풀을 뜯는다. 여인들은 광주리끼고 야들야들한 뽕잎을 따는데 부드러운 가지를 끌어당기는 손이 옥처럼 곱다. 그들이 서로 주고받는 민요는 무슨 가락의 무슨 노래일까.

가는 사람과 앉은 사람, 떠나는 사람과 돌아오는 **사람들** 모두**가 봄을 즐기느라 온화한 표정**이니 그 따뜻한 기운이 나에게도 전해지는 것 같다. 그런데 먼 사방을 바라보는 나의 마음은 왜 이토록 민망하고 답답하기만 할까.

봄이 되어 붉게 장식한 궁궐에도 해가 길어지니, 온갖 일들로 **바쁜 천자(天子)**에게도 여유가 생긴다. 화창한 봄빛에 설레어 가끔 높은 대궐에 올라 먼 곳을 바라보노라면 장구 소리는 높이 울려 퍼지고, 발그레한 살구꽃이 일제히 꽃망울 터뜨린다. 너른 중국 땅의 아름다운 **경치**를 바라보니 기쁘고 흡족하여 옥잔에 술을 가득 부어 마신다. 부귀한 사람이 봄을 볼 때는 이러하리라.

왕족과 귀족의 자제들은 호탕한 벗들과 더불어 꽃을 찾아다니는데, 수레 뒤에는 붉은 옷 입은 기생들을 태웠다. 가는 곳마다 자리를 펼쳐 옥피리와 생황을 연주하게 하며, 곱게 짠 비단 같은 울긋불긋한 꽃을 바라보고, 취한 눈을 치켜뜨고 이리저리 거닌다. 화려하고 사치스러운 사람이 봄을 볼 때는 이러하리라.

한 어여쁜 부인이 빈 방을 지키고 있다. 천 리 멀리 떠도는 남편과 이별한 뒤 소식조차 아득해져 한스럽다. 마음은 물처럼 일렁거려, 쌍쌍이 나는 ⓛ**제비**를 보다가 난간에 기대어 눈물 흘린다. 슬프고 비탄에 찬 사람이 봄을 볼 때는 이러하리라.

<중략>

군인이 출정하여 멀리 고향을 떠나와 지내다가 변방에서 또 봄을 맞아 풀이 무성히 돋는 걸 볼 때나, 남쪽 지방으로 귀양 간 나그네가 어두워질 무렵 푸른 단풍나무를 보게 될 때면, 언제나 발길을 멈추고 고개를 들어 이윽히 보고 있지만 마음은 조급하고 한스러워진다. 집 떠난 **나그네**가 봄을 볼 때는 이러하리라.

여름날에는 찌는 듯한 더위가 고생스럽고, 가을은 쓸쓸하기만 하며, 겨울에는 꽁꽁 얼어붙어 괴롭다는 걸 나는 잘 알고 있다. 이 세 계절은 너무 한 가지에만 치우쳐서 변화의 여지도 없이 꽉 막힌 것 같다. 그러나 봄날만은 **보이는 경치와 처한 상황**에 따라, 때로는 따스하고 즐거운 마음이 들게도 하고, 때로는 슬프고 서러워지게 하기도 하고, 때로는 절로 노래가 나오게 하기도 하고, 때로는 흐느껴 울고 싶게 만들기도 한다. 사람들의 마음을 하나하나 건드려 움직이니 그 마음의 가닥은 천 갈래 만 갈래로 모두 다르다.

그런데 나 같은 이는 어떠한가. 취해서 바라보면 즐겁고, 술이 깨어 바라보면 서럽다. 곤궁한 처지에서 바라보면 구름과 안개가 가려진 것 같고, 출세하고 나서 바라보면 햇빛이 환히 비치는 것 같다. 즐거워할 일이면 즐거워하고 슬퍼할 일이면 슬퍼할 일이다. 닥쳐오는 상황을 마주하고 변화하는 조짐을 순순히 따르며 나를 **둘러싼 세상**과 더불어 움직여 가리니, 한 가지 법칙만으로 헤아릴 수는 없는 것이다.

– 이규보, 「봄의 단상」 –

10. (가)와 (나)의 공통점으로 가장 적절한 것은?
① 환상적 공간의 묘사를 통해 긴장된 분위기를 드러내고 있다.
② 부르는 말의 반복을 통해 자신의 고조된 감정을 드러내고 있다.
③ 추측을 나타내는 표현을 통해 자신의 생각을 드러내고 있다.
④ 언어유희를 통해 현실에 대한 태도를 간접적으로 드러내고 있다.
⑤ 명령형 어조를 통해 대상에 대한 생각을 강조하여 드러내고 있다.

11. <보기>를 바탕으로 (가)를 감상한 내용으로 적절하지 <u>않은</u> 것은? [3점]

━━━〈 보 기 〉━━━

「황계사」는 임과 이별한 상황에서 화자가 느끼는 답답함과 그리움을 형상화한 작품이다. 화자는 임과의 재회가 늦어지는 이유를 외부적 요인에서 찾으려 하거나, 불가능한 상황을 가정함으로써 임이 돌아오지 않는 것에 대한 원망을 드러내고 있다. 그런데 이런 원망에는 이별의 상황에서 벗어나 임과 재회하기를 간절하게 바라는 화자의 마음이 담겨 있다.

① '이별 후'에 '소식조차 돈절'한 것에서, 화자가 임과 이별한 상황임을 알 수 있군.

② '무삼 일로 아니 오더냐'라고 하는 것에서, 임과 이별한 상황에서 느끼는 화자의 답답한 심정을 알 수 있군.

③ '물'이 깊고 '산'이 높다는 것에서, 화자가 임과 이별하게 된 이유를 외부적 요인에서 찾고 있음을 알 수 있군.

④ '병풍에 그린 황계'가 '꼬꾀요 울거든 오랴는가'라고 하는 것에서, 불가능한 상황을 가정하여 임이 돌아오지 않는 것에 대한 원망을 드러내고 있음을 알 수 있군.

⑤ '황화수'와 '도대선'이 되어 '떠서 노자'라고 한 것에서, 화자가 재회를 간절히 바라고 있음을 알 수 있군.

12. <보기>는 (나)의 내용을 구조화한 것이다. 이에 대한 이해로 적절하지 <u>않은</u> 것은?

━━━〈 보 기 〉━━━

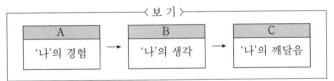

A	B	C
'나'의 경험	→ '나'의 생각	→ '나'의 깨달음

① A에서 자신과 달리 '봄을 즐기느라 온화한 표정'인 '사람들'을 바라본 경험은 B가 시작되는 계기가 된다고 볼 수 있군.

② B에서 '천자'가 봄의 '경치'를 바라보는 모습을 통해 봄을 대하는 부귀한 사람의 태도를 생각하고 있군.

③ B에서 '왕족과 귀족의 자제들'과 '나그네'가 봄을 대하는 입장은 서로 대비되는군.

④ B의 생각들은, 봄을 '보이는 경치와 처한 상황'에 따라 다르게 받아들일 수 있다는 C의 깨달음으로 이어지는군.

⑤ A의 경험으로부터 이어진 C의 깨달음은 자신을 '둘러싼 세상'을 변화시키고자 하는 의지로 확장되는군.

13. ㉠과 ㉡에 대한 설명으로 가장 적절한 것은?

① ㉠은 화자의 소망을 드러내는, ㉡은 인물의 처지를 부각하는 소재이다.

② ㉠은 화자의 처지와 동일시되는, ㉡은 인물의 상황과 대비되는 소재이다.

③ ㉠은 화자의 행동을 유도하는, ㉡은 인물의 외적 갈등을 해소하는 소재이다.

④ ㉠은 화자와 대상을 연결해 주는, ㉡은 인물과 대상을 단절시키는 소재이다.

⑤ ㉠은 화자의 부정적 인식을 내포하는, ㉡은 긍정적 인식을 투영하는 소재이다.

총 문항					문항		맞은 문항			문항
개별 문항	1	2	3	4	5	6	7	8	9	10
채점										
개별 문항	11	12	13	14	15	16	17	18	19	20
채점										

8분   2019학년도 9월 학평 34~38번   ★★☆   정답 060쪽

[1~5] 다음 글을 읽고 물음에 답하시오.

(가)

물로 사흘 배 사흘
먼 삼천 리
[A]
더더구나 걸어 넘는 먼 삼천 리
삭주구성*은 산을 넘은 육천 리요

물 맞아 함빡히 젖은 제비도
가다가 비에 걸려 오노랍니다
[B]
저녁에는 높은 산
밤에 높은 산

삭주구성은 산 너머
먼 육천 리
[C]
가끔가끔 꿈에는 사오천 리
가다 오다 돌아오는 길이겠지요

서로 떠난 몸이길래 몸이 그리워
님을 둔 곳이길래 곳이 그리워
[D]
못 보았소 새들도 집이 그리워
남북으로 오며 가며 아니합디까

들 끝에 날아가는 나는 구름은
밤쯤은 어디 바로 가 있을 텐고
[E]
삭주구성은 산 너머
먼 육천 리

– 김소월, 「삭주구성(朔州龜城)」 –

*삭주구성: '삭주'와 '구성'은 평안북도에 있는 지역. '구성'은 김소
월의 고향임.

(나)

이른 아침 차를 타고 나가 보니 아낙네들은 **얼어붙은 땅**을 파고 무씨를 갈고 있었습니다 그네들의 등에 업힌 아이들은 고개를 떨군 채 잠들어 있었습니다 남정네들은 어디 갔는지 보이지 않았습니다 ㉠논두렁에 불이 타고 흰 연기가 천지를 둘렀습니다

진흙길을 따라가다 당신을 만났습니다 무릎까지 오는 장화를 신고 **당신**은 아직 물이 마르지 않은 뻘밭에서 흙투성이 연뿌리를 캐고 있었습니다

혹시 당신이 찾은 것은 연뿌리보다 질기고 뻣센 **당신의 상처**가 아니었습니까 삽에 찍힌 연뿌리의 동체에서 굵다란 물관 구멍을 통해 사라진 것은 **도로(徒勞)***뿐인 한 생애가 아니었습니까 **목청을 다해** 불러도 한사코 당신은 삽을 찍어 얼어붙은 연뿌리를 캐고 있었습니다

– 이성복, 「당신」 –

*도로: 헛되이 수고함. 보람 없이 애씀.

(다)

담장 위 장미가 붉은 혀를 깨물고 있다. 비누 냄새 풍기는 하수도 물이 길 따라 흘러내린다. 물소리도 길 따라 휘어지며 흘러내린다. 저녁 식사 시간 골목길은 음식 냄새들의 유원지다. 종량제 쓰레기봉투를 뜯고 있던 고양이가 도망간다. 전봇대에는 가스 배달, 중국집 전화번호 스티커가 신속히 붙는다. 한때 골목대장이었던 아이가 가장이 되어 아파트 경비하러 급히 내닫는다. 처녀가 힐끗 뒤돌아본다. 사내의 발짝 소리가 멈칫한다. 두부장수가 리어카를 세워 놓고 더 좁은 골목길로 종을 울리며 들어가자 붉은 장화를 신은 비둘기 분대가 후드득 리어카에 낙하한다. 아침 일곱 시, 더 넓은 골목길에 가 살기 위하여 직장 나가는 샐러리맨들의 발짝 소리가 발짝 소리에 밟힌다. 얼어붙은 길 위에 던진 연탄재가 부지직 소리를 낸다. 허리가 낫처럼 휜 할머니가 숨이 찬지 허리는 펴지 못하고 고개만 들고 숨을 고른다. 가로등이 켜지고 나방 그림자가 벽에 부딪친다.

(중략)

건축가 이일훈 선생의 강의를 들은 적이 있다. 강의 중 슬라이드를 보는 시간이 있었다. 고건축물에서 현대 최첨단 건축물까지 다양한 건축물 설명을 듣는 도중 느닷없이 한적한 곳에 덩그렇게 서 있는 시골 방앗간 풍경이 떴다. 이 선생은 잠깐 사이를 두더니 말을 이었다. "나는 이 방앗간을 보는 순간 눈시울이 뜨거워지고 눈물이 났습니다. 완벽한 건축물을 만났기 때문이죠. 장식이라곤 아무것도 없이 양철 지붕만 올려놓았지만, 여기 어디 버릴 게 있습니까, 부족한 게 있습니까?" 가슴이 찡했다. 나도 어느 골목길에서였던가 그 비슷한 느낌을 받아 보았기에 더 그랬을 것이다. 나도 완벽한 골목길을 만났었다. 그 골목길은 밥을 먹고 있는 방이, 변을 보고 있는 화장실이, 달팽이만한 초인종 달린 대문이 양쪽으로 잇닿아 있었다. 이 골목은 담장이 없어 길이 담장이구나. 길이 담장이 될 수 있다니! 이렇게 평화롭고 완벽한 담장이 어디 있겠는가. 이렇게 완벽한 담장을 가진 골목길에서 사람들이 살아가고 있다니. 불신의 산물로 세워지는 담장과, 함께 살아가는 똑같은 인간이라는 믿음으로 세운 이 길 담장과의 그 어마어마한 차이. 길 담장 체험 후 나는 왠지 모르게 골목길이 건강해 보이기 시작했다. 그도 그런 것이, 그도 그럴 수 있는 것이, 우리가 살고 있는 ㉡골목길이 어떤 길인가!

노동을 마치고 술 취해 귀가하던 가장이, 아내와 자식새끼들 생각에 머리채를 흔들며 정신을 가다듬고 발걸음을 바로잡던 길 아닌가. 만삭의 아낙네들이 한 손에 남편과 자식새끼들에게 먹일 시장바구니를 들고 한 손으로 허리를 짚으며 가족이 살고 있는 집을 향해 걷던 길 아닌가. 철없는 아이들 즐겁게 뛰어 노는 웃음소리가 흘러넘치는 길 아닌가. 밥숟가락보다도 더 우리들의 삶 때가 묻어 반질반질 윤기가 도는 길 아닌가……

– 함민복, 「길의 열매 집을 매단 골목길이여」 –

1. (가)~(다)에 대한 설명으로 가장 적절한 것은?

① (가)와 (나)는 명사로 시행을 마무리하여 여운을 주고 있다.

② (가)와 (다)는 대비적 상황을 제시하여 주제 의식을 강조하고 있다.

③ (나)와 (다)는 반어적 표현을 통해 대상의 의미를 부각하고 있다.

④ (가)~(다)는 모두 음성 상징어를 사용하여 생동감을 부여하고 있다.

⑤ (가)~(다)는 모두 공감각적 이미지를 통해 계절감을 드러내고 있다.

2. [A]~[E]를 감상한 내용으로 적절하지 <u>않은</u> 것은?

① [A]에서는 '물로 사흘 배 사흘'을 통해 삭주구성이 먼 곳에 있음을 보여 주고 있군.

② [B]에서는 '높은 산'을 반복하며 삭주구성이 가기 어려운 곳임을 나타내고 있군.

③ [C]에서는 삭주구성이 더 멀어진 '꿈'속 상황을 제시하여 화자의 안타까움을 드러내고 있군.

④ [D]에서는 '님을 둔 곳이길래'를 통해 삭주구성을 그리워하는 이유를 제시하고 있군.

⑤ [E]에서는 자유롭게 '날아가는 나는 구름'을 통해 삭주구성에 가고 싶은 화자의 마음을 부각하고 있군.

3. <보기>를 바탕으로 (나)를 감상한 내용으로 적절하지 <u>않은</u> 것은? [3점]

> ──────── <보 기> ────────
>
> 이 작품의 화자는 노동을 하며 고단하게 살아온 사람들의 모습을 그리고 있다. 그리고 그들의 고달픈 처지와 삶의 상처를 떠올리며, 그들에 대한 연민의 정서를 드러내고 있다.

① '얼어붙은 땅'은 아낙네들이 일하는 것을 더 고단하게 한다고 볼 수 있겠군.

② 물이 마르지 않은 뻘밭에서 일하는 '당신'은 고된 노동을 하고 있는 사람으로 볼 수 있겠군.

③ 화자가 '당신의 상처'를 연뿌리보다 질기고 뻣세다고 한 것은 그들의 삶에 대한 연민을 드러낸 것으로 볼 수 있겠군.

④ '도로뿐인 한 생애'는 나아지지 않는 삶을 살아가는 사람들의 고달픈 처지를 드러냈다고 볼 수 있겠군.

⑤ 화자가 '목청을 다해' 당신을 부른 것은 삶의 상처를 위로받고 싶은 마음을 드러낸 것으로 볼 수 있겠군.

4. ㉠과 ㉡에 대한 설명으로 가장 적절한 것은?

① ㉠은 ㉡과 달리 지나온 삶에 대한 그리움의 공간이다.

② ㉠은 ㉡과 달리 실현하고 싶은 소망이 드러나는 공간이다.

③ ㉡은 ㉠과 달리 현실에 대한 부정적 인식이 드러나는 공간이다.

④ ㉠과 ㉡은 모두 생활을 이어가는 삶의 터전으로서의 공간이다.

⑤ ㉠과 ㉡은 모두 자연의 섭리에 대한 깨달음이 나타나는 공간이다.

5. 다음은 (다)에 대한 학생의 감상문이다. ⓐ~ⓔ 중, 적절하지 <u>않은</u> 것은?

> 이 글에서 ⓐ글쓴이는 골목길의 다양한 풍경과 그 안의 모습을 보여 주고 있다. ⓑ글쓴이는 시골 방앗간이 완벽한 건축물이라고 말하는 이일훈 선생의 강의에 공감하며, ⓒ자신이 만났던 완벽한 골목길을 떠올리게 되었다. ⓓ이일훈 선생의 강의는 글쓴이가 골목길에 대한 자신의 편견을 발견하고 후회하는 계기가 되었다. 그리고 ⓔ글쓴이는 골목길을 우리들의 삶 때가 묻은 길이라고 표현하며 골목길에 대한 애정을 드러내고 있다.

① ⓐ   ② ⓑ   ③ ⓒ   ④ ⓓ   ⑤ ⓔ

[6~10] 다음 글을 읽고 물음에 답하시오.

(가)

잠아 잠아 짙은 잠아 이내 눈에 쌓인 잠아
염치 불구 이내 잠아 검치 두덕* 이내 잠아
어제 간밤 오던 잠이 오늘 아침 다시 오네
잠아 잠아 무삼 잠고 가라 가라 멀리 가라
세상 사람 무수한데 구태 너는 간 데 없어
원치 않는 이내 눈에 이렇듯이 자심(滋甚)*하뇨
주야에 한가하여 월명 동창 혼자 앉아
삼사경 깊은 밤을 허도(虛度)이 보내면서
잠 못 들어 한하는데 그런 사람 있건마는
㉠ 무상불청(無常不請)* 원망 소래 온 때마다 듣난고니
석반(夕飯)*을 거두치고 황혼이 대듯마듯
㉡ 낮에 못 한 남은 일을 밤에 할랴 마음먹고
언하당(言下當)* 황혼이라 섬섬옥수(纖纖玉手)* 바삐 들어
등잔 앞에 고개 숙여 실 한 바람 불어 내어
드문드문 질긋 바늘 두엇 뜸 뜨듯마듯
난데없는 이내 ⓐ잠이 소리 없이 달려드네
㉢ 눈썹 속에 숨었는가 눈알로 솟아 온가
이 눈 저 눈 왕래하며 무삼 요수 피우든고
맑고 맑은 이내 눈이 절로 절로 희미하다
　　　　　　　　　　　　　　　- 작자 미상, 「잠노래」-

* 검치 두덕: 욕심 언덕.
* 자심(滋甚): 더욱 심함.
* 무상불청(無常不請): 청하지 않은.
* 석반(夕飯): 저녁밥.
* 언하당(言下當): 말이 끝나자마자 바로. 여기서는 '그런 생각을 하자마자 바로'의 뜻임.
* 섬섬옥수(纖纖玉手): 가냘프고 고운 여자의 손.

(나)

귓도리 저 귓도리 어여쁘다 저 귓도리
어인 귓도리 지는 달 새는 밤의 긴 소리 쟈른 소리 ㉣ 절절
(節節)이 슬픈 소리 제 혼자 우러 녜어 사창(紗窓)에 ⓑ 여윈 잠
을 살뜰히도* 깨우는구나
두어라 제 비록 미물(微物)이나 ㉤ 무인동방(無人洞房)에 내
뜻 알 이는 너뿐인가 하노라
　　　　　　　　　　　　　- 작자 미상, 「귓도리 저 귓도리~」 -

* 살뜰히도: 알뜰하게도, 여기서는 '얄밉게도'의 뜻임.

(다)

물은 하나의 국가요, 용은 그 나라의 군주다. 물고기 가운데
큰 것으로 고래, 곤어, 바닷장어 같은 것은 군주를 안팎에서
모시는 여러 신하이다. 그 다음으로 메기, 잉어, 다랑어, 자가
사리 같은 것은 서리나 아전의 무리다. 이밖에 크기가 한 자
못 되는 것들은 물나라의 만백성이라 할 수 있다. 상하가 서로
차례가 있고 큰 놈이 작은 놈을 통솔하니, 그것이 어찌 사람과
다르겠는가?
　그러므로 용은 물나라를 다스리면서, 날이 가물어 마르면 반
드시 비를 내려 주고, 사람이 물고기를 다 잡아 버릴까 염려하
여서는 큰 물결을 겹쳐 일어나게 하여 덮어 준다. 그러한 것이
물고기에 대해서 은혜를 끼침이 아닌 것은 아니다.

하지만 물고기에게 인자하게 베푸는 것은 한 마리 용뿐이요,
물고기를 학대하는 것은 수많은 큰 물고기들이다. 고래와 암코
래는 조류를 들이마셔서 작은 물고기를 잡아먹는 일을 자신의
시서(詩書)로 삼고, 교룡과 악어는 물결을 헤치며 삼키고 씹어
먹어 작은 물고기를 잡아먹는 것을 거친 땅의 농사일로 삼으
며, 문절망둑, 쏘가리, 두렁허리, 가물치의 족속은 틈을 타서
발동을 해서 작은 물고기를 자신의 은이요 옥으로 삼는다. 강
자는 약자를 삼키고, 지위가 높은 자는 아랫것을 약탈하니, 진
실로 강한 자, 높은 자가 싫증 내지 않는다면 작은 물고기는
반드시 남아나지 않을 것이다.
　슬프다! 작은 물고기가 없다면 용이 누구와 더불어 군주가
되며, 저 큰 물고기들이 어찌 으스댈 수 있겠는가? 그러므로
용의 도리란 작은 물고기들에게 구구한 은혜를 베풀어 주는
것보다, 차라리 먼저 그들을 해치는 족속들을 물리치는 것만
못하리라!
　아아, 사람들은 물고기에게만 큰 물고기가 있는 줄 알고 사
람에게도 큰 물고기가 있는 줄을 알지 못하니, 물고기가 사람
을 슬퍼하는 것이 어찌 사람이 물고기를 슬퍼하는 것보다 심
하지 않다고 하랴?
　　　　　　　　　　　　　　　　　- 이옥, 「어부(魚賦)」 -

6. (가) ~ (다)의 공통점으로 가장 적절한 것은?

① 대상의 부재로 인한 그리움의 심정을 드러내고 있다.
② 현실의 어려움을 극복하려는 의지적 태도를 보이고 있다.
③ 이상과 현실의 괴리에 대해 절망적인 심경을 표출하고 있다.
④ 부정적인 현재 상황에 대해 탄식하는 태도를 드러내고 있다.
⑤ 일상생활과 관련된 사물의 속성에서 삶의 교훈을 이끌어 내고
　있다.

7. (가), (나)에 대한 설명으로 적절한 것은?

① (가)와 달리 (나)는 동일한 시어의 반복을 통해 운율을 형성
　하고 있다.
② (나)와 달리 (가)는 청각적 심상을 통해 계절감을 드러내고
　있다.
③ (가)와 (나)는 모두 시간적 배경을 통해 시적 상황을 구체화
　하고 있다.
④ (가)와 (나)는 모두 설의적 표현을 통해 시적 의미를 강조
　하고 있다.
⑤ (가)와 (나)는 모두 색채의 대비를 통해 표현 효과를 높이고
　있다.

8. ⓐ, ⓑ에 대한 이해로 가장 적절한 것은?

① ⓐ는 화자의 목적을 이루기 위한 보조적 수단이다.
② ⓑ는 외부적 요인으로 인해 방해 받고 있다.
③ ⓐ와 달리 ⓑ는 화자가 현실로부터 벗어나기 위한 행위이다.
④ ⓑ와 달리 ⓐ는 화자의 고통을 해소시키고 있다.
⑤ ⓐ와 ⓑ는 모두 화자가 거부하는 대상이다.

9. ㉠~㉤을 감상한 내용으로 적절하지 <u>않은</u> 것은?

① ㉠: 화자와 상반된 처지에 있는 사람이 '잠'에게 불만을 드러내고 있다.
② ㉡: 쉬지도 못하고 밤늦게까지 일을 해야 하는 화자의 고달픈 삶이 나타나 있다.
③ ㉢: '잠'을 의인화하여 잠이 쏟아지는 화자의 현재 상황을 해학적으로 표현하고 있다.
④ ㉣: 화자의 내면적 슬픔을 '귓도리'의 울음소리를 통해 간접적으로 드러내고 있다.
⑤ ㉤: 혼자 살아가는 자신의 외로운 처지를 알아주는 유일한 대상이 '귓도리'라는 화자의 인식이 드러나 있다.

10. <보기>를 바탕으로 (다)를 감상한 내용으로 적절하지 <u>않은</u> 것은? [3점]

─── <보 기> ───

「어부」는 국가의 상황을 물속의 세계에 빗대고, 군주를 '용'에, 여러 신하를 '큰 물고기'에, 백성을 '작은 물고기'에 빗대어 현실 세계를 비판하고 있다. 글쓴이는 나라의 근본은 '작은 물고기'인 백성이므로 백성들을 수탈하는 '큰 물고기', 즉 관리들을 잘 다스리는 것이 군주로서 해야 할 가장 중요한 일임을 강조하고 있다.

① 용이 큰 물결을 일어나게 하여 물고기를 덮어 주는 것은 백성을 어질게 살피는 군주의 모습으로 볼 수 있군.
② 교룡과 악어가 작은 물고기를 잡아먹는 것은 백성을 수탈하는 관리들의 모습으로 볼 수 있군.
③ 작은 물고기가 없으면 용이 군주가 될 수 없다고 하는 것은 나라의 근본이 백성에게 있다는 글쓴이의 인식을 보여 주는군.
④ 작은 물고기를 해치는 족속을 물리치는 것이 용의 도리라고 하는 것은 군주가 해야 할 가장 중요한 일이 관리를 잘 다스리는 일임을 말해 주는군.
⑤ 사람들이 사람에게도 큰 물고기가 있는 줄을 알지 못한다고 하는 것은 관리들의 수탈에 적극적으로 저항하지 않는 백성의 태도를 비판하는 것이군.

총 문항					문항	맞은 문항				문항
개별 문항	1	2	3	4	5	6	7	8	9	10
채점										
개별 문항	11	12	13	14	15	16	17	18	19	20
채점										

9분 | 2022학년도 6월 학평 41~45번 | ★★★ | 정답 064쪽

【1~5】 다음 글을 읽고 물음에 답하시오.

(가)

[앞부분 줄거리] 시골 학교로 전학 온 '나'는 힘으로 학급을 장악하고 있던 석대에게 저항하다 이내 굴복한다. 그러나 김 선생이 부임한 후 아이들이 석대의 비행을 폭로하고 석대는 학교를 떠난다. 학교를 떠난 석대는 학교 밖에서 아이들을 괴롭힌다.

교실 안에서 우리에게 가장 많은 혼란과 소모를 강요한 것은 의식의 파행이었다. 선생님의 격려와 근거 없는 승리감에 취한 우리 중의 일부는 지나치게 앞으로 내달았고, 아직도 ⓐ석대의 질서가 주던 중압에서 깨어나지 못한 아이들은 또 너무 뒤처져 미적거렸다. 임원진으로 뽑힌 아이들도 마찬가지였다. 어른들의 식으로 표현하자면, 한쪽은 너무도 민주의 대의에 충실히 우왕좌왕하는 다수와 함께 우왕좌왕했고, 또 한쪽은 석대 식의 권위주의를 청산하지 못해 은근히 **작은 석대를 꿈꾸었다**. 거기다가 새로 생긴 건의함은 올바른 국민 탄핵제도의 기능을 하기보다는 밀고와 모함으로 일주일에 하나씩은 임원들을 갈아치웠다.

(중략)

그렇지만 시간이 흐르면서 ㉠안팎의 도전들은 차츰 해결되어 갔다.

먼저 해결된 것은 석대 쪽이었는데, 그 해결을 유도한 담임선생님의 방식은 좀 특이했다. 우리에게는 거의 불가항력적이었건만 어찌 된 셈인지 담임선생님은 석대 때문에 결석한 아이들을 그 어느 때보다 호된 매질과 꾸지람으로 다루었다.

"다섯 놈이 하나한테 하루 종일 끌려 다녀? 병신 같은 자식들."

"너희들은 두 손 묶어 놓고 있었어? 멍청한 놈들."

그렇게 소리치며 마구잡이 매질을 해댈 때는 마치 사람이 갑자기 변한 것처럼 보였다. 우리는 영문을 몰랐으나 그 효과는 오래잖아 나타났다. ㉡우리 중에서 좀 별나고 당찬 소전거리 아이들 다섯이 마침내 석대와 맞붙은 것이었다. 석대는 전에 없이 표독을 떨었지만 상대편 아이들도 이판사판으로 덤비자 결국은 혼자서 다섯을 당해내지 못하고 꽁무니를 뺐다. 선생님은 그 아이들에게 그 당시 한창 인기 있던 케네디 대통령의 『용기 있는 사람들』이란 ㉢책 한 권씩을 나눠 주며 우리 모두가 부러워할 만큼 여럿 앞에서 그들을 추켜세웠다. 그러자 다음 날 미창 쪽에서도 똑같은 일이 벌어지고 그 뒤 석대는 두 번 다시 아이들 앞에 나타나지 않았다.

거기 비해 우리 **내부에서 일어나는 혼란**을 대하는 담임선생님의 태도는 또 앞서와 전혀 달랐다. 잘못된 이해나 엇갈리는 의식 때문에 아무리 교실 안이 시끄럽고 **학급의 일이 갈팡질팡해도** 담임선생님은 철저하게 모르는 **척**했다. 토요일 오후 **자치회가 끝없는 입씨름으로 서너 시간씩 계속돼도**, 급장 부급장이 건의함을 통해 밀고된 대단치 않은 잘못으로 한 달에 한 번씩 갈리는 소동이 나도 언제나 가만히 지켜보고 있을 뿐 충고 한마디 하는 법이 없었다.

그 바람에 우리 학급이 정상으로 돌아가는 데는 거의 한 학기가 다 소비된 뒤였다. 여름방학이 지나자 벌써 서

너 달 앞으로 닥친 중학 입시가 말깨나 할 만한 아이들의 주의를 온통 그리로 끌어들인 까닭도 있지만, 그보다는 경험의 교훈이 자정 능력을 길러 준 덕분이 아닌가 한다.
[A] 서로 다투고 따지고 부대끼고 시달리는 그 대여섯 달 동안에 우리는 차츰 스스로가 스스로를 규율한다는 게 어떤 것인가를 배우게 된 것이었다. 하지만 그때껏 그런 우리를 지켜보기만 했던 담임선생님의 깊은 뜻을 이해하는 데는 아직도 훨씬 더 많은 세월이 지나야 했다.

학교 생활이 정상으로 돌아감과 아울러 **굴절되었던 내 의식**도 차츰 원래대로 회복되어 갔다. 다시 어른들 식으로 표현하면, **새로운 급장 선거에서 기권표를 던질 때만 해도** 머뭇거리던 내 시민 의식은 오래잖아 자신과 희망을 가지게 되고 자유와 합리에 대한 예전의 믿음도 이윽고는 되살아 났다. 가끔씩— 이를테면, 내가 듣기에는 더할 나위 없는 의견 같은데도 공연히 떠드는 게 좋아 씨알도 먹히지 않을 따지기로 회의만 끝없이 늘여 놓는 아이들을 볼 때나, **다 같이 힘을 합쳐야 할 작업에 요리조리 빠져나가** 우리 반이 딴 반에 뒤지게 만드는 아이들을 보게 될 때와 같은 때—석대의 질서가 가졌던 **편의와 효용성을** 떠올릴 때가 있었지만 그것도, 금지돼 있기에 더 커지는 유혹 같은 것에 지나지 않았다.

석대는 미창 쪽 아이들과의 싸움이 있고 난 뒤 우리들뿐만 아니라 그 작은 읍에서도 사라져버렸다. 얼마 후 들리는 소문으로는 서울에 있는 어머니를 찾아갔다는 것이었다.

— 이문열, 「우리들의 일그러진 영웅」 —

(나)

S#136 교실 (아침)

얼굴들에 상처 난 아이들 몇 명을 중심으로 모여 수근거리는 아이들. 그 교실의 소란스러운 분위기를 뚫고 들어오는 김 선생. 급히 자기 자리를 찾아가는 아이들로 우당탕거리던 교실이 갑자기 쥐죽은 듯 조용해진다. 교실 안을 휘 휘둘러보는 김 선생. 군데군데 비어 있는 몇 개의 자리. 김 선생과 시선이 마주친 상처 난 얼굴의 아이들이 얼굴을 숙인다.

김 선생: 언제까지 이럴 거야. 너희들! (갑작스런 김 선생의 높아진 음성에 아이들의 고개가 더 숙여진다.) 이렇게 매일 얻어맞고 그게 무서워 결석을 하고... (고개를 숙인 채 기가 죽은 아이들을 굳은 얼굴로 둘러보는 김 선생.) 석대가 그렇게 무서워? 난 너희들 같은 겁쟁이들은 가르치고 싶지 않다. 절대 피하지 마라. 맨손으로 안 되면 돌이라도 들고 싸워라. 한 사람이 안 되면 두 사람, 그래도 안 되면 전부 다들 덤벼라. 내 말 알아듣겠냐? (아이들 중 몇 명이 죽어가는 소리로 겨우 대답한다.) 다시! 알아듣겠냐?

아이들: (조금 커진 소리로) 네.

김 선생: 다시.

아이들: (일제히 힘차게) 네!

S#137 교실 (밤)

나무 의자와 책상 등이 불길에 싸여 있다.

S#138 동 밖 (밤)

물을 길어와 교실 안에다 끼얹는 동네 사람들. 서서히 불길이 잡힌다. (F.O)

S#139 (F.I) 같은 장소 (아침)

웅성거리며 모여 드는 아이들. 입을 꽉 다문 병태도 섞여 있다. 급하게 뛰어온 김 선생. 주먹을 불끈 쥔다. 병태, 시커먼 병이 나무등치 밑에 숨겨져 있는 것을 발견한다. 화단에 흐드러지게 피어 있는 철쭉과 진달래의 붉은 색이 눈을 어지럽힌다. 교문 쪽으로 먼 시선을 주고 있던 병태. 다시 한번 쓰러져 있는 병을 본다.

병태(내레이션): 그날 이후 엄석대를 본 사람은 아무도 없었다. 들리는 소문으로는 개가한 서울의 어머니를 찾아갔다던가?

S#140 교실 (오후)

칠판에는 ㉣제7차 급장 선거라는 글씨와 후보들의 이름, 개표 결과가 써 있다. 김 선생 교단 위로 올라서면서

김 선생: 좀 혼란했던 기간이 있긴 했지만 이제는 너희들이 제자리를 찾은 것 같구나. 각자의 일들을 알아서 처리하고 공동의 일들은 서로 협력해서 처리하는 새로운 6학년 2반이 돼주길 바란다. 급장!

황영수: (㉤단상에 오르지 않고 앞에 나와 서서) 잘 부탁드리겠습니다. 어려운 일이 있으면 언제든지 절 불러 주세요. 기꺼이 여러분께 봉사하는 급장이 되겠습니다.

박수 치는 아이들. 전에와는 다른 모습이다. 이를 쳐다보는 병태.

병태(내레이션): 그 후 학교 생활은 정상으로 돌아갔고 굴절되었던 내 의식도 원래대로 회복되었다. 그리고 석대에 대한 기억은 희미해져 갔다.

— 이문열 원작, 박종원 각색, 「우리들의 일그러진 영웅」 —

1. [A]의 서술상 특징으로 가장 적절한 것은?

① 독백을 통해 대상에 대한 의문과 해답을 제시하고 있다.
② 감각적인 묘사를 통해 인물 간의 대립을 부각하고 있다.
③ 공간의 이동을 통해 인물의 심리 변화를 드러내고 있다.
④ 회상의 방식을 통해 과거 사건의 의미에 대해 서술하고 있다.
⑤ 들은 바를 전달하는 형식을 통해 사건의 전모를 밝히고 있다.

2. <보기>를 참고할 때, (가)를 (나)로 각색하는 과정에 대해 이해한 것으로 적절하지 <u>않은</u> 것은? [3점]

─── <보 기> ───

소설을 시나리오로 각색할 경우, 갈래의 차이에 따라 여러 가지 변화가 일어나는데 예를 들면 소설에서는 인물의 내면 심리나 대상의 변화를 직접 서술할 수 있으나 시나리오는 이를 장면으로 시각화하거나 영화적 기법을 통해 표현한다. 또한 갈래적 차이에 따른 변화 외에도 각색 과정에서 창작자의 의도에 따라 특정 내용을 삭제 혹은 다른 장면으로 대체하거나 소설에 없던 장면을 추가하기도 한다.

① (가)에서 김 선생이 아이들을 꾸짖는 모습이 S#136에서는 '다시'를 반복하는 장면으로 대체되어 아이들의 변화에 비관적인 그의 모습을 부각하고 있군.
② (가)에서 아이들이 석대와 맞붙을 수 있게 된 것이 S#136에서는 '일제히 힘차게' 대답하는 모습으로 대체되고 있군.
③ S#137의 '불길에 싸'인 교실과 S#139의 '시커먼 병' 등을 통해 (가)에 나오지 않는 석대의 방화를 추가하여 그의 보복을 암시하고 있군.
④ (가)에서 직접적으로 서술된 병태의 내면을 S#140에서는 내레이션 기법을 통해 드러내고 있군.
⑤ (가)에서 학급이 정상으로 돌아가게 되었다는 것을 S#140에서는 '박수 치는 아이들'의 모습을 통해 드러내고 있군.

3. ⓐ에 대한 이해로 적절하지 <u>않은</u> 것은?

① 학급의 일부 임원들이 '작은 석대를 꿈꾸'는 것은 아직 ⓐ에서 벗어나지 못했기 때문이다.
② '내부에서 일어나는 혼란'을 쉽게 해결하지 못한 것은 ⓐ를 대체할 수 있는 것을 마련하지 못했기 때문이다.
③ ⓐ는 석대가 아이들 '스스로가 스스로를 규율'할 수 있도록 하기 위하여 만든 것이다.
④ '내 의식'이 '굴절되었던' 이유는 ⓐ에 익숙해져 있었기 때문이다.
⑤ '나'는 ⓐ가 학급에 '편의와 효용성'을 제공했지만 지금은 되돌릴 수 없는 것이라고 생각한다.

4. ㉠ ~ ㉤에 대한 설명으로 적절하지 <u>않은</u> 것은?

① ㉠: 석대가 떠난 후 학급이 맞닥뜨린 문제 상황들을 의미한다.

② ㉡: 석대와 처음으로 맞붙은 인물들의 특성을 나타낸다.

③ ㉢: 다른 아이들도 석대와 맞붙을 수 있도록 하는 효과를 가져왔다.

④ ㉣: 그동안 학급에 여러 차례 혼란이 거듭되어 왔음을 보여준다.

⑤ ㉤: 새 급장이 아직 완전히 인정받지 못하고 있음을 나타낸다.

5. <보기>는 윗글의 심화 학습을 위해 찾은 자료이다. 이를 참고하여 (가)를 이해한 내용으로 적절하지 <u>않은</u> 것은?

> ─────────< 보 기 >─────────
>
> 철학자 마이클 샌델은 올바른 사회를 위해서는 시민이 덕성을 바탕으로 자기 통치에 참여해야 한다고 말했다. 자기 통치에 참여한다는 것은 공동선(共同善)에 대하여 동료 시민들과 함께 고민하고 그것을 실현하기 위해 적극적으로 참여하는 것을 뜻한다. 그는 공동선에 대한 토론에서 시민들이 자신의 목표를 잘 선택하고 다른 사람의 선택권을 존중해야 한다고 주장하였다.

① '새로 생긴 건의함'은 아이들의 적극적인 참여를 통해 학급의 공동선을 실현하기 위한 기능을 수행하였군.

② '학급의 일이 갈팡질팡해도 담임선생님은 철저하게 모르는 척'한 것은 아이들이 자기 통치를 할 수 있는 능력을 스스로 기르도록 하기 위해서였겠군.

③ '자치회가 끝없는 입씨름으로 서너 시간씩 계속'된 것은 아이들이 공동선을 위한 토론에 익숙하지 않은 모습을 나타낸 것이겠군.

④ '내'가 '새로운 급장 선거에서 기권표를 던'졌던 것은 아직 자기 통치에 참여할 준비가 되지 않아서였겠군.

⑤ '다 같이 힘을 합쳐야 할 작업에 요리조리 빠져나가'는 아이들은 동료 시민들과 함께하는 것에 대해 적극적이지 않은 시민에 해당하겠군.

【6~9】 다음 글을 읽고 물음에 답하시오.

(가)

행장이 거제에 진을 치고 이순신을 해치기 위해 온갖 계책을 내고 있었다. 하루는 행장이 부하 장수인 요시라에게 말하였다.

"이순신을 결딴낼 계책을 행하라."

요시라가 명을 듣고 평소 교류가 있던 김응서를 찾아가 은근히 말하였다.

"우리 평행장은 본래 처음부터 화친하고자 했으나, 청정이 홀로 싸움을 주장하는 통에, 서로 틈이 생겨 이제는 청정을 죽이려 하고 있소이다. 오래지 않아 청정이 다시 바다에 나오리니, 내가 연락하거든 그 즉시 수군을 거느리고 나아와 공격하면 청정을 죽일 수 있을 것이오. 그렇게 되면 조선의 원수도 갚고 우리 장군의 한도 씻을 것이오." [A]

응서가 이 일을 조정에 고하니, 조정에서는 요시라의 말을 믿고 이순신에게 바다로 나아가 청정을 치게 하였다. 권율 또한 한산도에 이르러 순신에게 말하였다.

"그대는 마땅히 요시라의 약속을 믿고 기회를 잃지 않도록 하라."

하지만 이순신은 이것이 도적의 간사한 계략인 줄 알고 출전을 주저하였다.

정유년 정월에 드디어 웅천에서 보고가 올라왔다.

"이번 달 십오 일에 청정의 선봉 부대가 장문포에 이르렀다."

뒤이어 요시라에게서도 연락이 왔다.

"청정이 이미 뭍에 내렸다."

이미 기회를 잃었다는 소식이었다. 조정에서는 이 소식을 듣고 그 허물을 순신에게 물었다.

[중략 부분 줄거리] 통제사로 임명된 원균은 칠천도에서 크게 패하고, 선조는 이순신을 다시 통제사에 임명한다.

순신이 군관 십여 명과 아전 수십 명을 데리고 **진주를 지나** 옥과에 이르니, 백성들이 길을 메우고 순신을 따르거늘, 순신의 군사가 이미 백여 명이 넘었다. 순천에 이르러 무기를 내어 가지고 **보성에** 가서 보니, 겨우 십여 척의 전선이 남아 있을 뿐이었다. 전라 수사 김억추를 불러, 전선을 수습하라 하고, 또 다른 장수에게는 서둘러 전선을 만들라 하고, 또한 장수들을 모아 엄하게 주의를 주어 말하였다.

"우리는 왕명을 받자왔으니 **마땅히 죽기를 각오**하고 나라의 은혜를 갚으리라."

말씀에 의기가 깊게 배어 있으니, 장수들 중에 감동하지 않는 이가 없었다. 한편 조정에서는 이순신이 가진 배가 적어 도적을 막지 못할까 걱정하여, 차라리 육지에 올라 싸우라고 명하였다. 그러자 순신이 이렇게 임금께 아뢰어 청하였다.

임진년부터 오륙 년 동안 적이 감히 전라도와 충청도를 침범하지 못한 것은 우리 수군이 요해처를 지킨 결과입니다. 이제 신이 전선 육십 척을 거느리고 나아가 죽기를 각오하고 싸우면 가히 승리할 수 있을 것입니다. 만약 바다를 버리면 적이 서해 바다를 거쳐 한강으로 들어갈 것이니, 어찌 두렵지 아니하리까. 그러하오나 신이 죽기 전에는 도적이 감히 업신여기지 못하리이다.

정유년 구월에 적선 수백 척이 바다를 덮어 오거늘, 순신이 **다급**하게 **명령하**길,

"십여 척 전선으로 맞아 싸우라."

하는데, 거제 부사 안위가 가만히 도망하려 하는 것이었다. 순

신이 이를 보고 맨 앞에서 외쳤다.

"안위 너가 어찌 군법에 죽으려 하느냐? 너가 이제 달아나면 살 수 있을 거라 생각하느냐!"

안위가 당황하여 큰 소리로 대답하길,

"어찌 진격치 아니하리이까."

하고는, 적진에 달려들어 싸우는데, 적선이 안위의 배를 둘러싸고 공격하니 안위가 거의 죽게 되었다. 이를 본 순신이 급히 구원하러 가는데, 적선 수백 척이 함께 나와 순신을 둘러싸고 어지러이 공격하니, 대포 소리가 바다에 진동하고 **창검이 사방을 둘러싸**는지라. 순신이 바다에서 곤경에 처한 것을 보고 장수들이 탄식하여 말하길,

"우리가 이곳에 있는 것은 오로지 통제사를 믿기 때문이다. 이제 이렇듯 위태로우니 어찌 가만히 있으리오."

하고는, **전선을 휘몰아 적을 공격**하니라. 조선 수군이 죽음을 각오하고 싸우니, 적이 당황하여 잠깐 물러나게 되었다. 그러자 순신이 그 틈을 타 적을 많이 죽이니 결국 적이 패하여 달아나더라.

　　　　　　　　　　　　　　　　　　　　 – 작자 미상, 「임진록」 –

(나)

S#51. 우수영. 이순신 집무실.

한 획… 한 획… 혼이 담기는 글씨. 숙연한 얼굴의 이순신이 붓을 들고 장계를 쓰고 있다.

이순신(NA*): 전하… 지금 신에게는 아직 열두 척의 배가 남아 있사옵니다. 죽을힘을 다하여 싸우면 오히려 할 수 있는 일입니다.　[B]

글씨를 쓰던 오른손이 **경련으로 파르르 떨린다.** 왼손으로 잡고 **다시 글씨를 이어 가는** 이순신.

이순신(NA): (힘주어) 신이 살아 있는 한 적들이… 감히 우리를 업신여기지 못할 것이옵니다.

장계 쓰기를 마치자 지그시 눈을 감고 호흡을 고르는 이순신. 이때, 밖에서 소란스러운 소리가 들리더니 문이 벌컥 열린다. 안위를 비롯한 송여종, 김응함, 김억추, 송희립 등의 장수들이 몰려 들어온다.

[중략 부분 줄거리] 장수들이 출병을 앞두고 대책을 묻자, 이순신은 울돌목의 좁은 수로에서 적과 싸우려는 계획을 밝힌다.

안위: 장군! 소장 목숨을 걸고 한 말씀 올리겠습니다. 이 싸움은 불가합니다!

상기되는 이순신의 얼굴. 다른 장수들도 일제히 무릎을 꿇고 외친다.

장수 일동: 불가합니다!

안위: 아무리 적들을 울돌목의 좁은 수로에서 막는다 한들 구선도 없는 마당에 결코 **승산이 없는 싸움**입니다! 훗날을 도모하십시오. 전선이 귀하고 군사 한 명이 귀한 때입니다!

이순신: (짐짓) 정녕 그리 생각하는 것이냐?

안위: (눈물을 흘리며) 뜻을 거두지 않으시려거든 소장의 목을 베어 주십쇼. 차라리 장군의 칼에 죽겠습니다!

이순신: (의외로 **담담하게**) 그대들의 뜻이 정히 그러하다면…… 좋다, 군사들을 마당에 모으거라.

이순신의 의외의 태도에, 장수들의 안색이 다소나마 밝아진다.

S#52. 우수영. 마당. (밤).

바람에 흔들리는 햇불의 **화광(火光)**이 어지럽게 군사들을 비

추고 있다. 두려움과 불안함, 그리고 뭔가 기대감들이 섞여 있는 긴장된 분위기다. 앞줄에 서 있는 안위 등 장수들의 표정에는 기대감이 크다. 이순신이 칼을 옆에 들고 군사들 앞으로 나온다.

이순신: (군사들을 쓱 훑고는) 김돌손과 황보만은 가져왔는가?

"예!" 하며 커다란 기름통을 들고 나타나는 김돌손, 황보만. 군사들의 이목이 집중된다.

이순신: 부어라!

김돌손, 황보만: (망설인다) ……

이순신: 붓지 않고 뭐 하느냐!

김돌손과 황보만이 동시에 "예!" 하고는 기름통을 들고 가서, 이순신의 등 뒤(군사들의 정면)에 위치한 우수영 **본채에 기름을 붓기 시작한다.** 놀라며 웅성거리는 군사들. 안위 등 장수들이 어안이 벙벙한 얼굴로 이순신을 쳐다본다. 군사들 뒤쪽, 나대용 옆에 서 있던 혜희가 두 눈을 지그시 감는다. 김돌손과 황보만이 기름을 다 붓자

이순신: 불을 놓아라!

김돌손: 예!

'뭔 일이래!' '안 돼!' '장군님!' '안 됩니다!' …소란스러운 소리가 터져 나온다. 안위의 표정이 싸늘하게 얼어붙는다. 김돌손이 본채 앞에 햇불을 들고 서서 이순신을 쳐다본다.

이순신: 놓아!

김돌손이 햇불을 던져 넣으면 순식간에 불길에 휩싸이는 본채. 설마설마하며 지켜보던 군사들의 낯빛이 파랗게 질린다. 할 말을 잃고 멍한 얼굴들이다. 불타는 본채를 뒤로하고 선 이순신이 입을 연다.

이순신: 아직도 살고자 하는 자가 있다니……. 통탄을 금치 못할 일이다! 우리는 죽음을 피할 수 없다!

탄식을 쏟아 내는 절망에 빠지는 군사들의 면면.

이순신: 우수사 배설이 그저 살고자 하는 욕심으로 구선에 불을 질렀다. 그래서 우리는 구선도 더 이상 없다! 싸움을 피하는 것이 사는 길이냐! 육지라고 무사할 듯싶으냐!

이미 사색이 된 군사들이 고개를 떨군다.

이순신: 똑똑히 보고 있느냐! 나는 바다에서 죽고자 우수영을 불태운다! 살아도 더 이상 돌아올 곳이 없다! 우리가 죽어야! 나라가 산다!

　　　　　　　　　　　　　　　　　　 – 전철홍·김한민, 「명량」 –

*NA(내레이션): 화면 밖에서 들리는 설명 형식의 대사.

---

6. (가)에 대한 이해로 적절하지 **않은** 것은?

① 요시라는 행장의 명을 수행하기 위해 김응서를 찾아갔다.

② 권율은 순신에게 요시라를 믿고 청정을 공격할 것을 지시했다.

③ 김억추는 순신으로부터 전선을 수습하라는 명을 받았다.

④ 순신은 바다를 버리면 적이 한강으로 들어갈 것이라고 생각했다.

⑤ 안위는 적을 피해 달아나다가 적선에 둘러싸여 위기에 처했다.

7. (나)에 대한 설명으로 가장 적절한 것은?

① S#51에서 이순신이 숙연한 얼굴로 장계를 쓴 것은 S#52에서 장수들이 기대감을 키우는 것의 원인이 된다.

② S#51에서 안위가 이순신에게 무릎을 꿇은 것은 S#52에서 이순신의 망설임이 표출되는 것의 근거가 된다.

③ S#51에서 안위가 군사 한 명도 귀하다고 한 것은 S#52에서 군사들이 생각을 바꾸어 절망을 극복하는 것의 이유가 된다.

④ S#51에서 이순신이 군사들을 모으라 명령한 것은 S#52에서 군사들이 두려움으로 구선에 불을 지르는 것의 동기가 된다.

⑤ S#51에서 장수들이 싸움이 불가하다고 한 것은 S#52에서 이순신이 우수영 본채를 불태워 자신의 결심을 드러내는 것의 계기가 된다.

8. [A]와 [B]의 말하기 방식으로 가장 적절한 것은?

① [A]는 역사적 사실을 제시하며 상대를 조롱하고 있고, [B]는 자신의 신분을 언급하며 상대를 질책하고 있다.

② [A]는 현실의 상황을 고려하며 자신의 주장을 유보하고 있고, [B]는 주어진 상황을 분석하며 상대의 희생을 강요하고 있다.

③ [A]는 과거의 경험을 회상하며 자신의 행위를 비판하고 있고, [B]는 미래의 상황을 가정하며 자신의 행위를 정당화하고 있다.

④ [A]는 벌어질 상황을 언급하며 상대에게 정보를 제공하고 있고, [B]는 현재의 상황을 언급하며 자신의 의지를 표현하고 있다.

⑤ [A]는 문제 상황을 언급하며 상대에게 해결 방법을 제시하고 있고, [B]는 문제가 해결된 현실을 언급하며 자신의 감정을 토로하고 있다.

9. <보기>를 바탕으로 (가)와 (나)를 비교한 내용으로 적절하지 <u>않은</u> 것은? [3점]

< 보 기 >

서사 갈래에서는 서술자가 이야기 진행 과정을 요약하여 서술하거나 상황을 직접 묘사할 수 있고, 인물의 정서나 태도, 행동 등을 독자에게 직접 설명하기도 한다. 반면 극 갈래에서는 서술자가 없어 주로 대사를 활용하여 이야기의 진행 과정이 제시되는데, 연출을 위한 지시문을 통해 인물의 정서나 태도, 행동, 상황 등이 제시되기도 한다.

① (가)에서는 순신이 '진주를 지나' '보성에' 이르기까지의 과정을 서술자가 요약하여 서술하고 있고, (나)에서는 안위가 '승산이 없는 싸움'이라며 이순신을 설득하는 과정이 대사를 통해 제시되고 있다.

② (가)에서는 '마땅히 죽기를 각오'해야 한다는 장수들의 결심에 감동하는 순신의 정서를 서술자가 직접 설명하고 있고, (나)에서는 '본채에 기름을 붓기 시작'하자 당황하는 군사들의 정서가 지시문을 통해 제시되고 있다.

③ (가)에서는 전투를 '명령하'는 순신의 '다급'한 태도를 서술자가 직접 설명하고 있고, (나)에서는 장수들에게 대답을 하는 이순신의 '담담'한 태도가 지시문을 통해 제시되고 있다.

④ (가)에서는 '창검이 사방을 둘러싸'서 순신이 위기에 처한 상황을 서술자가 묘사하고 있고, (나)에서는 '화광이 어지럽게 군사들을 비추'는 긴장된 상황이 지시문을 통해 제시되고 있다.

⑤ (가)에서는 장수들이 '전선을 휘몰아 적을 공격하'는 행동을 서술자가 직접 설명하고 있고, (나)에서는 이순신이 '파르르 떨'리는 손의 '경련'에도 '다시 글씨를 이어 가'는 행동이 지시문을 통해 제시되고 있다.

총 문항				문항	맞은 문항				문항
개별 문항	1	2	3	4	5	6	7	8	9	10
채점									
개별 문항	11	12	13	14	15	16	17	18	19	20
채점									

【1~4】 (가)는 학생회 누리집 게시판에 작성된 학생의 글이며, (나)는 (가)를 읽은 학생회 학생들의 회의이다. 물음에 답하시오.

(가)

> 게시판
>
> 안녕하세요. 저는 1학년 1반 ○○○입니다. 체육대회를 준비하느라 애쓰는 학생회 운영진에게 감사드리며 체육대회 운영에 대한 건의 사항을 말씀드립니다.
>
> 우리 학교 체육대회에서 학급 대표 학생이 출전하는 종목은 농구, 축구, 배드민턴, 탁구입니다. 이는 주로 운동 능력이 좋은 친구들에게 유리한 종목입니다. 그런 이유로 반 친구들끼리 출전 선수를 결정할 때도 이 점을 고려합니다. 하지만 반에는 운동 능력이 뛰어나지 않은 친구도 있고, 부상으로 인해 경기 참가가 어려운 친구들도 있습니다. 체육대회가 학생들의 성취감과 단합력을 높이기 위해 개최되는 것이라면, 모두가 소외됨 없이 경기에 참가할 수 있는 기회가 제공되어야 합니다. 이는 저뿐만 아니라 우리 반 학생들도 공감하고 있는 내용입니다.
>
> 이 문제를 해결하기 위해 체육대회 운영 종목을 다양화할 것을 제안합니다. 특히, 신체적인 제약을 크게 받지 않고도 즐길 수 있는 장기와 이 스포츠(e-sports)를 체육대회에 추가하는 것이 어떨까요? 이 두 종목은 부상이나 운동 능력 등에 크게 영향받지 않고 경기가 가능합니다. 두 종목이 모두 채택된다면 좋겠지만, 운영 여건상 모두 진행하는 것이 어렵다면 장기보다는 학생들이 더 잘 알고 선호하는 이 스포츠를 채택해 주십시오. 이 스포츠는 팀을 짜서 협력하는 경기도 있으며 국제 대회에서도 정식 종목으로 채택될 정도로 주목받고 있기 때문입니다.
>
> 장기나 이 스포츠가 신체를 다양하게 이용하는 종목이 아닌데 체육대회에 추가하는 것이 적절한가에 대한 우려가 있을 것입니다. 하지만 체육대회를 개최함으로써 궁극적으로 의도하는 것이 무엇인지를 고려해 주시기 바랍니다. 이 두 종목이 추가된다면 체육대회는 누구나 경기에 참가할 수 있는 축제의 한마당이 될 수 있으리라 생각합니다.
>
> 긴 글 읽어 주셔서 감사드리며 댓글을 통해 긍정적인 답변을 부탁드립니다.
>
> ↳ 댓글 의견 보내 주셔서 감사합니다. 회의를 거쳐 결과를 알려 드리겠습니다.

(나)

학생 1: 오늘 오후에 학생회 게시판에 올라온 글 다들 봤지?

학생 2: 응. 봤어. 현재 체육대회 운영 종목으로는 학급의 모든 친구가 참여하는 게 어려울 수 있으니 장기나 이 스포츠 같은 종목을 체육대회에 추가해 달라는 건의였어. 두 종목을 체육대회 종목으로 추가할지 회의해 보자.

학생 3: 좋아. 그런데 장기는 반별 토너먼트 형태로 경기를 운영하기엔 한 경기당 시간이 너무 오래 걸리지 않을까?

학생 1: 그러게. 또 일대일로 진행되는 경기니까 많은 학생이 참여하는 것이 어려워서 체육대회의 취지에도 안 맞아.

학생 3: 그렇다면 이 스포츠는 어떤 것 같아? 이 스포츠도 체육대회 운영 종목으로 적절할지 모르겠어.

학생 2: 운영 종목으로 적절한 것 같아. 스포츠는 경쟁과 유희성이 있는 신체 운동 경기를 총칭하는 말이고, 이 스포츠도 신체 일부를 활용해서 경쟁하고 유희성을 추구하는 활동이니까.

학생 1: 그렇구나. 이 스포츠를 할 때 농구나 축구처럼 전략도 필요하고 협동도 잘해야 경쟁에서 이길 수 있긴 해.

학생 2: 맞아. 그리고 게시판 글을 읽고 신문 기사를 찾아봤는데, 항저우 아시안 게임에서 이 스포츠가 정식 종목으로 처음 채택된 거라고 하더라.

학생 1: 응. 이제 아시안 게임에서도 이 스포츠 경기를 볼 수 있다니 정말 기대가 돼. 요즘 청소년들이 선호하는 직업에 프로 게이머가 있다는 점도 고려해 볼 만해. 체육대회가 학교의 중요한 행사 중 하나인 만큼 학생들의 흥미와 특기를 반영할 필요가 있잖아. [A]

학생 3: 그래. 우리 반만 해도 프로 게이머를 희망하는 친구가 다섯 명이나 있어. 이 친구들에게 자신의 기량을 맘껏 뽐내 볼 기회를 제공하는 것도 필요하긴 하겠어.

학생 2: 그럼 이 스포츠만 체육대회 종목으로 추가하자. 그렇다면 이번엔 이 스포츠를 학교 체육대회 종목으로 운영할 때 유의해야 할 점은 없는지 생각해 보자.

학생 1: 좋아. 먼저 나는 이 스포츠가 다소 폭력적인 내용을 담고 있는 것이 많아 이 점이 마음에 걸려.

학생 3: 그 점은 게임에도 여러 종류가 있으니까 폭력성이 없고 협동심을 많이 요구하는 것으로 선택하면 될 것 같아. 그것보다도 나는 대부분의 이 스포츠가 경기 운영 시간이 정해져 있지 않다는 게 걱정돼. [B]

학생 1: 지금 체육대회 종목에도 시간 제한이 없는 게 있어. 탁구나 배드민턴이 그렇잖아. 이 종목들을 체육대회에서 어떻게 운영했었는지 알려 줄래?

학생 2: 그 종목들은 본선만 체육대회 당일에 하고 예선전은 그 전날까지 미리 치르고 있어. 이 스포츠도 비슷한 방식으로 운영하면 될 것 같아.

학생 1: 좋은 생각이야. 그럼 일단 이 정도로 마무리하고 운영 방식에 대한 구체적인 논의는 다음 주에 있을 학생회 정기 회의 시간에 다시 해 보도록 하자.

학생 2, 3: 응. 또 봐!

1. (가)를 이해한 내용으로 적절하지 <u>않은</u> 것은?

① 글의 특성을 고려하여 예상 독자를 구체적으로 명시하고 있다.
② 독자와 사회에 끼치는 영향을 고려하여 자료의 출처를 밝히고 있다.
③ 사회적 의사소통 상황을 고려하여 공동체가 당면한 문제를 제시하고 있다.
④ 공식적인 글쓰기의 상황을 고려하여 언어 예절을 지킨 표현을 사용하고 있다.
⑤ 쌍방향적 소통이 가능한 매체의 특성을 고려하여 상대방의 응답을 요구하고 있다.

2. (가)의 흐름을 <보기>와 같이 정리할 때, ㉠, ㉡을 이해한 내용으로 적절하지 <u>않은</u> 것은?

─────── <보 기> ───────
인사말 및 자기소개 → ㉠<u>문제 상황 제시</u> → ㉡<u>해결 방안 제시</u> → 문제 해결의 기대 효과 → 끝인사

① ㉠과 관련하여 체육대회의 개최 취지를 확인하며 문제 해결의 필요성을 드러내고 있다.
② ㉠과 관련하여 현재 체육대회에서 운영되고 있는 종목의 특성을 언급하며 문제 상황의 원인을 제시하고 있다.
③ ㉡과 관련하여 두 종목을 선택하게 된 근거로 국제적인 주목을 받는 경기라는 점을 제시하고 있다.
④ ㉡과 관련하여 학생들의 인지도와 선호도를 근거로 삼아 제안한 경기 종목들의 우선순위를 달리하고 있다.
⑤ ㉡과 관련하여 현재 체육대회의 문제점을 해결할 수 있는 방법으로 새로운 운영 종목을 추가하는 것을 제안하고 있다.

3. (나)의 '학생 2'에 대한 설명으로 적절하지 <u>않은</u> 것은? [3점]

① (가)에서 언급한 운영 종목 다양화의 필요성을 확인하고 논의해야 할 주제를 제시하고 있다.
② (가)에서 현재 체육대회 종목 구성의 한계를 언급한 것과 관련하여 제시된 의견을 절충하고 있다.
③ (가)에서 이 스포츠에 대한 우려를 언급한 것과 관련하여 운영 종목으로서의 적합성을 판단하고 있다.
④ (가)에서 언급한 두 가지 경기 종목 중 한 종목으로 논의의 범위를 줄이고 추가적인 논의 사항을 제시하고 있다.
⑤ (가)에서 국제 대회의 정식 종목으로 채택되었다는 정보를 언급한 것과 관련하여 자료를 탐색한 결과를 공유하고 있다.

4. [A], [B]에 대한 설명으로 가장 적절한 것은?

① [A] : '학생 3'은 '학생 1'의 발언을 반영하며 자신이 제시한 의견을 보충하고 있다.
② [A] : '학생 3'은 '학생 1'의 발언에 동의하며 뒷받침할 수 있는 사례를 제시하고 있다.
③ [A] : '학생 3'은 '학생 1'의 발언을 일부 긍정하며 자신의 의견과 다른 부분을 확인하고 있다.
④ [B] : '학생 1'은 '학생 3'의 발언을 구체화하며 이와 관련한 추가적인 정보를 요청하고 있다.
⑤ [B] : '학생 1'은 '학생 3'의 발언이 지닌 문제점을 제시하며 자신의 의견에 대한 동의를 구하고 있다.

5. <보기>는 음운 변동에 대한 선생님의 설명이다. 질문에 대한 답으로 적절한 것은?

─────── <보 기> ───────
• 선생님 : 음운 변동은 결과에 따라 한 음운이 다른 음운으로 바뀌는 교체, 두 개의 음운이 하나의 음운으로 합쳐지는 축약, 두 개의 음운 중 하나의 음운이 없어지는 탈락, 원래 없던 음운이 새로 덧붙는 첨가가 있습니다.

• 다음 '잡일'과 동일한 음운 변동 과정이 일어나는 단어는 무엇일까요?

　　　잡일　 → 　[잡닐]　 → 　[잠닐]
　　　　　 첨가　　　　　 교체

① 법학[버팍]　　　　　　② 담요[담뇨]
③ 국론[궁논]　　　　　　④ 색연필[생년필]
⑤ 한여름[한녀름]

6. <보기>의 설명을 참고할 때, ㉠을 분석한 내용으로 적절하지 <u>않은</u> 것은?

─────── <보 기> ───────
　'형태소'는 뜻을 가진 말의 가장 작은 단위이다. 형태소는 의미의 유무에 따라 구체적인 대상이나 동작, 상태를 표시하는 실질적인 의미를 지닌 실질 형태소와 문법적인 기능을 수행하는 형식 형태소로 나눌 수 있다. 그리고 자립성의 유무에 따라 다른 말에 기대어 쓰이지 않고 홀로 사용될 수 있는 자립 형태소와 다른 말에 기대어 사용되는 의존 형태소로 나눌 수 있다.

　㉠<u>하늘이 매우 높고 푸르다.</u>

① 자립 형태소는 모두 4개이다.
② 형식 형태소는 모두 3개이다.
③ 의존 형태소는 모두 5개이다.
④ 실질 형태소이면서 의존 형태소는 모두 2개이다.
⑤ 실질 형태소이면서 자립 형태소는 모두 2개이다.

7. <보기>의 밑줄 친 부분에 해당하는 예로 적절한 것은?

─────── <보 기> ───────
　객체 높임은 문장의 목적어나 부사어가 지시하는 대상, 곧 객체에 대한 높임의 태도를 나타내는 표현이다. 객체 높임은 주로 '모시다, 여쭙다' 등 높임의 의미가 있는 특수 어휘에 의해 실현되거나 부사격 조사 '께'를 통해 실현되기도 한다.

① 선생님께서는 댁에 계십니다.
② 형은 어머니께 그 책을 드렸다.
③ 할아버지께서는 눈이 밝으십니다.
④ 할머니, 아버지가 지금 막 도착했어요.
⑤ 윤우야, 선생님께서 빨리 교무실로 오라고 하셔.

【8~12】 다음 글을 읽고 물음에 답하시오.

　공익을 위한 적법한 행정 작용으로 개인의 재산권*에 특별한 희생이 발생한 경우, 개인은 자신이 입은 재산상 손실을 보상하도록 요구할 수 있는 권리인 '손실 보상 청구권'을 갖는다. 여기서 '특별한 희생'이란 보호할 필요가 있는 재산권에 대한 침해를 이르는 말로, 이로 인한 손실은 국가가 보상해야 한다. 가령 감염병예방법에 따르면, 행정 기관이 감염병 예방을 위해 의료기관의 병상이나 연수원, 숙박 시설 등을 동원한 경우 이로 인한 손실을 개인에게 보상하여야 하는데, 이때의 재산권 침해가 특별한 희생에 해당하는 것이다.

　손실 보상 청구권은 ⓐ공적 부담의 평등을 위해 인정되는 헌법상 권리이다. 행정 작용으로 누군가에게 특별한 희생이 발생하면, 그로 인한 부담을 공공이 분담하는 것이 평등 원칙에 부합하기 때문이다. 또한 헌법 제23조 제3항은 "공공필요에 의한 재산권의 수용·사용 또는 제한 및 그에 대한 보상은 법률로써 하되, 정당한 보상을 지급하여야 한다."라고 하여, '공공필요에 의한 재산권의 수용·사용 또는 제한', 즉 공용 침해와 이에 대한 보상이 법률에 규정되어야 함을 명시하고 있다. 공용 침해 중 수용이란 개인의 재산권을 국가로 이전하는 것, 사용이란 행정 기관이 개인의 재산권을 일시적으로 사용하는 것, 제한이란 개인의 재산권 사용 또는 그로 인한 수익을 한정하는 것을 의미한다. 한편 제23조 제3항은 내용상 분리될 수 없는 사항은 함께 규정되어야 한다는 의미의 '불가분 조항'이다. 따라서 ⓑ공용 침해 규정과 보상 규정은 하나의 법률에서 규정되어야 한다.

　그러나 헌법은 제23조 제1항에서 "모든 국민의 재산권은 보장된다. 그 내용과 한계는 법률로 정한다."라고 규정하여, 재산권은 법률에 의해 구체화된다고 밝히고 있다. 또한 제2항에서 "재산권의 행사는 공공복리에 적합하도록 하여야 한다."라고 하여, 개인의 재산권 행사가 공익에 적합하여야 한다는 재산권의 '사회적 제약'을 규정하고 있다. 특히 토지처럼 공공성이 강한 사유 재산은 재산권 행사에 더욱 강한 사회적 제약을 받을 수 있다. 만약 재산권 침해가 ⓒ사회적 제약의 범위 내에 있다면 이로 인한 손실은 보상의 대상이 되지 않는다. 즉 재산권 침해가 특별한 희생에 해당할 때만 보상이 가능한 것이다.

　재산권의 사회적 제약과 특별한 희생의 구별에 대해 ⊙경계 이론과 ⓛ분리 이론은 서로 다른 입장을 취한다. 경계 이론에 따르면 ⓓ양자는 별개가 아니라 단지 침해의 정도에 있어서만 차이가 있을 뿐이다. 재산권 침해는 그 정도가 사회적 제약의 범위를 넘어서면 특별한 희생으로 바뀐다는 것이다. 따라서 경계 이론은 사회적 제약을 벗어나는 재산권 침해는 보상 규정이 없어도 보상이 이루어져야 한다고 본다. 보상을 규정하지 않은 채 공용 침해를 규정하고 있는 법률은, 불가분 조항인 헌법 제23조 제3항에 위반되어 위헌이고, 위헌임이 밝혀진 법률에 근거한 공용 침해 행위는 위법한 행정 작용이 된다는 것이다. 경계 이론은 적법한 공용 침해 행위의 경우에 보상이 인정된다면, 위법한 공용 침해 행위의 경우에도 헌법 제23조 제3항을 근거로 보상을 인정해야 한다는 입장이다.

　이에 반해 분리 이론은 재산권의 사회적 제약에 대한 헌법 제23조 제2항의 규정과 특별한 희생에 대한 제3항의 규정은 ⓔ입법자의 의사에 따라 완전히 분리된다고 주장한다. 따라서 재산권 침해를 규정한 법률에 보상 규정이 없는 경우 입법자가 이러한 재산권 침해를 특별한 희생이 아닌 사회적 제약으로 규정한 것으로 본다. 재산권 침해가 사회적 제약 또는 특별한 희생 중 무엇에 해당하는지 결정하는 것은 법률을 제정하는 입법자의 권한이라는 것이다. 만약 해당 법률에 규정된 재

산권 침해가 헌법 제23조 제2항에서 규정한 재산권의 공익 적합성을 넘어서서 개인의 재산권을 과도하게 침해한다면, 이러한 법률은 헌법 제23조 제2항을 위반하여 위헌이고, 위헌임이 밝혀진 법률에 근거한 행정 작용은 위법하게 된다. 분리 이론은 이러한 경우 ⓒ손실을 보상하는 것이 아니라, 위법한 행정 작용 자체를 제거해야 한다고 본다. 재산권을 존속시키는 것이 재산권을 침해하면서 그 손실을 보상하는 것보다 우선한다고 보기 때문이다.

> * 재산권 : 재산의 소유권, 사용·수익권, 처분권 등 일체의 재산적 가치가 있는 권리.

8. 윗글에 대한 이해로 가장 적절한 것은?

① 헌법이 개인에게 보장하는 재산권의 내용은 법률로써 그 내용이 구체화된 것이다.
② 공용 침해 중 '사용'과 달리 '제한'의 경우, 행정 작용에도 불구하고 개인의 재산권은 국가로 이전되지 않는다.
③ 재산권을 침해하는 모든 행정 작용에 대해, 개인은 자신이 입은 손실을 보상하도록 요구할 수 있는 권리를 갖는다.
④ 재산권의 사회적 제약을 규정하는 모든 법률은 공용 침해와 손실 보상이 내용상 분리될 수 없다는 원칙에 어긋난다.
⑤ 감염병 예방을 위해 행정 기관이 사설 연수원을 일정 기간 동원하는 것은 공공필요에 의한 재산권의 '수용'에 해당한다.

9. ⊙과 ⓛ에 대한 이해로 적절하지 <u>않은</u> 것은?

① ⊙은 법률에 보상 규정이 없는 경우에도 헌법 제23조 제3항을 근거로 하여, 행정 작용으로 인한 재산상 손실을 보상할 수 있다고 본다.
② ⓛ은 헌법 제23조 제2항과 제3항의 규정은 전혀 다른 내용을 규정하고 있다고 본다.
③ ⊙은 행정 작용으로 인한 재산상 손실을 항상 보상해야 한다고 보는 반면, ⓛ은 보상하지 않을 수 있다고 본다.
④ ⊙은 재산권 침해의 정도를, ⓛ은 입법자의 의사를 기준으로 손실 보상 청구권의 성립 여부를 판단해야 한다고 본다.
⑤ ⊙과 ⓛ은 모두 보상 규정 없이 사회적 제약의 범위를 벗어나는 재산권 침해를 규정한 법률은 위헌이라고 본다.

10. ⓒ의 전제로 가장 적절한 것은?

① 재산권은 입법자의 의사에 따라 보상 없이 제한해야 하는 권리이다.

② 공용 침해 규정과 손실 보상 규정이 동일한 법률에서 규정될 필요는 없다.

③ 재산권의 사회적 제약은 입법자의 의사에 따라 제한 없이 규정될 수 있다.

④ 행정 작용이 공익을 목적으로 한다면 이로 인한 손실은 보상할 필요가 없다.

⑤ 입법자가 별도로 규정하지 않는 한, 재산권은 그대로 보존되어야 하는 권리이다.

11. 윗글을 참고하여 <보기>의 '헌법 재판소'의 판단에 대해 추론한 내용으로 적절하지 <u>않은</u> 것은? [3점]

> ─────── < 보 기 > ───────
>
> A 법률에 따르면, 국가는 도시 환경을 보전하기 위해 개발 제한 구역을 지정할 수 있고, 개발 제한 구역으로 지정된 토지에서는 건축 등 토지 사용이 제한된다. 하지만 A 법률은 개발 제한 구역 지정으로 인한 손실을 보상하는 규정은 포함하고 있지 않았다. 이러한 상황에서 A 법률에 대한 헌법 소원이 제기되었다.
>
> 헌법 재판소는 분리 이론의 입장을 취하면서, 토지 재산권의 공공성을 고려하면 A 법률은 원칙적으로 합헌이라고 판단하였다. 하지만 개발 제한 구역으로 지정되어 토지를 사용할 방법이 전혀 없는 등 개인에게 가혹한 부담이 발생하는 예외적인 경우에는 사회적 제약을 벗어나서 토지 소유자의 재산권을 과도하게 침해한다고 판단하였다. 따라서 이러한 예외적인 경우까지 고려하지 않은 A 법률은 헌법에 위반된다고 판단하였다.

① 헌법 재판소는 개발 제한 구역을 지정하는 행위가 헌법 제23조 제2항에 위반되는지를 판단하였겠군.

② 헌법 재판소는 개발 제한 구역을 지정하는 행위가 헌법 제23조 제3항과는 관련이 없다고 판단하였겠군.

③ 헌법 재판소는 개발 제한 구역을 지정하는 행위가 헌법에 위반되었는지 여부를 토지의 공공성을 근거로 판단하였겠군.

④ 헌법 재판소는 개발 제한 구역 지정으로 인한 재산권 침해는 개인에게 가혹한 부담이 발생하지 않는 범위 내에서만 가능하다고 판단하였겠군.

⑤ 헌법 재판소는 개발 제한 구역을 지정하는 행위가 개인에게 가혹한 부담을 초래한 경우, 이때의 재산권 침해는 특별한 희생에 해당한다고 판단하였겠군.

12. 문맥상 ⓐ~ⓔ를 바꿔 쓴 것으로 적절하지 <u>않은</u> 것은?

① ⓐ: 행정 작용으로 인한 부담을 개인이 모두 떠안게 되는 불평등을 조정하기 위해

② ⓑ: 공공필요에 의해 개인의 재산권을 수용·사용·제한하는 규정과

③ ⓒ: 헌법 제23조 제2항에 규정된 재산권의 한계 안에

④ ⓓ: 경계 이론의 입장과 분리 이론의 입장은 전혀 다른 것이 아니라

⑤ ⓔ: 재산권 침해 정도에 따라 구분되는 것이 아니라 입법자의 서로 다른 의사가 반영된 것이라고

총 문항				문항	맞은 문항				문항
개별 문항	1	2	3	4	5	6	7	8	9	10
채점										
개별 문항	11	12	13	14	15	16	17	18	19	20
채점										

참 여 방 법

❶ 설문지를 작성하고, "Big Event 1+3"
  한국사 · 사회탐구 · 과학탐구 교재 목록에서
  교재번호와 과목명을 확인한 후
  'Big Event 1+3 교재 신청란'에 정확히 기입합니다.

❷ 설문지 부분을 핸드폰(또는 디지털 카메라)으로 찍어서
  골드교육 홈페이지(www.goldedu.co.kr)
  커뮤니티 → "1+3 이벤트" 게시판에 올리시면 됩니다.

❸ "Big Event 1+3"은 3과목까지 신청할 수 있으며,
  여러 과목을 신청하면 임의대로 3과목을 선정하여
  보내 드립니다.

★ 2023년 시행 모의고사를
신청하면 출간 일정상 2024년
2월부터 보내 드리오니 이용에
착오 없으시기 바랍니다.
그리고 이 책의 1+3 이벤트 유효
기간은 발행일로부터 3년입니다.

★ 개인 정보는 이벤트 목적
외에는 사용하지 않으며 이벤트
마감 이후 폐기함을 알려드립니다.

"Big Event 1+3" 한국사 · 사회탐구 · 과학탐구 교재 목록

1. 2022년 시행 모의고사 : 신청하시면 확인 후 바로 보내드리고 있습니다.

학년	과목(영역)	횟수	PDF 제공 교재
고1	한국사	4회	11-1 한국사
고2	한국사	4회	11-2 한국사
	사회탐구	4회	11-3 생활과 윤리, 11-4 윤리와 사상, 11-5 한국지리, 11-6 세계지리, 11-7 동아시아사, 11-8 세계사, 11-9 정치와 법, 11-10 경제, 11-11 사회 · 문화
	과학탐구	4회	11-12 물리학Ⅰ, 11-13 화학Ⅰ, 11-14 생명과학Ⅰ, 11-15 지구과학Ⅰ
고3	한국사	12회	11-16 한국사
	사회탐구	12회	11-17 생활과 윤리, 11-18 윤리와 사상, 11-19 한국지리, 11-20 세계지리, 11-21 동아시아사, 11-22 세계사, 11-23 법과 정치, 11-24 경제, 11-25 사회 · 문화
	과학탐구	12회	11-26 물리학Ⅰ, 11-27 화학Ⅰ, 11-28 생명과학Ⅰ, 11-29 지구과학Ⅰ
		11회	11-30 물리학Ⅱ, 11-31 화학Ⅱ, 11-32 생명과학Ⅱ, 11-33 지구과학Ⅱ

2. 2023년 시행 모의고사 : 2024년 2월부터 보내드릴 예정입니다.

학년	과목(영역)	횟수	PDF 제공 교재
고1	한국사	4회	12-1 한국사
고2	한국사	4회	12-2 한국사
	사회탐구	4회	12-3 생활과 윤리, 12-4 윤리와 사상, 12-5 한국지리, 12-6 세계지리, 12-7 동아시아사, 12-8 세계사, 12-9 정치와 법, 12-10 경제, 12-11 사회 · 문화
	과학탐구	4회	12-12 물리학Ⅰ, 12-13 화학Ⅰ, 12-14 생명과학Ⅰ, 12-15 지구과학Ⅰ
고3	한국사	11회	12-16 한국사
	사회탐구	11회	12-17 생활과윤리, 12-18 윤리와 사상, 12-19 한국지리, 12-20 세계지리, 12-21 동아시아사, 12-22 세계사, 12-23 법과 정치, 12-24 경제, 12-25 사회 · 문화
	과학탐구	11회	12-26 물리학Ⅰ, 12-27 화학Ⅰ, 12-28 생명과학Ⅰ, 12-29 지구과학Ⅰ
		10회	12-30 물리학Ⅱ, 12-31 화학Ⅱ, 12-32 생명과학Ⅱ, 12-33 지구과학Ⅱ

※ 과목별 수록 회차는 사정상 변경될 수 있습니다.

(주)골드교육 씨뮬 교재를 이용해 주셔서 감사합니다.
더 좋은 교재를 만들기 위해 독자 여러분의 의견을 귀담아 듣고자 합니다.

1. 이 책을 구입하게 된 동기는 무엇입니까?

① 학교/학원 교재   ② 선생님이 추천해 주셔서   ③ 선배나 친구들이 추천해서
④ 직접 서점에서 보고   ⑤ 광고나 입소문을 들어서   ⑥ 기타(   )

2. 이 책의 전반적인 부분에 대한 질문입니다.

• 문제의 분량 : 많다□ 알맞다□ 적다□   • 해설의 분량 : 많다□ 적당하다□ 부족하다□
• 책의 크기 : 크다□ 적당하다□ 작다□   • 이용 편의성 : 편하다□ 보통이다□ 불편하다□
• 책의 가격 : 비싸다□ 적당하다□ 싸다□   • 책의 만족도 : 만족□ 보통□ 불만족□

3. 이 책에서 좋았던 점은 무엇입니까? (복수 응답 가능)

① 24일 학습 체계   ② 출제 트렌드 & 1등급 꿀팁   ③ 대표 기출 문제 풀이
④ 지문의 난이도, 소요 시간 안내   ⑤ 채점 박스   ⑥ 정답 및 해설
⑦ 내신 대비 서브노트   ⑧ 기타(   )

4. 내가 구매한 씨뮬 교재에 대한 독자서평을 작성해 주세요.
   베스트 독자서평으로 채택되면 다음 씨뮬 교재에 수록해 드립니다.

Big Event 1+3 교재 신청란   〈유형⁺ 씨뮬 고1 국어 문학〉

이름		이벤트 신청은 위의 표를 보고 교재번호와 과목명을 빈칸에 정확히 적어 주시기 바랍니다. (교재번호 11-5, 과목명 한국지리)

	교재번호	과목명
신청 과목 1		
신청 과목 2		
신청 과목 3		

믿을 수 있는 기출문제로 실전 연습하여
출제 경향과 유형을 파악하라!

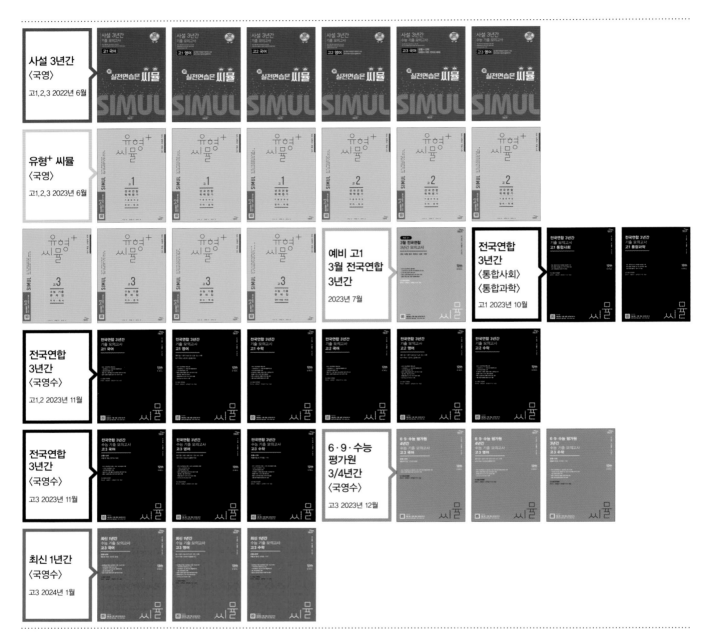

사설 3년간 〈국영〉
고1,2,3 2022년 6월

유형⁺ 씨뮬 〈국영〉
고1,2,3 2023년 6월

**예비 고1
3월 전국연합
3년간**
2023년 7월

**전국연합
3년간
〈통합사회〉
〈통합과학〉**
고1 2023년 10월

**전국연합
3년간
〈국영수〉**
고1,2 2023년 11월

**전국연합
3년간
〈국영수〉**
고3 2023년 11월

**6·9·수능
평가원
3/4년간
〈국영수〉**
고3 2023년 12월

**최신 1년간
〈국영수〉**
고3 2024년 1월

2024 씨뮬 시리즈
대한민국 No 1. 내신 / 학평, 수능 대비 문제집

국어	영어	수학	전과목 / 통합사회·과학
• 유형⁺ 씨뮬 고1 국어 독서	• 유형⁺ 씨뮬 고1 영어 독해	• 전국연합 3년간 고1 수학	• 예비고1 3월 학력평가
• 유형⁺ 씨뮬 고1 국어 문학	• 유형⁺ 씨뮬 고2 영어 독해	• 전국연합 3년간 고2 수학	• 전국연합 3년간 고1 통합사회
• 유형⁺ 씨뮬 고2 국어 독서	• 유형⁺ 씨뮬 고3 영어 독해	• 전국연합 3년간 고3 수학	• 전국연합 3년간 고1 통합과학
• 유형⁺ 씨뮬 고2 국어 문학	• 유형⁺ 씨뮬 고3 영어 어법·어휘	• 6·9·수능 3년간 고3 수학	
• 유형⁺ 씨뮬 고3 국어 독서	• 전국연합 3년간 고1 영어	• 최신 1년간 고3 수학	
• 유형⁺ 씨뮬 고3 국어 문학	• 전국연합 3년간 고2 영어		
• 전국연합 3년간 고1 국어	• 전국연합 3년간 고3 영어		
• 전국연합 3년간 고2 국어	• 사설 3년간 고1 영어		
• 전국연합 3년간 고3 국어	• 사설 3년간 고2 영어	**씨뮬 풀고 자동 채점 성적분석까지**	
• 사설 3년간 고1 국어	• 사설 3년간 고3 영어	Ⓢ **STUDY SENSE** 온라인 성적분석 서비스	
• 사설 3년간 고2 국어	• 6·9·수능 4년간 고3 영어		
• 사설 3년간 고3 국어	• 최신 1년간 고3 영어		
• 6·9·수능 4년간 고3 국어			
• 최신 1년간 고3 국어			

정답및해설

유형+
씨물

고 **1**

전국연합
학력평가

기 출 문 제 집

국 어 - 문 학

정 답 및 해 설

씨물과 함께하는 기출 완전정복 커리큘럼

씨물 = 실전 연습

내신, 학평, 수능까지 실전 대비 최고의 연습, 씨물

씨물과 함께 1등급, SKY, 의치한까지

예비 고1 3월 전국연합 3년간 모의고사

고등학교 첫 시험을 발 빠르게 준비하여
단 한 권으로 학습 주도권을 잡는 교재

※ 국어, 수학, 영어, 한국사, 사회, 과학 수록

예비
고1

01

유형⁺ 씨물

학평, 수능의 문제 유형을 연습하고
출제 경향을 파악할 수 있는 교재

※ 고1~3 국어 독서/문학
※ 고1~3 영어 독해, 고3 영어 어법 · 어휘

고1~3

02

전국연합 3년간

최근 3년간 시행된 학평, 모평, 수능 문제들로
완벽한 수능 대비를 할 수 있는 기본 중의 기본서

※ 고1 통합사회, 통합과학
※ 고1~3 국어, 수학, 영어

고1~3

03

사설 3년간

종로, 이투스에서 출제된 고난도 모의고사
문제들을 연습할 수 있는 교재

※ 고1~3 국어, 영어

고1~3

04

6 · 9 · 수능 평가원 3/4년간

평가원에서 최근 3/4년간 출제한 6월,
9월 모평 및 수능 문제들이 수록된
수능 출제 경향 파악에 가장 적합한 교재

※ 고3 국어, 수학, 영어

고3

05

최신 1년간

최근 1년간 시행된 학평, 모평, 수능 문제 뿐
아니라 종로 모의고사까지 수록되어 최신 출제
경향을 한 권으로 파악할 수 있는 교재

※ 고3 국어, 수학, 영어

고3

06

DAY 01 »»»

1 ⑤	2 ⑤	3 ②	4 ③	5 ⑤
6 ②	7 ⑤	8 ②	9 ②	10 ③
11 ⑤	12 ③			

DAY 02 »»»

1 ①	2 ③	3 ④	4 ③	5 ②
6 ②	7 ⑤	8 ②	9 ②	10 ④
11 ①				

DAY 03 »»»

1 ⑤	2 ③	3 ②	4 ④	5 ①
6 ①	7 ⑤	8 ②	9 ②	10 ③
11 ⑤				

DAY 04 »»»

1 ④	2 ④	3 ②	4 ⑤	5 ①
6 ③	7 ②	8 ③	9 ③	10 ①

DAY 05 »»»

1 ①	2 ④	3 ①	4 ②	5 ④
6 ①	7 ①	8 ④	9 ②	10 ⑤

DAY 06 »»»

1 ④	2 ④	3 ③	4 ③	5 ⑤
6 ①	7 ①	8 ④	9 ⑤	

DAY 07 »»»

1 ①	2 ④	3 ③	4 ①	5 ②
6 ④	7 ⑤	8 ④	9 ②	

DAY 08 »»»

1 ③	2 ③	3 ④	4 ②	5 ④
6 ①	7 ①	8 ⑤	9 ③	10 ①

DAY 09 »»»

1 ④	2 ②	3 ⑤	4 ②	5 ①
6 ④	7 ⑤	8 ②	9 ④	10 ④

DAY 10 »»»

1 ②	2 ④	3 ①	4 ⑤	5 ④
6 ②	7 ③	8 ④	9 ②	10 ③
11 ①				

DAY 11 »»»

1 ⑤	2 ⑤	3 ④	4 ②	5 ②
6 ④	7 ②	8 ①	9 ②	10 ②
11 ②				

DAY 12 »»»

1 ③	2 ⑤	3 ③	4 ①	5 ④
6 ④	7 ②	8 ③	9 ③	10 ③
11 ⑤	12 ⑤			

DAY 13 »»»

1 ①	2 ③	3 ②	4 ③	5 ①
6 ③	7 ④	8 ②	9 ③	10 ③
11 ②	12 ②			

DAY 14 »»»

1 ⑤	2 ③	3 ②	4 ①	5 ③
6 ④	7 ①	8 ④	9 ③	10 ③

DAY 15 »»»

1 ③	2 ④	3 ⑤	4 ⑤	5 ⑤
6 ④	7 ⑤	8 ②	9 ②	10 ④
11 ③				

DAY 16 »»»

1 ④	2 ③	3 ①	4 ②	5 ③
6 ③	7 ④	8 ④	9 ①	10 ②

DAY 17 »»»

1 ①	2 ②	3 ③	4 ④	5 ②
6 ⑤	7 ②	8 ②	9 ⑤	10 ②

DAY 18 »»»

1 ①	2 ②	3 ④	4 ③	5 ⑤
6 ⑤	7 ①	8 ④	9 ①	10 ②
11 ②	12 ③			

DAY 19 »»»

1 ⑤	2 ⑤	3 ③	4 ②	5 ②
6 ②	7 ④	8 ③	9 ①	10 ①
11 ④	12 ①			

DAY 20 »»»

1 ④	2 ①	3 ②	4 ①	5 ③
6 ①	7 ④	8 ④	9 ②	10 ①
11 ⑤	12 ②	13 ①	14 ⑤	

DAY 21 »»»

1 ③	2 ⑤	3 ④	4 ①	5 ①
6 ③	7 ④	8 ③	9 ④	10 ③
11 ③	12 ⑤	13 ①		

DAY 22 »»»

1 ②	2 ③	3 ⑤	4 ④	5 ④
6 ④	7 ①	8 ②	9 ①	10 ⑤

DAY 23 »»»

1 ④	2 ①	3 ③	4 ⑤	5 ①
6 ⑤	7 ⑤	8 ④	9 ②	

DAY 24 »»»

1 ②	2 ③	3 ②	4 ②	5 ④
6 ①	7 ②	8 ①	9 ③	10 ⑤
11 ⑤	12 ④			

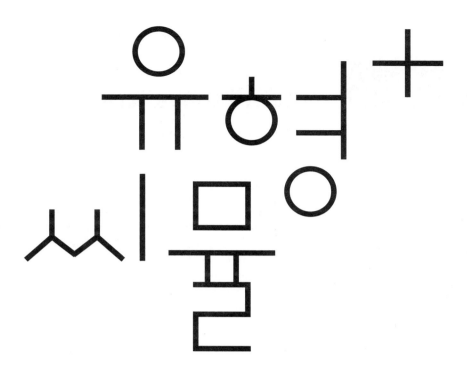

단기 특강, 24일의 기적!

정답 및 해설

고1 국어 문학

CONTENTS

현대 소설

Day 01

1. ⑤ **2.** ⑤ **3.** ② **4.** ③ **5.** ⑤
6. ② **7.** ⑤ **8.** ② **9.** ② **10.** ③
11. ⑤ **12.** ③

【1~4】 송기숙, '몽기미 풍경'

작품해설

1970년대를 배경으로 가난한 어촌 마을에서 상경한 인물들의 현실을 그린 소설이다. 낙후된 섬인 몽기미 출신인 순자와 남분이는 어린 시절 도시로 단체 여행을 했던 경험을 통해 도시를 동경한다. 이후 서울에 올라와 공장에서 일하게 된 순자는 고된 현실에 환상이 무너지고 소외감을 느끼며 고향을 그리워하고, 남분이는 술 따르는 일로 돈을 쉽게 버는 것을 자랑한다. 이와 같은 인물들의 현실을 통해 당시 낙후된 어촌 마을의 현실과 상경한 도시 노동자들의 고된 처지, 물질적 가치를 중시하는 세태가 드러나고 있다.

- **갈래** : 단편 소설, 세태 소설
- **성격** : 사실적, 현실 비판적, 회상적
- **배경** : 1970년대
- **주제** : 1970년대 어촌 마을의 낙후된 현실과 도시 노동자의 고된 삶

1. ⑤ 　서술상 특징 파악하기

① 이 글의 서술자는 이야기 바깥에 존재하며, [A]에는 인물의 내력이 드러나 있지 않다.
② '아이들은 멍청하게 입만 벌렸다.'에 인물의 행위가 드러나지만, 이를 통해 긴박한 분위기를 조성하고 있지는 않다.
③ [A]에는 아이들이 보게 된 광경이 묘사되어 있으므로 요약적 서술이 나타난다고 볼 수 없으며, 갈등이 해소되는 과정을 제시하고 있지도 않다.
④ [A]에서 추측하는 표현은 나타나지 않으며 따라서 이를 통해 일어날 사건에 대한 예상이 드러난다고 볼 수 없다.
❺ [A]는 목포에 도착한 아이들이 보게 된 광경이 묘사된 부분으로 크고 작은 배들 수백 척이 부두를 가득 메운 모습, 크고 작은 건물들이 빼곡히 차 있는 모습, 큰 길에 사람들이 북적거리고 자동차가 경적을 울리며 내달리는 모습, 색색으로 예쁘게 꾸며놓은 간판 등을 감각적인 묘사를 통해 실감 나게 드러내고 있다.

2. ⑤ 　소재의 의미 파악하기

① ⓐ '연락선'을 타고 도시로 간 아이들은 상상도 하지 못한 풍경을 보게 되었으므로 ⓐ가 인물이 기대했던 바를 실제로 확인하게 하는 소재라고 볼 수 없다. 또한 ⓑ '기차'에서 남순이는 욕망의 충족과는 거리가 먼 현실을 인식하고 있으므로 ⓑ가 인물의 욕망이 충족되는

공간이라고 볼 수는 없다.
② ⓐ '연락선'을 통해 인물이 사회의 문제를 해결하는 모습은 나타나지 않는다. ⓑ '기차'에서 남분이는 도시와 자신의 고향을 비교하고 있으므로 ⓑ는 자신을 타인과 비교하는 공간이라고 해석할 수도 있다.
③ ⓐ '연락선'을 통해 아이들이 도시에 가게 되므로 ⓐ가 타인과의 단절을 유발하는 소재라고 볼 수는 없고, ⓑ '기차'를 통해 인물이 타인과 소통하는 모습 또한 나타나지 않는다.
④ 아이들이 운명을 거부하다가 ⓐ '연락선'을 통해 그것을 수용하게 된 것이라고 볼 수는 없으며, ⓑ '기차'에서 남분이는 자신의 현실을 인식하고 있을 뿐 운명을 개척하는 모습은 보이지 않았다.
❺ ⓐ '연락선'에 탄 몽기미 아이들은 목포에 도착해 '모두가 꿈에도 보지 못했던 광경'을 보게 되었고, '도시의 모든 것이 꿈만 같았고, 더구나 서울의 며칠 동안은 무슨 동화 속의 세상을 헤매는 것만 같았다'고 했으므로 ⓐ는 인물이 경험해 보지 못한 세상을 체험하게 하는 소재라고 할 수 있다. 그러한 도시에서 고향으로 돌아가기 위해 기차를 탄 남분이는 '어째서 우리는 이런 세상을 놔두고 그 작은 섬에서 살아야 하는지 내내 그 생각뿐'이었다고 했으므로, ⓑ '기차'는 인물이 경험을 바탕으로 자신의 현실을 인식하는 공간이라고 볼 수 있다.

3. ② 　인물의 심리 파악하기

① ㉠에서 남분이가 '우리 동네 한 집 일 년 수입이 통틀어 얼만 줄 알아?'라고 한 것은 그 일 년 수입이 자신의 한 달 벌이도 못 된다고 자랑하기 위해서이므로, ㉠에는 고향의 상황과 비교하여 자신의 상황을 자랑하고 싶어 하는 심정이 드러난다고 할 수 있다.
❷ ㉡은 남분이가 '야살스럽게 히들거'리며 한 말인데, '야살스럽게'는 '얄밉고 되바라지게'를 뜻하므로 ㉡에서 남분이가 순자의 마음이 상할 것을 걱정하여 조심스러워하는 태도가 드러난다고 볼 수 없다.
③ ㉢은 남분이가 말한 '주전자 운전'이 무엇인지 알지 못하는 순자가 어리둥절해하며 한 말이다.
④ ㉣은 남분이가 '주전자 운전'이 '술 주전자 운전'이라고 설명한 것을 듣고 순자가 '그제야 웃음이 도는 듯 눈을 거슴츠레하게' 뜨고 한 말이므로, 남분이가 하는 일이 무엇인지 어렴풋이 짐작하게 된 순자의 모습이 나타난다.
⑤ ㉤에서 남분이는 자신이 하는 일이 '당당한 직업'이라고 말하며 조금도 스스럼이 없었으므로, 자신의 직업을 떳떳하게 여기는 남분이의 태도를 알 수 있다.

4. ③ 　외적 준거에 따라 작품 감상하기

① 순자는 서울에 와서 오 년을 살았는데, 그 기간은 소녀의 꿈이 '뼈마디가 저미는 고통'으로 조각나는 기간이자 '살벌한 현실'에 뼈마디를 부딪치며 자신을 추슬러온 기간이라고 했으므로, 이러한 순자의 모습에서 고된 삶을 살고 있는 노동자의 현실을 짐작할 수 있다.
② '무녀리'는 순자가 집에서 기르던 새끼 돼지로, 힘센 녀석들에게 시달리고 어미 돼지의 보살핌도 받지 못한 존재였다. 따라서 순자가 서울에서 '누구 하나 돌봐주는 사람' 없이 생활하는 자신을 그 '무녀리'와 동일시하는 모습을 통해 도시 생활에서 느끼는 소외감을 짐작할 수 있다.

❸ '본전도 못 건지'고 '가슴을 조이며 날이면 날마다 그 섬을 들락거'린 것은 근처 무인도의 일 년간 해초 채취권을 사는 투기를 한 사람들의 모습이므로, 이를 통해 어촌 마을이 그리움의 공간이라는 점이 드러나는 것은 아니다.
④ '순자는 몽기미 집집마다 굴뚝처럼 너덜너덜 달라붙은 그 가난이 새삼스레 가슴을 후볐다.'라고 한 것을 통해 경제적 발전에서 낙후되어 가난한 어촌 마을의 현실을 짐작할 수 있다.
⑤ 서울에서 술을 따르는 일을 선택한 남분이가 '식순이 공순이'는 '남의 종살이' 취급을 받을 뿐이며 돈도 많이 벌지 못하는데, '서울서 사람값은 하나도 돈이고 둘도 돈'이라고 말하는 것을 통해 물질적 가치를 우선시하는 세태를 짐작할 수 있다.

【5~8】 성석제, '투명 인간'

작품해설

이 작품은 선량한 주인공인 '만수'를 중심으로 펼쳐지는 사건을 담고 있다. 주변 인물들이 서술자가 되어 사건을 전달하는 특이한 형식의 작품이다. 그로 인해 많은 이야기를 병렬적으로 나열하는 방식을 통해 총체적인 삶을 제시하고 있다. 주인공 만수는 고향을 떠나 서울에 와서 온갖 고난과 역경을 겪는데, 산업화 과정에서 최선을 다해 살았지만 점차 '투명 인간'이 되어 버리는 비극적인 모습이 나타난다.

- **갈래** : 현대 소설
- **성격** : 사실적, 비극적
- **특징**
  - '투명 인간'이라는 제목이 '근대화 과정에서 주변부적인 삶을 강요받은 사람'이라는 의미와 '내면이 투명하게 드러나는 사람'이라는 중의적 의미로 제시됨.
  - 서술자를 다양하게 교체하여 사건을 제시함.
- **주제** : 산업화 과정 속에서 투명 인간으로 전락해 버린 인간의 비극성

5. ⑤ 　작품의 세부 내용 파악하기

① '사실 나는 만수 씨를 좋아했다. 만수 씨를 처음 봤을 때부터 좋아하고 있었다.'에서 진주가 만수를 처음 만났을 때부터 호감을 가지고 있었음을 알 수 있다.
② '제가 아무리 아니라고 해도 사람들이 의심을 더 하니까 어쩔 수가 없네요.'에서 만수의 노력에도 소문이 사라지지 않았다는 것을 알 수 있다.
③ '우리가 공장을 지키기 위해서 싸우다 보면 ~ 우리는 희망이 있어. 희망 때문에 싸우는 거야.'에서 만수는 공장이 다시 돌아갈 것이라는 기대를 품고 투쟁을 하고 있다는 것을 알 수 있다.
④ '누구는 자기 하고 싶은 대로 멋대로 일했다 말았다 하고 월급은 사장보다 더 챙겨 가고 누구는 하루 스물네 시간 꼬박 일하고 있는데'와 '그런데 그 돈을 형님이 다 통장에 집어넣고 꼭 움켜쥐고'에서 만수 여동생의 남편이 수익금 배분이 불공평하다고 생각하고 있음을 알 수 있다.
❺ '오빠가 그 여자를 데리고 와서 주방을 맡기라고 했을 때는 억장이 무너지는 것 같았다.'와 '칼과 도마, 싱크대는 여자들한테는 양보할 수 없는 고유 영역 같은

것인데 하루아침에 물러나라니 말도 안 되는 소리였다.' 에서 만수의 여동생은 진주를 처음부터 부정적으로 생각했음을 알 수 있다.

6. ② 　　　인물의 심리 파악하기

① '나'는 소문이 '해도 너무한다 싶었'지만 '건드리면 더 커질 것 같아서' 신중하게 행동했던 것이다. 주변 상황에 신경 쓰지 않았기 때문이 아니다.

❷ '여자들 모두가 나를 질투하고 미워하게 되었다. ~ 면도날이 내가 조리를 담당한 냄비 속에 들어 있기도 했다.'를 통해 구내식당 여직원들의 질투와 괴롭힘으로 인해 '나'의 고통이 한계점에 도달하였음을 확인할 수 있다.

③ 만수가 '분식집' 일을 '좀 도와'달라고 말한 것에 대해 '오래도록 생각했지만 다른 도리가 없었'다는 것을 보면, 그 대안을 내심 바랐던 것이 아니라 어쩔 수 없이 선택한 것임을 알 수 있다.

④ '가난하지만 소박하게, 보통 사람 나름의 행복을 누리면서 살아가면 된다고' 생각하는 만수의 가치관에 대해서 '나'가 알 바 아니라고 한 것은 빈정거림이 아니라, 우선 자신의 살길을 찾고자 하는 현실적인 태도를 보여 준 것이다.

⑤ '나'는 기사 식당에서 번 돈이 '엉뚱한 데'에 쓰인다는 것에 기가 막혀 하는 것이지, 공장에서 투쟁하는 사람들을 안타까워하는 것이 아니다.

7. ⑤ 　　　공간의 서사적 기능 파악하기

① ⓐ(구내식당)에서는 진주와 다른 여자들 사이에, ⓑ(분식집)에서는 만수와 만수 여동생 사이에 갈등이 발생하였으므로 둘은 관련이 없다.

② ⓐ(구내식당)에서 시작된 소문으로 만수와 진주의 유대감은 생겼다고 볼 수 있지만, 이것이 ⓒ(기사 식당)에서 반감되지 않았다.

③ ⓑ(분식집)와 ⓒ(기사 식당)에서의 갈등은 모두 인물과 인물 사이의 갈등이다.

④ ⓐ(구내식당)에서 소문으로 인한 갈등과 ⓒ(기사 식당)에서 진주를 감싸는 만수의 행동으로 인한 갈등은 모두 해결의 실마리가 제시되지 않았다.

❺ ⓑ(분식집)에서는 진주에게 주방을 맡기라고 하는 만수의 태도로 인해 만수와 여동생이 갈등하게 되고, ⓒ(기사식당)에서는 진주를 감싸는 만수의 태도로 인해 만수와 여동생의 남편이 갈등하게 되므로 적절하다.

8. ② 　　　외적 준거를 활용하여 작품 감상하기

① [A]에서 만수는 '상품권'을 '자신이 가지지 않고 구두 많이 닳은 사람부터 순서대로 나눠' 주는 사람으로, 그의 선량한 모습을 확인할 수 있다.

❷ [B]에서 만수가 그동안 나온 월급을 모은 '적금 통장'을 꺼내 놓으면서 '가게를 키워 가지고 제대로 된 식당을 해 보자고' 하는 것은 다른 가족들을 위해 자신의 것을 나누며 희생하는 모습을 보여 준다. 이를 물질 만능의 한국 사회로부터 주인공이 소외당하는 현실로 이해하는 것은 적절하지 않다.

③ [D]에서 '우리 공장에서 같이 투쟁하는 식구들 ~ 거기도 돈이 엄청나게 들어가서 말이지.'라는 만수의 말에서 '돈'의 사용처를 알 수 있으며, 만수가 공장 식구들을

위해 자신이 가진 '돈'을 남김없이 쓸 만큼 희생하고 있음을 알 수 있다.

④ [A]의 '만수 씨'와 [B]의 '오빠'라는 호칭을 통해 주변 인물들이 서술자로 등장하고 있음을 알 수 있다.

⑤ [B]에서는 만수의 여동생이, [C]에서는 만수 여동생의 남편이 만수에 대해 이야기하고 있다. 이는 주인공의 주변인들이 서술자로 등장하여 정보를 제공하고 주인공의 삶을 다각도로 조명하는 것이다.

【9~12】 이문구, '산 너머 남촌'

▶ 작품해설

1980년대 서울 근교 농촌을 배경으로, 자본주의적 근대화 과정 속에서 변화하는 농촌의 현실과 농민의 인식을 그리고 있는 작품이다. 작품 속에서 '영두'는 먹거리를 생산하는 농민으로서 가져야 할 태도를 인식하면서도 이러한 태도를 지켜 나가기 어려운 현실 속에서 가치관의 혼란을 겪는다. 작가는 이를 통해 당대 농민들이 겪었던 어려움과 농촌의 모습, 농민의 삶을 사실적으로 드러내었다.
■ 갈래 : 현대 소설, 장편 소설, 세태 소설
■ 성격 : 토속적, 비판적, 사실적
■ 배경 : 1980년대 서울 근교 농촌
■ 주제 : 근대화 과정 속에서 변화하는 농촌의 현실과 농민의 인식

▶ 같은작가 다른기출
2018학년도 대수능 '관촌수필'

9. ② 　　　서술상 특징 파악하기

① 권중만과 영두의 대화가 제시되어 있고 영두가 과거의 일에 대해 회상하는 내용이 서술되어 있으나, 빈번하게 장면을 전환하여 사건 전개의 긴박감을 드러내고 있지 않다.

❷ 서술자는 권중만과 영두의 대화를 영두의 관점에서 전달하고 있으며, 영두의 내면 역시 영두의 관점에서 서술하고 있다.

③ 별개의 사건이 동시에 일어난 구성으로 볼 수 없다.

④ 권중만과 영두 사이의 대화가 제시되어 있으나, 사건의 비현실적인 면모가 드러나고 있지는 않다.

⑤ 권중만이나 영두의 표정, 영두의 내면 심리가 나타나 있으나, 인물의 표정 변화와 내면 변화가 반대로 서술되어 있는 대목은 찾을 수 없다.

10. ③ 　　　발화의 의도와 의미 파악하기

① [A]에서 권중만은 자신의 우월한 지위를 과시하고 있지 않다. [B]에서 영두는 권중만에게 친밀감을 표현하고 있지 않다.

② [A]에서 권중만은 영두의 문제에 대한 해결책을 제시하고 있지 않다. [B]에서 영두는 권중만의 말이 마땅찮게 들렸지만 권중만의 사과를 요구하고 있지는 않다.

❸ [A]에서 권중만은 요새 '아파트 사람들'이 채소 밑동에 묻은 흙에 관해 선입견을 가지고 있다는 말을 하며, 자신이 영두에게 '놀랜흙을 묻히라고 제안한 이유를 설명하고 있다. [B]에서 영두는 권중만의 말이 현실적이지 않고 논리적으로도 타당하지 않다고 항변하고 있다.

④ [A]에서 영두는 권중만의 말이 타당하지 않다고 지적하고 있으나, 권중만에게 새로운 대안을 제시하고 있지는 않다. [B]에서 권중만은 '아파트 사람들'과 관련한 사례를 들고 있으나, 자신의 행동에 대해 변명하고 있지는 않다.

⑤ [A]에서 영두는 권중만의 생각에 대해 공감을 드러내거나 조언을 요구하고 있지 않다. [B]에서 권중만은 영두의 반응에 당황한 모습을 드러내거나 영두에게 사과하고 있지 않다.

11. ⑤ 　　　소재의 기능 파악하기

① 영두는 권중만이 '만 원'을 더 주겠다며 제안한 일을 듣고 욕된 말로 여기고 있다. 따라서 권중만과 영두 사이에는 긴장감이 조성되었으므로, 갈등이 해소되었다고 보기 어렵다.

② 권중만이 영두에게 '만 원'을 제시하며 조언한 것으로 볼 수 없고, 영두가 권중만의 제안을 수용하지도 않았다.

③ 권중만이 '만 원'을 제안하며 요구한 일에 대해 영두는 '듣던 중에 그처럼 욕된 말'이 없다고 느끼며 부정적인 반응을 보였다.

④ 영두가 권중만에게 양보를 강요한 것은 없다.

❺ 권중만이 채소에 '놀랜흙을 묻혀 놓는' 작업을 요구하며 '만 원'을 제안한 것에 대해, 영두는 '듣던 중에 그처럼 욕된 말'이 없다고 느끼며, '성질이 나서 견딜 수가 없었'다고 반응하였다. 그리고는 권중만의 말에 부정적인 말로 응대하게 되었다.

12. ③ 　　　외적 준거를 통해 감상하기

① 농민들이 권중만을 보고 '채소를 돈거리로 갈기 시작하는' 상황은, 농민들이 경제적 이익 창출을 위해 농사를 짓기 시작했음을 보여 준다.

② 농민인 영두가 '밭떼기 전문 채소 장수'인 권중만과 '국내 수요'와 '대일 수출' 등에 대해 이야기하는 모습은, 농민들이 농산물의 유통과 판매까지 감안하게 되었음을 보여 준다.

❸ 영두가 '밭떼기 장수'를 '미더운 물주요 필요악 이상의 불가결한 존재'로 받아들이는 것은, 경제적 이익을 얻기 위한 수단으로 농사를 인식하게 되었음을 의미한다. 그렇지만 이를 영두가 다른 농민들을 이용해 경제적 이익을 추구한 모습이라고 보는 것은 적절하지 않다.

④ 영두가 권중만에게 '자칫 못 먹을 것을 만들어서 파는 사람으로 취급받지 않'으려 하는 것은, 먹거리를 생산하는 농민이 가져야 할 태도에 대해 인식하고 있음을 드러내고 있다.

⑤ 영두가 '볼품이 없는 것'이 오히려 '구수한 맛이 더하던 이치'에도 불구하고 상품성이 떨어진다고 평가하는 것은, 현실적으로 농사에 대한 가치관을 따르기 어렵다는 인식을 보여 준다.

Day 02
본문 010쪽

1. ① 2. ③ 3. ④ 4. ③ 5. ②
6. ② 7. ② 8. ③ 9. ② 10. ④
11. ①

【1~4】 이청준, '선학동 나그네'

지문해설

〈서편제〉 등 남도창을 제재로 삼고 있는 이청준의 연작 소설이다. 이 작품은 소리를 다루는 작가의 세계를 잘 보여 준다. 등장인물들은 비정상적 삶을 살아가는 인물들로서, 오직 소리만을 생각하며 일생을 떠돌이로 살아가는 아버지는 이 소리의 한(恨)을 전수하기 위해 딸에게 약을 먹여 눈을 멀게 한다. 아버지의 의도를 알면서도 소경으로서의 운명을 받아들이는 딸, 그런 그들의 비정상적 삶의 모습을 거부하고 떠났으면서도 그 삶의 궤적을 벗어나지 못한 채 누이를 찾아 헤매는 오라비의 모습은 한(恨)의 정서를 예술적으로 승화시킨 '비상학'이라는 상징과 맞물려 작가가 추구하는 예술혼을 드러내고 있다. 이 작품의 주제 의식은 한(恨) 맺힌 삶을 '소리'를 통해 승화시키는 데 있다.

- **갈래** : 단편 소설, 연작 소설
- **성격** : 전통적, 회상적, 신비적
- **배경** : 시간적(근대화가 이루어지는 시기의 전후), 공간적('선학동'이라는 시골 마을)
- **시점** : 전지적 작가 시점
- **구성** : 액자식 구성
- **주제** : 한(恨)의 예술적 승화
- **특징**
  - 소리꾼 부녀의 이야기를 통해 한의 실체를 밝히고 이를 예술적으로 승화시킴.
  - 이야기 안에 이야기를 삽입하는 액자식 구성을 통해 작품을 전개함.
- **구성**
  - 발단 : 선학동을 다시 찾은 사내
  - 전개 : 선학동의 내력과 이제는 비상학을 볼 수 없게 된 현실
  - 위기 : 소리꾼 아비와 딸에 대한 주막 주인의 회상
  - 절정 : 죽은 아비를 매장하기 위한 과정에서 되살아난 비상학의 모습
  - 결말 : 다시 길을 떠나는 사내

같은작가 다른기출

2020학년도 9월 모의 수능 '자서전들 쓰십시다'
2014학년도 대수능 '소문의 벽'
2010학년도 9월 모의 수능 '잔인한 도시'
2006학년도 6월 모의 수능 '병신과 머저리'

1. ① 서술상의 특징 파악하기

❶ '손'은 우연히 들른 주막집의 주인 사내에게 소리꾼 여자에 관한 이야기를 듣는다. 주인은 '선학동에 다시 학이 날게 된 사연을 이야기'하며 과거 선학동을 찾아온 눈이 먼 여자와 '여자의 소리'에 감화를 받아 비상학을 본 일을 회상하고 있다. 이렇듯 현재의 이야기 속에 인

물이 회상하는 장면이 삽입되어 이야기가 전개되며 과거와 현재가 연결되고 있음을 알 수 있다.
② 풍자적 서술을 통해 인물의 행위를 비판하고 있는 내용은 확인할 수 없다.
③ 반어적 표현을 통해 집단 간의 갈등을 부각하고 있는 내용은 확인할 수 없다.
④ 여러 사건을 병렬적으로 제시하고 있지 않다.
⑤ 장면마다 서술자를 달리하고 있지 않다.

2. ③ 작품의 내용 이해하기

① 손이 주인에게 '오라비가 부녀를 버리고 떠난 것은 차마 그 원망스런 의붓아비를 죽여 없앨 수가 없어서였다는 것'이라고 손은 여자의 오라비가 가족을 떠난 이유를 주인 사내에게 이야기하고 있다.
② 손이 주인에게 '주인장 어렸을 적에 이 마을에 찾아들었다는 그 소리꾼 부녀'라고 말하는 것과 손이 '학이 날지 못하는 선학동에 아비의 유골을 묻고 간 여자의 일'을 안타까워 했다는 것에서 여자는 이전에 온 적이 있는 선학동으로 다시 찾아와서 아비의 유골을 묻었다는 것을 알 수 있다.
❸ 선학동에 찾아온 손은 주인에게서 소리꾼 부녀에 대한 이야기를 전해 듣게 된다. 하지만 여자가 손으로부터 아버지에 대한 이야기를 전해 듣는 것은 확인할 수 없으므로 적절하지 않다.
④ '사립에 기대어 눈을 감고 가만히 여자의 소리를 듣고 있자니 사내의 머릿속에서 오랫동안 잊혀져 온 옛날의 그 비상학이 서서히 날개를 펴고 날아오르기 시작한 것이다.'라는 회상에서 주인 사내가 여자의 소리를 들으며 잊고 있었던 비상학의 모습을 다시 떠올리게 되었다는 것을 알 수 있다.
⑤ 손이 주인 사내에게 '그렇담 주인장은 그 오누이가 서로 아비의 피를 나누지 않은 남남 한가지 사이란 것도 알고 있었겠구만요.'라고 말하는 것을 듣고 주인이 '다시 고개를 무겁게 끄덕여 보였다'는 것에서 주인 사내가 여자와 오라비가 아비의 피를 나누지 않은 오누이라는 사실을 알고 있었다는 것을 알 수 있다.

참고자료

◆ **전체 줄거리**
어느 날 해질 무렵, 남도 땅 장흥에서는 한참 들어간 회진이란 곳에서 나이가 쉰 살 정도 된 한 사내가 버스에서 내려 선학동으로 향했다. 사내는 비상학이 자태를 짓는 선학동을 보고자 하나 포구는 들판으로 변하여 학의 모습을 볼 수 없게 되어 있었다. 묵을 곳을 찾아 주막으로 간 사내는 술을 마시면서 비상학 이야기를 꺼내고 그러자 주인 사내가 몇 년 전에 한 여인이 다녀간 뒤로 학이 다시 날게 되었다는 기이한 주장을 한다. 밤늦게 돌아온 주인 사내는 여자에 대한 이야기를 시작한다. 30년 전 어떤 소리꾼 부녀가 찾아와 아비가 딸의 소리에 뒷산관음봉이 포구의 밀물에 비상학으로 떠오르는 선학동 포구의 풍정을 심어주고는 이 마을을 곧 떠났다. 몇 년 전 그 여자가 그동안 숨을 거둔 아비의 유골을 묻기 위해 이곳을 다시 찾아왔는데, 그동안 마을 사람들의 인심이 각박해져 묻을 곳을 찾지 못했다. 그러나 여자는 서두르지 않고 소리를 하며 날을 보내면서 소리로써 사람들을 감동시키고, 어느 날 유난히 공들여 소리를 하고는 주막집 사내의 도움으로 아버지를 묻고 마을을 떠났다는 이야기였다. 여자는 여전히 포구에 물이 들어오는 소리와 그 물에 비쳐 선학이 나

는 것을 듣고, 보고 있었으며, 주인 사내 역시 그녀의 소리를 들으면서 비상학의 환상을 보게 된다. 여자가 떠난 뒤에도 주인 사내는 여자가 선학동의 학이 되어 언제나 그 고운 하늘을 떠돈다고 믿는다. 주인의 이야기가 끝나자 사내는 자신이 여자의 오라비임을 암시하고 이를 확신한 주인 사내는 여자가 자신을 찾지 말라는 마지막 부탁을 남겼다고 일러준다. 다음 날 아침, 주인의 배웅을 받으면서 길을 떠나는 사내는 누이의 부탁에 따라 한을 가슴에 묻어 두고 여자를 더 이상 찾아다니지 않으리라 다짐하고 떠나가고, 주인 사내는 여인의 노랫가락 같기도 하고 나그네의 목청 같기도 한 소리를 내내 듣고 있었던 환상에 빠진다. 사내가 사라진 고갯마루 위로 언제부터인가 백학 한 마리가 떠돌고 있었다.

3. ④ 인물의 심리 파악하기

① ㉠의 '사내'는 여자가 떠나가고 나서도 '그녀의 소리가 여전히 귓전을 맴돌고 있었다'는 것에서, 여자의 소리를 들은 사내의 머릿속에는 잊혔던 비상학이 다시 날아오른 인상적인 장면이 추억으로 자리 잡고 있음을 알 수 있다. 이를 통해 인상적이었던 과거의 사건을 잊지 못하는 인물의 심리가 드러나 있다는 것을 알 수 있다.
② ㉡의 '주인'이 '가슴속에 지녀 온 이야기들을 손 앞에 모두 털어놓은 것만으로', '이제 자기 할 일을 다해 버린 사람 같았'던 것에서, 하고 싶었던 행동을 마치고 난 인물의 심리가 드러나 있음을 확인할 수 있다.
③ ㉢의 '손'이 '침묵을 견디지 못하고 먼저 주인에게 말을 건네는 모습에서, 상대방과 이야기를 더 이어가고자 하는 인물의 심리가 드러나 있음을 확인할 수 있다.
❹ ㉣의 '그의 어조는 이제 아무것도 숨길 것이 없다는 듯 낮고 차분'했다는 것은, 주인이 이야기 속에서 일부러 빠뜨린 것에 대해 '손'이 더 이상 숨길 것이 없다는 마음을 드러낸 것이다. 이를 두고 자신의 속마음을 상대방에게 들켜 당혹감을 느낀 것으로 이해하는 것은 적절하지 않다.
⑤ 일부러 오라비의 이야기를 빼놓고 이야기 한 주인에게 손이 추궁하듯 말하는 것을 듣고 ㉤에서 '주인도 이젠 더 사실을 숨길 것이 없다는 듯 고개를 두어 번 깊이 끄덕여 보였다'는 것을 통해, 자신의 의도를 알아차린 상대방의 말에 수긍하는 인물의 심리가 드러나 있음을 확인할 수 있다.

4. ③ 외적 준거를 통해 작품 감상하기

① '손'은 소리꾼 부녀 이야기를 듣고는 '어린 오라비가 부녀를 버리고 떠난 것은 차마 그 원망스런 의붓아비를 죽여 없앨 수가 없어서였다'고 말하며 자신이 가족을 떠날 수밖에 없었던 이유를 밝히고 있다. 여자의 행적을 찾아 헤맸지만 결국 '아비의 유골을 묻고 간 여자'의 사연에 안타까워하는 '손'의 모습에서 그의 아픔을 짐작할 수 있다.
② '여자가 마침내 소리를 시작'했을 때 '사내'가 '눈을 감고 가만히 여자의 소리'를 들으며 '비상학이 서서히 날개를 펴고 날아오르기 시작'한 것을 느꼈다고 했다. 여자의 소리는 사내에게 비상학이 날아오르는 장면을 상상할 수 있도록 영감을 주고 있다는 것이므로 '여자'의 소리가 예술적 경지에 이르렀다는 것을 확인할 수 있다.

---

❸ '여자는 어느 날 밤 문득 선학동을 떠나갔다'고 했으므로, 여자가 선학동을 떠나지 않고 소리 장단을 잡아주던 오라비를 기다렸다는 진술은 적절하지 않다.
④ '여자는 이 선학동의 학이 되어서 '언제까지나 이 고을 하늘을 떠돈'다고 말하는 '사내'의 모습에서, 여자의 소리에 대한 믿음을 가지게 된 사내의 행동을 확인할 수 있다.
⑤ 마을 사람들이 '사내가 이따금 그렇게 앞도 뒤도 없는 소리를 지껄여대도 그러는 사내를 탓하려 들기는커녕 오히려 그와 어떤 믿음을 같이하고 싶은 진중한 얼굴들이 되곤' 했다는 것에서 '여자'의 소리가 마을 사람들의 생각에 영향을 미쳤음을 알 수 있다.

【5~8】 박완서, '여덟 개의 모자로 남은 당신'

지문해설

작가 박완서는 자신의 자전적인 일화들을 작품에 녹여내고 있으며, 일상의 소재를 섬세한 문제로 그려내며 삶의 이면을 성찰하고 있다. 이 작품은 병을 얻어 시한부 인생을 살고 있는 자신의 남편과 자신의 일화를 중심으로, '죽음'이라는 사건 앞에서 담담한 남편의 태도와 남편이 도리어 나를 연민의 시선으로 대하고 있는 것을 통해 삶과 죽음의 근본에 대한 깨달음을 이끌어 내고 있다. '나'는 죽은 남편이 남기고 간 여덟 개의 모자를 간직하며 그와 있었던 추억을 회상하고, 남편에 대한 사랑을 간직한다.
■ 주제 : 삶과 죽음의 경계에서 느끼는 남편에 대한 사랑

5. ② 서술상의 특징 파악하기

❷ '나는 남편의 유품을 정리하며~놀라고 민망해 한 적이 있다.', '나는 목이 메게 감격을 했다', '애를 끊는 듯한 애달픔이었다', '죽어 가는 사람으로부터의 연민은 감동적이었다', '그의 흔적을~그래도 조금은 덜 허전하다', '그런 생각이 나를 자꾸 심각하게 한다'와 같은 독백적 진술을 활용하여 '나'의 내면을 드러내고 있으므로 적절한 설명이다.

6. ② 작품의 내용 이해하기

① '조카들'은 아쉬운 처지가 아니었으나, 남편의 죽음을 앞두고 그를 아끼고 간직하려는 마음에서 남편의 유품을 뭐든지 한 가지씩이라도 얻어 갖기를 바랐다고 하였다.
❷ '남편'은 뇌에 퍼진 암을 치료하기 위하여 방사선을 쬐는 치료를 받아야 했으나, 치료 후 확인한 CT 촬영에서 암은 소멸되지도 줄지도 않은 상태라고 하였다. 따라서 '나'가 '남편'의 병세가 방사선 치료를 받으면서 나아지는 것을 느꼈다는 설명은 적절하지 않다.
③ 남편의 병세가 더욱 악화되자 '딴 자식들'은 미국에 가 있는 '막내'가 '남편'이 살아 있을 때 뵈러 오는 것이 효도가 아니겠냐며 '막내'를 귀국시켜야 한다고 생각했다.
④ '나'는 미국에서 귀국하는 막내에게 '남편'을 위한 최고급 모자를 사 오라고 부탁하였고, 그 모자는 테가 넓어 신사 모자라기보다는 카우보이 모자를 연상시켰다고 하였다.
⑤ '나'는 '남편'을 회상하며 그가 평범하고 잘난 척할 줄

도 몰랐던 사람으로 담소는 즐겼지만 그럴듯한 말은 하지 않았다고 하였다.

7. ② 소재의 기능 파악하기

① '나'는 '남편'에게 '고약할 성깔'을 부리고 있었고, 그러한 '나'를 두고 '남편'은 '틈바구니에 낀 쥐'라고 표현하고 있는 것으로, ㉠을 통해 이야기의 초점을 '남편'에서 '나'로 전환하고 있으므로 적절하지 않다.
❷ '남편'이 '나'에게 '생전 틈바구니에 끼어 봤어야지'라고 말한 것을 두고 '나'는 '자꾸 심각'해진다고 하였다. 남편이 남기고 간 '모자'가 '나'에게는 모자라는 물질 그 이상이듯, '틈바구니'라는 말 또한 '한없이 추구해야 할 화두'라고 표현하였으므로 ㉠은 '나'에게 쉽게 해결할 수 없는 고민을 유발하고 있다.
③ '남편'은 '나'에게 '생전 틈바구니에 끼어 봤어야지'라고 표현하며 '나'를 연민에 찬 태도로 대하고 있다. 따라서 ㉠은 '나'에 대한 '남편'의 연민이 드러날 뿐, '남편'의 죽음에 대한 '나'의 미안함이라고 볼 수 없다.
④ ㉠은 '나'와 '남편'의 대화에 나온 소재로, 남편이 죽고 난 후 '나'는 '틈바구니'의 의미에 대해 오랫동안 고민하며 '한없이 추구해야 할 화두'라고 칭하고 있다. 그러나 ㉠이 '막내'에게 '남편'의 죽음을 이해하는 실마리를 제공한다는 설명은 적절하지 않다.
⑤ '나'는 ㉠의 의미를 생각하며 '여봐란듯이 틈바구니에 끼기 위해선 거친 두 목청 사이에 낀 틈바구니의 숨결을 찾아내야만 할 것 같다'라고 느끼고 있는 것으로 보아 ㉠을 통하여 '나'의 삶에 대하여 성찰하고 있음을 알 수 있다. 따라서 ㉠이 '나'의 가족에게 공동체적 삶의 의미를 성찰하게 하는 계기를 제공한다는 설명은 적절하지 않다.

8. ③ 외적 준거에 따른 작품 감상하기

① '나'는 '남편'의 모자는 아무에게도 주지 않고 다 가졌으며, 그가 죽고 난 후에도 가끔 그가 남긴 '여덟 개의 모자'를 꺼내보며 남편과의 추억을 떠올리고 있다. 이를 통해 남편에 대한 '나'의 사랑을 확인할 수 있다.
② 남편의 병세가 악화될수록 '나'는 '고약한 성깔'에 잔뜩 치받치는 태도로 남편을 대하고 있으나, 남편은 오히려 연민의 태도로 나를 대하며 '생전 틈바구니에 끼어 봤어야지'라고 대꾸한다. 이 말을 들은 '나'는 오히려 '죽어 가는 사람으로부터의 연민'을 느끼는 것에 '울어버릴 것 같다'고 느끼고 있으므로, 남편의 말에서 '나'에 대한 연민이 담겨 있다고 믿고 있음을 알 수 있다.
❸ 방사선 치료를 받는 남편의 모습을 보며 '나'는 '깊이 모를 외로움과, 너무 밝아 차라리 암흑과 상통할 것 같은 빛에 대한 공포감'을 느낀다고 하였다. 그러나 방사선 치료를 받는 남편의 '빛에 대한 공포감'을 덜어 주려는 '나'의 모습을 찾을 수 없다.
④ 남편은 항암 치료를 받는 고통스러운 상황 속에서도 막내가 자신을 위해 사 온 중절모를 애용하고 있으며, 네 살짜리 손자 녀석이 그 모자를 빼앗으려고 하자 '모자를 쓴 채 안 빼앗기려고 이리저리 도망을 다'니는 장난을 치며 가족들과 일상을 보내고 있다. 이를 통해 가족에 대한 남편의 애틋한 사랑을 확인할 수 있다.
⑤ '나'는 남편의 유품으로 남은 '여덟 개의 모자'를 가끔 꺼내 보며 그 안에서 남편이 남긴 '머리카락 한 오라기'라도 찾고 싶어 하는 '나'는 '생명의 가엾음이 티끌과 다를 바 없다는 속절없는 생각'에 잠기기도 하며 남편과의 추억을 회상하고 있으므로 적절한 설명이다.

【9~11】 이태준, '복덕방'

작품해설

1930년대 경성(서울) 외곽의 복덕방을 배경으로 땅 투기 열풍에 휩쓸려 파멸하는 한 노인과 그 주변 인물을 통해 근대화 과정에서 소외된 세대의 좌절과 물질적 욕망만을 좇는 세태 등을 그린 소설이다. 안 초시는 자신에 대한 성찰이나 사회 현실에 대한 자각 없이 물질적인 욕심만으로 일확천금을 꿈꾸는 인물이다. 또한 안 초시의 딸은 인간적인 정보다 물질적 이해관계를 중시하는 당시의 세태를 잘 보여 주는 인물이다. 제시된 부분은 경제적으로 딸에게 종속된 인물인 안 초시가 이러한 현실을 타개하고 물질적 욕망을 충족하기 위해 땅 투기라는 비정상적인 방법까지 동원하지만, 투자가 실패로 돌아가 딸의 재산을 탕진하게 되면서 가족 간의 불화가 깊어진 내용이다. 딸은 안 초시를 홀대하면서 자신의 물질적 욕망을 우선시하는 태도를 보이는데, 이를 통해 도덕적 가치와 공동체를 중시하던 전통이 해체되던 당대의 현실을 비판적으로 그려내고 있다.
■ 갈래 : 단편소설
■ 배경 : 1930년대 서울의 한 복덕방
■ 시점 : 3인칭 전지적 작가 시점
■ 제재 : 현실에서 소외된 노인들의 삶
■ 의의 : 현실에서 소외된 노인들의 삶을 통해 부동산 투기라는 허황된 꿈의 문제는 물론 이기적인 딸과 소심한 아버지를 통해 무너져 가는 가족 관계를 폭로하고 있다.
■ 구성
• 발단 : 안 초시가 사업에 실패한 후 서 참위의 복덕방에서 재기를 노림.
• 전개 : 안 초시의 딸 안경화는 아버지의 처지를 부담스러워함.
• 위기 : 안 초시에게 박희완 영감이 땅 투기에 관한 정보를 제공함.
• 절정 : 사기극의 충격으로 안 초시가 자살함.
• 결말 : 안경화가 아버지의 자살을 숨기고 성대하게 장례를 치름.
■ 주제 : 근대화의 물결 속에서 소외된 세대의 몰락과 속물적인 신세대에 대한 비판

같은작가 다른기출

2002학년도 5월 모의 수능 '화단'
2007학년도 9월 모의 수능 '복덕방'
2012학년도 대수능 '돌다리'
2015학년도 대수능 '파초'

9. ② 의사소통 방식 이해하기

① [A]에 외양 묘사가 드러나지 않고, [B]에도 배경 묘사가 드러나지 않는다.
❷ [A]에 아버지에게 돈에 대해 인색하게 구는 딸과 안 초시와의 갈등이 두 인물 간의 대화와 서술을 통해 드러나고 있다. [B]에서는 요약적 서술을 통해 안 초시의 딸이 투자한 사업이 모씨가 꾸민 연극이었고 결국 투자에 실패하였다는 사건의 전모가 드러나고 있다.
③ 이 작품은 작품 밖의 서술자가 사건을 서술하고 있으며 [A]에서는 서술자가 사건에 대해 평가하고 있는 내용은 확인할 수 없다. [B]에서는 서술자가 앞으로 전개될 사건에 대해 예측하고 있지도 않다.

④ [A]에서는 대화를 통해 순차적으로 사건이 진행되고 있다.

⑤ [B]에서는 부동산 투기를 통해 물질적 욕망을 좇는 당시의 세태를 잘 보여 주고 있지만, [A]에서는 향토적 소재가 드러나지 않는다.

10.④ 구절의 의미 이해하기

① ㉠에는 형편이 어려운 안 초시가 필요한 것을 딸에게 직접 말해도 인색하게 대하는 딸의 모습이 드러나 있다.

② ㉡에는 안경에 어울리지 않는 저렴한 안경다리는 사지 않겠다는 안 초시의 자존심이 드러나 있다.

③ ㉢에는 안 초시가 딸에게 축항 사업 소식을 전해주자 적극적으로 관심을 보이는 딸의 모습이 드러나 있다.

❹ ㉣에서 안 초시의 딸은 아버지에게 부동산 개발 이야기를 전해 들었지만 아버지를 신뢰하지 못하고 청년에게 투자에 관한 일을 전적으로 맡기고 있다. 이를 볼 때 안 초시의 수고로움을 덜어주려는 딸의 심리가 드러나 있다는 설명은 적절하지 않다.

⑤ ㉤에는 자신들이 투자한 땅의 가치가 오르기를 기대했지만 예상과는 다른 결과를 맞아서, 딸과 마주할 자신이 없는 안 초시의 모습이 드러나 있다.

11.① 외적 준거에 따라 감상하기

❶ 안 초시는 축항 후보지라는 정보만을 믿고 딸에게 50배의 순이익이 날 것이라며 출자를 권유하였을 뿐 직접 투자한 것은 아니다. 또한 건설 사업지로 확정된 부지도 아니었으므로 적절하지 않다.

② 안 초시는 들은 이야기만 믿고 투자만 하면 큰 이익이 날 것이라 호언장담하는 모습에서 한탕주의에 빠져 있음을 알 수 있다.

③ 안 초시의 딸이 '연구소 집'을 담보로 큰돈을 빌려 투자하려는 모습에서 당시의 부동산 투기 열풍이 불었음을 짐작해 볼 수 있다.

④ 모씨는 '축항 후보지'에 땅을 샀다가 자신의 피해를 만회하기 위해 연극을 꾸몄다고 볼 수 있다.

⑤ 잘못된 소문으로 투자에 실패한 안 초시는 가족들에게 외면받으며 탄식하고 있다. 이러한 모습에서 당시 우리 사회에 만연했던 물질 만능주의의 어두운 단면을 엿볼 수 있다.

서 참의와 박 영감은 안경화와 조문객들의 위선에 실망하며 장례식장을 떠난다.

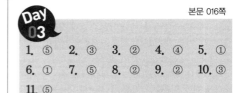

Day 03

1. ⑤　　2. ③　　3. ②　　4. ④　　5. ①
6. ①　　7. ⑤　　8. ②　　9. ②　　10. ③
11. ⑤

【1~4】 김애란, '도도한 생활'

작품해설

작품 속의 엄마는 매일 만두를 빚어서 파는 넉넉하지 않은 살림을 꾸려 가면서도 딸에게 피아노를 사준다. '엄마'의 '만두 집'은 엄마가 경제적 주체이자 삶의 주체로서 자신의 삶을 꾸려가는 공간이라고 볼 수 있는데 '나'를 '피아노 교습소'에 보내고 피아노까지 사준 것은 엄마가 자신의 가정이 중산층에 진입하였음을 확인하고 싶어 하는 행위이며, 남들이 여기는 보통의 기준을 따라가고 싶은 엄마의 작은 희망이 반영된 것이라고 볼 수 있다. '나'는 피아노를 열심히 연습하지만 아버지의 보증으로 엄마의 만두 가게는 문을 닫게 된다. '나'는 대학 진학과 함께 언니가 살고 있는 서울의 반지하방으로 이사를 가게 된다. 그 상황에서도 엄마는 피아노만은 반지하방에 가져 가길 바란다. 그러나 반지하방에 피아노가 운반되는 모습을 본 집주인은 절대 피아노를 치지 않을 것을 약속 받고서야 피아노를 집에 들이는 것을 허락한다. 장마철이 되어 반지하방은 물에 잠기고, '나'는 물에 잠긴 피아노를 열어 오랜만에 피아노 건반을 쳐본다.

■ 주제 : 삶을 지탱하면서 느끼는 고달픔과 마지막까지 지키고 싶은 최소한의 품위

1.⑤ 작품의 서술상 특징 이해하기

① 윗글의 서술자는 '나'이며, '나'의 관점에서 유년기 시절의 피아노와 관련된 일화와 대학 진학을 앞두고 언니의 반지하방으로 이사를 가면서 겪었던 일화를 중심으로 서술하고 있으므로 동일한 사건을 여러 인물의 관점에서 다양하게 서술하고 있다는 설명은 적절하지 않다.

❺ 윗글의 서술자는 '나'이므로 이야기 내부에 존재하고 있다. 이러한 '나'는 자신의 어머니가 '나'를 엑스포에 보내주고, 놀이 공원에 함께 간 것에 대하여 '엄마에게 고마운 마음이 든다'라고 표현하였다. 또한 놀이공원에서 회전목마를 탈 때 보였던 '신을 벗고 짧은 잠을 청하던' 엄마의 모습에 대하여 '도 ―처럼 낮고 고요했던가 그렇지 않았던가'라고 표현하고 있으므로 이야기 내부의 서술자가 인물의 행위를 묘사하며 자신의 내면을 드러내고 있다는 설명은 적절하다.

2.③ 작품의 표현상 특징 파악하기

❸ ㉢의 바로 앞 문장은 '우리 가족은 생계와 주거를 한 건물 안에서 해결하고 있었다'라는 내용이다. 이에 대하여 ㉢에서 '낮에는 방에 손님을 들이고, 밤에는 식구들이 이불을 펴고 자는 식'이라고 부연 설명하고 있으나 이를 자신의 경험에 대한 이해의 폭이 확장되었음을 강조하고 있다고는 볼 수 없다.

---

3. ② 　작품의 세부적 내용 파악하기

① 피아노는 '엄마의 만두가 불티나게 팔리던 시절'에 엄마가 구입한 것으로, 읍내에서부터 '파란 트럭'에 의해 우리집에 들어오게 된 고급스러운 살림이다. 피아노가 ⓐ로 옮겨질 때 엄마는 무척 기뻐했으며, '나'는 피아노로 인하여 '우리 삶의 질이 한 뼘쯤 세련돼진 것' 같았다고 느꼈다고 하였다. 그러나 만두 가게가 아빠의 빚보증 때문에 어려워진 다음에는 '외삼촌의 트럭'에 의해 ⓑ로 옮겨지게 되었으며, 언니는 반지하방에 피아노를 놓겠다는 상황에 당황하고 있으므로 적절한 설명이다.

❷ ⓐ에서 '나'가 연주하는 피아노 실력은 '나'와 듣는 손님들이나 지나가는 사람들도 그 어색함에 '얼굴을 붉히게 만들었을'것이라고 표현하고 있는 것으로 보아 그 공간에 다소 어울리지 않는 연주였음을 알 수 있다. ⓐ에서 우연히 연주를 듣던 백인 남자가 '손뼉을 치'며 '원더풀'이라고 외치자, '나'는 '부끄러웠지만 수줍게' 반응했다고 하였다. 따라서 ⓐ에서 '나'는 '손뼉을 치'는 사람이 부끄러워하는 모습을 발견하였다는 설명은 적절하지 않다. 한편 ⓑ로 피아노가 운반되는 모습을 보고, 사람들은 '우리를 흘긋거'리고 있으며 '나'는 반지하에는 어울리지 않는 피아노의 육중한 모습에 부끄러움과 당혹스러움을 느끼고 있다.

③ ⓐ는 우리 가족이 '생계와 주거'를 모두 해결하는 공간으로, 낮에는 방에 손님을 들이고, 밤에는 식구들이 잠을 자는 곳이라고 하였다. 한편 ⓑ는 서울로 대학을 다니게 된 '나'가 얹혀서 생활을 하게 된 곳으로 좁고 가파른 계단을 오르내리며 살아야 하는 공간을 뜻한다.

④ ⓐ에서 '나'가 연주한 음악은 '쉽고 아름답지만 촌스러'운 것으로 그 공간에 어울리지 않는 것이며, 듣는 이의 얼굴을 붉히게 만들었을 것이라고 하였다. 한편 피아노는 ⓑ로 옮겨지면서 계단을 미끄러지며 '쿵— 하는 소리'를 내게 되고 그 소리는 '나'가 처음 도착한 서울에 울려 퍼지는 '사실적이고, 커다랗고, 노골적인 소리'였으며 '나'는 얼굴을 붉히고 있다고 언급되어 있으므로 적절한 설명이다.

⑤ ⓐ에 새로 들여온 피아노는 '우리집에 있는 가재들과 때깔부터 달랐'으며 '세탁기도 냉장고도 아닌'것으로 우리 삶의 질을 한 뼘쯤 세련되게 만든 존재였다. 그러나 시간이 흘러 ⓑ로 피아노를 옮길 때는, 반지하방이라는 공간에는 어울리지 않는 것으로 '우리 삶이 세 뼘쯤 민망해지는 기분'이라고 표현하고 있으므로 적절한 설명이다.

왜 말이 틀렸을까?

소설을 읽을 때는 그 장면을 상상하면서 읽어보는 것이 좋아. 인물이나 대화의 분위기나 주위 배경 등을 구체적으로 상상하면서 읽는 거지. 마치 드라마나 영화를 보듯이 말이야. 위 작품에서 이 방법을 적용해 볼까? 배경은 만두 가게야. 가정집과 가게가 붙어 있는 작고 허름한 가게이겠지. 그런데 그 만두 가게 안에 엉뚱하게 피아노가 놓여 있어. 그것도 크고 고급스러운 피아노가 말이야. 한 소녀가 그 피아노를 열심히 연주하고 사람들은 흘끔거리며 그 모습을 쳐다보겠지. 우리가 실제로 저런 장면을 봤다면 어떻게 느낄까? 피아노를 치는 사람과, 그 모습을 지켜보는 사람 둘 다 살짝 당혹스러움을 느낄지도 모르겠어.

4. ④ 　외적 준거를 바탕으로 작품 감상하기

① '만두 집'을 하며 생계를 꾸려가기에 분주했던 '나'의 엄마는 배움이 짧았고, 자신의 교육적 선택에 자신감이

부족하였고, 주변에서 행하는 '보통'의 기준들을 따라 가는 인물이었다고 하였다. 그럼에도 불구하고 놀이공원이나 엑스포에 '나'를 데려갔다는 것을 통해 이러한 '평범한 유년의 프로그램'은, 엄마가 자녀에게 마련해주고 싶었던 이상적인 환경의 일부였다는 것을 알 수 있다.

② '만두 집을 했던 엄마가 어떻게 피아노를 가르칠 생각을 했는지 알 수 없다'라는 것으로 보아 '만두 집'과 '피아노'는 썩 어울리는 조합은 아니었음을 짐작할 수 있다. 엄마가 '나'를 피아노 학원에 보내며 '귀머거리처럼 만두를 빚었다'는 것으로 보아 엄마가 '피아노'로 대변되는 이상적인 삶에 가까워지기 위해 고군분투하였음을 알 수 있다.

③ '만두 집'에 도착한 '피아노'는 '학원에 있는 어떤 것보다 좋아 보였다'고 하였고, 피아노에 새겨진 넝쿨무늬와 은은한 광택의 페달, 건반 위에 깔린 레드 카펫은 '우리 삶의 질이 한 뼘쯤 세련'되게 만들었다고 하였다. 그러나 엄마의 '만두 집'이 어려워지며 피아노가 반지하방으로 옮겨지는 과정에서 '세 뼘쯤 민망해 지는 기분'이 들었다고 하였으므로 이는 '나'를 둘러싼 환경의 변화 때문이라 할 수 있다.

❹ 언니가 살고 있는 반지하방 앞에 도착한 '피아노'는 '몰락한 러시아 귀족처럼' 우아한 자태로 서 있었으며, 반지하방으로 옮기기 위해 번쩍 들어올려졌을 때 '피아노가 잠시 세기말 도시의 하늘 위로 비상'하는 것처럼 보였다고 하였다. 나는 그 모습에 '탄성을 지를 뻔'했다고 하였으므로 잠시나마 피아노에 대한 감격과 찬탄을 느꼈음을 알 수 있다. 따라서 이를 두고 '나'가 자신의 욕구를 제한해 온 환경이 변화하고 있음을 확인하게 된다는 설명은 적절하지 않다.

⑤ '나'가 피아노를 처음 보았을 때 '원목 위에 양각된 우아한 넝쿨무늬'를 보고 감탄하였다. 그러나 피아노가 반지하방으로 미끄러져 내려가며 충격 때문에 몸에서 떨어져 나가게 된다.'오랫동안 양각된 거라 믿어온' 넝쿨무늬는 사실 본드로 붙여져 있던 것이었으며 '나'는 이를 통해 엄마가 애써 마련해준 환경이 견고하지 못하였다는 것을 깨닫게 된다.

[5~7] 한승원, '버들댁'

작품해설

손자 용복을 홀로 키워낸 버들댁의 숭고한 사랑을 담은 이야기다. 독거노인으로 근근히 생계를 유지하고 있는 버들댁에게 용복은 매달 생계비를 뜯어간다. 급기야 사고를 친 용복 때문에 버들댁은 끝내 집까지 넘겨주게 된다. 이 작품은 빈곤, 고립된 생활 환경, 젊은이의 무관심으로 인한 노인 계층의 소외된 삶과 피붙이에 대한 조건 없는 희생과 내리 사랑을 그리고 있다. 특히 쇠약한 몸과 경제적 궁핍 속에서도 손자를 삶의 희망으로 여기는 인물을 통해 노인 계층이 직면한 삶의 문제에 대한 주제 의식을 드러내고 있다.

- **갈래** : 단편 소설, 연작 소설
- **성격** : 사실적, 비판적, 감성적
- **시점** : 전지적 작가 시점
- **배경** : 시간-현대, 공간-광주 인근의 시골
- **제재** : 노인의 소외와 빈곤 문제
- **주제** : 손자에게 모든 것을 희생하는 버들댁의 숭고한 사랑

5. ① 　서술상의 특징 파악하기

❶ [A]의 '바다에는 부연 먼지 같은 안개가 덮여있었다. 그 우중충한 안개가 그녀의 마음속에도 끼어 있었다'에서 구체적인 자연물인 '우중충한 안개'를 통해 제 앞가림을 하지 못하는 손자를 걱정하며 한숨 짓는 버들댁의 '암담한' 정서를 드러내고 있으므로 적절하다.

② 인물의 반복적 행위를 통해 성격의 변화를 암시하는 내용은 찾을 수 없다.

③ 요약적 진술을 통해 구체적인 시대 배경을 보여 주고 있지는 않다.

④ 과거의 회상을 통해 내적 갈등의 해소 과정을 서술하고 있는 부분은 확인할 수 없다.

⑤ 현실과 환상의 교차를 드러낸 부분은 찾을 수 없다.

6. ① 　작품의 내용 이해하기

❶ ㉠의 뒤에 서술되는 '기대한 만큼 좋은 결과가 나타나지 않을지도 모른다고 생각은 되지만'을 본다면, ㉠에서 버들댁이 기대한 만큼 일이 있으리라 확신한다는 진술은 적절하지 않다.

② ㉡은 버들댁이 상처 입은 용복을 어루만지며 '얼마나 아팠을까.'라고 하며 가슴 아파하고 있다.

③ ㉢은 버들댁이 '독거노인에게 주는 생계비'를 '한 푼도 쓰지 않고 모두' 두었다가 용복에게 주었는데도 그것을 대수롭지 않게 여기고 있는 태도를 드러낸다.

④ ㉣은 수문댁이 광주 양반의 '딸이 위암에 걸린 사실을 알고 광주 양반의 마음이 복잡하고 힘들다는 것을 인식하고 있다.

⑤ ㉤은 광주 양반이 자신의 처지에 참견하는 상근의 말에 '지놈이 아랑곳할 것이 무엇'이냐며 노여워하고 있다.

7. ⑤ 　외적 준거를 통해 작품 감상하기

① 버들댁이 자신은 '아깝다고 밤에 잘 때 한 차례만 때'는 기름을 용복이 '계속 때려고 들어도 '말리지 않는 것'은 피붙이인 손자에 대한 한없는 내리사랑에서 비롯된 것임을 짐작할 수 있다.

② 버들댁이 '불편한 몸을 이끌고 살아가'지만 용복을 통해서 '삶의 허기를 충족'하는 것은 쇠약한 노인이 유일한 손자에게서 한줄기 삶의 희망을 얻는 것을 의미한다고 할 수 있다.

③ 버들댁이 '독거노인에게 주는 생계비'를 '한 푼도 쓰지 않고 모두' 손자에게 주는 것은 자신은 소외된 노인이지만 조건 없는 희생을 구현하고자 하고 있다는 것을 알 수 있다.

④ 광주 양반이 '벌어 놓은 재산'도 없이 '동네 사람들'에게 '곡식이나 반찬 얻어먹고' 산다고 상근이 말한 것에서 노인 계층의 빈곤 문제를 드러내고 있다고 볼 수 있다.

❺ 광주 양반이 모아 놓은 돈을 아픈 딸에게 보내 딸이 수술할 수 있도록 돕고자 했다. 그런데 광주 양반이 '모아 놓은 돈'을 딸에게 '다 보내'서 광주 양반이 수술을 못한다고 할 수 없으므로 적절하지 않다. 그리고 광주 양반이 '모아 놓은 돈'을 딸에게 '다 보내' 준 것에서 노인의 경제적 궁핍에 대한 젊은이의 무관심을 짐작할 수 없기 때문에 적절하지 않다.

【8~11】김연수, '리기다소나무 숲에 갔다가'

작품해설

한때 사냥꾼이었던 도라꾸 아저씨가 멧돼지 사냥을 통해 자연과 인간이 동등한 생명으로서 평등한 가치를 지닌 존재임을 깨닫게 되는 과정을 보여 주고 있는 작품이다. 도라꾸 아저씨가 새끼 멧돼지를 잃고 생의 의지를 상실한 어미 멧돼지와 시선을 마주침으로써 자연을 도구로 바라보는 관점에서 벗어나는 계기가 마련되며, 자연과 인간이 동등한 생명으로서 평등한 가치를 지닌 존재임을 깨닫는 인식의 변화가 일어남을 설명하고 있다. 작가는 액자식 구성 방식을 통해 이야기를 전개한다. '나'가 서술자가 되고 도라꾸 아저씨와 대화를 통해 도라꾸 아저씨가 멧돼지 사냥을 하던 때의 이야기를 들려준다. 숲에서 멧돼지를 사냥하다가 삼촌이 부상당하자 도라꾸 아저씨가 등에 업고 하산을 하는데 '나'가 도라꾸 아저씨에게 왜 멧돼지를 쏘지 않았냐고 묻자, 과거에 멧돼지 사냥 경험을 통해 척박한 환경에서 잘 견디지만 목재로서의 가치가 떨어지는 리기다소나무뿐만 아니라 농사를 치는 해로운 짐승으로 여겨져 퇴치 대상으로 여겨지는 멧돼지 역시 인간과 동등한 가치를 지닌다는 사실을 깨달았음을 밝힌다. 이러한 점에서 이 작품은 살아 있는 모든 것이 소중한 가치를 지니며, 생명이 이념이나 사랑, 공명심 등 어떠한 것의 수단이 될 수 없다는 주제 의식을 전달하고 있다.

- **갈래** : 현대 소설
- **성격** : 체험적, 사색적
- **제재** : 멧돼지 사냥
- **주제** : 살아 있는 모든 것은 소중한 가치를 지님
- **특징**
  - 1인칭 관찰자 시점.
  - 생태학적 관점에서 실존적 문제를 연구 대상으로 삼음.

8. ② — 작품의 서술상 특징 이해하기

① 제시된 부분은 '나'와 도라꾸 아저씨의 대화를 중심으로 전개되는데 장면이 빈번하게 전환되고 있다고 보기는 어렵다.

❷ 제시된 부분은 현재-과거 회상-현재의 장면으로 구성되는데, 숲에서 도라꾸 아저씨와 '나'가 나누는 대화를 통해 도라꾸 아저씨는 과거 멧돼지 사냥 경험을 회상한다. 이 회상을 통해 리기다소나무 숲에서 벌어진 사냥에서 도라꾸 아저씨가 멧돼지를 죽이지 않은 이유가 밝혀진다. 즉, 현재의 멧돼지 사냥에서 엽견 호식이가 어미 멧돼지가 도망가는 것을 막기 위해 새끼 멧돼지의 관절을 물고 늘어졌던 장면은 과거 도라꾸 아저씨가 어미 멧돼지를 사냥했던 방법과 중첩되어 현재 도라꾸 아저씨가 멧돼지를 죽일 수 없었던 것이다. 따라서 인물의 회상을 통해 과거와 현재를 매개하는 경험을 전달하고 있다고 할 수 있다.

③ '나'와 삼촌, 도라꾸 아저씨가 숲속에서 빠져나와 산길을 걸어 내려간다는 점에서 공간의 이동은 드러나 있으나, 인물 간의 갈등이나 이런 갈등이 해소되는 부분은 드러나 있지 않다.

④ 요약적 서술과 대화를 교차하고 있지만 이를 통해 사건이 반전되는 내용은 드러나지 않는다.

⑤ 인물의 내면 심리 묘사를 통해 현실에 대한 부정적 인식을 보여 주는 부분이 나타나지 않는다.

9. ② — 작품 내용 이해하기

① '감정 정리를 하는지 삼촌의 만담도 더 이상 이어지지 않았'다는 내용이나 '조금 전까지 사랑이 어쩌네 수면제가 어쩌네 징징거리던' 내용을 볼 때 삼촌이 '나'에게 사랑에 관한 자신의 이야기를 들려주었음을 알 수 있다.

❷ 어미 멧돼지가 도망가지 못하게 하기 위해 엽견 호식이가 새끼 멧돼지를 물고 늘어졌다는 도라꾸 아저씨를 말을 듣고 삼촌이 호식이를 '영물'이라 한 것이다. 따라서 삼촌이 자신을 닮았다는 점에서 엽견 호식이를 '영물'이라 부른 것이 아니다.

③ '불질 잘한다고 알려지만 여기저기서 해수구제 해 달라고 부르는 일이 많다 카께. 가서 잡아 주만 영웅 되고 참 재미나다.'와 '마을에서 영웅 대접 받고' 등에서 도라꾸 아저씨가 사람들에게 능력을 인정받았던 뛰어난 사냥꾼이었음을 알 수 있다.

④ 이전 줄거리에서 '도라꾸 아저씨는 부상당한 삼촌을 업고 숲길을 걷는'다고 했으며 '우리는 리기다소나무 숲을 빠져나왔다.'라고 서술하고 있으므로 도라꾸 아저씨가 부상당한 삼촌을 업고 리기다소나무 숲을 빠져나왔음을 알 수 있다.

⑤ 자신의 총에 맞아 새끼를 눈앞에서 잃은 어미 멧돼지의 눈을 보고 난 후 잘못을 깨닫고 사냥을 접은 도라꾸 아저씨가, 멧돼지 눈을 보면 옛날 애인이 생각나서 총을 못 쏜다는 삼촌의 심정을 이해하고 있다는 것을 알 수 있다.

10. ③ — 대화를 통해 인물의 특색 파악하기

① ㉠은 놀라움 보다는 냉소적인 태도가 드러난다고 할 수 있고, ㉡ 또한 불신감과는 거리가 멀다.

② ㉠과 ㉡에서 도라꾸 아저씨는 '나'의 질문을 가로막고 있지 않다.

❸ ㉠을 통해, 엽견이 정당하지 못한 방법으로 어미 멧돼지를 도망가지 못하게 해서 멧돼지에게 총을 쏘지 않았다는 도라꾸 아저씨의 의중을 '나'가 이해하지 못하고 있음을 알 수 있다. 또한 ㉡을 통해, 과거의 멧돼지 사냥에서 쏴 죽인 것은 다름 아닌 자기 자신이었다는 도라꾸 아저씨의 말을 '나'가 이해하지 못하고 있음을 알 수 있다.

④ '나'의 물음에 거듭 '딴소리'를 한다며 '또 딴소리'라고 하는 것으로 보아, 아저씨에 대한 '나'의 냉소적 태도가 약화되고 있다고 보기 어렵다.

⑤ ㉡은 ㉠에 담긴 의구심을 해소할 수 있는 실마리를 얻는 것과는 관련이 없다.

11. ⑤ — 외적 준거를 통해 작품 감상하기

① 도라꾸 아저씨가 어미 멧돼지가 보는 앞에서 새끼 멧돼지를 총으로 쏴 죽인 후, 죽을 것을 알면서도 새끼들을 쫓아 온 어미 멧돼지의 텅 빈 눈을 마주한 과거의 사건을 통해 자연에 대한 인식이 바뀌게 되었다는 것을 알 수 있다.

② 도라꾸 아저씨가 한때 헛된 공명심에 눈이 멀어 해수구제를 해 주고 영웅이 되는 것을 즐겼다는 회상을 통해, 그는 자연을 동등한 생명으로 보지 않고 자연보다 우월한 위치에서 자연을 도구로서의 가치를 지닌 타자로 대했다는 것을 알 수 있다.

③ 도라꾸 아저씨가 자신이 한 번 죽었다고 말한 것은, 인간과 마찬가지로 자연 역시 동등한 가치를 지닌 존재라는 사실을 인식하고 멧돼지들을 거침없이 죽였던 것이 잘못된 행동이었음을 깨닫고 있음을 의미한다.

④ 도라꾸 아저씨는 자신이 사냥을 하러 다닌 것이 '아이라 나하고 마누라하고 애새끼들하고 먹고살아갈라고 그런'것처럼 리기다소나무, 직박구리, 멧돼지 등 모든 살아있는 생명이 살아가는 것은 소중하고 용기 있는 일이라는 것을 깨달았다고 하였다. 즉 인간과 마찬가지로 자연 역시 동등한 가치를 지닌 존재라는 생태주의적 인식을 하게 된 것이다.

❺ 도라꾸 아저씨는 회상을 통해 자연을 도구로 바라보는 관점에서 벗어나 자연과 인간이 동등한 생명으로서 평등한 가치를 지닌 존재임을 깨닫게 된 계기를 밝히고 있다. 멧돼지 사냥 이야기를 하며 도라꾸 아저씨는 새끼의 생명을 빼앗아 어미 멧돼지를 잡는 사냥법을 '암수'라고 하며 그것은 쓰면 안된다고 말하고 있으므로 암수를 말한 것은 삼촌이 아니다.

Day 04

본문 022쪽

1. ④   2. ④   3. ②   4. ⑤   5. ①
6. ③   7. ②   8. ③   9. ③   10. ①

같은작가 다른기출

- 2016학년도 수능 '제향날'
- 2014학년도 6월 모의 수능 '미스터 방'
- 1998학년도 수능 '태평천하'
- 1994학년도 수능 '역로'

【1~4】 채만식, '맹순사'

작품해설

일제 강점기를 시대적 배경으로 하는 소설을 통해 식민지 현실의 모순을 풍자적으로 형상화했던 채만식은, 광복 후 일제로부터 해방이 되었음에도 불구하고 여전히 상식적인 삶이 왜곡되던 우리 민족의 현실을 풍자하는 작품들을 발표하였다. 이들 작품은 반어적인 조롱이 담겨 있는 제목의 소설집「잘난 사람들」에 들어 있는데, 「맹순사」도 여기에 수록된 작품들 중의 하나이다. '순사'는 일제의 앞잡이로서 '맹순사' 자신의 고백처럼 불쌍한 사람들에게 못할 짓 많이한 대표적 친일 계층이요 앞잡이였다. 그런 그가 남들보다 덜 받아먹었다고 스스로 청백리라고 자부하는 모습에서 한편으로는 우스꽝스러운 속셈을 보이고, 또 한편으로는 얄밉기 그지없다. 이렇듯 광복 후 일제 시대의 순사가 해방 후에도 그대로 순사가 되는 것은 일제 잔재의 청산은커녕 그것이 그대로 지속되고 있음을 보여 주며, 일제 식민지 통치 구조를 그대로 지속시켜 일본인 관리와 친일 한국인 관리를 그대로 사용하였다는 사실이 있음을 보여 준다.

[놓치지 말자!]

- **갈래**: 단편 소설, 현대 소설, 풍자 소설
- **시점**: 전지적 작가 시점
- **배경**: 시간 – 해방 후, 공간 – 서울 종로
- **주제**: 해방 이후의 혼란하고 무질서한 사회 현실과 세태 풍자
- **특징**
  - 일제 잔재를 청산하지 못한 현실을 특유의 풍자 기법으로 비판함.
  - 문장이 부드럽고 수식이 많으며 인물들의 대화가 리듬감 있게 이어지는 작가 특유의 문체가 돋보임.
- **구성**
  - 발단: 해방 후 순사 자리에서 물러난 맹순사에게 아내 서분이가 과거를 들먹이며 타박함.
  - 전개: 맹순사가 해방이 된 후에 다시 순사로 채용됨.
  - 위기: 파출소에 첫 출근하였는데 과거 이웃에 살던 무식한 청년 노마 역시 순사가 되어 만나게 됨.
  - 절정·결말: 맹순사가 과거 유치장 간수를 할 때 잡혀온 살인 전과자 강봉세 마저 순사가 되어 마주쳤는데 보복이 두려워 스스로 사직함.

어휘풀이

- **청백(淸白)** 재물에 대한 욕심이 없이 곧고 깨끗함.
- **부지기수(不知其數)** 헤아릴 수가 없을 만큼 많음.
- **화무십일홍(花無十日紅)** 열흘 동안 붉은 꽃은 없다는 뜻으로, 한 번 성한 것이 얼마 못 가서 반드시 쇠하여짐을 비유적으로 이르는 말.

---

1. ④   서술상의 특징 파악하기

❹ 이 작품에서는 맹순사가 겪은 과거의 사건들을 서술하고 있는데, 순사를 하던 시절 양복장과 양복을 얻게 된 일, 뇌물이나 술대접을 받은 일, 8·15 직후 순사직을 그만두었던 일, 순사로 출근하여 동료로 노마를 만난 일 등을 회상 형식으로 제시함으로써 맹순사의 면모와 그 복잡한 내면 심리를 효과적으로 드러내고 있다. 특히 맹순사의 시각에서 광복 전에 순사를 하면서 작고 소소한 것을 뇌물로 받던 것이나 술대접을 받던 것은 '아무나 예사로 하는 일이요, 하여도 죄 될 것이 없'다고 치부하며 팔자를 고치거나 허리띠를 푼다는 등의 수준에 올라야 문제가 된다고 여기는 맹순사의 생각을 드러내고 있다.

---

2. ④   인물의 발화의 내용 이해하기

① ㉠은 일제 때 순사를 하며 뇌물을 많이 받아먹은 이가 오히려 승진을 했다는 서분이의 말에 맹순사는 이 상황이 지속되지 않을 거라고 말하고 있다.

② ㉡은 맹순사가 돈이 삼 원밖에 없는 지갑을 꺼내는 척하면서 말한 것으로 실제로 돈을 지불하기 위해서 한 말이 아니다. 좋지 못한 풍문이 들리는 양복점을 일부러 찾아가서 옷을 맞추는, 이를 찾을 때 주인이 돈을 받지 않으리라는 계산으로 지불할 생각도 없이 형식적으로 물어 본 것이다.

③ ㉢은 맹순사가 상대가 뇌물을 건네면 못 이기는 체하며 받는 것으로도 모자라 아쉬울 때면 그럴싸한 사람을 찾아가서 돈을 요구하고 있다.

❹ ㉣은 사람들이 전보다 친근하고 안심한 얼굴로 순사를 대해야 할 텐데 그렇지 않은 이유를 생각하며 자신이 저지른 행악을 떠올리고 있는 것이므로 적절하지 않다.

⑤ ㉤은 파출소에 첫 출근을 하였는데 그곳에서 과거에 행패를 부리고 다니던 노마를 동료 순사로 만나 놀라고 있다.

---

3. ②   인물의 심리 파악하기

① ⓐ에서 여주로 내려갔던 기노시다상네가 재봉틀과 세간을 늘려 보란 듯이 다시 서울로 이사 오는 상황을 부러워하는 서분이의 심리가 드러난다.

❷ ⓑ에서 맹순사는 청백하면 가난도 두려울 게 없다며 떳떳한 척 하지만 과거에 뇌물로 받았던 물건들을 대면하며 부끄러움을 느끼는 그의 심리가 드러난다. 맹순사가 다른 사람보다 뇌물을 많이 받지 못했다며 질투심을 느끼고 있다고 진술하는 것은 적절하지 않다.

③ ⓒ에서 다시 순사가 된 맹순사를 '적의와 경멸의 눈초리로 흘겨보'는 모습에서 순사를 적대시하는 행인들의 마음이 드러난다.

④ ⓓ에서 과거 자신의 행악을 생각하며 한숨을 쉰 맹순사의 모습에서 착잡한 마음이 드러난다.

⑤ ⓔ에서 파출소에서 노마와 만난 맹순사는 내색을 아니 하고 웃으며 속으로는 '저런 것이 다 순사니, 수모도

받아 싸지.' 하는 모습에서 노마를 무시하며 못마땅해하는 마음이 드러난다.

---

4. ⑤   외적 준거를 통해 작품 감상하기

① 작은 것이나마 뇌물을 먹지 아니한 것이 없는 맹순사가 다른 동료들과 달리 자신은 덜 해먹었기 때문에 청백하다고 말하는 모습에서 부정적 인물이 스스로를 긍정적으로 인식하는 것을 확인할 수 있다.

② 일제 때 민족을 착취하던 사람들이 활개를 펴고 잘 산다는 서분이의 말에서 해방 이후 친일 잔재를 청산하지 못해 혼란스러웠던 당대 사회의 모습을 확인할 수 있다.

③ 맹순사는 해방 전 순사를 하며 자신이 한 행위들을 열거하는데, '술대접이나 받고 하는 것은, 아무나 예사로 하는 일이요, 하여도 죄 될 것이 없'다고 여기며 자신의 청백관을 말하는 모습에서 인물의 허위와 위선을 확인할 수 있다.

④ 일제 시대에 순사로 일하던 맹순사가 친일 행위와는 관계없이 해방 후 다시 순사의 자리에 앉을 수 있는 모습에서, 친일 잔재를 청산하지 못해 비극적인 역사가 반복되는 것을 확인할 수 있다.

❺ 해방 전 맹순사가 '우미관패'에 들어가 사람을 치다 붙잡힌 노마를 몇 차례 놓아 준 것은 아는 사람들끼리 뒤를 봐준 행위로 볼 수 있다. 이러한 인물의 모습을 도덕적 관념을 회복하는 과정으로 이해하는 것은 적절하지 않다.

참고자료

채만식의 작품 경향

작가 채만식의 작품 세계는 당시의 현실 반영과 비판에 집중되어 있다. 그는 농민의 궁핍, 지식인의 고뇌, 도시 하층민의 몰락 등을 실감나게 그리면서 사회적 상황을 비판하였고 풍자적 기법에서 큰 수확을 거둔 작가로 평가됨과 아울러 근대 리얼리즘의 대가로 인정받고 있다. 일제 강점기 시절 많은 당대의 작가들이 현실을 직접적으로 반영하거나 비판하지 않고 '자연'이나 '인생' 쪽으로 시선을 돌리고 말았을 때에도 채만식은 1930년대 사회를 직시하고, 그 이면을 파헤치고자 노력하였고, 문학을 역사를 밀고 나가는 힘으로 보고, 민족, 역사, 사회를 제재로 삼았다. 1920년대부터 1930년대 초까지는 농촌의 현실, 지식인의 궁핍상, 노동자의 갈등, 유이민 현상 등을 다루는 단편들을 발표하였고, 현실 인식의 성숙도와 예술적 성취도가 최고 수준에 이른 1934~1938년까지는 「레디메이드 인생」, 「탁류」, 「태평천하」, 「치숙」 등의 대표작들을 발표하였다. 1939~광복까지 한때는 친일적인 내선 일체적 작품을 쓰기도 했으나, 진보적 중간파의 입장에서 당대의 혼란상과 부정적 현상 등을 풍자·비판하였다. 광복 직후에는 「민족의 죄인」, 「역로」를 통해서 일제 말기 지식인의 친일 행위를 자기비판하였고, 새로운 조국의 건설 과정에서 친일파가 다시 득세하는 민족적 현실을 비판적으로 풍자하는 「미스터 방」, 「맹순사」, 「논 이야기」 등을 발표하였다. 주목할 점은 채만식 소설의 바탕은 아이러니라는 점이다. 부정적 인물을 소설의 전면에 내세우고, 긍정적 인물을 후면에 두거나 희화화할 때, 이 아이러니는 두드러진다. 특히 부정적 인물들은 더욱 치밀하게 묘사되거나 확고한 신념의 소유자이며, 긍정적인 인물들은 부정적 인물의 조롱의 대상이 되거나 소심한 심성을 지니고 있는 특징을 보이기도 한다.

【5~7】 공선옥, '힘센 복숭아'

작품해설

주인공 '나'가 자신의 경험과 내면을 담담하게 서술하는 작품이다. 주인공 민수네는 아무리 열심히 일해도 가난의 굴레에서 헤어나지 못하는 가족들의 모습이 그려져 있다. 그러한 가운데 '나'는 여러 아르바이트를 전전하다 떡볶이집에서 일하게 되는데, 주인아줌마가 자신의 사정을 내세워 알바비를 제대로 주지 않는다. 홧김에 가게를 뛰쳐나오는데, 집에 와보니 식구들은 엄마의 취직을 축하하며 삼겹살 파티를 벌이는 중이다. 하지만 비정규직 근로자들의 파업을 보면서 엄마는 차츰 생각이 달라지고, '나'는 친구 용우와 함께 알바비를 받으러 떡볶이집을 찾아간다. '나'는 떡볶이집 알바를 통해 삶의 현장에서 돈이 우선인 세상과 사람들의 각박한 인심을 경험하고 환멸감을 느끼게 된다. 그러나 '나'는 '봉숭아'를 보며 위기 속에서도 생명력을 유지하는 것이 얼마나 아름다운지를 느낀다. 이를 통해 물질보다 더 중요한 가치가 있다는 것을 깨닫고 정신적 황폐함을 이겨낼 수 있다는 희망을 가지며 한층 성장하게 된다. 이처럼 '힘센 봉숭아'는 가난하지만 명랑하고 씩씩한 10대들의 아름다운 성장을 통해 더욱 큰 감동을 전달한다. 또한 다양한 사회적 문제들도 환기시키는데, 「힘센 봉숭아」에서 드러난 파견 근로와 비정규직 문제는 우리 사회가 당면한 주요한 이슈라 할 수 있다. 이 작품에서는 비록 남루해 보일지라도 진솔하게 살아가기 위해 고군분투하는 이웃과 청소년들의 모습이 담겨 있다.

[놓치지 말자!]

- **갈래** : 단편 소설, 현대 소설, 연작 소설, 성장 소설
- **성격** : 현실 비판적, 긍정적, 희망적, 사실적
- **배경** : 현대 어느 도시
- **시점** : 1인칭 주인공 시점
- **제재** : 물질화된 현대 사회
- **주제** : 물질보다 소중한 아름다운 가치
- **특징**
  - 역순행적 구성 방식을 취함.
  - 과거형 시제를 사용하여 서술함.
  - 자연물과 사람을 대비해 주제를 강화함.
  - 부당한 대우를 받는 청소년의 아르바이트 실상이 반영됨.
  - 호흡이 빠른 구어체 문장을 통해 사건을 간결하고 생생하게 전달함.
  - 자연물을 활용해 물질보다 더 중요한 가치가 있음을 깨닫게 함.
  - 인물의 행동 묘사를 통해 시련을 이겨내려는 의지를 형상화함.

5. ① 　작품의 내용 이해하기

❶ 아버지가 새로운 일거리를 찾지 못하고 돌아와 '아이고, 이놈의 세상 ~ 일이 없구나.'라고 말한 것을 볼 때, 사회와 세상을 향해 한탄하고 있을 뿐, 가족의 탓으로 돌리고 있다고 볼 수 없다.
② '엄마'는 일자리를 잃을 것이 두려워 노조에 가입하는 것을 꺼려하고 있다.
③ '누나'는 노동자의 권리가 보장되는 세상을 만들어야

한다고 생각하고 있다.
④ '아줌마'는 '나'의 무단결근을 이유로 지급해야 할 임금을 줄이려 하고 있다.
⑤ '용우'는 '나'의 밀린 아르바이트 임금을 받아 내기 위해 아줌마와 맞서고 있다.

6. ③ 　인물의 심리 파악하기

① ㉠에서 '나'는 자신을 도와 부당한 대우에 당당하게 맞서는 용우를 바라보고 있을 뿐, 용우를 안타깝게 여기고 있지는 않다.
② ㉡에서 '나'의 의지와는 상관없이 학교 상황 때문에 어쩔 수 없이 결근하게 되었다고 하는 것으로 보아 자신의 행동을 뉘우치고 있다고 볼 수 없다.
❸ ㉢에서 '나'는 어쩔 수 없이 결근해야 하는 상황을 알리려고 아줌마에게 전화를 했었다. 그런데도 무단결근을 했다고 주장하는 아줌마의 일방적인 주장에 억울해하고 있다.
④ ㉣에서 '나'는 두 사람의 팽팽한 대결에 지쳐서 포기하고 싶은 생각이 간절해졌지만, 용우에 대해 실망감을 드러내고 있지는 않다.
⑤ ㉤에서 '나'는 아줌마가 원래부터 저렇게 아름답지 않은 사람이었을까 생각해 보는 것일 뿐, 나쁜 사람이었음을 확신하고 있다고 볼 수는 없다.

7. ② 　외적 준거를 통해 작품 감상하기

① '나'는 넘어진 '봉숭아'의 꽃을 보며 위기 속에서도 생명력을 유지하는 것의 아름다움을 발견하고 있다.
❷ '나'는 아줌마가 애끓는 소리로 우는 것이 꼭 엄마 같아서 괴로워하고 있다. 돈이 우선인 세상에 적응하지 못한 자신을 부끄러워하고 있는 것은 아니다.
③ '나'는 '봉숭아는 돈 때문에 울지 않는다'는 생각을 하게 되면서 물질보다 더 중요한 가치가 있다는 것을 깨닫게 되었다.
④ '나'는 삶의 현장에서 돈이 우선인 세상과 사람들의 각박한 인심을 경험하지만, 아름다운 것들이 힘이 세다는 것을 알게 되면서 성장할 수 있게 되었다.
⑤ '나'는 '떡볶이집 사건'을 겪으며 '힘센 봉숭아'처럼 정신적 황폐함을 이겨 내고 희망을 갖고 살아가야겠다고 다짐하고 있다.

【8~10】 윤영수, '착한 사람 문성현'

작품해설

1950년대 후반 서울의 한 양반가에서 태어난 뇌성마비 장애인을 주인공의 일대기를 탄생, 희망, 혼란, 평온, 분노, 살아 있음 등 6개의 소제목으로 나눠 그린 작품이다. 끊임없는 시련 속에서도 자신의 한계를 극복하기 위해 노력하여 말년에 대긍정의 사유에 도달하는 주인공의 모습을 통해 삶 자체의 존엄성을 곰곰이 반추하고 있다. 이 작품에서는 뇌성 마비를 앓는 주인공만이 아니라 끊임없는 고난 속에서도 인간의 선한 바탕을 잃지 않는 성현의 집안사람들을 그려 내고 있다. 성현을 따뜻하게 감싸주는 집안 가족들의 모습을 통해 삶의 존엄성과 희망의 의미를 감동적으로 그리고 있다. 또한 주인공이 자신을 간병하는 파출부들의 악착스러움마저 용서하는 모습은 도가적인 성인의 모습까지도 느껴지

게 한다. 더욱이 이러한 인간적 위엄이 뇌성 마비를 앓고 있는 주인공의 특이한 조건을 통해서 구현되고 있음은 이 작품의 보이지 않는 역설이라고 할 수 있다. 또 작가의 주관적인 가치 판단의 개입을 배제하고 이루어지는 냉엄한 사실 전달의 문체와 주인공의 인간적인 한계를 간과하지 않는 태도를 통해 진정한 가치를 구현하고 있다.

[놓치지 말자!]

- **갈래** : 단편 소설
- **성격** : 회상적, 감동적, 희망적
- **배경**
  - 시간: 1950년대 후반~1990년대 중반
  - 공간: 서울
- **시점** : 전지적 작가 시점
- **주제** : 장애인의 삶을 통해 바라본 인간의 존엄성
- **특징**
  - 인물의 출생에서 죽음까지의 일생을 그림.
  - 구체적 사건을 통해 주인공의 성품을 드러냄.

어휘풀이

- **버팅대다** 버티다. 쉬이 따르지 않고 고집스럽게 버티다.
- **댓개비** 대를 쪼개 가늘게 깎은 긴 조각.
- **체머리** 머리가 저절로 계속하여 흔들리는 병적 현상. 또는 그런 현상을 보이는 머리.
- **개키다** 옷이나 이부자리 따위를 겹치거나 접어서 단정하게 포개다.
- **버르적대다** 버르적거리다. 고통스러운 일이나 어려운 고비에서 벗어나려고 팔다리를 내저으며 큰 몸을 자꾸 움직이다.

8. ③ 　세부 내용 이해하기

① 막냇동생 승현의 돌날 사람들은 동생에게 큰 장군이 될 것이라 덕담을 해주었다.
② 문성현의 방에 활이 놓였던 이유는 둘째 동생 승현이가 가지고 놀다가 무심코 놓고 갔기 때문이다.
❸ 많은 사람들이 모인 막냇동생 승현의 돌날에 문성현은 혼자 방 안에서 여느 때처럼 울었으나, 아무도 자신처럼 번정대며 울지 않는다는 사실을 깨달았다. 그 순간 그는 자신이 다른 사람과 다르다는 사실을 인식하게 된 계기가 되었다.
④ 문성현은 자유롭게 앉을 수 있게 된 후에는 서는 연습을 할 계획이었다. 두 다리로 선 후에는 조심조심 발을 떼고, 그리고 걷고, 뛸 예정이었다.
⑤ 문성현은 거울에 비친 자신의 모습을 보고 깜짝 놀랐고, 흉한 모습에 슬픔을 느꼈다.

참고자료

윤영수, '착한 사람 문성현'의 전체 줄거리

- **발단**: 문성현은 남평 문씨 집안의 장손으로 태어난다. 그는 태어날 때부터 장애가 있었고, 어머니는 할머니의 눈총을 받으며 그를 어렵게 키운다. 그러던 어느 날 할머니가 교통사고로 세상을 뜬다.
- **전개**: 8살이 되었을 때 성현은 자신이 다른 사람들과 다르다는 것을 인식하게 된다. 하지만 희망을 가지고 장애를 극복하기 위해 노력한다.
- **위기**: 아버지가 간암으로 세상을 뜨자 성현은 죄책감에 시달리고, 수용소에 가서 살겠다고 한다.

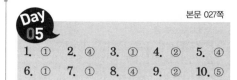

그러나 가족의 소중함을 깨닫고 일주일 만에 집으로 돌아온다. 그 후 성현은 엄청난 노력 끝에 말도 하고 글도 읽을 수 있게 되어 조금이나마 비장애인처럼 살게 된다.
- 절정: 암으로 어머니가 돌아가시자 성현은 삶에 대한 회의를 느낀다.
- 결말: 성현은 독립해서 살아가겠다고 말하고 파출부 예산대의 도움을 받는다. 그녀는 자신의 이익만 챙기며 성현에게 횡포를 일삼았으나 그는 이미 저도 용서하고 39세의 일기로 생을 마감한다.

9.③ 소재의 기능 파악하기

① 막냇동생 돌잔치에서 승현이 활을 잡자 큰 장군이 될 것이라고 사람들이 덕담을 해 주는 말을 듣고, 이후 문성현은 말을 타고 활 쏘는 자신의 모습을 상상하며 장애를 극복하고자 노력하게 된다. 이렇게 볼 때 '활'은 어린 시절 희망의 상징으로 미래 자신의 모습에 대해 기대와 희망을 품게 하는 소재로 볼 수 있다.
② '텔레비전'은 문성현이 세상 풍경과 다른 사람들의 삶을 보게 되는 통로로, 그와 외부 세계를 이어주는 매개체 역할을 한다고 볼 수 있다.
❸ '활'과 '텔레비전'은 모두 문성현 자신에게 의미 있는 소재로, 그와 동생과의 정서적 유대감을 공유하는 소재라고 볼만한 근거를 찾을 수 없다. 문성현이 동생과 함께 텔레비전을 보거나 활을 가지고 노는 등의 행위나 추억은 제시되지 않았기 때문이다.
④ 텔레비전을 통해 보는 세상과 다른 사람들의 삶은 문성현에게 가슴 떨리는 열망이었으나 또 한편으로는 부서뜨리고 싶은 안타까움이기도 했다.
⑤ 문성현은 정신적·육체적으로 다른 사람들처럼 되기 위해 노력하기 시작하며 자신도 활시위를 당길 예정이라고 하였고, 텔레비전을 보면서 가슴 떨리는 열망을 품었다. 이렇게 볼 때, 활과 텔레비전은 모두 문성현이 자신의 장애를 극복하고자 노력하게 되는 동기를 부여하고 있다.

참고자료
주인공 문성현이 간직했던 '활'의 의미

문성현은 막냇동생의 돌날 활을 잡으면 장군이 된다는 사람들의 덕담을 듣게 된다. 그리고 자신도 활시위를 당기게 될 것이라는 희망을 갖게 된다. 그 후 그는 자신의 장애를 극복하기 위해 노력하게 된다.	- 장애를 극복하기 위해 노력하기 계기가 됨. - 자유로운 삶을 소망함.
문성현은 원래 동생의 것이었던 활을 동생에게 직접 받게 됨으로써 비로소 활의 진정한 주인이 되었다고 여기게 된다. 그러면서 자신의 삶을 인정하게 된다.	- 삶의 완성

10.① 외적 준거를 통해 작품 감상하기

❶ 서술자는 장애를 가진 주인공 문성현의 어릴 적 삶과 생각을 전하고 있다. 특히 주인공의 행동뿐만 아니라 의식의 변화 과정까지도 서술하고 있는 전지적 시점을 보인다. ㉠'몸 안에 눈물이 고였다'는 문성현이 남과 다르다는 사실에 대한 슬픔을 서술자가 주관인 입장

에서 서술한 것이므로, 객관적으로 서술하고 있다는 진술은 적절하지 않다.
② 이 작품은 주인공의 일대기를 6개의 소제목으로 나눠 그리고 있다. ㉡은 소제목 '희망'이라는 추상적인 단어를, 다른 아이들처럼 행동할 수 있으리라는 문성현의 바람으로 구체적으로 보여 주고 있다.
③ ㉢은 문성현이 자신의 한계를 극복하고 혼자 앉기 위해 벽을 잡고 연습을 하는 과정에서 생긴 흔적이다.
④ ㉣에는 연습을 하느라 벽이 훼손되는 것을 나무라는 것이 아니라 장애를 극복하기 위해 애쓰는 문성현을 감싸주고 격려하려는 어머니의 마음이 담겨있다.
⑤ ㉤은 주인공에게 닥친 고난에 대한 인식을 주인공의 입장에 초점을 맞추어 서술함으로써 독자들에게 삶의 의미를 되돌아보게 하고 있다.

참고자료
주인공 성현의 삶의 과정

소제목	공간	주인공의 삶
출생, 희망	서울 사대문 안의 고가	- 장애를 처음 알게 됨. - 부단한 노력으로 비장애인과 같아지려 함.
혼란	병원, 수용소	- 아버지가 간암 선고를 받고 죽음. - 자신이 화근이라고 생각하여 자살을 시도함. - 가족을 위해 수용소로 가기로 함. - 다시 돌아옴.
평온	한옥에서 아파트로 이사	- 자신의 상황을 인정하게 되어 마음의 평화를 찾음.
분노	아파트	- 어머니의 죽음과 유언 - 자신의 거취를 걱정하는 가족들
살아 있음	작은 아파트	- 살아 있음에 감사함. - 생을 마감하기 위해 준비하는 성현

【1~3】 송기숙, '당제'

작품해설

1983년에 발표된 소설로, 제목인 '당제'란 마을신에게 제사 지내는 것을 의미한다. 일제 식민지 시대의 아픔과 6·25 전쟁의 비극을 모두 겪은 한 노부부의 이야기를 통해 우리 민족의 한을 형상화하고 있다. '한몰 영감' 내외는 삼십 년 전 6·25 때 의용군으로 나간 아들을 기다리며 살아간다. 부부는 아들이 북쪽에 살아 있다고 믿는데, 이는 '한몰댁'이 꾼 꿈 때문이다. 미륵보살 곁에 서 있는 '한몰 영감'의 꿈을 꾼 다음날, '한몰댁'은 징용에 끌려갔던 남편의 사망 통지서를 받는다. 그러나 그녀는 미륵보살이 남편을 지켜줄 것이라 믿으며 평소와 다름없이 생활하고, 죽은 줄로만 알았던 '한몰 영감'은 살아서 돌아온다. 그런데 아들이 지리산에서 죽었다는 소문이 난 상황에서 '한몰댁'이 미륵보살 옆에 서 있는 아들의 꿈을 꾸었다는 것이다. 한편 댐 건설로 인해 마을은 수몰될 처지에 놓이고, '한몰 영감'은 마을에서 지내는 마지막 당제의 제주(祭主)가 되기를 자청한다. 당제가 끝난 뒤 '한몰 영감'은 홀로 남아 도깨비들에게 아들의 안전을 부탁하는 말을 전한다. 그 후 '한몰 영감' 내외는 마을이 수몰된 이후에도 댐 근처에 집을 짓고 그 집이 누구의 집인지를 알리는 안내판을 세운 뒤 그곳에서 살아간다. 이 작품은 당제, 도깨비 등의 민속 신앙을 통해 일제 강점기에서 6·25 전쟁, 근대의 산업화에 이르기까지 자신들이 겪어온 아픔을 극복해 나가려는 감내골 사람들의 모습을 보여 준다. 또한 이 작품은 구수한 사투리와 순수한 등장인물들을 통해 한몰 영감의 염원이 더욱 순수하고 간절한 것임을 형상화하고 있다. 또한 당시 농촌의 현실이 반영되어 있는데, 쌀값을 정부에서 고정시켜 농촌이 황폐화되는 과정, 산업화로 인한 급격한 농촌의 파괴, 도시화로 인한 자연의 파괴 등 1970년대의 쇠락의 길을 걷던 농촌의 모습을 보여 준다. 특히 외부에서 온 양봉업자와의 다툼은 도시와 시골 간의 불평등을 상징적으로 보여 준다. 이를 통해 참혹했던 현대사 속 한몰 영감의 개인적인 역사와 당시의 시대상이 절묘하게 어우러진 작품이라고 볼 수 있다.

[놓치지 말자!]
■ 갈래 : 단편 소설, 분단 소설
■ 성격 : 토속적, 의지적
■ 배경
 – 시간적: 1970년대
 – 공간적: 농촌
■ 시점 : 전지적 작가 시점
■ 표현
 – 사투리의 사용
 – 민속풍습에 대한 세밀한 묘사
■ 주제 : 전쟁의 비극성과 가족애

어휘풀이

- **함바** 일본어 '飯場(はんば)'에서 온 말인데, 이를 '현장 식당'으로 순화함.
- **치부(置簿)** 마음속으로 그러하다고 보거나 여김.
- **십장(什長)** 일꾼들을 감독·지시하는 우두머리.
- **귀여겨듣다** 정신 차려서 주의 깊게 듣다.

---

1. ① 　　　서술상 특징 이해하기

❶ 이 작품은 '한물 영감'과 '한물댁'이 사용하는 방언을 통해 인물의 대화를 실감나게 전달하고 있다(ㄱ). 또한 댐과 오두막집의 풍경을 묘사하여 배경을 선명하게 제시하고 있다(ㄷ). 그런데 제시된 부분에는 반복되는 사건이 나타나 있지 않으며, 인물 간 갈등이 심화되는 부분도 나타나 있지 않다. 그리고 이 작품은 전지적 작가 시점으로 작품 밖 서술자가 내용을 전개하고 있다.

2. ④ 　　　작품의 세부 내용 파악하기

① '예사 때도 지나새나 궁리가 그 궁리'였다고 하였는데, 즉 탄광을 탈출할 '궁리'를 하고 있었다는 것이다. 따라서 '낙반 사고 이전에는 탈출을 감행할 생각을 하지 않았'다는 내용은 적절하지 않다.
② '한물 영감'은 낙반 사고 이후 갱에 갇힌 동료들을 구출할 수 없다는 걸 잘 알고 있었다. 그리고 '도망치기에는 이보다 좋은 기회가 없을 것'이라고 생각하였다. 그러나 '탈출을 결심하고도 동료에 대한 의리 때문에 괴로워했'다는 내용은 확인할 수 없다.
③ '갱 사정을 손바닥 보듯 알고 있던 영감은 그들을 구출할 수 없다는 걸 잘 알고 있었'으므로 '갱도가 붕괴되었을 때 나도 동료들을 구하려 노력했었지.'라고 생각했다는 내용은 적절하지 않다.
❹ '한물 영감'은 자신이 갱 속에 들어가지 않았다는 것을 '십장'만 알고 있는데, 십장 역시 갱에 갇혔다는 것을 알고 있다. 그러므로 자신이 보이지 않으면 '탄광 사람들은 내가 갱도에서 죽었다고 생각했었을 거야.'는 '한물 영감'이 회상했을 법한 내용으로 적절하다.
⑤ '한물 영감'은 '십장'외에는 자신이 갱 속에 들어가지 않았다는 사실을 아는 사람이 없다고 생각했으므로 '갱도에 들어가지 않은 것을 십장이 몰라 다행'이라고 생각했다는 내용은 적절하지 않다.

3. ① 　　　외적 준거를 통해 감상하기

❶ 집으로 남편의 사망 통지서와 유골이 왔음에도 불구하고 '미륵보살'의 꿈을 믿었던 '한물댁'은 '눈물 한 방울 흘리지 않고' '미륵바위' 앞에서 치성을 드렸다. 이러한 그녀의 흔들림 없는 모습은 '미륵보살'이라는 존재가 남편을 지켜줄 것이라는 믿음에서 비롯된 것이다. 따라서 '한물댁'의 확신은 꿈이 소망을 이루어주어 초월적 세계를 구현한다는 믿음에서 비롯된 것이라 볼 수 있다.
② 남편이 갱에서 죽었다는 소식을 들었을 때 '한물댁'이 '미륵바위'를 찾은 것은 '미륵보살'이라는 신령한 존재를 통해 남편이 살아 돌아오기를 기원하는 마음을 드러내고 있다.
③ '한물 영감'은 '도깨비'가 북쪽에 있는 아들에게 자신의 소식을 들려줄 수 있는 초월적 존재라고 생각한다. 그래서 한물 영감은 지난날 자신을 놀리던 도깨비들에게 앞으로 자신이 밥을 챙겨 줄 테니 아들이 잘 찾아오

게 이끌어 달라고 부탁한다. 따라서 아들에게 소식을 전하고자 하는 현실의 소망을 '도깨비'라는 초월적 존재를 통해 실현하고자 함을 알 수 있다.
④ '댐'의 건설로 인해 감내골이 수몰되면서 마을 사람들이 마을을 떠나야 했던 상황은 '산업화 시대'에 '농촌 사람들이 겪어야 했던 아픔'을 보여 주는 장면이다.
⑤ 감내골이 수몰되고 그곳을 바라보는 오두막집 앞에 놓인 커다란 표지판에는 자신이 살고 있음을 알리는 한물 영감의 글귀가 적혀 있다. '한물 영감' 내외는 아들이 북쪽에 살아 있을 것이라 믿으며 아들이 돌아올 때 무사히 집을 찾을 수 있도록 안내판을 세운 것이다. 부부가 아들이 살아 있을 것이라고 믿는 이유는 '한물댁'이 꾼 '미륵보살'의 꿈과 관련이 있다. 따라서 초월적 존재가 아들을 지켜줄 것이라는 믿음은 그들이 수몰 이후에도 삶을 지탱하고 이어나갈 수 있도록 돕고 있다.

왜 틀렸을까?

〈보기〉는 이 작품의 두 축인 '역사'와 '신앙'을 중심으로 작품을 감상하는 것으로, 초월적 세계에 대한 믿음을 통해 현실의 문제를 해결하고자 하는 사람들의 모습에 대해 설명하고 있어. 이 문제는 정답률 14%를 보여 꽤 난이도가 높은 문제로 기록되었어. 한물댁의 확신은 '꿈'은 현상적으로 나타나는 것으로 '꿈'이 소망을 이루어 준다는 것이 아니라, 초월적 세계가 현실의 문제를 해결해 줄 것이라는 믿음에서 비롯되고 있어. 그런데 무려 48%의 학생들이 선택지 ⑤번에서 혼란을 겪었던 모양이야. 부부가 아들이 살아 있을 것이라고 믿는 이유는 '한물댁'이 꾼 '미륵보살'의 꿈 때문이지. 초월적 존재가 남편의 생사를 알려주었듯이 미륵보살이 아들을 지켜줄 것이라는 믿음은 그들이 수몰 이후에도 삶을 지탱하고 이어나갈 수 있도록 돕고 있어. 그래서 안내판을 세워 아들이 집을 잘 찾아올 수 있도록 방법을 마련한 거겠지. 내용을 제대로 파악하지 못했을 수도 있지만 문맥의 흐름을 제대로 이해하지 못한 부분도 이러한 결과를 낳을 수 있으니 잘 분석해 보길 바라.

[4~6] 이기영, '농부 정도룡'

작품해설

일제 강점기 농촌을 배경으로 지주의 부당한 행위와 이로 인해 핍박받던 궁핍한 소작농들의 삶을 사실적으로 드러내고 있다. 불의를 참지 못하는 정도룡이라는 인물이 현실적 이해관계 때문에 불합리한 현실을 외면하는 사람들을 일깨우며 올바른 삶의 가치를 실천하기 위해 노력하는 모습을 그려내고 있다. 작가는 이러한 농촌 현실의 발견과 새로운 인물 유형의 창조를 통해, 농민 문학의 새로운 형식을 창출해 냄으로써 농촌 현실의 총체성을 구현하는 사실주의 소설의 가능성을 확보하였다. 또한 하층민인 동시에 사회적으로 고립된 개인이 처한 절박한 상황을 통해 당대 사회의 구조적 모순에 대해 문제 제기하고 있다. 작가는 1925년 조선프롤레타리아예술가동맹에 가담한 이후 경향문학의 대표적 작가로서 독보적 위치를 차지하였고 카프의 조직과 창작 양면에서 맹활약하였다. 초기 작품인 '농부 정도룡'(1926), '민촌'(1926) 등은 신경향파 소설의 대표작이며 이를 통해 농민 문학의 새로운 형식을 창출하였다. 그리고 그의 장편 소설인 '고향'(1934)은 한국문학사에서 최고의 리얼리즘 소설 가운데 하나라는 평가를 받고 있다.

놓치지 말자!

- **갈래** : 현대 소설, 농민 소설
- **배경** : 시간 – 한여름, 공간 – 농촌

- **시점** : 전지적 작가 시점
- **경향** : 카프 계열, 사회주의 리얼리즘
- **의의** : 농민 중심의 대표적 농민 소설
- **제재** : 지주의 부당한 행위로 핍박받던 소작농들의 삶
- **주제** : 불합리한 현실 속에서 올바른 삶의 가치를 실천하기 위한 노력
- **중요 시구 및 시어 풀이**
  - **경외하다(敬畏)** 공경하면서 두려워하다.
  - **감복하다(感服)** 감동하여 충심으로 탄복하다.
  - **기화(奇貨)** 뜻밖의 이익을 얻을 수 있는 물건. 또는 그런 기회. '핑계'로 순화.
  - **고리대금(高利貸金)** 1. 이자가 비싼 돈. 2. 부당하게 비싼 이자를 받는 돈놀이.
  - **일변(一邊)** 한편.

4. ② 　　　서술상 특징 파악하기

① [A]에는 외양 묘사가 없고 [B] 역시 배경 묘사가 드러나지 않는다.
❷ [A]에서는 김 주사가 가진 '전 금융조합장', '전 보통학교 학무위원' 등의 직함을 열거하여 감투를 좋아하는 그의 성격을 드러내고 있고, [B]에서는 김 주사에게 사정하던 춘이 조모가 자신의 집에서 자살하였는데도 조금도 개의치 않고 하인을 명하여 송장을 문밖으로 끌어내게 하고 자신에게 책임이 돌아가지 않도록 뒷수습을 하는 행위 제시를 통해 김 주사의 비정한 성격을 드러내고 있다.
③ [A]에는 인물의 대립보다는 김 주사를 중심으로 전개되고 있다.
④ [A]와 [B] 모두 김 주사의 집에서 이루어지는 일로 공간의 이동이 드러나지 않는다.
⑤ [A]와 [B] 모두 전지적 시점에서 서술되고 있다.

5. ④ 　　　외적 준거에 따라 작품 감상하기

① '부모나 자식이나 사람이기는 일반이라 하면 제 자식이나 남의 자식이나 그리 등분이 없을 게다. 덮어놓고 제 뜻만 맞추라고 남을 강제하는 것은 포학한 짓이 아닌가?'라며 용쇠를 꾸짖는 모습에서 올바른 삶의 가치를 중시하는 정도룡의 태도를 알 수 있다.
② '채 익지도 않은 풋보리를 베어다가 뿌얀 물을 짜내서 죽물을 끓여 먹는 집도 많다.'에서 일제강점기 농촌의 궁핍한 삶을 알 수 있다.
③ 소작하던 논을 특별한 이유 없이 마음대로 다른 사람에게 넘긴 김 주사에게 춘이 조모가 빌려 사정해 봐도 '내 땅은 내 맘대로 언제든지 뗄 수 있지 않으냐.'하며 오히려 불호령 치는 김 주사의 모습에서 소작농을 핍박하는 지주의 부당한 행위를 확인할 수 있다.
❹ '김 주사 집 땅을 부치는 사람들은 아무 말도 못 하고 벌써부터 꽁무니를 사리려 든다.'에서 현실적 이해관계를 추구하는 사람들의 단면을 알 수 있다.
⑤ '정도룡은 그들을 일일이 지휘하여 일 치를 순서를 분배한 후 나머지 사람들은 상여를 메고 위선 김 주사 사는 동리로 급히 갔다.'에서 불의를 참지 못하는 정도룡의 실천적 노력을 알 수 있다.

6. ① 　　　인물의 심리 파악하기

---

❶ 용쇠가 정도룡에게 혼이 나는 상황에서, 자기를 모욕하는 말인 줄 알고 속으로는 분하였지만 참으며 듣고 있는 모습이다. 이를 볼 때 용쇠가 자신이 저지른 잘못에 대해 뉘우치고 있다고 볼 수 없으므로 적절하지 않다.
② 동리 사람들이 정도룡을 믿고 따르며 복종하는 모습에서, 그에 대한 신뢰감이 드러나 있다.
③ 춘이 조모가 논을 떼이면 먹고 살기 어렵다고 김 주사에게 애걸복걸 사정하지만, 김 주사가 막무가내로 들어주지 않는 모습이다. 이를 통해 앞으로 살아갈 일에 대한 춘이 조모의 막막함이 드러나 있다.
④ 춘이 모자가 춘이 조모의 갑작스러운 죽음에 서럽게 통곡하는 모습에서 가족을 잃은 애통함이 드러나 있다.
⑤ 꽁무니를 빼고 제 집 일만 보러 가는 마을 사람들에게 정도룡이 벼락같이 소리를 지르는 모습에서 그들에 대한 분노가 드러나 있다.

【7~10】 최일남, '노새 두 마리'

작품해설

산업화로 인해 소시민들이 느끼는 소외감과 상대적 박탈감을 담아내며, 경제 발전만 중시하는 현실을 비판하고 있는 사회 소설의 성격을 지닌 작품이다. 한 가족이 마땅히 뿌리박고 살아야 할 고향을 등지고 서울로 올라와 겪는 기이한 삶과 정황을 그리고 있다. 이미 도시에서는 종적을 감춘 노새가 연탄을 배달하는 기이한 풍경과 결말, 그리고 서울에서 자수성가하여 상류 생활을 하게 된 아들에게 얹혀사는 시골 어머니의 모습을 통해 한국 사회의 불협화음적인 풍속의 괴리를 볼 수 있다. 이 작품에서 '노새'는 이 시대를 힘겹고 고단하게 살아가고 있는 아버지들을 상징한다고 볼 수 있다. 무거운 짐을 지고 가파른 언덕을 올라야 하는 노새는, 급격한 산업화로 인해 정신적 뿌리를 상실했지만, 가장의 책임을 다하려는 아버지들의 모습과 닮아 있다. 또한 도시에서 볼 수 없는 노새가 소설 속에 등장하는 배경에는 도시화로 인해 고향을 잃어버리고 혼란스러워하는 소시민들의 고달픔과 소외감을 더욱 부각시키기 위한 작가의 의도가 담겨 있다. 하늘에는 비행기가, 땅에는 자동차들이 점령한 도시 안에서 마차를 끄는 노새는 급변하는 사회 안에 내재되어 있는 풍속의 괴리와 뒤죽박죽된 삶의 모습을 단적으로 보여 주는 역할을 한다.

[놓치지 말자!]
- 갈래 : 단편 소설, 사회 소설
- 시점 : 1인칭 주인공 시점
- 배경
  - 시간: 1970년대
  - 공간: 서울의 어느 가난한 동네
- 주제 : 시대 변화에 적응하지 못한 가난한 사람들의 힘겨운 삶
- 표현상 특징
  - 아버지를 '노새'에 비유하며 아버지의 고단하고 힘든 삶을 효과적으로 보여 주고 있음.
  - '나'는 순진한 눈을 가진 아이로서, 동네 사람들 속에서 살아가는 아버지의 삶에 초점을 두고, 대체로 관찰자의 시점으로 그려내고 있음.
  - '나'는 서술의 과정에서 부분적으로 구동네 사람들 눈을 잠시 빌려 새동네 사람들의 삶을 보여 주고는 있지만, 급격한 산업화의 물결에

적응하지 못하고 고단한 삶을 사는 아버지와 나의 모습을 연민의 시각으로 서술하고 있음.
- 도시에서는 볼 수 없는 노새가 연탄을 배달하는 상황을 제시하여 한국 사회의 혼란스러운 풍속을 보여 줌.

어휘풀이

- **노새** 말과의 포유류. 암말과 수나귀 사이에서 난 잡종으로 크기는 말보다 약간 작으며, 머리 모양과 귀·꼬리·울음소리는 나귀를 닮았다. 몸이 튼튼하고 힘이 세어 무거운 짐을 나를 수 있고 생식 능력이 없다. 미국, 중국, 에스파냐, 중앙아시아 등지에서 많이 기른다.
- **번연히** 번히. 어떤 일의 결과나 상태 따위가 훤하게 들여다보이듯이 분명하게.
- **삼륜차(三輪車)** 바퀴가 세 개 달린 차. 바퀴가 앞에 한 개, 뒤에 두 개 달려 있는데 주로 짐을 실어 나른다.
- **당도하다(當到)** 어떤 곳에 다다르다.
- **턱없이** 이치에 닿지 아니하거나, 그럴 만한 근거가 전혀 없이.
- **지서(支署)** 본서에서 갈려 나가, 그 관할 아래 서 지역의 일을 맡아 하는 관서. 주로 경찰 지서를 이른다.
- **이르다** 무엇이라고 말하다.
- **뒤룩뒤룩** 크고 둥그런 눈알이 자꾸 힘 있게 움직이는 모양.
- **스적스적** 시적시적. 힘들이지 아니하고 느릿느릿 행동하거나 말하는 모양.

같은작가 다른기출

2016학년도 6월 모의 수능 '흐르는 북'
2008학년도 수능 '흐르는 북'

7. ① 작품의 특징 파악하기

❶ 이 작품에서 무거운 짐을 짊어지고 고된 길도 마다하지 않고 걸어야 하는 '노새'는 힘겹고 고단하게 살아가고 있는 아버지를 상징한다. 따라서 '노새'라는 상징적 소재를 통해 시대 변화에 적응하지 못하는 아버지의 고된 삶을 드러내고 있는 것이다.
② 풍자적 기법이 활용된 부분은 확인할 수 없다.
③ 일관되게 1인칭 주인공 시점으로 전개되고 있다. 서술자 '나'는 아버지의 삶에 초점을 두고, 대체로 관찰자의 시점으로 그려내고 있다.
④ 제시된 부분에서는 사건의 반전을 통해 갈등이 해소될 기미가 보이지 않는다.
⑤ 액자식 구성으로 전개되고 있지 않다.

참고자료

작품에 등장하는 '노새'의 기능
무거운 짐을 지고 가파른 언덕을 올라야 하는 노새는 급격한 산업화로 인해 정신적 뿌리를 상실했지만 가장의 책임을 다하려는 아버지의 모습과 많이 닮아 있다. 또한 도시에서는 볼 수 없는 '노새'가 소설 속에 등장하는 배경에는 도시화로 인해 고향을 잃어버리고 혼란스러워하는 소시민들의 고달픔과 소외감을 더욱 부각시키기 위한 작가의 의도가 담겨 있다. 하늘에는 비행기가, 땅에는 자동차들이 점령한 도시 안에서 마차를 끄는 노새는 급변하는 사회 안에 내재

되어 있는 풍속의 괴리와 뒤죽박죽된 삶의 모습을 단적으로 보여 주는 역할을 하고 있는 것이다.

8. ④ 작품의 내용 이해하기

① 노새를 부리는 것이 시대에 맞지 않는다는 철수 어머니의 말이 생각난 것이지, 충고를 받아들이고 있지는 않다.
② 아버지가 까맣게 연탄재를 뒤집어쓰고 다닌대서 그 아들인 '나'를 동네 아이들이 까마귀 새끼라는 별명을 붙여 주었다고 했지만, 이 사건과는 관련이 없다.
③ '나'의 가족은 노새를 잃어버리기 전부터 이미 도시 변두리에 정착해서 살고 있었다.
❹ '사건'은 가파른 골목을 오르던 마차가 넘어지면서 노새가 달아나 버린 일을 말하며, 이 사건으로 아버지는 내일부터 당장 벌이를 나갈 수 없는 어려움에 처하게 된다.
⑤ 원래 마부였던 아버지는 말이나 노새를 부렸지만, 이 사건과는 관련이 없다.

참고자료

'노새 두 마리'의 전체 줄거리
아버지는 변두리 동네에서 연탄 배달 일을 한다. '나'는 그런 아버지를 따라다니며 배달 일을 돕는다. 연탄 배달에는 노새가 끄는 마찰을 이용하는데, 언덕길에서는 연탄의 무게가 힘에 부친 노새가 버둥거릴 때마다 아버지는 곤욕을 치르곤 한다. 서민들의 거주 지역이어서 일거리가 많지 않던 터에 골목 하나를 사이에 두고 문화 주택이 들어선다. 아버지는 연탄 배달 주문이 늘어나자 내심 좋아했지만, 구 동네와 새 동네 사이에는 보이지 않는 미묘한 벽이 생긴다. 어느 날 언덕길에서 실랑이를 하던 노새가 달아나 버리고 거리는 아수라장이 되고 만다. 순식간에 일을 당한 아버지와 '나'는 노새를 뒤쫓았지만 찾지 못한다. 아버지는 통행금지 시간이 다 되어서야 상심해서 귀가하고, '나'는 달아난 노새 꿈까지 꾼다. 이튿날 새벽 다시 노새를 찾아 나선 아버지와 '나'는 저녁 무렵 동물원에서까지 찾아가 보지만 노새는 보이지 않는다. 귀갓길에 아버지는 '나'를 데리고 술집으로 들어간다. 술을 몇 잔 들이켠 아버지는 대뜸 "이제부터 내가 노새다"라고 말하며 히힝 웃자 '나'도 히히힝 따라 웃으며 가족애를 느낀다. 집으로 돌아오자 어머니가 노새가 사람들을 다치게 하고 가게 물건을 박살내어 경찰이 아버지를 찾아왔다는 소식을 전한다. 아버지는 말없이 다시 집을 나서고 아버지를 뒤쫓아 나간 '나'는 자기네 같은 서민은 도회지에서 발붙이고 살기 어려운 것인가 생각한다.

9. ② 감상의 적절성 파악하기

① 밤늦게까지 '노새'를 찾아 헤매는 '아버지'의 절박한 마음을 느낄 수 있다.
❷ 밤늦게까지 '노새'를 찾지 못하고 돌아온 '아버지'의 안타까운 마음이 헤아려지고 걱정되었기 때문이다.
③ '노새'가 도망쳤으니 '내가 노새가 되어야지'에서 아버지의 가장으로서의 책임감을 확인할 수 있다.
④ 잃어버린 '노새'가 더 큰 문제까지 일으키고 있어서 '어머니'가 걱정하고 있다.
⑤ '나'는 '노새'를 찾지 못하고 생계까지 막막해져서 힘들고 지친 '아버지'를 마치 '노새'와 같다고 여기고 있다.

10. ⑤   표현상의 효과 비교하기

① 〈보기〉는 [A]에서 서술된 내용을 인물 간의 대화로 바꾸어 주로 대사와 행동으로 표현된다.

② 직접적인 심리 묘사가 어렵고 장면과 대상에 의해 간접적으로 묘사된다.

③, ④ 인물의 행동과 대사를 통해 인물의 성격이 드러나고 사건이 진행되며 주제가 형상화된다.

❺ 인물 간의 대화를 보여 주어 상황을 현장감 있게 표현하고 있다.

참고자료

극 문학(희곡, 시나리오)의 특징

작품 외적 자아의 개입이 없고, 무대 상연을 전제로 대화와 행동으로 진행된다. 작품 외적 자아(서술자)의 개입이 없이 자아와 세계의 갈등이 이루어진다. 인물과 작중 시간 및 장소의 설정에 제약이 따른다. 갈등을 다룬다는 점에서 서사 갈래와 유사하지만 화자의 개입이 없다는 점에서 다르다. 화자가 없어 인물의 대화와 행동을 직접 제시할 수밖에 없기 때문에 시제는 항상 현재형이다. 또한 무대 상연을 전제로 하므로 여러 가지 제약이 따르며, 상연을 위해 연출가, 연기자를 비롯해 많은 무대 예술가들의 해석 과정을 거쳐야 한다는 점에서 다른 문학 갈래와는 차별화된다.

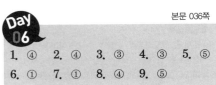

현대시

Day 06

본문 036쪽

1. ④   2. ④   3. ③   4. ③   5. ⑤
6. ①   7. ①   8. ④   9. ⑤

【1~3】 (가) 김광섭, '봄'

작품해설

겨울에서 봄으로의 계절에 순환에 대한 인식을 드러낸 시이다. 봄을 멀리 간 것이 다 돌아오고 죽은 것과 산 것이 서로 돌아서는 소생과 화합의 계절로 인식하고, 봄의 생명력과 희망의 이미지를 노래하고 있다.

■ 갈래 : 자유시, 서정시
■ 성격 : 비유적, 성찰적
■ 제재 : 봄
■ 주제 : 자연의 순환과 봄의 생명력
■ 중요 시어 및 시구 풀이

• 먼저 든 햇빛에 / 개나리 보실보실 피어서 / 처음 노란 빛: 햇빛에 피어난 개나리의 모습을 '노란 빛'으로 드러내 생명성을 환기함.

• 멀리 간 것이 다 돌아온다: 봄에 소멸했던 것이 소생한다는 인식이 담김.

• 죽은 것과 산 것이 서로 돌아서서 / 그 근원에서 상견례를 이룬다: 겨울에서 봄으로의 계절의 순환 속에서 소멸했던 것이 소생하고 화합을 이룸.

• 꽃이 짧은 가을 해에 ~ 몇 천리나 와서: 꽃의 지고 피어남을 통해 가을에서 봄으로의 계절의 순환을 드러냄.

(나) 허형만, '겨울 들판을 거닐며'

작품해설

겨울 들판에서 발견한 모습을 통해 깨달음을 드러낸 시이다. 화자는 아무것도 없어 보이고 생명력도 없어 보이는 겨울 들판에서 소생의 가능성과 생명력을 발견한다. 그리고 그러한 발견을 사람과 연결하여, 가까이 다가서지도 않으면서 아무것도 가진 것 없고 키울 수 없을 거라고 함부로 말하지 않았다는 다짐을 드러내고 있다.

■ 갈래 : 자유시, 서정시
■ 성격 : 경험적, 성찰적
■ 제재 : 겨울 들판
■ 주제 : 겨울 들판에서 얻은 깨달음
■ 중요 시어 및 시구 풀이

• 아무것도 가진 것 없어 보이는 / 아무것도 피울 수 없을 것처럼 보이는: 가까이 다가서기 전 겨울 들판에 대한 인식. 유사한 시구의 반복으로 의미를 강조함.

• 초록빛 싱싱한 키 작은 들풀 또한 고만고만 모여 앉아: 햇살을 기다리는 들풀의 모습으로, '초록빛'을 통해 생명성을 환기함.

• 여기서만은 우리 ~ 쉬고 있음도 알았다: 겨울 들판을 아픔이 편히 쉬는 공간으로 인식함.

• 겨울 들판이나 사람이나 ~ 함부로 말하지 않기로 했다: 겨울 들판에서 얻은 깨달음을 사람에 대한 것으로 연결하여, 가까이 다가서지 않으면서 그 안에 지닌 것에 대해 함부로 말하지 않기로 했다는 다짐을 드러냄.

1. ④   표현상 특징 파악하기

① (가)는 '간다'와 같이 동사로 시상을 마무리하고 있다.

② 수미상관은 시의 첫 번째 연이나 행을 마지막 부분에서 다시 반복하는 방법인데, (가)는 1연을 마지막 연에서 다시 반복하고 있지 않다.

③ 청유형 어미는 화자가 청자에게 같이 행동할 것을 요청하는 뜻을 나타내는 어미로 '-자'와 같이 나타나는데, (나)에는 이러한 청유형 어미가 나타나 있지 않다.

❹ (가)는 2연의 '겨울 짐을 부릴 때도 되고', '울타리를 헐 때도 된다'에서 유사한 문장 구조를 반복하고 있고, (나)는 2, 3행의 '아무것도 가진 것 없어 보이는 / 아무것도 피울 수 없을 것처럼 보이는', 19, 20행의 '아무것도 가진 것 없을 거라고 / 아무것도 키울 수 없을 거라고'에서 유사한 문장 구조를 반복함으로써 시적 의미를 강조하고 있다.

⑤ (가)와 (나) 모두 청자를 겉으로 분명하게 드러내 보이고 있지는 않다.

2. ④   시어의 의미와 기능 이해하기

① ㉠ '개나리'는 '먼저 든 햇빛'에 피어났으므로 '햇빛'과 대비된다고 볼 수 없고, ㉡ '들풀'은 '햇살'을 기다리고 있으므로 '햇살'과 대비된다고 볼 수 없다.

② ㉠ '개나리'는 '처음' 노란 빛을 보이고 있으므로 '처음'과 어울린다고 볼 수 있으나, ㉡ '들풀'은 '저만치' 밀려오는 햇살을 기다리고 있을 뿐 '저만치'와 어울린다고 볼 수 없다. 또한 둘 다 근원적 외로움과는 관련이 없다.

③ ㉠ '개나리'는 '보실보실' 피어나 있고 ㉡ '들풀'은 '고만고만' 모여 앉아 있는 것으로, 둘 다 숭고한 희생과는 관련이 없다.

❹ ㉠ '개나리'는 '먼저 든 햇빛'에 '노란 빛'으로 피어난 것이고, ㉡ '들풀'은 겨울 들판에서 '초록빛 싱싱한' 모습이므로 ㉠은 '노란 빛'과, ㉡은 '초록빛'과 조응하여 생명성을 환기한다고 볼 수 있다.

⑤ ㉠ '개나리'는 햇빛에 '피어서' 있고 ㉡ '들풀'은 '모여 앉아' 햇살을 기다리고 있는 것으로, 둘 다 상실감을 부각하고 있다고 볼 수 없다.

3. ③   외적 준거에 따라 작품 감상하기

① (가)는 2연에서 봄에 '멀리 간 것이 다 돌아온다'고 하여 소멸했던 것이 소생한다는 인식을 드러내고 있다. 또한 (나)는 5, 6행에서 '매운 바람'도 '맞을 만치 맞으면 / 오히려 더욱 따사로움을 알았다'고 하여 겨울의 매서운 추위 속에서 따사로움을 발견하며 겨울을 소생의 가능성이 내재된 계절로 인식하는 태도를 드러내고 있다.

② (가)는 5, 6연에서 '꽃'이 '짧은 가을 해에 / 어디쯤 갔다가', '길어지는 봄 해를 따라' '몇 천리나 와서' '찬란한 꽃밭'을 이룬다고 한 것을 통해 가을에서 봄으로의

계절의 순환이 드러난다. 또한 (나)는 7, 8행에서 '아직 덜 녹은 눈발이 / 땅의 품안으로 녹아들기를 꿈'꾼다는 것을 통해 겨울에서 봄으로의 계절의 순환이 나타난다.
❸ (가)의 7연에서 '묵은 빨래뭉치'가 풀려서 '봄빛을 따라나와' '겨울 산 뼈를 씻'는다는 것에는 계절의 변화에서 발견한 희망의 이미지가 드러난다고 볼 수 있다. 그러나 (나)의 12, 13행에서 '신발 아래 질척거리며 달라붙는 / 흙의 무게가 삶의 무게만큼 힘겨웠지만'에는 희망의 이미지가 드러나 있지 않다.
④ (가)는 4연에서 '버들강아지는 버들가지로'와 '사람은 사람에게로'를 연결하여 계절의 변화에 따른 자연현상을 인간의 삶과 관련짓고 있고, (나)는 17행에서 '겨울 들판이나 사람이나'에서 '겨울 들판'과 '사람'을 연결하여 그와 관련한 깨달음을 드러내고 있다.
⑤ (가)는 4연에서 '죽은 것과 산 것이 서로 돌아서서 / 그 근원에서 상견례를 이룬다'고 하여 화자가 지향하는 화합의 가치를 드러내고 있다. 또한 (나)에서는 18행~21행에서 '가까이 다가서지도 않으면서' '함부로 말하지 않기로 했다'는 겨울 들판에서 얻은 깨달음을 통해 화자가 지향하는 태도를 드러내고 있다.

【4~6】 (가) 이육사, '광야'

작품해설

이 시는 일제 강점기를 지낸 저항 시인인 이육사의 대표작이다. 시인은 '광야'라는 공간을 설정하고 과거의 시간과 미래의 시간을 제시하면서 강인한 지사의 의지와 미래 지향적인 역사의식을 남성적 어조로 보여 주고 있다. 열악한 현실 상황을 '눈 내리는 겨울'로 설정하고, 다시 살아날 생명의 근원을 '씨'로 설정하는 등 상징적인 소재가 나타난다. 또한 명령형의 종결 어미가 자신에게 귀결되면서 내면의 힘을 강하게 전달하고 있다.
- **갈래** : 현대시
- **성격** : 의지적, 저항적, 참여적, 미래 지향적
- **특징**
  - 독백적 어조로 내면의 신념을 나타내고 있음.
  - 설의법, 의인법, 상징법 등 다양한 수사법이 나타나고 있음.
  - '과거-현재-미래'로 이어지는 시간의 흐름에 따라 시상을 전개하고 있음.
- **제재** : 광야
- **주제** : 독립을 향한 자기희생과 독립에 대한 확신

(나) 박용래, '울타리 밖'

작품해설

이 작품은 울타리 밖에도 화초를 심는, 즉 자연의 속성대로 살아가는 마을의 모습을 담고 있다. 인위적인 요소의 개입 없이 자연의 순리대로 자연스럽게 살아가는 마을 사람들의 모습 속에서 자연 친화적인 삶의 모습이 드러나 있다. 다양한 비유적 표현과 시각적 심상으로 시적 대상을 생생하게 전달하고 있다.
- **갈래** : 현대시
- **성격** : 향토적, 자연 친화적
- **특징**
  - 시각적 심상과 비유적 표현을 활용하여 인물과 풍경을 나타내고 있음.

  - 동일한 연결 어미를 반복하여 시적 대상의 동질성을 부각하고 있음.
  - 하나의 시어로 연을 구성하여 강조의 효과를 살리고 있음.
- **제재** : 울타리 밖에도 화초를 심는 마을
- **주제** : 천연히 살아가는 마을 사람들과 자연의 조화

4. ③ 표현상의 특징 파악하기

① '어데 닭 우는 소리 들렸으랴'와 같은 설의적 표현을 통해 아무것도 존재하지 않았던 원시성을 지닌 태초 광야의 모습을 강조하고 있다.
② '모든 산맥들이 / 바다를 연모해 휘달릴 때도'에서 '산맥'을 인격화하여 '차마 이곳을 범하던 못하였'을 것이라고 추측하여 산맥도 범할 수 없었던 광야의 신성성을 부각하고 있다.
❸ '부지런한 계절이 피어선 지고'에서 '계절'이라는 추상적 개념을 '꽃'으로 구체화하여 시간의 흐름과 계절의 순환을 나타내고 있지만, 광야의 생성과 소멸을 나타낸 것은 아니다.
④ '머리가 마늘쪽같이 생긴', '한여름을 알몸으로 사는'과 같은 시각적 심상을 활용하여 소녀와 소년과 들길이 있는 고향의 모습을 선명하게 나타내고 있다.
⑤ '그 길에 아지랑이가 피듯 태양이 타듯 / 제비가 날듯 길을 따라 물이 흐르듯'과 같은 비유적 표현을 활용하여 '천연히' 있는 마을의 모습을 나타내고 있다.

5. ⑤ 시어의 의미 이해하기

① ㉡(화초)은 마을의 모습을 보여 주는 소재이지, 화자를 성찰하게 하는 소재가 아니다.
② ㉠(초인)은 '지금 눈 나리'는 광야의 상황을 극복하고, 화자가 뿌린 '가난한 노래의 씨'가 자란 뒤 '노래'를 부르는 존재이므로, 공간의 황폐함을 심화하는 존재가 아니다.
③ ㉠(초인)은 '지금 눈 나리'는 광야의 상황을 극복할 수 있는 존재이므로 공간의 변화를 가져온다고 볼 수 있으나, ㉡(화초)은 현재 공동체의 모습을 보여 주고 있으므로 공동체 인식 전환을 일으킨다고 볼 수 없다.
④ ㉠(초인)은 화자의 지향점과 같은 존재이므로 화자가 위화감을 느끼게 한다고 볼 수 없다.
❺ ㉠(초인)은 화자가 지향하는 이상, 즉 '가난한 노래의 씨'가 자란 뒤 '노래'가 불리게 될 미래를 실현하는 존재이다. ㉡(화초)은 화자가 지향하는, '울타리 밖에도 화초를 심는 마을'의 모습을 보여 주는 소재이다.

6. ① 외적 준거를 활용하여 작품 감상하기

❶ 〈보기〉에 따르면 (가)는 화자가 미래 지향성을 보이는 시이다. 화자가 발전된 미래를 기대하며 현재 상황을 극복하고자 하는 것은 맞지만, '큰 강물이 비로소 길을' 연 것은 인간의 문명이 시작된 과거의 광야의 모습을 보여 주는 것이지, 발전된 미래를 향한 희망을 확인하는 것과는 관련이 없다.
② 화자는 '가난한 노래의 씨'를 뿌려 현재의 고난을 극복하려 한 것이므로, 화자가 현재의 결핍을 인식한 것이라고 볼 수 없다.

③ 〈보기〉에 따르면 (나)는 화자가 과거 지향성을 보이는 시이다. 순수한 '소녀'와 '소년', '사랑스러운 들길'이 있는 마을은 '천연'한 모습을 하고 있으므로, 화자가 고향을 훼손되지 않은 원형으로 여기고 있음을 알 수 있다.
④ '잔광'이 부시고 '별'이 뜨는 아름다운 마을의 모습을 묘사한 것을 통해 화자가 마을을 긍정적으로 인식하고 있음을 알 수 있다.
⑤ 〈보기〉에 따르면 과거 회상을 현재 시제로 표현하는 것은 과거 공간이 존속하기를 바란다는 의미이다. 따라서 '마을'에 대한 과거 회상을 '있다'라는 현재 시제로 표현한 것을 통해 화자가 마을의 모습이 존속하기를 소망하고 있음을 알 수 있다.

왜 많이 틀렸을까?

이 문제는 이번 시험에서 가장 많은 학생들이 오답을 고른 문제였어. 혹시 시간이 부족했니? 오답률이 높은 문제들이 문제 후반부에 등장하는 경우는, 진짜 몰라서 문제를 못 푼 것이 아니라 시간이 부족해서 급한 마음에 답을 고른 경우가 많은 것 같아. 그리고 또 하나는 자신이 고른 선지가 정답이라고 생각해서 고른 게 아니라, 다른 선지가 정답이 아니라고 생각해서 나머지 하나의 선지를 정답으로 고른 경우도 오답률을 높이는 원인이 되지. 이 문제에서 가장 헷갈렸던 건 아마 ①번의 '비로소'라는 말이 아닐까 싶어. 미래 지향적인 느낌이 강하게 풍기는 부사어잖아. 그러니까 이것이 화자의 미래 지향적인 자세와 관련이 있다고 생각했을 거야. 그러니 ①번은 당연히 정답이 아니라고 생각하고 넘어가다 보니 오답률이 높아진 거지.
시에 나타난 시어들은 모두 평소에 쓰던 의미들과 다를 수 있다는 것을 꼭 명심해야 해. 시어들은 시 속의 맥락에 큰 영향을 받으니, 맥락 안에서 시어의 의미를 파악해야 하는 거지. '큰 강물이 길을' 연 것은 '까마득한 날'이야. 즉 과거의 시간이지. 시 전체가 미래 지향적으로 달려가고 있다고 해도, ①번 선지에 해당하는 내용은 광야의 정당성을 위해 제시된 과거의 내용이라는 것을 잊지 말자.

【7~9】 (가) 김영랑, '모란이 피기까지는'

작품해설

이 시는 모란이 피고 지는 과정을 통해 소망을 기다리는 마음과 그것이 이루어진 후에 느끼는 슬픔과 절망을 보여 주고 있다. 그리고 다시 그 소망이 이루어지기를 바라는 마음을 담아 시를 마무리하고 있다. 표면에 드러난 시적 화자는 '설움', '서운케', '섭섭해'와 같은 시어를 통해 자신의 감정을 직접적으로 표현하고 있다.
- **갈래** : 현대시
- **성격** : 유미적, 낭만적, 상징적
- **특징**
  - 수미상관 구조로 시적 안정감을 유지하고 있음.
  - 섬세하고 아름다운 언어를 사용하고 있음.
  - 역설적 표현을 사용하여 표현 의도를 강조하고 있음.
- **제재** : 모란의 개화와 낙화
- **주제** : 소망이 이루어지기를 간절히 기다리는 마음

- **중요 시어 및 시구 풀이**
  - 모란이 뚝뚝 떨어져 버린 날: 하강적 이미지를 통해 절망감을 표현함.
  - 봄을 여읜 설움: 모란이 떨어진 슬픔, 삶의 보람이 무너진 순간의 비애를 표현함.
  - 모란이 지고 말면 그뿐, 내 한 해는 다 가고 말

아: 모란이 인생의 의미 그 자체라고 과장되게 표현함으로써 유미주의적 태도를 보여 주고 있음.
• 찬란한 슬픔의 봄을: '슬픔'이라는 관념을 시각화하였고, 역설적 표현으로 감정을 강조하였음.

(나) 함민복, '그날 나는 슬픔도 배불렀다'

작품해설

시적 화자는 고단한 삶 속에서도 열심히 살아가는 중국집 젊은 부부의 삶을 관찰하여 형상화하고 있다. 시적 화자는 자신의 대학 등록금을 위해 형님네가 사글셋방으로 이사를 갈 정도로 금전적으로 풍요롭지 못한 삶을 살고 있다. 이러한 절망 속에서, 중국집의 젊은 부부가 씩씩하게 살아가는 것을 보며 자신의 삶을 성찰하고 있다.

■ 갈래 : 현대시
■ 성격 : 서정적, 시각적, 성찰적
■ 제재 : 중국집 젊은 부부
■ 주제 : 힘든 상황 속에서 열심히 사는 모습의 소중함

7. ① 　　표현상의 특징 파악하기

❶ '모란', '떨어져 누운 꽃잎' 등 시각적 이미지는 등장하나, 색채어가 활용된 부분은 확인할 수 없다.
② 1~2행의 '모란이 피기까지는 / 나는 아직 나의 봄을 기둘리고 있을 테요'가 마지막 11~12행에서는 '모란이 피기까지는 / 나는 아직 기둘리고 있을 테요 찬란한 슬픔의 봄을'로 변형되어 반복되고 있다. 이러한 수미상관을 통해 시의 주제가 강조된다.
③ 12행의 '나는 아직 기둘리고 있을 테요 찬란한 슬픔의 봄을'에서 '찬란한 슬픔의 봄을'의 위치를 문장 뒤로 보내는 도치의 방법을 사용함으로써 시적 의미를 강조하고 있다.
④ '뚝뚝'이라는 음성 상징어를 사용하여 꽃잎이라는 대상의 움직임과 시적 화자의 절망적인 인상을 드러내고 있다.
⑤ '설움', '서운케 무너졌느니', '섭섭해 우옵네다', '찬란한 슬픔'에서 시적 화자의 슬픔이 직접적으로 드러나고 있다.

8. ④ 　　시어의 의미 파악하기

① ⓐ는 모란이 떨어져 슬픔을 느꼈던 날이므로 대상과의 소통이 확대되지 않았고, ⓑ는 젊은 부부를 보고 성찰한 시간이므로 대상과의 소통이 단절되었다고 말할 수 없다.
② ⓐ는 모란이 떨어져 슬픔을 느꼈던 날이므로 대상과 유대감을 느끼지 못했고, ⓑ는 젊은 부부를 보고 성찰한 시간이므로 대상과 거리감을 느끼는 시간이 아니다.
③ ⓐ는 모란이 떨어져 슬픔을 느꼈던 날이므로 희망과 관련이 없고, ⓑ는 젊은 부부를 보고 성찰한 시간이므로 권태와 관련이 없다.
❹ ⓐ는 모란이 떨어져 소멸하는 것을 보고 슬픔을 느낀 시간이고, ⓑ는 씩씩하게 살아가는 젊은 부부를 보고 힘든 삶(슬픔) 속에서의 아름다움을 발견한 시간이므로 적절하다.

⑤ ⓐ는 모란이 떨어져 슬픔을 느꼈던 날이므로 현실에 대한 비판적 태도와 관련이 없고, ⓑ는 젊은 부부를 보고 성찰한 시간이므로 미래에 대한 희망이 드러난 시간이라고 할 수 있다.

9. ⑤ 　　외적 준거를 통해 감상하기

① '섭섭해 우옵네다'에서는 절망감이, '아직 기둘리고 있을 테요'에서는 희망이 느껴진다. 이 두 태도는 대비를 이루고 있는데, 〈보기〉의 내용처럼 대비되는 정서나 태도는 대상에 대한 화자의 인식을 강조하는 효과가 있다.
② '찬란한 슬픔'은 모순된 표현인데, 〈보기〉의 내용처럼 모순된 표현을 쓰면 표면적 진술 너머에 있는 보다 높은 차원의 인식을 보여 줄 수 있다.
③ '연약한 반죽'에는 중국집 젊은 부부의 힘든 삶이, '튼튼한 미래'에는 그들의 희망이 나타나고 있다. 이는 〈보기〉의 내용처럼 이미지의 대비를 통해 희망을 잃지 않는 젊은 부부의 건강한 삶을 강조한다고 볼 수 있다.
④ 시적 화자는 중국집 젊은 부부를 처음에는 '이상한' 부부라고 생각했지만, 나중에는 그 모습이 '눈물처럼 아름다워'라고 말하고 있다. 이러한 대비는 〈보기〉의 내용처럼 중국집 젊은 부부에 대한 화자의 긍정적 인식을 부각한다.
❺ '슬픔도 배불렀다'에는 모순된 진술이 드러나는데, 〈보기〉의 내용처럼 이러한 모순된 진술은 표면적 진술보다 높은 차원의 인식을 보여 준다. 시적 화자는 중국집 젊은 부부의 삶을 통해 힘든 삶 속에서의 아름다움을 깨닫고 있는 것이지, 자신의 삶에 만족하고 있는 것은 아니다.

Day 07
본문 040쪽

| 1. ① | 2. ④ | 3. ③ | 4. ① | 5. ② |
| 6. ④ | 7. ⑤ | 8. ④ | 9. ② | |

【1~3】 (가) 김영랑, '사개 틀린 고풍의 툇마루에'

작품해설

적막한 밤에 달이 떠오르기를 기다리며 자연의 질서에 감응하는 모습을 그리고 있는 작품이다. 고요한 밤에 달이 아주 조금씩 떠오르면 감나무 그림자가 고풍의 툇마루에 깔리게 될 것을 연상시키고 있다. 이 시는 달이 만든 감나무 그림자와 화자의 그림자만 존재하는 정경을 그려내고 있다. 이로써 화자가 대면하게 되는 것은 달이 떠오르기만을 기다리는 외롭고 가냘픈 자신의 모습이지만, 자연을 자신과 교감을 이루는 주체로 인식하고 있다.

■ 갈래 : 자유시, 서정시
■ 상황 : 달밤의 고요함과 적막함, 달을 기다리며 온 신경을 집중하고 있음
■ 정서 및 태도 : 외로움
■ 주제 : 달밤의 운치, 고요함과 적막함
■ 특징
　－ 음성 상징어의 사용
　－ 시선의 이동에 따른 시상 전개 : 달빛→감나무 그림자→화자의 그림자
　－ 감각의 전이 : 달의 움직임→발짓→소리
　－ 의인법 : 그림자→벗

같은작가 다른기출

2020학년도 9월 모의 수능 '청명'
2015학년도 9월 모의 수능 '모란이 피기까지는'
2010학년도 6월 모의 수능 '거문고'
2005학년도 6월 모의 수능 '독을 차고'
2003학년도 대수능 '내 마음을 아실 이'

(나) 정진규, '따뜻한 달걀'

작품해설

봄빛이 뚜렷해지기를 기다리며 자연과 온몸의 감각을 통해 감응하는 화자의 모습을 그려내고 있다. 봄비가 내리는 절기인 우수를 전후해 화자는 고향의 산 여울을 뛰어 건너는 발자국 소리와도 같은 봄의 기척을 느낀다. 우수로 인한 자연의 변화가 손에 잡힐 듯 다가오자, 화자는 따뜻한 달걀을 꺼내며 개구리가 깨어나는 절기인 경칩이 다가오기를 기대하게 된다.

■ 갈래 : 자유시, 서정시
■ 상황 : 우수 즈음의 봄 기운을 느끼며 완연한 봄을 기대하고 있음
■ 정서 및 태도 : 봄이 오는 것에 대한 기대감
■ 주제 : 완연한 봄을 기대하며 자연과 교감하고자 함.
■ 특징
　－ 의인화 : 봄을 의인화함
　－ 추상적 대상의 구체화 : 여울의 소리→봄의 발자욱 소리→새끼발가락을 만질 수 있음
　－ 명사형 종결, 행간 걸침으로 시상을 집약

– 구체적 절기를 제시하여 계절적 배경을 드러
냄

1.① 표현상의 공통점 파악하기

❶ (가)의 '사뿐'은 '소리가 나지 아니할 정도로 가볍게 발을 내디디는 모양'을, '보시시'는 '살포시'와 비슷한 말로 '포근하게 살며시'의 뜻을 가진다. 이러한 음성 상징어를 통해 고요함 속에 달 그림자가 소리도 없이 조금씩 이동하는 모습을 강조하고 있다. 한편 (나)의 '찰박대며'는 '찰바닥대다'의 준말로 '얕은 물이나 진창을 거칠게 밟거나 치는 소리가 자꾸 나다'의 뜻을 지닌다. 산여울을 뛰어 건너는 발자국 소리와도 같은 봄의 기척이 느껴짐을 생동감 있게 표현하고 있다.
② (가)와 (나) 모두 원경과 근경의 대비는 나타나지 않는다.
③ (가)에서 '벗'은 화자의 외로운 그림자를, (나)에서 '그'는 봄기운을 빗댄 것이다. (가)와 (나) 모두 청자를 명시적으로 드러내어 화자의 바람을 표출하고 있다고 보기 어렵다.
④ (가)에서 달 그림자가 '깔리우면'이라는 가정의 진술을 활용하여 달이 떠오르기를 바라는 화자의 기대를 드러내고 있을 뿐, 현실 극복의 의지를 드러내고 있는 것은 아니다. (나)에서는 가정의 진술을 찾아볼 수 없다.
⑤ (가)는 '들려오리라'라는 추측을 나타내는 표현으로 시상을 종결하여, 곧 떠오를 달에 대한 기대감을 드러내며 시적 여운을 형성하고 있다. 그러나 (나)는 추측을 나타내는 표현으로 시상을 종결하고 있지 않다.

2.④ 시어의 의미 이해하기

① (가)의 '사개 틀린 고풍의 툇마루'는 오랜 세월의 흔적을 간직한 일상적 삶의 공간으로 볼 수 있지만, (나)의 '산 여울'은 이와 연관 짓기 어렵다.
② (가)의 화자는 달을 기다리며 온 신경을 집중하고 있고, (나)의 화자는 봄이 완연해지기를 기대하고 있다. 이를 보아 두 화자가 현실을 관조하며 자신을 스스로 성찰하고 있다고 보기 어렵다.
③ (가)에서는 달이 '떠오를' 것이라는 표현에서 상승적 이미지가 나타나지만, (나)에서는 대상의 하강하는 이미지가 나타나지 않는다.
❹ (가)에서 화자는 '툇마루에 없는 듯이 앉아' 말없이 달이 떠오르기만을 기다리고 있으며, 자신의 그림자를 '외론 벗'이라 표현하고 있다. 따라서 '툇마루'는 고독하고 적막한 상황이 형상화되는 공간이라 할 수 있다. (나)의 '산 여울'은 우수를 지나 경칩으로 이어지며 계절의 변화가 느껴지는 곳으로, 생동하는 청량한 봄의 기운이 형상화되는 공간이라 할 수 있다.
⑤ (가)에는 달이 떠오를 것이라는 기대감이 나타나 있지만, 지나온 삶에 대한 그리움은 나타나지 않는다.

3.③ 외적 준거를 통해 작품 감상하기

① (가)의 화자는 '아무런 생각 없이', '아무런 뜻 없이', 그리고 '말없이 몸짓 없이' 움직임과 소리를 자제하며 달이 떠오르는 것을 보기 위해 온몸의 감각을 집중하고 있음을 알 수 있다.

② '찰박대며 뛰어 건너는' 소리를 듣다가 '그 새끼발가락'을 만지게 되었다는 것은 봄빛이 점점 뚜렷해지고 있음을 표현한 것이다.
❸ (가)와 (나)의 화자는 순환적 질서에 따라 찾아올 자연 현상에 대해 기대하고 있지만, 그것이 지연되는 것에 대한 조바심을 드러내지는 않는다.
④ (가)에서는 달이 뜨는 것을 '이 밤 옮기는 발짓'으로 표현하고 있고, (나)에서는 봄빛이 뚜렷해지는 것을 '진솔 속곳을 갈아입고 / 그가 왔다'라고 표현하며 자연을 행위의 주체로 인식하고 있다.
⑤ (가)의 화자는 달이 만든 '내 그림자'를 '벗' 삼아 '서로 맞대고 있으려'는 데서 자연과 감응한다고 볼 수 있다. (나)의 화자는 그를 위해 집어든 '달걀'에서 따뜻한 온기를 느끼고 '경칩이 멀지 않다'고 생각한다는 데서 미리 절기를 예감하며 자연과 교감한다고 볼 수 있다.

【4~6】 김춘수, '분수'

작품해설

물이 위로 솟구쳤다가 흩어지는 '분수'를 소재로 하여 끝없는 동경과 계속되는 좌절 속에서 깨닫는 숙명적인 그리움을 노래한 작품이다. 시적 화자는 공중의 일정한 지점까지 솟구쳤다가는 여러 갈래로 갈라져서 무수한 물방울이 되어 수면 위로 떨어지는 분수를 보며 안타까운 그리움을 느끼며 이 발돋움과 좌절의 원인을 추적해 나가고 있다. 1, 2, 3연으로 시가 점점 진행되면서 시적 화자의 물음으로, 3에서는 마침내 숙명을 받아들이고 스스로 해답을 얻어 깨달음에 이르는 물음으로 발전한다. 그리하여 계속되는 발돋움과 좌절의 반복이 그리워하도록 숙명을 타고난 그 영원한 그리움으로 말미암은 것임을 깨닫는다.
■ **갈래** : 자유시, 서정시
■ **성격** : 감각적, 의지적, 관념적, 상징적
■ **주제** : 끝없이 다시 발돋움하게 하는 영원한 그리움
■ **특징**
– 분수의 속성을 통해 이상 추구와 그에 따른 좌절을 형상화함
– 분수에 인격을 부여하여 의인화함
– 의문형 종결 어미 '~하는가'를 반복하여 각운을 형성하고 의미를 강조함
– 상승의 이미지와 하강의 이미지 대비를 통해 이상 추구와 좌절이라는 주제를 형상화
– 유사한 통사 구조의 반복을 통해 운율 형성 및 의미 강조
– '분수'라는 구체적 사물을 관념화, 추상화하여 표현
■ **작품 구성**
– 1연 : 이상 추구와 그에 따른 좌절과 아픔을 겪는 분수의 모습
– 2연 : 솟구칠수록 떨어질 수밖에 없는 분수
– 3연 : 떨어지더라도 다시 솟구쳐야 하는 분수의 숙명

같은작가 다른기출
2019학년도 대수능 '샤갈의 마을에 내리는 눈'
2011학년도 6월 모의 수능 '강우'
2004학년도 대수능 '내가 만난 이중섭'

(나) 복효근, '틈, 사이'

작품해설

'찻잔'과 '콘크리트 벽'이라는 소재를 활용해 작가의 사색을 드러내고 있다. 화자는 대상에 대한 관조를 통해 '틈'과 '사이'가 사물에게 온전한 생명력을 부여하고 시련과 고통을 견딜 수 있게 하는 힘이 되어 줌을 인식한다. 그리고 이러한 인식을 인간관계에도 적용하여 인간관계 역시 적당한 거리가 있을 때 더 깊고 친근한 관계가 될 수 있다는 역설적인 발상을 전하고 있다.

■ **갈래** : 자유시, 서정시
■ **성격** : 관조적, 성찰적, 사색적, 비유적, 유추적
■ **주제** : 틈과 사이가 온전한 존재와 관계를 만든다는 역설적 깨달음
■ **특징**
– 일상적인 소재를 통해 얻은 깨달음을 유추적 수법을 통해 인간관계로 확장함
– 동일한 시어 '틈', '사이'를 반복하여 운율을 형성하고 의미를 강조함
– '틈'과 '사이'가 존재와 관계를 더욱 온전하게 만든다는 역설적 표현을 통해 주제를 강조
■ **구성**
– 1~11행 : 잘 빚어진 찻잔을 만드는 틈과 사이
– 12~16행 : 콘크리트가 시련과 고난을 견디는 힘을 주는 틈과 사이
– 17~23행 : 깊은 인간관계를 만들어 주는 틈과 사이

4.① 작품 간의 공통점 파악하기

❶ (가)는 '발돋움하는', '너', '왜' 등의 시어를 반복하여, (나)는 '틈, 사이'라는 시어를 반복하여 주제 의식을 드러내고 있다.
② 두 작품 모두 수미상관의 방식을 활용하지 않았다.
③ 두 작품 모두 음성 상징어를 활용하지 않았다.
④ 두 작품 모두 명사형으로 시상을 마무리하고 있지 않다.
⑤ 두 작품 모두 후각적 이미지를 사용하여 대상의 속성을 나타내고 있다.

5.② 외적 준거에 따라 작품 감상하기

① 공중으로 솟구치는 분수의 상승적 속성을 '발돋움하는' 모습으로, 여러 갈래로 갈라져서 무수한 물방울이 되어 수면 위로 떨어지는 분수의 하강적 속성을 추락하는 모습으로 형상화하고 있다.
❷ 분수가 '그리움으로 하여' '산산이 부서져서 흩어'지는 것은, 이상을 추구하며 자기 극복을 위해 노력하지만 결국 좌절하는 모습을 드러낸 것으로 볼 수 있다. 따라서 자신의 속성을 초월한 분수의 모습을 확인할 수 있다는 진술은 적절하지 않다.
③ 분수가 '모든 것'을 바치고도 '찢어지는 아픔'만을 가지는 것에서 이상의 추구를 위해 열정을 쏟으며 노력하지만 결국 산산이 흩어지며 좌절하는 분수의 속성을 확인할 수 있다.
④ '왜 너는 다른 것이 되어서는 안 되는가'라는 의문에서 현실의 한계에서 벗어날 수 없는 분수의 상황에 대

한 화자의 인식을 확인할 수 있다.

⑤ '떨어져서 부서진' 분수가 '선연한 무지개'로 '다시' 솟
는다는 것은 운명에서 벗어나기 위한 분수의 끝없는 도
전과 노력이 지속됨을 의미하고, 이는 순환성의 이미지
로 드러나 있다.

---

6. ④ 작품 감상의 적절성 파악하기

① [A]의 '틈 사이'는 '찻잔'이 '뜨거운 불김'을 견디며 잘
빚어진 찻잔이 되어 '비로소' '숨결로 살아 있는 생명력
을 지닌 존재로 거듭날 수 있게 해 주는 존재이다.

② [B]의 '틈, 사이'는 '차가운 눈바람과 비' 즉 시련과
고난, 역경을 막아 준다고 하였다.

③ [A]에서 '틈, 사이들'이 '찻잔의 형상을 붙잡고 있어'
찻잔의 형상을 온전하게 유지할 수 있게 된 것처럼, [C]
에서 '하나 되어 깊어진다는 것은 수많은 실금의 틈, 사
이를 허용하는 것인지도 모른다'라고 하는 것에서 '그대와
나'의 '틈, 사이'가 관계를 더욱 깊게 해줄 수 있다는 인
식을 드러내고 있다.

❹ [B]에서 '틈, 사이'에서 '진동과 충격을 견디는 힘'이
나온다는 의미는 '틈, 사이'는 시련과 고난을 견디는 힘
의 근원이 된다고 이해할 수 있다. [C]의 경우, '그대와
나'는 '틈, 사이'를 허용'하여 '슬픔의 눈물이 스며들 수
있게' 한다는 것에서 이해와 아량을 떠올릴 수 있지만
'틈, 사이'가 '슬픔'과 '눈물'의 근원이 될 수 있다는 인식
으로 이해하는 것은 적절하지 않다.

⑤ 화자의 시선은 [A]에서 '찻잔', [B]의 '콘크리트 건물'
과 그것들의 틈에 머물렀다가 [C]에서 '그대와 나'의 인
간관계의 '틈, 사이'로 향하면서, '벌어진 틈, 사이 때문
에 가슴 태우'던 상황이 아니라 '틈, 사이까지가 하나였
음'을 알게 되는 것으로 화자의 인식이 전환되고 있다.

【7~9】 (가), '정지용, 춘설(春雪)'

작품해설

이른 봄에 내린 '춘설'을 대하는 화자의 신비로운 감
정을 감각적으로 표현한 작품이다. 화자는 밤 사이
에 기대하지도 않았던 봄눈이 내린 것을 보고 경이
로움과 신선함을 느낀다. 특히 '문 열자 / 선뜻!'이
라는 구절은 봄날씨를 기대하고 문을 열었을 때 느
낀 추위에 대한 감상을 느낌표로 표현하며 시상을
효과적으로 전달하고 있다. 겨울이 지나가고 봄이
찾아오는 상황을 '흰 옷고름 절로 향기로워라'라는
감각적 표현을 통하여 언어적 감수성을 드러내고
있으며, '핫옷 벗고 도로 춥고 싶어라'라는 역설적
표현을 통하여 봄에 대한 설렘을 강조하고 있다.
■ 주제 : 이른 봄에 내린 '춘설'에 대한 감상

(나) 고재종, '첫사랑'

작품해설

이 시는 한겨울에 흔들리는 나뭇가지에 내려앉는
눈을 바라보며 얻은 시상에서 시작된다. 눈이 나뭇
가지에 앉는 풍경을 눈과 나뭇가지의 아름다운 사
랑에 빗대어 형상화하고 있는 이 작품은 '눈'에 여러
가지 의미를 부여하며 시상을 전개하고 있다. '눈'
은 흔들리는 나뭇가지에 '꽃'을 피우기 위해 많은 도
전을 하는 존재이자, 계속 미끄러져도 포기하지 않
는 존재, 햇솜 같은 마음을 다 내어주는 존재로 상
대에게 애정과 헌신어린 태도를 유지하고 있다. 그

결과 '세상에서 가장 아름다운 상처'가 탄생하며 추
운 시련 끝에 새로운 생명이 탄생하는 과정을 계절
의 변화에 따라 전개하고 있다.
■ 주제 : 눈꽃의 아름다움과 헌신적인 태도에 대한
예찬

---

7. ⑤ 작품 간의 공통점, 차이점 파악하기

① (가)는 '먼 산이 이마에 차라', '서늘옵고 빛난 이마받
이하다' 등의 촉각적 심상과, '흰 옷고름 절로 향기로워
라' 등의 후각적 심상 등을 활용하여 봄을 감각적으로
표현하고 있으나, 명암의 대비를 통해 화자의 내면을
드러내고 있는 부분은 없다.

② (나)에 수미상관의 방식으로 시적 안정감을 드러낸
부분은 없다.

③ (가)는 문을 열고 보이는 '먼 산', '새삼스레 눈이 덮
인 멧부리', '미나리 파릇한 새순' 등으로 이어지는 화자
의 시선의 이동에 따라 시상이 전개되고 있으므로, 공
간의 이동에 따라 시적 분위기를 조성하고 있다는 설명
은 적절하지 않다. (나)는 한겨울 나뭇가지에 눈이 쌓이
는 풍경을 눈과 나뭇가지의 사랑에 빗대어 표현하고 있
는 것으로, 눈이 나뭇가지에서 '미끄러지고 미끄러지길
수백 번'이라고 표현하고 있다. 시상이 겨울에서 시작하
여 결국 '봄이면 가지는 그 한번 덴 자리에 세상에서 가
장 아름다운 상처를 터뜨린다'라고 표현하는 것으로 보
아 시간의 흐름에 따라 시적 분위기를 조성한다는 설명
은 적절하다.

④ (가)에는 설의적 표현이 없고, (나)에는 '눈은 얼마나
많은 도전을 멈추지 않았으랴'와 같은 설의적 표현을 통
해 나뭇가지에 눈이 쌓이는 모습을 예찬하고 있다.

❺ (가)는 '우수절, 눈이 덮인 멧부리, 얼음, 미나리, 눈'
등의 시어를 통하여 겨울에서 이른 봄으로 넘어가는 계
절감을 표현하고 있다. 또한 (나)는 '눈, 햇솜, 봄' 등의
시어를 통하여 한겨울 나뭇가지에 눈이 쌓이는 풍경을
눈과 나뭇가지의 아름다운 사랑으로 형상화하고 있다.

---

8. ④ 작품을 종합적으로 감상하기

① [A]에서 화자는 바깥이 봄날씨라고 여기다가 '문 열
자' 마주친 풍경이 '먼 산이 이마에 차'다고 느끼자 놀라
워하며 그에 대한 감상을 '선뜻!'이라는 시어로 표현하
고 있다.

② [B]에서 '눈이 덮인 멧부리'가 실제로는 멀리 있는 존
재이나, 화자는 '서늘옵고 빛난 이마받이하다'라고 서술
하며 산과 자신이 느끼는 물리적 거리를 단축시키고 있
다. 이를 통해 봄의 생명력과 먼 산의 경치가 마치 이마
에 닿을 듯 차갑게 느껴진다고 표현한다.

③ [C] 겨울을 상징하는 '얼음'에 금이 가고 '바람'이 '새
로 따르거니'를 통해 겨울이 가고 봄이 오고 있다는 것
을 알 수 있으며, 봄바람에 휘날리는 '흰 옷고름'의 모양
을 '절로 향기로워라'라고 표현하며 다가오는 봄을 감각
적으로 표현하고 있다. 따라서 [C]를 통해 화자는 변화
하는 자연의 모습을 그려내고 있다는 설명은 적절하다.

❹ [D]에서 겨우내 몸을 움츠려 작게 하고 따뜻한 봄을
기다리는 생명체의 모습을 '옹숭거리고'라고 표현하며
이에 대해 '아아 꿈 같기에 설어라'라는 경이로움을 표
현한다. 이는 봄을 기다렸던 고난의 과정에 대한 경탄
과 서러움에 해당하므로, 이를 두고 화자가 겨우내 '옹
숭거리고' 살아온 자신을 돌아보며 자신의 태도를 허무

하게 여기고 있다는 설명은 적절하지 않다.

⑤ [E]에서 '미나리 파릇한 새순'이 돋고, 수면에서 움직
이지 않던 '고기 입이 오물거리는'는 모습을 통해 겨울
이 가고 봄이 오는 모습을 생동감 있게 표현하고 있다.

오H 많이 틀렸을까?

시어는 그 단어의 '문맥적 의미'를 제대로 파악하는 연습을
꼭 해야 해. 위에서 '옹숭거리고'라는 시어의 사전적 의미가
본문의 하단에 제시되어 있지. 성급한 마음에 그 단어의 뜻
만을 생각하면서 문제를 푸는 실수를 하면 안 된다는 뜻이
야. '시'는 시적 화자가 창조한 주관적 세계이지만 우리가
푸는 문제는 그 주관적 세계를 '객관적 언어'로 풀어내는
과정이거든. '옹숭거리고'라는 시어 뒤에 이어지는 말이 '아
아 꿈 같기에 설어라'라는 문장이야. '꿈'처럼 황홀했지만
동시에 '서러웠다'는 뜻을 포함하고 있지. 이를 통해 화자의
태도를 문제에 나온 선택지 중에 유추할 수 있을 거야.

---

9. ② 외적 준거에 따른 작품 감상하기

① (가)의 '얼음'에 금이 가고 새로운 봄의 기운이 깃든
'바람'이 '새로 따르'자 마치 '흰 옷고름'이 봄 바람에 흩
날리는 모습이 향기가 피어오르는 것처럼 느껴진다는
것을 '흰 옷고름 절로 향기로워라'라고 표현하고 있다.
이는 〈보기〉에서 언급한 '언어의 비유적인 결합, 감각
의 전이' 등을 통해 사물을 재인식하는 것에 해당한다.

❷ (가)의 '꽃 피기 전 철 아닌 눈'이란 '꽃'이 피는 봄이
라는 계절이 시작되었는데도 '철 아닌 눈' 즉, 이 시의
제목인 '춘설'이 내리자 역설적으로 '도로 춥고 싶어라'
라고 표현하며 마지막 추위를 견뎌내며 곧 다가올 봄을
기다리는 시적 화자의 의지와 설렘을 드러내고 있다.
따라서 이를 두고 돌아올 겨울에 대한 화자의 기대감을
드러내고 있다는 설명은 적절하지 않다.

③ (나)의 '난분분 난분분'과 '미끄러지고 미끄러지길'은
'흔들리는 나뭇가지'에 내려앉는 '눈'의 모습을 시각적으
로 표현한 것으로 이는 훗날 '세상에서 가장 아름다운
상처'와 맞물리며 눈꽃을 피우기 위해 노력하는 눈의 모
습을 형상화한 것임을 알 수 있다.

④ (나)의 '눈'은 '싸그락 싸그락 두드'리 듯이, '난분분
난분분' 춤추 듯이 미끄러지며 나뭇가지에 안착하기 위
해 노력하고 있다. 이는 '바람 한 자락'에도 가볍게 '날
아갈 사랑'과도 같은 것이며 '햇솜 같은 마음', 즉 정성
과 사랑을 들인 후에야 '마침내 피워 낸 저 황홀'이라고
부를 수 있다고 하였다. 따라서 가지에 피어난 눈꽃은
'황홀'과 비유적으로 결합하여 눈의 노력이 결실을 맺는
기쁨이라고 볼 수 있다.

⑤ (나)의 '아름다운 상처'는 '아름다운'과 '상처'라는 모
순되는 시어가 결합한 것으로, 고난과 인내를 견디고
찾아오는 봄의 생명체의 아름다움을 역설적으로 표현
한 것이다.

Day 08 본문 043쪽

1. ③	2. ③	3. ④	4. ④	5. ④
6. ①	7. ③	8. ⑤	9. ③	10. ①

【1~3】 (가) 김종길, '성탄제'

작품해설

성탄절이 가까운 어느 날, 옛것을 찾기 힘들 만큼 변해 버린 도시에 내리는 눈을 바라보며 어릴 적 아버지가 보여주셨던 헌신적인 사랑에 대한 그리움을 노래하고 있다. 눈을 매개로 한 과거를 회상하는 구조와 '어두운', '빨알간', '눈', '붉은' 그리고 '서느런', '열' 등의 선명한 감각적 이미지의 대비 등을 활용하여, 세상이 바뀌어도 변치 않는 사랑이라는 가치의 소중함을 인상적으로 형상화하고 있다.

- **갈래** : 자유시, 서정시
- **성격** : 서정적, 회상적, 주지적, 문명 비판적
- **제재** : 성탄의 추억
- **주제** : 아버지의 정성과 사랑에 대한 그리움
- **어조** : 어린 시절을 회상하는 독백적 목소리 구성
- **특징**
  - 시각, 촉각적 이미지의 대비를 통해 선명한 인상을 제시
  - 회상 속 과거와 현재, 시골과 도시라는 배경의 대칭 구조를 통해 화자의 심리를 드러냄.
  - 특정한 날의 의미를 시적 상황과 연결하여 의미를 부각
  - 상징적인 시어를 통한 시상의 집약적 표현
- **시상전개**
  - 1~6연 : 과거 어린 시절에 대한 회상
  - 7~10연 : 삭막한 도시에서의 현실

(나) 한용운, '수(繡)의 비밀'

작품해설

임은 현재 곁에 없지만 임의 옷을 지으며 재회를 준비하는 화자의 모습을 통해, 임에 대한 변함없는 사랑을 드러내고 있는 작품이다. 화자는 임의 옷에 수를 놓으며 임을 사랑하는 데서 오는 아픔을 감내하며 임에 대한 사랑을 성숙시켜 가고 있음을 드러내고 있다. 임의 옷을 짓는 과정에서 드러나는 화자의 태도를 통해 화자의 내면적 심리를 형상화하고 있다.

- **갈래** : 자유시, 서정시
- **성격** : 독백적, 의지적, 구도적, 상징적
- **제재** : 임의 옷
- **주제** : 당신에 대한 영원한 사랑
- **특징**
  - 수 놓는 행위를 통해 추상적인 관념을 형상화함.
  - 상징적·역설적 표현을 통해 화자의 인식을 드러냄.

1. ③ 표현상의 특징 파악하기

① (가)에는 첫 연을 끝 연에 다시 반복하는 수미상관의 방식이 드러나지 않으며, (나)에는 설의적 표현이 드러나지 않는다.

② (가)는 '-었다' 등의 종결 표현이 반복적으로 사용되고 있고, (나)에도 '-습니다', '-입니다' 등의 종결 표현이 반복적으로 사용되고 있다.

❸ (나)의 마지막 행에서 '짓고 싶어서 다 짓지 않는 것입니다.'라는 역설적 표현을 사용하여 겉보기에는 논리적으로 모순되어 보이나, 그 속에 '당신을 기다리는 화자의 마음을 드러내고 있다. (가)에는 역설적 표현이 드러나지 않는다.

④ (가), (나) 모두 후각적 이미지를 사용하지 않는다.

⑤ (가)에는 '어린 목숨', '서른 살'이라는 시어를 통해 유년 시절에서 현재까지의 시간 흐름을 확인할 수 있지만, 이를 통해 화자의 태도 변화를 드러내고 있지는 않다. (나)에는 시간의 흐름이 드러나지 않는다.

참고자료

시의 표현 방법

문학에서의 시적 표현은 시의 주제나 화자의 정서를 형상화하는 데 기여하는 표현을 말하며 비유, 상징, 역설, 반어, 대구, 설의, 영탄, 도치, 열거, 점층 등의 다양한 표현 기법이 있다.

1. 비유는 표현하려는 대상을 다른 대상에 빗대어 나타내는 표현으로 표현하고자 하는 대상에 대해 특별한 의미나 효과를 얻기 위해 일반적인 연상에서부터 벗어나는 것을 말한다. 대표적으로 ~마치, ~처럼 등의 연결어인 직유법, ~는 ~와 같다라는 형식의 은유법, 사람이 아닌 것을 사람으로 표현하는 의인법, 생명이 없는 것을 있는 것처럼 표현하는 활유법, 원관념을 드러내지 않고 보조관념으로 뜻을 암시하는 풍유법 등이 있다.
2. 상징은 추상적인 개념이나 사물을 구체적인 사물로 나타내는 것인데, 상징법은 어떤 사물이나 특징을 직접 드러내지 않고 다른 사물에 비유하여 표현한다.
3. 역설은 어떤 주의나 주장하는 반대되는 이론이나 말을 뜻하며, 역설법은 논리적 이치에 맞지 않는 것을 일부러 표현하여 반대적 진리를 표현하는 것을 말한다.
4. 반어는 표현의 효과를 높이기 위하여 실제와 반대되는 뜻의 말을 하는 것으로, 반어법은 본래의 뜻과는 반대되는 말을 하여 문장의 의미를 강화하는 기법이다.
5. 대구는 비슷한 어조나 어세를 가진 어구를 짝지어 표현의 효과를 나타내는 수사법으로, 대구법은 수사법상 단조로움을 없애고 문장의 변화를 주는 방법으로 대우법, 대치법, 균형법이라고도 한다.
6. 영탄법은 슬픔이나 기쁨, 감동 등의 벅찬 감정을 강조하여 표현하는 법으로 고조된 감정을 그대로 드러내어 감탄의 형태로 표현한다.
7. 열거법은 서로 비슷하거나 같은 계열의 구절이나 내용을 늘어놓음으로써 서술하려는 내용을 강조하는 수사법이다.
8. 점층법은 말하고자 하는 내용의 비중이나 강도를 점차 높이거나 넓혀 그 뜻을 강조하는 표현 기법으로 작고 약하고 좁은 것에서 크고 강하고 넓은 것으로 표현을 확대해가는 것을 말한다.

2. ③ 시적 공간의 의미 이해하기

① ㉠은 어린 시절을 회상하며 기억하고 있는 공간으로, 자아 성찰과 관련이 없는 공간이다.

② ㉠은 '할머니'의 정성과 '아버지'의 사랑을 느낄 수 있는 공간으로, 화자와 대상과의 관계가 단절되어 있다고 볼 수는 없다.

❸ ㉡은 화자가 임을 그리워하며 기다리고 있는 곳으로, '당신'의 부재로 인해 소망이 실현되지 못하고 있는 공간으로 볼 수 있다.

④ ㉡은 화자가 수를 놓으며 '당신'을 기다리는 일상적 삶을 보내고 있는 공간으로, 초월적 공간으로 볼 수 없다.

⑤ ㉠과 ㉡은 모두 화자가 추구하는 이상적 공간이라고 보기 어렵다.

3. ④ 외적 준거에 따라 감상하기

① '외로이 늙으신 할머니'의 보살핌을 받는 어린 화자의 모습에서 〈보기〉에 드러난 어머니의 부재 속에서도 가족의 따뜻한 보살핌을 받으며 자란 화자의 성장 배경과 관련지어 이해할 수 있다.

② 성인이 된 화자는 삭막한 현실에서 어린 시절 '눈 속'을 헤치고 '약'을 구해 온 아버지의 사랑을 떠올리는데, 이러한 가족애는 현대인의 메마른 삶을 극복할 수 있는 인간애로 확장되는 경험임을 알 수 있다.

③ 옛것이 남지 않은 도시에서 마주한 '반가운 그 옛날의 것'은 '눈'을 의미한다. 이러한 소재는 어린 시절을 떠올리게 하는 과거 회상의 매개체로 작용한다고 볼 수 있다.

❹ '서느런 옷자락'은 앓고 있는 어린 화자를 위해 아버지가 눈 속을 헤치며 산수유 열매를 구해온 탓으로 느껴지는 촉감을 표현한 것이다. 따라서 이것은 화자가 아버지의 희생과 사랑을 떠올리게 하는 소재임을 알 수 있지만, 현대인의 메마른 삶을 형상화한 것으로 이해한 것은 적절하지 않다.

⑤ '내 혈액 속에 녹아 흐르는' 산수유는 할머니와 아버지가 화자에게 보여 준 사랑을 의미하는 것으로, 과거에서 현재까지 이어져 온 가족애를 나타내고 있다고 볼 수 있다.

【4~6】 (가) 김광균, '성호부근'

작품해설

이 작품은 달빛에 비친 겨울 호수의 경치와 정서를 감각적으로 표현하여 호숫가를 거니는 화자의 외로움과 고독함을 나타내고 있다. '양철', '은모래', '꽃밭', '빙설', '노을' 등의 시각적인 이미지와 '부서지는 얼음 소리', '호적 소리' 등의 청각적 이미지를 활용하여 차가운 달빛이 비치는 호수의 분위기와 황혼이 질 무렵의 차장 밖의 모습을 감각적으로 드러내고 있다.

- **주제** : 달빛이 비치는 겨울 호수의 차갑고 쓸쓸한 풍경

(나) 이성선, '논두렁에 서서'

작품해설

시적 화자는 갈아놓은 논고랑을 쳐다 보며 평온함을 느끼고 있다. 늘 혼자라고 생각했으나, 쳐다 본 물 속에는 나뭇가지, 햇살, 새 그림자, 나의 얼굴이 함께 존재하고 있다. 누구와 경쟁하거나 우열을 가릴 필요없이 모두가 평등하고 아름다운 존재가 되는 순간이다. 물 속의 풍경을 보면서 화자는 긴장하고 우왕좌왕하던 모습을 내려놓고 '본래의 내 모습'을 찾은 것 같은 편안함을 느낀다. 소박하고 꾸밈없

는 시어와 독백의 어조가 어울려 시의 분위기를 자아내고 있다.

■ **주제**: 논두렁에서 발견하는 내면의 평화로움

---

4. ② 　두 작품의 특징 파악하기

① (가)와 (나) 모두 음성 상징어를 사용하여 대상의 생동감을 강조한 부분이 나타나지 않는다.

❷ (가)에는 '스며든다', '눈부신 빛을 하다', '나부끼며' 등의 현재 시제를 활용하여 달빛이 비치는 겨울 호수의 분위기를 효과적으로 표현한다. (나)에는 '물을 본다', '무심하고 아주 선명하다' 등의 현재 시제를 활용하여 논두렁에 서서 고요하게 성찰하고 있는 화자의 시적 상황을 생생하게 표현하고 있으므로 적절한 설명이다.

③ (가)는 달빛이 비친 겨울 호수의 모습과 추억에 대한 화자의 내면 세계를, (나)는 논고랑에 고인 물을 바라보며 느끼는 평온함과 만족감을 독백의 형식으로 표현하고 있다. 따라서 (가)와 (나) 모두 청자와 대화하는 방식을 활용하여 주제를 형상화한다는 설명은 적절하지 않다.

④ (가)와 (나) 모두 시선을 원경에서 근경으로 이동하면서 시상을 전개하고 있는 부분은 찾을 수 없다.

⑤ (가)는 호수 주변의 정경을 감각적으로 표현하고 있으나 동일한 시어를 반복하고 있는 부분은 나타나지 않는다. 한편 (나)에는 논고랑에 고인 물을 보며 느끼는 소박한 만족감과 자아성찰을 하는 화자의 정서가 드러나 있으며, '나'라는 시어가 반복되어 있다.

---

5. ④ 　이미지를 중심으로 작품 이해하기

① '1'에서는 '한포기 화려한 꽃밭'이란 밤바람에 빛나는 호수의 아름다운 모습을 비유적으로 표현한 것이다. 또한 '1'의 초반에 제시된 '양철로 만든 달'은 마치 달까지 얼어붙는 차가운 겨울밤의 이미지를, '부숴지는 얼음 소리'는 차가운 겨울밤의 날카로운 이미지를 감각적으로 형상화하고 있다.

② '1'에서 '달이 하나 수면 위에 떨어지'는 모습은 하늘에 떠 있는 달이 수면 위에 반사되어 보이는 것을 표현한 것으로, 그 달은 마치 '양철로 만든'것처럼 차가운 이미지이며, 그 달이 떨어지는 것을 빗대어 '부숴지는 얼음 소리'라고 표현하고 있다. 이는 뒤에 이어지는 '여울가 모래밭'을 '홀로' 거니는 화자의 모습과 더불어 화자의 쓸쓸한 정서를 표현하고 있다.

③ '2'의 '강물'은 '길─게 얼어붙'은 모습으로 겨울의 정서를 함유하고 있으며 이는 '낡은 고향의 허리띠'를 연상하게 한다. 또한 '노을'은 차창에 서리는 모습이 '멀─리' 보이며, 어린 '향수처럼 희미한 날개를 펴'고 있다고 하였다. 따라서 '강물'과 '노을'을 통해 자신의 기억 속에 있는 고향에 대한 그리움을 표현하고 있음을 알 수 있다.

❹ '2'의 '희미한 날개를 펴고 있었다'는 고향과 추억에 대한 그리움이 안타까움으로 바뀌는 정서를 표현한 것이고, '3'의 '논둑 위에 서 있다'는 '서글픈 얼굴을 하고'라는 말과 어울리며 시구의 주어에 해당하는 '푸른 옷을 입은 송아지'의 정서를 대변하고 있다. 이를 두고 '송아지'의 '서글픈 얼굴'이 드러내는 정서가 극복될 수 있는 가능성을 암시한다고 보기는 어렵다.

⑤ '1'의 '조각난 빙설'은 지난 시절의 추억이 흩어진 상태를, '강물은 길─게 얼어붙고'는 한겨울에 얼어붙은 강물을 보며 추억 속의 고향을 그리워하는 것을, '앙상한 잡목림'은 이어지는 '하늘이 투명한 기폭을 떨어뜨리

고'와 어울리며 싸늘한 겨울의 이미지를 형상화하고 있다. 따라서 '조각난 빙설', '얼어붙'은 '강물', '앙상한 잡목림'과 같은 시구가 스산한 분위기를 자아내면서 애상적 정서를 심화하고 있다.

오H 많이 틀렸을까?

시어의 분위기를 파악할 때 제일 중요한 건 바로 이거야. 시어에서 느껴지는 '나'의 감정이 아니라, 시에 깔려 있는 정서를 먼저 파악해. '시적 화자'가 그 대상을 어떻게 바라보느냐를 생각해보는 것이 무엇보다 중요해. '서글픈 얼굴을 하고'와 '푸른 옷을 입은 송아지'를 단순히 '나'의 추측대로 넘겨 짚으면 안 된다는 거야. 이 시는 차가운 겨울밤에 느끼는 화자의 쓸쓸한 정서를 기반으로 하고 있는 작품이라는 걸 먼저 염두에 두어야겠지.

---

6. ① 　내적 준거에 의해 작품 감상하기

❶ 화자는 고인 물을 들여다보며 '늘 떨며 우왕좌왕하던' 자신의 모습이 이제는 '저 세상에 건너가 서 있기나 한 듯'이 선명하게 보인다고 하였다. 이는 더 이상 두려움에 떨던 자신의 과거의 모습이 지속되지 않는 것으로 볼 수 있다. 앞서 제시된 '거꾸로 서 있는 모습'은 자신의 본래 모습인 것처럼 아프지 않으며, '산도 곁에 거꾸로 누워 있다'라고 표현한 것으로 보아 '늘 떨며 우왕좌왕하던' 모습과 '곁에 거꾸로 누워 있는' '산'의 모습이 상반되는 이미지기 때문에 동일시하고 있다는 설명은 옳지 않다.

② '나'는 논고랑에 고인 물을 보면서 마음이 행복해짐을 느낀다. 자신의 얼굴과 더불어 '나뭇가지', '날아가는 새 그림자' 등을 보게 되고, '늘 홀로'이던 '나'는 '그들과 함께 있'음을 느낀다. 이를 두고 '누가 높지도 낮지도 않'으며 '모두가 아름답다'라고 표현한 것으로 보아 화자는 물에 비친 세상을 긍정적으로 보고 있음을 짐작할 수 있다.

③ 화자는 고인 물에 비친 자신의 '거꾸로 서 있는 모습'을 두고 '본래의 내 모습인 것처럼' 느끼고 있다. 이는 여지껏 '늘 떨며 우왕좌왕하던' 모습과는 상반되는 것으로 자신을 수용하는 태도가 드러난다.

④ 고인 물을 바라보는 '나'는 '나뭇가지', '햇살', '새 그림자'와 함께 있으며 그 모두가 아름답다고 느낀다. 이를 통해 화자는 자신이 혼자가 아니며 다른 존재들과 공존하고 있음을 발견하게 된다.

⑤ 물에 비친 자신의 모습은 원래의 모습과 반대로 '거꾸로 서 있는 모습'이며 오히려 이 모습이 자신의 모습인 것처럼 아프지 않다고 말한다. 즉, 화자는 물을 보는 행위를 통해 '늘 떨며 우왕좌왕하던' 모습에서 '무심하고 아주 선명'한 모습으로 탈바꿈하게 되었음을 알 수 있다.

[7~10] (가) 백석, '고야(古夜)'

작품해설

백석의 시 '고야'는 '옛날의 밤'이라는 의미로 시인의 어린 시절 '밤'과 관련된 두려움, 정겨움, 풍성함, 그리움에 대한 기억이나 경험을 드러내고 있다. 어린 시절의 화자에게 '밤'은 무섭고 두려운 생각에 겁이 났던 시간이자 전통적 풍속을 따르며 가족 공동체와 정겹게 함께한 풍요롭고 평온한 시간으로, 감각적 이미지를 통해 구체적으로 형상화되고 있다. 또한 이 작품에서는 백석의 작품에서 볼 수 있는 전형적인 특징이 잘 드러나고 있다. 우선 이북 방언인 정주 사투리를 그대로 쓰는데, 이를 통

해 시인의 고향에 대한 정서가 드러나고 있다. 또한 그의 시에는 음식과 관련한 내용들이 많은데 그렇다 보니 감각적 이미지가 탁월하게 사용되곤 한다. 특히 미각, 후각적 이미지의 사용이 돋보인다. 그리고 무술(巫術)의 소재가 자주 등장하며, 이야기 형태라는 것이 특징이다.

■ **갈래**: 현대시, 자유시, 서정시
■ **성격**: 향토적, 주술적
■ **제재**: 어린 시절 보낸 밤에 대한 기억
■ **주제**: 유년 시절 고향에 대한 화자의 그리움
■ **특징**
　• 이북 방언을 그대로 사용함.
　• 유년 시절의 기억을 이야기 형태로 드러냄.
　• 감각적 이미지를 통해 표현함.

같은작가 다른기출

2004학년도 9월 모의 수능 '흰 바람벽이 있어'
2004학년도 대수능 '고향'
2009학년도 6월 모의 수능 '여승'
2011학년도 9월 모의 수능 '적막강산'
2014학년도 6월 모의 수능 '팔원─서행시초3'

(나) 나희덕, '겨울산에 가면'

작품해설

'나이테'라는 상징적 소재를 통해 '어머니'의 자식에 대한 사랑을 형상화하고 있는 작품이다. 화자는 나이테를 인격을 지닌 존재로 형상화하여 나이테의 속성에서 어머니라는 존재의 속성을 이끌어내고 있다. 어머니라는 존재가 지니는 삶의 고달픔, 해산의 고통과 자식을 위한 희생, 어머니가 지닌 생산의 힘, 힘든 삶 속에서도 묵묵히 자식을 지켜보는 모습 등을 형상화하여 어머니에 대한 의미를 되묻고 있다.

■ **갈래**: 자유시, 서정시
■ **성격**: 비유적, 감각적, 관조적, 예찬적, 의인화
■ **어조**: 잔잔하면서도 애틋한 어조
■ **제재**: 나이테(어머니의 사랑)
■ **주제**: 헌신적인 어머니의 사랑
■ **특징**
　• 주객전도의 표현을 사용하여 시적 긴장감을 유발함.
　• 자연물(나이테)를 통해 기다림의 정서를 환기함.
　• 대상을 따뜻한 시선으로 바라봄.
　• 대상을 의인화하여 거리감을 좁힘.

같은작가 다른기출

2009학년도 6월 모의 수능 '못 위의 잠'
2015학년도 6월 모의 수능 '그 복숭아나무 곁으로'

---

7. ① 　표현상 특징 파악하기

❶ (가)는 2연의 '재밤', 3연의 '고무'와 같은 평안 방언을 사용하여 유년 시절 고향에서 느낀 정서를 드러내고 있지만, (나)는 방언이 사용되지 않았으므로 적절하다.

② (가)와 (나) 모두 명사형으로 시행을 종결하고 있지 않다.

③ (가)는 '도적놈들같이', '고래 같은', '다람쥐처럼' 등과 같은 비유를, (나)는 대상을 의인화하여 시상을 구체

화하고 있다.

④ (가)는 '새까만 대가리와 새까만 눈알'과 같이 색채어를 활용하여 대상의 특징을 드러내고 있다.

⑤ (가)는 '쿵쿵'이라는 음성 상징어를 활용하여 시적 상황을 부각하고 있다.

8. ⑤ 외적 준거를 통해 작품 감상하기

① 1연의 '밤'은 엄마와 단둘이 지내며 무서움을 느꼈던 시간으로, '소를 잡아먹는 노나리꾼들이 도적놈들'처럼 '쿵쿵거리는' 소리를 내며 다닌다는 청각적 이미지를 통해 구체적으로 형상화한 것이므로 적절하다.

② 2연의 '밤'은 '조마구'가 '새까만 눈알'로 자신을 들여다본다고 생각해 두려움을 느꼈던 시간으로, 시각적 이미지를 통해 '이불 속에서' 느끼는 두려움을 구체적으로 형상화한 것이므로 적절하다.

③ 3연의 '밤'은 가족 공동체와 보낸 정겨운 시간으로, '쇠든밤', '은행여름'을 먹는 행위, '이불' 위에서 '광대넘이'를 하는 행위, '엄매'에게 '이야기'를 듣는 행위의 나열을 통해 형상화한 것이므로 적절한다.

④ 4연의 '밤'은 '명절날' 먹을거리가 풍요로웠던 시간으로, '곰국'의 '구수한 내음새'라는 후각적 이미지와 화자가 '설탕 든 콩가루소를 먹'으며 '맛있다고 생각'하는 미각적 이미지를 통해 을 형상화한 것이므로 적절하다.

❺ 5연의 '밤'에서 화자는 '할미귀신'이 '냅일눈을 받기' 위해 '못 난다는 말'을 '든든히' 여기고 전통적 풍속을 따르고 있으므로, '할미귀신'을 든든히 여기고 있다는 진술은 적절하지 않다.

9. ③ 외적 준거를 통해 작품 감상하기

① 〈보기〉에서 현재 시제로 표현된 상황은 마치 지금 여기에서 벌어지고 있다고 느끼게 된다고 했다. 이는 (가)의 ㉠ '다닌다'에서 현재 시제를 사용하여 서술함으로써 소를 잡아먹는 '노나리꾼들'이 '쿵쿵거리며' 다니는 상황이 마치 지금 여기에서 벌어지는 것 같은 느낌을 유발하므로 적절하다.

② 〈보기〉에서 화자의 시적 체험을 현재 시제로 표현하게 되면 화자의 감정과 행위에 집중하게 된다고 했다. 이는 (가)의 ㉡ '받는다'에서 현재 시제를 사용하여 서술함으로써 '정한 마음'으로 '냅일물'을 받는 화자의 행위와 주관적 감정에 집중하게 하므로 적절하다.

❸ 〈보기〉에서 서정 갈래의 현재 시제는 물리적 시간으로서의 현재가 아니라고 했고, (나)의 ㉢ '있다'에서는 '밑둥만 남은 채 눈을 맞는 나무들'에 대한 인상을 현재 시제로 표현하고 있는데 이러한 시적 체험은 물리적 시간으로서의 현재가 아니므로 적절하지 않다.

④ 〈보기〉에서 서정 갈래의 현재 시제는 가상적 현재를 의미한다고 했고, 화자의 시적 체험을 현재 시제로 표현하게 되면 화자의 인식에 집중하게 된다고 했다. 이는 (나)의 ㉣ '보고 있다'에서 화자가 '나이테'를 보는 것이 아니라 '나이테'가 '나'를 보고 있다는 인식에 대해 현재 시제를 사용하여 서술함으로써 화자의 인식인 시적 체험을 가상적 현재로 표현하고 있으므로 적절하다.

⑤ 〈보기〉에서 상황에 대한 화자의 시적 체험을 현재 시제로 표현하게 되면 그 상황을 생생하게 느끼게 된다고 했다. 이는 (나)의 ㉤ '자라고 있다'에서 현재 시제를 사용하여 서술함으로써 '뿌리박힌 곳에서' '어린것들'이 '자라고' 있는 상황을 생생하게 느끼도록 하는 시적 효과를 얻고 있으므로 적절하다.

 왜 말이 틀렸을까?

〈보기〉에 제시된 문학 이론을 구체적인 사례에 적용하여 문제를 해결하는 유형인데, 단어의 의미에서 혼동이 온 것으로 보여. 서정 갈래의 현재 시제는 물리적 시간으로서의 현재가 아닌 가상적 현재를 의미한다고 했으므로. 특정할 수 없는 어느 시점에서의 시적 대상과 상황에 대한 화자의 시적 체험을 현재 시제로 표현하게 된다는 의미를 잘 파악해서 시적 상황과 그 의미를 이해할 수 있어야 해.

10. ① 시어의 의미 이해하기

❶ 화자는 '겨울산'에서 '나를 바라보는 나이테'를 통해, 해산한 여인의 땀을 흘리고, 도끼로 찍히고 베이고 눈 속에 묻히더라도 '고요히 남아서 기다리고 계신 어머니'의 자식을 향한 모성을 떠올리고 있으므로 적절하다.

Day 09

본문 047쪽

1. ④ 2. ② 3. ⑤ 4. ② 5. ①
6. ④ 7. ⑤ 8. ② 9. ④ 10. ④

【1~4】 (가) 정현종, '초록 기쁨―봄숲에서'

작품해설

봄의 밝은 햇살이 초록의 숲에 드리우는 광경과 나뭇가지, 흙, 하늘의 싱그러움을 감각적이고 묘사적으로 그리고 있는 작품이다. 나무는 생명의 에너지이며, 봄의 자연 풍경 속에서 화자는 평화와 안식을 느끼고 있으며 이를 예찬적인 어조로 표현하고 있다. 특히 햇빛을 '꽃들의 왕관', '비유의 아버지'라고 표현하며 초록과 하늘에 생명력을 부여한다.

- **갈래** : 자유시, 서정시
- **성격** : 예찬적
- **어조** : 찬미적
- **제재** : 봄의 숲
- **주제** : 봄의 숲의 생명력
- **중요 시구 및 시어 풀이**
  - 하늘 전체가 그냥 기쁨이며 신전이다 : 싱그러운 숲에 비치는 햇빛의 모습과 맑은 하늘의 아름다움을 표현함.
  - 내 코에 댄 깔대기와도 같은 하늘의, 향기 : 흙, 하늘, 나무의 향기를 들이마시는 장면을 비유적으로 표현함.

(나) 김영랑, '오월'(五月)

작품해설

1937년 '문장'에 실린 이 작품은 오월의 봄이 가득한 마을과 들길을 모습을 대비하며, 바람이 부는 들판과 바람에 흔들리는 보리의 모습, 들판에서 정겹게 우는 꾀꼬리의 모습과 다채로운 빛을 자랑하는 산봉우리의 모습을 시선의 이동에 따라 표현하고 있다. 특히 '이랑 이랑 햇빛이 갈라지고', '얇은 단장하고 아양 가득 차 있는' 등의 감각적이고 회화적인 이미지를 주로 사용하였다. 봄의 생동감을 표현하기 위해 막 이삭이 패이는 보리의 모습을 여인에 빗대어 표현하고, 꾀꼬리의 관능적 아름다움을 강조한 부분의 묘사가 눈에 띈다.

- **갈래** : 자유시, 서정시
- **성격** : 서정적, 시각적, 역동적
- **어조** : 묘사적
- **제재** : 오월의 봄
- **주제** : 오월에 느끼는 봄의 생동감. 오월의 아름다운 자연.
- **중요 시구 및 시어 풀이**
  - 꾀꼬리는 엽태 혼자 날아 볼 줄 모르나니 : 꾀꼬리의 암수가 짝을 이루고 다니는 모습을 다정한 연인에 비유하였다.
  - 얇은 단장하고 아양 가득 차 있는 산봉우리야 오늘밤 너 어디로 가 버리련? : 색색의 물감으로 채색한 듯한 산봉우리를 곱게 단장한 새색시의 모습에 비유하며, 아름다운 봄날의 풍경이 밤이 되어 시야에서 사라지는 것에 대한 아쉬움을 표현하였다.

1. ④ 　작품의 특징 바르게 이해하기

① (가)는 햇빛이 초록의 숲에 드리우는 모습을 감각적으로 표현하며 예찬하고 있고, (나) 역시 오월에 느끼는 봄의 생명력과 자연에 대하여 회화적으로 그리고 있다. 그러나 (가)와 (나) 모두 화자가 인식한 사물의 특징에서 삶의 교훈을 이끌어내는 부분은 없다.
② (가)와 (나) 모두 이상과 현실을 대비시켜 이상에 대한 화자의 염원을 나타내는 부분은 없다.
③ (가)와 (나) 모두 과거와 현재를 교차시켜 현실의 삶에 대한 반성의 태도를 드러내는 부분은 없다.
❹ (가)는 '해'를 가리켜 '모든 초록, 모든 꽃들의 왕관', '비유의 아버지', '큰 향기로운 눈 동자를 굴리며 넌지시 주고받으며 싱글거린다'로, (나)의 '보리도 허리통이 부끄럽게 드러 났다', '산봉우리야 오늘밤 너 어디로 가 버리련?'은 모두 자연물에 인격을 부여한 것이며 이를 통해 화자가 자연과 교감하는 모습을 확인할 수 있다.
⑤ (가)와 (나) 모두 자연의 아름다움과 생명력을 예찬하고 있을 뿐, 자연에 합일되지 못하는 인간의 고독감은 드러난 바가 없다.

2. ② 　표현상의 특징 파악하기

① 1연의 '모든 초록, 모든 꽃들의', '웃는다, 비유의 아버지답게', '해여, 푸른 하늘이여', '그 빛에, 그 공기에', '하늘의, 향기' 등에서 문장부호를 활용하여 호흡을 조절하며 시적 의미를 돋보이게 하고 있다.
❷ 표면적인 의미와 내포하고 있는 의미가 반대인 반어적 표현을 사용하여 숨은 의미를 나타내는 부분은 없다.
③ '초록', '하늘', '해', '~여', '향기' 등의 시어를 반복하며 햇빛이 비치는 생명력 어린 풍경을 묘사하며 그에 대한 예찬의 의미를 강조하고 있다.
④ '모든 초록, 모든 꽃들의 왕관', '공중에 뜬 물인 나뭇가지들의 초록 기쁨', '싱글거리는 흙의 향기' 등의 감각적 이미지로 대상에 대한 인상을 표현하고 있다.
⑤ 마지막 연에 '하늘의, 향기 나무들의 향기!' 라는 영탄적 표현을 통해 시적 화자의 자연에 대한 만족감과 아름다운 풍경을 예찬하는 태도가 나타난다.

3. ⑤ 　시어의 의미 이해하기

① ⓐ를 '모든 초록, 모든 꽃들의 왕관', '비유의 아버지'라고 표현한 것으로 보아 화자가 긍정적으로 여기는 시적 대상에 해당하며, 화자의 지난 삶을 떠올리게 하는 대상이라고 볼 수 없다.
② ⓐ를 통해 시적 화자는 무한한 기쁨과 생명력을 느끼고 있으나, ⓐ가 화자와 동일시되는 대상은 아니다.
③ ⓑ는 화자가 찬미하는 대상인 아름다운 자연의 모습이 밤이 되어 시야에서 사라지는 것에 대한 아쉬움을 표현하는 대상이다. 따라서 화자에게 새로운 행동을 촉구하는 대상이라고 볼 수 없다.
④ ⓑ는 화자가 오월의 풍경을 감상하며 관찰한 대상으로 시야에 보이는 낮에 관찰한 대상이다.
❺ ⓐ와 ⓑ 모두 봄의 자연에 관한 것으로 화자가 관심을 두고 주관적으로 관찰하여 감상을 하는 대상이다.

4. ② 　감상의 적절성 파악하기

① '해'가 '출렁거리는 빛'으로 나무와 꽃을 밝게 비추어 빛나는 모습을 '왕관'이라는 시어를 통하여 감각적으로 표현하였다.
❷ '흙은 그리고 깊은 데서 큰 향기로운 눈동자를 굴리며'에서 '큰 향기로운 눈동자'를 굴리는 주체는 '흙'임을 알 수 있다. '흙'은 봄날의 생명력을 잉태시키는 곳으로 '싱글거린다'는 시어를 통하여 만물을 포용하는 넉넉한 존재임을 짐작할 수 있다.
③ 흙, 하늘, 나무의 향기가 코로 전해지는 모습을 '내 코에 댄 깔대기와 같은' 이라는 비유적인 표현으로 나타내었다.
④ 시적 화자가 오월의 들길을 걸어가며 보는 모습으로 마을길은 붉은 꽃이 피어 있고, 들길은 푸른 풀이 가득한 풍경을 감각적으로 대비시키며 오월의 생동감과 생명력을 표현하고 있다.
⑤ 바람이 여러 갈래로 부는 모습과 그 바람에 따라 보리가 이리저리 흔들리는 모습을 표현한 것으로, 보리밭의 이랑 사이로 햇빛이 비춰 반짝이는 모습을 감각적으로 표현하였다. 또한 '보리도 허리통이 부끄럽게 드러났다'는 보리가 막 익기 시작하는 모습을 시골 아가씨의 모습으로 의인화하여 봄의 생명력을 매혹적이고 참신하게 표현한 것이다.

【5~7】 (가) 박재삼, '추억에서'

작품해설

가난했던 어린 시절을 회상하며 힘겨운 삶을 살았던 어머니의 한(恨)과 슬픔을 향토적인 시어와 감각적 이미지를 사용하여 그리고 있다. 4연 15행의 산문체 리듬의 이 시는 시적 대상의 변화(어머니 → 오누이 → 어머니)에 따라 시상을 전개하고 있다. 1연은 어머니의 삶의 터전인 '진주 장터 생어물전'을 '해 다 진 어스름'의 시간과 함께 제시하며 전체적으로 시에서 느껴지는 무겁고 어두운 정서를 보여 주고 있다. 2연은 아무리 열심히 장사를 해도 생선은 잘 팔리지 않고, 늘 가난하게 살아야 했던 어머니의 삶을 '은전만큼 손 안 닿는 한'이라고 표현하며 어머니에 대한 연민과 한스러운 마음을 '울 엄매야 울 엄매'에 응축하여 담고 있다. 3연은 장사 가신 어머니를 '골방 안'에서 늦은 밤까지 기다리는 오누이의 모습이 나타나 있다. 4연은 이른 새벽부터 밤늦게까지 장터를 오가며 어머니가 느꼈을 한스러운 정서를 '달빛 받은 옹기들'과 같이 '반짝'이는 눈물의 이미지로 형상화하고 있다.

- **갈래** : 자유시, 서정시
- **성격** : 회고적, 애상적, 향토적
- **제재** : 어머니의 삶, 어린 시절의 추억
- **주제** : 한스러운 삶을 살다 간 어머니에 대한 회상
- **특징**
  - 향토적인 시어를 사용함.
  - 섬세한 언어와 서정적 감각이 두드러짐.
  - 시각적인 이미지를 통해 슬픔의 정서를 표현함.
  - 감정의 절제를 통해 한의 정서를 형상화함.
- **출전** : "춘향이 마음"(1962)
- **중요 시구 및 시어 풀이**
  - 울 엄매 '우리 엄마'의 경상도 사투리.
  - 은전 은으로 만든 돈.
  - 신새벽 아주 이른 새벽.

(나) 최두석, '담양장'

작품해설

가족의 생계를 위하여 대바구니를 팔러 '담양장'에 다니시며 고생하시는 어머니의 삶을 회상하고 있는 작품으로, 3연으로 구성된 이야기 시의 형태로 되어 있다. 이 시에서는 과거의 어머니에 대한 회상에 그치지 않고, '허리 굽은 어머니'의 현재의 삶까지 이어지고 있다. 1연에서는 '죽장의 김삿갓은 죽고', '참빗으로 이 잡던 시절도 가고', '대바구니 전성 시절에'라는 과거의 상황이 드러나 있다. 2연에서는 화자가 어렸을 때, 대바구니를 팔러 장터에 가신 어머니를 마중 나갔던 기억을 회상하고 있다. 3연에서는 플라스틱에 밀려 시세도 없는 대바구니 옆에 쭈그리고 앉아 멀거니 바구니가 팔리기를 기다리는 어머니의 모습을 통해 과거에서 현재로 이어지는 어머니의 삶에 대한 연민을 드러내고 있다.

- **갈래** : 자유시, 서정시
- **성격** : 회고적, 애상적, 향토적
- **제재** : 어머니의 삶, 어머니에 대한 그리움
- **주제** : 한스러운 삶을 살다 간 어머니에 대한 회상
- **특징**
  - 대나무의 곧은 이미지와 어머니의 굽은 허리를 대비시켜 어머니의 희생적 삶을 강조함.
  - 감정을 절제하여 어머니의 아픔과 유년 시절의 기억을 담담하게 표현함.
  - 부사어를 효과적으로 사용함.

5. ① 　작품 간의 표현상 공통점 파악하기

❶ (가)의 '손 안 닿는 한이던가', '손 시리게 떨던가', '반짝이던 것인가'에서 어미 '-ㄴ가'를 반복하여 사용하였고, (나)는 1연의 '김삿갓은 죽고', '이 잡던 시절도 가고'와, 2연의 '장에 가시고', '동생 손 잡고', '배는 고프고', '길은 한없이 멀고' 등에서 어미 '-고'를 반복하여 리듬감을 형성하고 시의 정서를 극대화하고 있으므로 적절하다.
② (가)와 (나) 모두 역설법이 드러나지 않으므로 적절하지 않다.
③ (가)와 (나) 모두 자조적인 어조가 나타나지 않았고 영탄형, 의문형 어미를 반복 사용하여 감정의 절제를 이루고 있다.
④ (가)와 (나) 모두 공감각적 이미지가 나타나 있지 않고 주로 시각적 이미지를 활용하여 정서를 전달하고 있다.
⑤ (가)와 (나) 모두 수미상관의 기법이 나타나 있지 않다.

6. ④ 외적 준거를 통해 작품 감상하기

① (가)의 '고기'는 울 엄매가 가족들의 생계를 위해 진주 장터 생어물전에서 파는 생선이고, (나)의 '대바구니' 또한 어머니가 가족들의 생계를 위해 담양장에서 팔아야 하는 물건이라는 점에서 유사하다.

② (가)의 화자는 가족을 위해 힘겹게 일하지만 가난한 삶에서 벗어나지 못하는 어머니의 고달픔을 '은전(銀錢)만큼 손 안 닿는 한(恨)'으로 형상화하였는데, 여기서 '한(恨)'은 이 시의 주된 정서가 된다. 화자는 그러한 어머니의 삶을 안타깝게 생각하며 '울 엄매야 울 엄매'에 담아 표현하고 있는데 이 구절에는 어머니에 대한 화자의 연민의 정이 담겨 있다고 볼 수 있다. (나)에서는 과거에서 현재까지 가족의 생계를 위해 고단한 삶을 살고 있는 어머니의 모습을 '허리 굽은 어머니'로 나타내고 있는데, 이를 통해 어머니에 대한 화자의 연민의 정을 엿볼 수 있다.

③ (가)의 '오누이'는 '골방'에서 추위에 떨며 어머니를 기다리고 있지만, 이에 비해 (나)의 화자는 동생 손 잡고 '신작로'를 따라 어머니를 마중 나가는 모습에서 어머니를 기다리는 마음이 더 능동적인 행위로 나타나는 공간이라는 점에서 차이를 확인할 수 있다.

❹ (가)의 '신새벽'은 울 엄매가 진주 장터에서 생선을 팔기 위해 서둘러 집을 나서는 시간적 배경을 의미하는데, 이러한 어머니를 바라보는 화자의 안타까운 심정이 담겨 있다. 또 (나)의 '한밤중'은 화자가 장에 나가신 어머니를 마중 가기 위해 길을 나섰다가 해가 져서 캄캄한 어둠 속에서 불안감을 느끼는 시간적 배경이 된다. 따라서 두 작품 모두 어머니의 부재로 인해 어린 화자가 느끼는 불안감이 해소되는 시간적 배경이라는 진술은 적절하지 않다.

⑤ (가)의 화자는 '말없이 글썽이고 반짝이던 것인가'에서는 생선을 팔며 고단한 삶을 살았던 어머니의 과거 삶을 떠올리고 있다. 이에 반해 (나)의 '아, 요즘도 장날이면'에서는 과거와 마찬가지로 여전히 어머니는 장터에서 바구니를 팔고 계시는 현재의 삶을 떠올리고 있다는 점에서 차이가 있다.

7. ⑤ 시어의 기능 파악하기

① 어머니께서 장터에서 돌아오는 먼 거리를 '꼬박꼬박' 걸어오셨다고 한 표현에서, 늘 걸어서 장에 다니시는 어머니의 일상을 강조한 것으로 볼 수 있다.

② 동생과 함께 어머니를 만나기 위해 나선 길을 '하염없이' 걸었다고 한 표현에서, 어머니를 마중 갔던 길이 길고 멀었다는 것을 부각한 것으로 볼 수 있다.

③ 갑작스럽게 날이 어두워진 상황을 해가 '덜렁' 졌다고 한 표현에서, 주변이 어두워져서 놀라고 겁이 난 화자의 심리를 강조한 것으로 볼 수 있다.

④ 해가 진 상황에서 장터를 향해 계속 길을 더 갈지 돌아가야 할지 '한참' 망설였다는 표현에서, 화자가 느끼는 내적 갈등을 부각한 것으로 볼 수 있다.

❺ 플라스틱에 밀려 시세도 없는 대바구니 옆에 '멀거니' 앉아 손님을 기다리는 노쇠하신 어머니의 모습을 표현하며, 혹시나 올지 모를 손님을 기다리는 어머니의 모습을 강조하고 있다. 이를 두고 장이 끝나 가서 장사를 마쳐야 하는 아쉬움을 강조하고 있다고 이해하는 것은 적절하지 않다.

어휘풀이

· 멀거니 정신이 없이 물끄러미 보고 있는 모양.

【8~10】 (가) 신석정, '봄을 부르는 자는 누구냐'

작품해설

신석정의 초기 작품으로, 광복을 '봄'에 비유하여 표현하고 있으며 봄에 대한 소망과 절망적인 상황에서도 희망이 필요함을 강조하고 있다. 작가는 전원적인 공간을 이상적 공간으로 설정함으로써 대립과 갈등을 극복하려는 의식을 드러내고 있으며, 이상적 공간으로 자연을 설정하고 동경함으로써 참담한 현실의 문제를 극복하려는 의지를 보이고 있다. 청정하고 완전한 자연을 조국의 미래로 설정하고 동경하고 있는 것이다. 또한 부정적인 현실 극복을 위해서 행동을 하지 않으면서도 광복을 바라는 나약하고 소극적인 모습에 대해 비판적인 태도를 보이며 실천적 노력의 필요성을 강조하고 있다.

[놓치지 말자!]

■ 갈래 : 서정시, 자유시
■ 성격 : 희망적, 비판적
■ 제재 : 봄
■ 주제 : 해방에 대한 기대와 민족의 각성 촉구
■ 특징
  – 광복을 계절에 비유하고 있으며 '봄'을 의인화하여 형상화하고 있다.
  – '흰색'과 '푸른색'의 색채 대비를 통해 대상을 감각적으로 제시하고 있다.
  – 의문형으로 종결하여 독자에게 삶의 방향성을 유도하고 있다.
  – 실천 없는 바람에 대해 각성을 촉구하고 있다.

같은작가 다른기출

– 2016학년도 9월 모의 수능 '꽃덤불'
– 2007학년도 수능 '들길에 서서'
– 1998학년도 수능 '아직 촛불을 켤 때가 아닙니다'

(나) 정호승, '백두산을 오르며'

작품해설

백두산을 등반하면서 겪었던 내면의 변화와 깨달음을 표현하며 공동체적 삶에 대한 화자의 바람을 드러낸 작품이다. 백두산 등반 상황이 점차 악화되고 있음에도 불구하고 묵묵히 민족의 영산인 백두산 천지를 향해 나아가는 화자의 모습을 표현하고 있다. 비록 현실은 가혹하지만 끝내는 가야만 하는 목표 지점을 향하는 화자의 의지를 엿볼 수 있다. 오르는 길에 만나는 '흰 두견화'에도 애정을 드러내며 마침내 '백두산이 되어'가는 모습에서 대상과 동화되어 가는 모습을 드러내고 있다. 눈보라치는 백두산을 오르며 화자는 운명을 수용하는 일은 어렵다고 인식하지만 '천지처럼 함께 살아가야 할 날들을 생각'하며 공동체적 삶에 대한 바람을 드러내고 있다. 이는 우리 민족이 당면한 현실 문제를 극복하고 머지않아 이루어 내야 할 통일에 대한 간절한 염원을 드러낸 것으로도 볼 수 있다.

[놓치지 말자!]

■ 갈래 : 자유시, 서정시
■ 성격 : 민족적, 감각적, 의지적, 비유적
■ 제재 : 백두산 등정
■ 주제 : 백두산 등정을 통해 힘겨운 현실을 공동체적 유대감을 통해 극복해야 함을 깨달음.
■ 특징
  – 시간의 흐름에 따라 시상을 전개하고 있다.
  – 유사한 통사 구조를 반복하여 운율을 형성하고 의미를 강조하고 있다.
  – 시각적 이미지를 통해 당면한 우리 민족의 문제를 형상화하고 있다.
  – 눈, 흰 자작나무, 흰 두견화 등의 시어를 통해 '백의민족'이라는 함축적 의미를 드러내고 있다.
  – 계절적 배경은 이미 봄이 왔지만, 지금 우리 민족의 현실은 눈보라 치는 상황과 별반 다르지 않음에 대한 안타까움이 드러나 있다.

8. ② 작품 간 표현상 특징 파악하기

① (가)의 '도시 봄을 부르는 자는 누구냐?'에서 의문형 어미를 사용하고 있지만 봄을 기다리는 태도에 대해서 다시 생각해 보게 하는 진술로, 시적 긴장감을 유발하고 있다고 보기 어렵다.

❷ (가)의 '푸른 수레', '흰 안개', '푸른 봄', '흰 백매', '푸른 계절'에서, (나)의 '흰 자작나무', '흰 두견화'에서 색채어를 활용하여 대상을 감각적으로 제시하고 있다.

③ 두 작품에서는 의성어를 찾아볼 수 없으므로 적절하지 않다.

④ 두 작품에서는 수미상관의 방식을 활용하고 있지 않다. 참고로 (가)와 (나)에서는 동일한 통사 구조를 반복하고 있다.

⑤ 두 작품 모두 화자의 진술에 의해서 진행되고 있을 뿐 말을 건네는 방식은 활용하고 있지 않다.

9. ④ 외적 준거를 통해 작품 감상하기

① 이 작품은 현실 상황을 자연의 순환에 빗대어 형상화하고 있다고 했다. 이에 대입해 보면 2연의 '봄'은 '해방'을, '봄'에 대한 '즐거운 이야기'는 '해방에 대한 기대감과 염원'을, 이러한 이야기를 나누고 있는 '사람들'은 '해방을 소망하는 민족 공동체 구성원'이라고 할 수 있다.

② 4연에서 '어떤 친구'가 '말하기를 봄은 어느 아득한 성좌로 멀리 떠나버렸다'고 말한 것에서 '해방이 되지 않을 거라는 체념적 태도'가 드러난다고 할 수 있다.

③ 5연에서 '봄은 어느 성좌에서 다시 오지 않나'는 해방에 대한 '소망과 기다림'을 의미하지만 화자는 이를 '부질없이 소곤댔'다고 말하고 있으므로, 이는 '행동을 하지 않으면서 해방을 바라는 이야기만 하는 모습'을 드러낸 것이라고 할 수 있다.

❹ 5연을 보면 '옥같이 흰 백매'는 '시련을 극복한 존재'를 의미하는데, '그들은, 계절이 떠난 이 공간에 봄이 온다는 이야기를 '믿을 수야 있겠느냐'고 의구심을 보이며 '제각기 만나는 대로 심장을 앓았다'면서 현실에 대한 체념적인 모습을 보이고 있다. 따라서 '그들'이 민족의 운명이 회복될 것이라는 믿음을 갖고 있다고 볼 수 없으므로 적절하지 않다.

⑤ 5연의 '계절이 떠나간 이 빈 지구'는 '봄이 없어진 부

정적 현실'을 의미하며 '이상적 공간의 회복을 이루지 못한 상실감으로 가득한 공간'이자 '희망이 없는 절망적 상황'을 보여 준다고 할 수 있다.

10. ④ 시 구절의 의미 파악하기

① [A]에서 백두산 산행을 시작하면서 내리기 시작했던 '눈'이 시간이 지나면서 '함박눈'으로 퍼붓기 시작하는 것을 통해 화자를 둘러싼 상황이 악화되고 있음이 드러나고 있다.
② [B]에서 등반의 어려움이 과중되고 있지만 '우리들은 말없이 천지를 향해 길을 떠났다'를 통해 묵묵히 목표를 향해 나아가는 화자의 모습이 드러나고 있다.
③ [C]에서 '우리들은 저마다 하나씩 백두산이 되어갔다'를 통해 화자가 대상과의 일체감을 느끼며 동화되어 가는 모습이 드러나고 있다.
❹ [D]에서 '운명을 사랑하는 사람이 되는 일은 어려운 일이었다'를 통해 혹독한 환경 속에서 그 마음을 지키기란 힘겨운 일이었다는 화자의 인식이 드러나고 있다. 여기에서는 억압적 현실에 저항하고 있는 화자의 행동이 드러나지 않으므로 적절하지 않다.
⑤ [E]에서 눈보라치는 백두산을 오르며 '함께 살아가야 할 날들을 생각했다'를 통해 힘겨운 현실 속에서 화자가 깨닫는 현실 인식이 드러나며, 더불어 공동체적 삶에 대한 화자의 바람이 드러나고 있다.

1. ②	**2.** ④	**3.** ①	**4.** ⑤	**5.** ④
6. ②	**7.** ③	**8.** ④	**9.** ②	**10.** ③
11. ①				

【1~4】 (가) 백석, '여승'

작품해설

일제 강점기를 배경으로 한 작품으로 힘겨운 삶을 살다가 여승이 된 여인의 기구한 삶을 보여줌으로써 민족의 비극적 현실을 반영하고 있다. 시간의 흐름에 따른 구성이 아닌 그 순서가 뒤바뀐 역순행적 방식으로 시상이 전개되고 있다. 1연은 여승이 된 현재 모습이며, 2~4연은 여승이 되기까지의 비극적인 삶의 모습을 보여 주고 있다. 화자는 관찰자의 시선으로 여인을 애처롭게 바라보고 있으며, 농촌이 몰락하고 그로 인해 가족들이 흩어지는 당대의 아픔을 잘 그려내고 있다.

[놓치지 말자!]

■ **갈래** : 자유시, 서정시
■ **성격** : 서사적, 애상적
■ **제재** : 여인의 일생
■ **주제** : 한 여인의 비극적인 삶에서 느끼는 서러움
■ **특징**
　– 회상적인 어조로 표현함.
　– 역순행적 구성 방식
　– 시상의 압축과 절제
■ **중요 시구 및 시어 풀이**
　• **가지취** 후각적 이미지를 통해 속세와의 단절을 강하게 암시함.
　• **불경** 종교로 귀의할 수밖에 없던 여인의 기구한 삶의 역정을 보여 주는 소재
　• **옥수수, 섶벌** 여인과 남편의 가난한 삶의 모습과 관련되는 소재
　• **도라지꽃** 나이 어린 딸의 죽음의 이미지를 함축함.
　• **산꿩** 여인이 승려가 되는 날의 서러운 심정을 간접적으로 드러내는 소재

같은작가 다른기출

2014학년도 6월 모의 수능 '팔원–서행시초3'
2011학년도 9월 모의 수능 '적막강산'
2009학년도 6월 모의 수능 '여승'
2004학년도 수능 '고향'
2004학년도 9월 모의 수능 '흰 바람벽이 있어'

(나) 문태준, '가재미'

작품해설

암으로 고통 받으며 죽어 가는 시인의 친척을 대상으로 한 작품으로 알려져 있다. 시적 대상을 '가재미'에 빗대어 표현하여 참신함을 준다. '가재미'는 성어가 될수록 눈이 한쪽으로 몰리는 어류이다. 이러한 소재 선택을 통해 삶과 점점 멀어지면서 죽음에 가까워지고 있는 '그녀의 상태'를 잘 드러내고 있다. 이 작품은 독특한 비유를 활용하여 죽음을 앞둔 존재를 따뜻하게 위로하고 있다.

[놓치지 말자!]

■ **갈래** : 자유시, 서정시
■ **성격** : 서정적, 회고적, 비유적, 감각적
■ **주제** : 암투병 중인 그녀에 대한 연민과 애정
■ **표현상의 특징**
　– 현재형 표현을 통해 상황을 생동감 있게 드러냄.
　– 구체적인 시적 공간을 통해 작품에 사실성을 높이고 있음.
　– 시상이 전개될수록 화자와 대상 간의 물리적 거리감과 정서적 거리감이 가까워짐.
　– '누웠다'는 행위를 반복적으로 서술함으로써, 그녀의 상황(죽음에 임박함)을 강조함.
　– 활기차고 유동적인 이미지와 '바닥에 바짝 엎드린'의 정적인 이미지의 대립으로 삶과 죽음을 시각적으로 형상화함.
　– 독백적 어조를 활용하여 화자의 정서를 드러내고 있다.
■ **중요 시구 및 시어 풀이**
　• **가재미** '가자미'의 방언. 투병 중인 그녀를 몸집이 납작하고 두 눈이 한쪽으로 쏠린 '가재미'에 비유함.

1. ② 작품 간의 표현상의 공통점 파악하기

① (가)는 '산꿩도 섧게 울은'에서 시적 대상인 여승의 한과 서러움을 이입하여 드러내고 있지만, (나)는 자연물에 감정을 이입하는 표현이 드러나지 않는다.
❷ (가)는 '가을밤같이 차게 울었다', '섶벌같이 나아간 지아비'에서, (나)는 '느릅나무 껍질처럼 점점 거칠어진다'에서 비유적 표현을 활용하여 시적 상황을 효과적으로 드러내고 있음을 알 수 있다.
③ (나)는 현재 시제를 사용하여 시적 상황을 현장감 있게 제시하고 있다. 반면에 (가)는 오랜 시간에 걸쳐 진행된 서사적 사건을 압축적인 구성으로 밀도 있게 보여 주고 있는 작품으로, 과거 시제를 사용하고 있다.
④ (가)의 '여인의 머리오리가 눈물방울과 같이 떨어진 날이 있었다'와 (나)의 '울컥 눈물을 쏟아낸다'에서 하강적 이미지가 드러나지만, (가), (나) 모두 상승적 이미지는 드러나지 않는다.
⑤ (가), (나) 모두 음성 상징어가 드러나지 않는다.

2. ④ 화자와 시적 대상의 관계 이해하기

① (가)는 화자와 시적 대상이 분리되어 있으며, 화자와 시적 대상의 삶을 비교하고 있지는 않다.
② (가)는 화자가 시적 대상의 비극적 삶을 관찰하고 있지만 시적 대상으로 인해 화자가 삶을 바라보는 관점의 변화는 드러나지 않는다.
③ (나)는 화자가 시적 대상에 대해 연민을 느끼지만 시적 대상이 화자가 추구하는 삶의 모습이라고 할 수 없다.
❹ (나)는 '가재미가 가재미에게 눈길을 건네자 그녀가 울컥 눈물을 쏟아 낸다'와, '나'가 '그녀의 물속에 나란히 눕자' '산소호흡기로 들이마신 물을 마른 내 몸 위에 그녀가 가만히 적셔준다'에서 화자와 시적 대상과의 상호작용을 통한 정서적으로 교감하는 모습을 드러내고 있다.
⑤ (가)와 (나) 모두 화자가 시적 대상과 하나가 되려는 의지를 드러내고 있지 않다.

3. ①　외적 준거를 통해 작품 감상하기

❶ 여인이 '금점판'에서 '옥수수'를 파는 것은 농촌 공동체의 몰락으로 삶의 터전을 잃고 생계를 이어가기 위한 것으로 볼 수 있다. 그런데 '나'가 옥수수를 사는 행위를 농촌 공동체의 회복을 위한 것으로 보는 것은 적절하지 않다.
② 〈보기〉에 따르면 일제의 수탈로 살 길이 막막해진 상황에서 '지아비'가 가족의 생계를 위해 떠난 지 몇 해가 지나도 돌아오지 않는 사실은, 가난으로 가족 공동체가 파괴된 모습이라고 볼 수 있다.
③ 남편을 찾으러 집을 나서게 된 여인이 힘든 현실 속에서 '어린 딸'마저 잃게 되는 상황은 비극으로 점철된 여인의 기구한 삶을 드러낸다고 할 수 있다.
④ '여인의 머리오리가 눈물방울과 같이 떨어진'에서 여인이 현실의 삶을 견디지 못하여 속세를 떠나 여승이 되기 위해 삭발하며 눈물을 떨구는 모습을 연상할 수 있다.
⑤ 비극적 삶을 살다 여승이 된 여인의 기구한 삶을 '현재-과거'의 역순행적 구성으로 제시하고 있다.

4. ⑤　구절의 문맥상 의미 파악하기

① 병상에 누워 투병하는 그녀의 모습에서 ㉠ '바다에 바짝 엎드린' 가재미를 연상하고 있다.
② ㉡ '나는 그녀의 옆에서'에서 투병 중인 그녀와 비슷한 모습을 취함으로써 그녀에 대한 나의 연민과 위로를 구체적 행위로 드러내고 있다.
③ ㉢ '가늘은 국수'와 '흙담조차 없었던'을 통해 가난하고 힘들게 살았던 그녀의 과거 삶을 알 수 있다.
④ 죽음에 임박한 그녀의 거친 숨소리를 ㉣ '느릅나무 껍질'에 빗대어 표현하고 있다.
❺ ㉤ '죽음 바깥의 세상을 이제 볼 수 없다'를 통해 화자는 그녀가 이제 죽음만을 기다리고 있음을 인지하고 있다. 죽음을 받아들일 수밖에 없는 그녀의 체념적 태도가 나타난 것으로 볼 수 없다.

【5~7】 (가) 신경림, '장자를 빌려-원통에서'

작품해설

화자가 설악산 대청봉에서 바라본 삶의 모습과 속초, 원통에서 바라본 삶의 모습을 대조하여 독자에게 세상을 바라보는 관점에 대한 성찰의 기회를 제시하는 작품이다. 설악산 대청봉 위에서 화자는 세상과 인간 삶의 모든 것을 다 알 것 같은 자만심에 사로잡히지만, 산 아래로 내려와 복잡하고 고단한 삶을 직접 겪으면서 이내 자신의 생각이 경솔했음을 깨닫는다. 이를 통해 이 시는 세상을 바라보는 관점이 어느 한쪽에 치우치면 삶의 진실을 제대로 볼 수 없다는 깨달음을 전하고 있다.

[놓치지 말자!]
- **갈래** : 자유시, 서정시
- **성격** : 묘사적, 성찰적, 대조적
- **제재** : 단순하면서도 복잡한 세상
- **주제** : 세상을 바라보는 관점에 대한 성찰
- **특징**
  - 사물을 의인화하여 나타냄.
  - 삶의 관점에 대한 성찰을 통해 독자에게 질문

을 던지고 있음.
  - 산의 정상에서 바라본 세상의 모습과 산 아래에서 바라본 세상의 모습을 대조해서 나타냄.

같은작가 다른기출
- 2014학년도 9월 모의 수능 '농무'
- 2009학년도 9월 모의 수능 '나무를 위하여'
- 2007학년도 6월 모의 수능 '고향길'
- 2004학년도 9월 모의 수능 '갈대'
- 2004학년도 6월 모의 수능 '목계장터'
- 2002학년도 수능 '가난한 사랑 노래'

(나) 김종삼, '누군가 나에게 물었다'

작품해설

인간다운 세상을 꿈꾸는 시인의 바람과 사회적 책무를 평범하고 단순한 진술로 형상화한 작품이다. 가장 비범한 것은 가장 평범한 것일 수도 있다는 평범한 삶의 철학에서 나온 체험적 결과라는 관점에서 볼 때 시인은 '시가 뭐냐'는 질문에 하루 종일 답을 찾아 배회하다가, 저물녘에 남대문 시장에서 고생스럽지만 건강한 삶을 살아가는 사람들의 모습을 통해 그 질문에 대한 답을 얻는다. 그것은 바로 그들이 '알파'요, '고귀한 인류'요, '영원한 광명'이며, 진정한 '시인'이라는 것이다. 시인은 이 지극히 평범하고 상식적인 진술 속에 인정이 사람다움의 기초라는 인식을 드러내는 한편, 시적 화자는 평범한 사람들의 소박한 삶의 모습 속에서 인간적인 가치를 발견하고 그들이 바로 '시인'임을 강조하고 있다. 이를 통해 '시인'은 세상의 인간다운 삶의 가치를 드러낼 수 있어야 하며, 좀 더 나아가 그런 삶의 가치를 지켜내는 데에 앞장서야 하는 존재라고 해석하고 있다.

[놓치지 말자!]
- **갈래** : 자유시
- **성격** : 철학적, 사색적, 문답적
- **주제** : 시인의 가치와 올바른 사회적 역할, 서민들의 성실하고 건강한 삶에 대한 긍정
- **특징** : 일상적인 체험을 통해 시인이 지향해야 할 사명 의식을 드러내고 있음.

5. ④　표현상의 공통된 특징 파악하기

① (나)의 '그런 사람들이 ~시인이라고' 등에서 도치법을 통해 호기심을 유발하고 의미를 강조하고 있다.
② (가)와 (나)에서는 자연물 보다는 사람들의 삶의 모습이 제시되고 있다.
③ (가)와 (나)에는 계절적 배경이 드러나지 않는다.
❹ (가)는 '너무 멀리서만 보고 있는 것은 아닐까', '너무 가까이서만 보고 있는 것은 아닐까' 등의 유사한 시구를, (나)는 '그런 사람들이', '슬기롭게 사는 사람들이' 등의 유사한 시구를 반복하여 시적 의미를 강조하고 있다.
⑤ (가)에는 '너무 가까이서만 보고 있는 것은 아닐까'에서 설의법이 쓰이고 있지만 (나)에는 사용되지 않았다.

왜? 왜 틀렸을까?
(가)와 (나)의 표현상 특징을 한번 살펴볼까. (가)의 화자는 설악산 대청봉에서 바라본 삶의 모습과 속초, 원통에서 바

라본 삶의 모습을 대조하여 제시하고 있어. (나)에서는 누군가 화자에게 시가 뭐냐고 묻자, 질문에 대한 화자의 대답은 '나는 시인이 못됨으로 잘 모른다고 대답하였다.'에서 반어법이 사용되고 있음을 알 수 있어. 그리고는 질문에 대한 답을 찾기 위한 여정을 보여 주고 있어. 마침내 화자는 지극히 평범하고 일상적인 삶의 모습에서 가장 사람다운 가치를 발견하게 되지. 이러한 전개 과정에서 '누군가 나에게 물었다. 시가 뭐냐고' 등에서 도치법이 사용되고 있지. 이러한 특징을 비교해 보고 공통된 특징이 있다면 체크해 보도록 해.

참고자료

시상 전개 방식
1. 시상 전개 방식의 개념
　시상이란 시에 드러난 감정이나 사상을 말한다. 시인은 시상을 일정한 질서에 따라 짜임새 있게 구성하며, 이를 시상 전개 방식이라고 한다.
1) 시간의 흐름에 따른 시상 전개
　자연적인 시간의 변화를 축으로 시상을 전개해 나가는 방식이다. 시대순이나 역사의 흐름(과거-현재-미래), 계절의 순서나 흐름(봄-여름-가을-겨울), 하루 중의 시간의 흐름 등이 기준이 되어 시의 내용이 전개되는 방식을 말한다. 가장 친근하고 익숙한 방법이며 자연스런 흐름을 느낄 수 있으며, 추보식 시상 전개라고도 한다.
　예 이육사의 '광야'
　　→ '과거(까마득한 날)-현재(지금)-미래(천고의 뒤)'로 시상을 전개하면서 의지적이고 남성적 태도를 보이고 있다.
2) 공간의 이동에 따른 시상 전개
　화자가 위치한 장소나 화자가 바라보는 장소의 이동을 축으로 시상을 전개하는 방식이다. 공간의 이동에 따른 시상 전개는 시적 공간 자체가 변하는 경우와 화자의 시선이 이동하는 경우가 있다. 이것은 대체로 시간의 흐름이라는 것이 그 바탕에 깔려 있는 것이 보통이다. 그러나 시간의 흐름보다는 공간이 이동되는 것에 더 초점이 놓이는 방식이라 할 수 있다.
　예 신경림의 '농무'
　　→ 텅빈 운동장, 철없는 조무래기들만 따라나서는 장거리, 채산성이 없는 농사 등에 따라, 농민의 소외감과 울분과 좌절감을 농무의 신명이라는 역설적 상황을 통해 보여 주고 있다.
3) 선경후정(先景後情)
　작품의 전반부에는 자연 경관이나 주변의 분위기를 서경적으로 제시하고, 후반부에서는 그 가운데 살아가는 인간의 내적 상태, 즉 정서나 생각을 주로 표현하는 방식을 말한다. 중국 한시에서 주로 쓰인 방식이기도 하다.
　예 조지훈의 '봉황수'
　　→ 퇴락한 궁궐의 모습을 서경으로 묘사한 후(선경), 작가의 심정을 후반에 봉황새에게 이입하여 표현하고 있다.(후정)
4) 대조(대립)적 심상의 제시에 따른 시상 전개
　작품의 중심이 되는 대표적 소재(제재)가 지니는 심상이나 의미를 대조적으로 설정하여, 대조적인 둘의 관계를 중심으로 시상을 전개함으로써 강조의 효과는 물론이고, 드러내고자 하는 의미를 더욱 더 선명하게 부각시키는 효과를 가져 온다.
　예 박남수의 '새'
　　→ 포수(인간의 세계, 공격성, 비생명성, 탐욕)와 새(자연의 세계, 순수성, 생명성, 사랑, 순

수)의 대립적 관계를 보인다.
5) 대칭적 구조에 의한 시상 전개
　　예 김영랑의 '모란이 피기까지는'
　　→ '기다림-설움-절망-설움-기다림'의 대칭적 구조로 이루어진다.
6) 기승전결에 의한 시상 전개
기승전결은 원래 한시를 잘 짓기 위해 고안된 틀이다. 어떤 계기가 있어서 시상을 일으키고, 그걸 발전시켰다가, 한번 뒤집고, 이어 결말을 짓는 순서로 시상을 전개하는 방식이다. 의미상 네 개의 연으로 구분되는 시는 대개 기승전결의 시상 전개 구조를 가지는 경우가 많다. 기(시상 제기)-승(시상 심화)-전(시상 전환)-결(중심 생각 제시)
　　예 이육사의 '절정'
　　→ 1연은 수평적 극한의 상황, 2연은 수직적 극한의 상황, 3연은 극한적 한계 상황, 4연은 절망 속의 역설적 초극 순으로 노래하고 있다.
7) 수미상응에 의한 시상 전개
시의 처음과 끝에 동일하거나 유사한 시구를 배치시켜 형태와 시상의 균형미와 안정감을 얻는 효과를 거두는 방법이다. 우리나라 현대시에서 자주 나타나는 시상 전개 방식 중의 하나이다.
　　예 한용운의 '나룻배와 행인'
　　→ 첫 연과 마지막 연이 동일한 시행(나는 나룻배 / 당신은 행인)으로 배치되어, 완벽한 수미상응이 나타나 있다.
8) 유사한 구조의 반복에 의한 시상 전개
같거나 비슷한 문장 구조를 반복하여 시를 써 나가는 방법이다. 다른 말로 통사 구조의 반복이라고 부르기도 한다.
　　예 윤동주의 '별 헤는 밤'
　　→ 비슷한 의미 구조를 지니는 구절을 거듭 제시함으로써 화자의 소망이 간절함을 강조하고 있다. '별 하나에 추억과 / 별 하나에 사랑과 / 별 하나에 쓸쓸함과 / 별 하나에 동경과 / 별 하나에 시와 / 별 하나에 어머니, 어머니'
9) 연상에 의한 시상 전개
하나의 시어가 주는 이미지를 출발점으로 삼아 이와 관련된 다른 관념으로 꼬리에 꼬리를 무는 방식으로 시상을 전개해 나가는 방식이다.
　　예 전봉건의 '피아노'
　　→ '피아노 – 펄펄 뛰는 신선한 물고기 – 바다 – 시퍼런 파도'의 순서로, 피아노 소리에서 연상되는 여러 가지 이미지를 통해 대상의 인상을 노래하고 있다.
10) 점층적 강조에 의한 시상 전개
시상이 전개될수록 화자의 정서, 의지, 시적 상황이 점점 정도가 높아지도록 전개해 가는 방식이다.
　　예 정일근의 '바다가 보이는 교실 유리창 청소'
　　→ 열이가 반짝반짝 닦아놓은 '유리창 한 장'을 '가을 바다 한 장', '맑은 세상'으로 표현하고 있다. 뒤로 갈수록 깨끗하게 닦아놓은 유리창의 의미가 확장되고 있음을 알 수 있다.

6.② 　　외적 준거에 따른 작품 감상하기

① 화자가 설악산 대청봉에서 바라본 풍경들은 산의 정상에서 바라본 것이므로 '멀리'에서 본 세상의 모습이라고 할 수 있다.

② 화자는 설악산 대청봉 위에서 산들, 마을들, 바다를 내려다보며 '세상살이 속속들이 다 알 것도 같다'라고 말하고 있으므로, '가까이'에서 보아야 함을 깨달았을 것이라는 감상은 적절하지 않다.
③ '함경도 아주머니들', '마늘 장수' 등을 만난 것은 공간을 이동한 화자가 '가까이'에서 본 세상 풍경이라고 할 수 있다.
④ 이 작품은 산의 정상에서 바라본 세상의 모습과 산 아래에서 바라본 세상의 모습을 대조해서 나타내고 있다. 따라서 '속초'와 '원통'에서 겪은 일들은 삶을 바라보는 화자의 관점에 영향을 주었을 것으로 짐작할 수 있다.
⑤ 산 정상에서 세상을 바라본 관점과 산 아래에서 세상을 직접 경험하여 얻은 관점을 대조시키면서 삶에 대한 올바른 관점을 모색하고 있는 작품이다. 화자는 '멀리'와 '가까이'에서 본 세상의 모습을 비교를 통해 세상을 바라보는 관점이 어느 한쪽에 치우치면 삶의 진실을 제대로 볼 수 없다는 깨달음을 전달하고 있다.

참고자료

제목 '장자를 빌려'의 의미
'장자'의 '추수편'에 보면 '대지관어원근(大知觀於遠近)'이라는 말이 나오는데, '큰 지혜는 멀리서도 볼 줄 알고 가까이서도 볼 줄 아는 것이다.'라는 뜻이다. 다시 말해 거시적인 관점에서도 대상을 볼 수 있어야 하고, 미시적인 관점에서도 대상을 볼 수 있어야 한다는 것이다. 이 시에서 산 위에서 세상을 바라본 것은 사물이나 현상을 전체적으로 바라보는 거시적 관점에 해당하고, 산 아래에서 바라보고 경험한 것은 사물이나 현상을 개별적으로 분석하여 바라보는 미시적 관점에 해당한다고 볼 수 있다. 화자는 어느 한쪽에 치우친 관점은 적절하지 않으며, '장자의 말'을 빌려 두 관점이 조화를 이룬 올바른 삶의 관점을 모색하고 있는 것이다.

7.③ 　　감상의 적절성 파악하기

① 시인에게 시가 무엇이냐는 질문은 이 시를 쓰게 된 계기로 작용한 것으로 볼 수 있다.
② 2행에서 '나는 시인이 못됨으로'라고 화자가 자신을 평가한 것은 반어적인 표현으로, 화자 자신은 시인이라고 할 수도 없다는 겸손의 말이다. 이는 시인으로서의 화자의 성찰적 자세를 드러낸 것이라 할 수 있다.
③ '저물녘 남대문 시장 안에서 빈대떡을 먹을 때 생각나고 있었다.'에서 보면 '시가 뭐냐'는 질문을 계속해서 생각하고 있었음을 암시하고 있다. 따라서 화자는 무교동, 종로, 명동, 남산, 서울역, 남대문 시장 등 평범한 사람들의 일상의 공간을 다니고 있지만 사람들에게 '시란 무엇인가'라는 질문을 하고 있지는 않다.
④ 서민들이 오가는 '시장'에서 '빈대떡'을 먹고 있다는 표현을 통해 화자는 자신이 구하던 답을 서민들의 삶 속에서 찾게 되었음을 드러내고 있다.
⑤ 화자는 남대문 시장에서 고생스러운 일상을 영위하면서도 착하고 인정 넘치게 사는 사람들을 보며 이들이 진짜 시인이 아니겠는가라며 계속 되뇌던 답을 찾는다. '알파', '고귀한 인류', '영원한 광명'이라고 표현한 것은 화자가 '그런 사람들'의 삶에 높은 가치를 부여하고 있음을 보여 주고 있다.

참고자료

'누군가 나에게 물었다'의 한걸음 더

시인에게 시가 무엇이냐는 질문은 새삼스러우면서도 가장 대답하기 어려운 질문일 것이다. 그 질문에 대답한다는 것은 곧 시인으로서 살아가는 나 자신의 삶의 지표가 무엇인지를 대답하는 일과 다르지 않기 때문이다. 일단 화자는 자신이 시인이라고 할 수도 없다는 겸손의 말로 시작한다. 그리고 곰곰이 생각한다. 무교동, 종로, 명동, 남산, 서울역, 남대문 시장 등 평범한 사람들의 일상의 공간을 걸으면서 계속 이어진 상념의 끝에 문득 적절한 대답이 떠오른다. 고생스러운 일상을 영위하면서도 착하고 인정 넘치게 사는 사람들이야말로 진짜 시인이 아니겠는가라는 것이 그 대답이다. 시란 무엇인가라는 질문에 착하고 순정한 사람들이 시인이라고 대답한 것은 분명 동문서답이다. 그러나 시인의 대답으로부터 우리는 충분히 답을 유추할 수가 있다. 착하고 순정하게 생활을 영위하는 일상인들이 시인이라면, 그들의 삶 자체가 시가 아니겠는가. 일상인들과는 다른 선택받은 존재로서의 시인이라는 관념, 고급한 언어 예술의 정화가 시라는 관념 등과 결별하고, 시라는 예술을 일상의 영역으로 끌어내림으로써 무엇이 진정 훌륭한 시이며 바람직한 시인의 모습인가라는 어려운 질문에 우회적으로 답변하고 있는 작품이다.

참고자료

시적 화자의 태도
1. 시적 화자의 태도란?
　시적 화자가 시적 제재 · 독자 · 사회를 향해 내는 개성적 목소리 및 대응방식을 말한다. 주로 시적 화자의 태도는 '어조'를 통해 드러나는 것이 일반적이다.
2. 주된 유형
　㉠ 예찬적 태도 → 사람이나 대상이 가진 좋은 점을 찾아서 그것을 칭찬하고 세워주는 태도
　　예 홀로 내려가는 언덕길 / 그 아랫마을에 등불이 켜이듯 / 그런 자세로 / 평생을 산다. // 철 따라 바람이 불고 가는 / 소란한 마음길 위에 / 스스로 펴는 / 그 폭넓은 그늘……
　　　　　　　　　　　　　　　　　　　－ 이형기, '나무'
　㉡ 비판적 태도 → 사회나 대상의 잘못된 점을 따지는 태도
　　예 송진마저 말라 버린 몸통을 보면, / 뿌리가 아플 때도 되었는데 / 너의 고달픔 짐작도 못하고 회원들은 // 시멘트로 밑동을 싸바르고 / 주사까지 놓으면서 / 그냥 서 있으라고 한다.　　　－ 김광규, '늙은 소나무'
　㉢ 구도적 태도 → 진리나 궁극적인 깨달음의 경지를 구하는 태도
　　예 암벽을 더듬는다. / 빛을 찾아서 조금씩 움직인다. / 결코 쉬지 않는　－오세영, '등산'
　㉣ 긍정적, 낙관적 태도 → 상황이나 대상이 옳다고 인정하거나 바람직하다고 받아들이는 태도 또는 지금은 어렵고 힘들지만 앞으로 일이 잘 풀릴 것이라고 생각하는 태도
　　예 자네는 언제나 우울한 방문객 / 어두운 음계를 밟으며 불길한 그림자를 이끌고 오지만 자네는 나의 오랜 친구이기에 나는 자네를 / 잊어 버리고 있었던 그 동안을 뉘우치게 되네.　　　　　－ 조지훈, '병에게'
　㉤ 달관적 태도 → 세상의 근심 걱정, 사소한 사물이나 일 등에 얽매이지 않고 세속에서 벗어나 초월한 자세를 보이는 태도

예 모래밭에 본 일이 없는 낙타를 타고 / 세상 사 물으면 짐짓, 아무것도 못 본 체 손 저어 대답하면서, / 슬픔도 아픔도 까맣게 잊었다는 듯.
— 신경림, '낙타'

ⓗ 반성과 성찰의 태도 → 자기의 잘못을 되짚어 뉘우치거나, 자신이나 대상을 찬찬히 살펴보는 태도

예 두툼한 개정판 국어사전을 자랑처럼 옆에 두고 / 서정시를 쓰는 내가 부끄러워진다.
— 정일근, '어머니의 그릇'
별이거나 그늘이거나 헛바닥 늘어뜨린 / 병든 수캐마냥 혈떡거리며 나는 왔다.
— 서정주, '자화상'

ⓢ 의지적 태도 → 절망적이거나 어려운 상황을 이겨내려는 굳센 마음을 먹는 태도

예 한 뼘이라도 꼭 여럿이 함께 손을 잡고 올라간다. / 푸르게 절망을 다 덮을 때까지 / 바로 그 절망을 잡고 놓지 않는다.
— 도종환, '담쟁이'

ⓞ 수용적 태도 → 어떤 상황을 자신의 운명으로 생각하고 받아들이는 태도

예 이때 나는 내 뜻이며 힘으로, 나를 이끌어 가는 것이 힘든 일인 것을 생각하고, 이것들보다 더 크고, 높은 것이 있어서, 나를 마음대로 굴려가는 것을 생각하는 것인데,
— 백석, '남신의주 유동 박시봉방'

ⓩ 관조적 태도 → 좀 떨어진 위치에서 거리를 두고 대상을 바라보면서 차분한 마음으로 그 의미나 본질을 추구하고 자신에게 비추어보는 태도

예 큰낙산 골짜기가 / 온통 연록색으로 부풀어 올랐을 때 / 그러니까 신록이 우거졌을 때 / 그 곳을 지나면서 나는 / 미처 몰랐네.
— 김광규, '나뭇잎 하나'

ⓣ 도피적 태도 → 어려운 상황이나 문제를 해결하는 대신에 피하고 도망가려는 태도

예 나타샤와 나는 / 눈이 푹푹 쌓이는 밤 흰 당나귀 타고 / 산골로 가자 출이 우는 깊은 산골로 가 마가리에 살자.
— 백석, '나와 나타샤와 흰 당나귀'

ⓣ 자연친화적 태도 → 자연 속의 삶을 지향하고 만족감을 드러내고 그것을 즐기는 태도

예 언제나 숭고할 수 있는 푸른 산 / 그 푸른 산이 오늘은 무척 부러워
— 신석정, '청산백운도'

ⓣ 조화와 합일의 추구 → 이질적인 것들이 서로 어울리며 하나의 모습을 만드는 것을 추구하는 태도

예 사슴을 따라, 사슴을 따라, 양지로 양지로 사슴을 따라, 사슴을 만나면 사슴과 놀고, 칡범을 따라 칡범을 따라, 칡범을 만나면 칡범과 놀고 …….
— 박두진, '해'

ⓣ 체념적 태도 → 할 수 없지 않느냐는 식으로 상황을 받아들이는 태도

예 일이 끝나 저물어 / 스스로 깊어가는 강을 보며 / 쭈그려 앉아 담배나 피우고 / 나는 돌아갈 뿐이다.
— 정희성, '저문 강에 삽을 씻고'

ⓢ 회의적 태도 → 믿고 따르려는 태도가 아니라 의심하면서 믿지 않는 태도

예 불빛에 연긴 듯 희미론 마음은 / 사랑도 모

가운데 칼럼

르리, 내 혼자 마음은
— 김영랑, '내 마음을 아실 이'

【8~11】 (가) 김선우, '감자 먹는 사람들'

작품해설

감자로 끼니를 해결해야 할 정도로 가난했던 화자의 어린 시절을 회상하며 식구들을 위해 자신을 희생하였던 어머니의 사랑에 대한 그리움을 노래하고 있는 작품이다. 어느 날 우연히 맡게 된 감자 삶는 냄새는 화자에게 지독하게 가난했던 어린 시절을 떠올리게 한다. 가난을 떠올리게 만드는 '치명적인 냄새'였던 감자의 냄새가 3연에서는 '치명적인 그리움'으로 변하여 표현되었다. 즉 화자는 감자 냄새로부터 희생적이었던 어머니의 사랑을 떠올리고 어머니를 그리워하고 있는 것이다. 감자는 어머니의 모성을 떠올리게 하는 동시에 식구들에게 모든 것을 쏟아 부은 뒤의 텅 비고 쪼그라든 어머니의 모습을 형상화하는 비유로 작용하고 있다. '늙은 애기집'으로 표현된 늙은 어머니의 모습이 애잔한 감동을 불러일으키게 한다. 이 시는 현재→과거→현재로 시상이 전개되고 있다. 과거를 회상하는 2연의 일부분을 제외하고는 전체적으로 현재형의 시제를 사용하고 있는데, 이를 통해 장면이 생생하게 묘사되는 특징이 있다. 1연에서는 감자 삶는 냄새가 '달겨드는' 것으로 표현하였고, 2연에서는 과거의 어머니가 식사를 하지 않는 모습을 '숟가락 꽂지 않는다'로 표현하는 등 현재 시제를 사용하여 보다 생생한 인상을 전해 주고 있다.

[놓치지 말자!]

■ **갈래** : 자유시, 서정시
■ **성격** : 회상적, 산문적
■ **제재** : 감자, 가난한 어린 시절과 어머니
■ **시상의 흐름**
  - 1~2연: 감자 삶는 냄새와 가난한 어린 시절에 대한 회상
  - 3연: 감자 삶는 냄새와 그리움
  - 4연: 어머니에 대한 그리움
■ **주제** : 자식을 위해 희생한 어머니에 대한 그리움
■ **특징**
  - 과거 회상 형식의 서사적 내용 전개
  - 독백과 대화를 통해 시상을 전개함.
  - 소재를 활용하여 과거와 현재의 인식의 변화를 드러냄.
  - 후각적 이미지를 이용하여 과거 회상의 매개체로 사용함.
  - 상징적 의미를 지닌 표현을 활용하여 주제의식을 효과적으로 드러냄.
■ **중요 시구 및 시어 풀이**
  • **갉작거리다** 날카롭고 뾰족한 끝으로 바닥이나 거죽을 자꾸 문지르다.
  • **땟거리** 끼니를 때울 만한 먹을 것.
  • **밥주발(一周鉢)** 주발(周鉢). 놋쇠로 만든 밥그릇. 위가 약간 벌어지고 뚜껑이 있다.
  • **궁글다** 1. 착 달라붙어 있어야 할 물건이 들떠서 속이 비다. 2. 단단한 물체 속의 한 부분이 텅 비다.

(나) 나희덕, '땅끝'

작품해설

'땅끝'이라는 지명에, 인생의 고난이라는 의미를 더해 시상을 전개하고 있는 작품이다. 절망적인 상황 속에 인생의 아름다움과 희망이 있다는 화자의 역설적 깨달음을 통해 인생을 살아가는 바람직한 삶의 자세를 드러내고 있다. 1연에서는 노을을 동경하며 그네를 탔지만 끝내 노을에는 도달하지 못하고 어둠 속에 삐걱거리는 그넷줄 소리를 들었던 어린 시절의 경험을 회상하고 있다. 2연에서는 어린 시절과 어른이 된 후의 상황을 병치하며 땅끝의 이중적 속성을 드러내고 있다. 땅끝은 아름다움을 좇아 도달하게 된 곳이기도 하고, 삶의 시련에 뒷걸음치며 도달하게 된 시련과 절망의 공간이기도 한 것이다. 3연에서는 땅끝에 대한 역설적 인식이 드러나 있다. 뒷걸음치며 도달한 땅끝에서, 그 위태로운 공간에서 화자는 오히려 아름다움을 발견한다. 불안하고 위태롭지만 새로운 가능성을 품은 땅끝을 통해 절망 속에서도 희망이 존재할 수 있음을 깨닫고, 이 깨달음이 살아갈 수 있는 힘을 준다는 것을 발견하게 된다.

[놓치지 말자!]

■ **갈래** : 자유시, 서정시
■ **성격** : 사색적, 회상적, 역설적, 관조적
■ **제재** : 땅끝
■ **어조** : 삶의 본질을 관조하는 독백적 어조
■ **주제** : 절망 속에서 깨달은 삶의 아름다움과 희망
■ **특징**
  - 과거 회상을 통해 시상을 전개함.
  - 감각적 이미지를 통해 주제를 형상화함.
  - '땅끝'이라는 단어의 중의적 표현
  - 1연에서 심리의 상태를 구체적인 사물에 투사하여 암시함.
  - 역설적 인식을 통해 대상에 대한 태도 변화를 보여 줌.
■ **중요 시구 및 시어 풀이**
  • 굴렀지 그네 발판 따위에 몸무게를 실어 힘껏 눌렀지.
  • **아가리** '입'을 속되게 이르는 말.

같은작가 다른기출

2015학년도 6월 모의 수능 '그 복숭아나무 곁으로'
2009학년도 6월 모의 수능 '못 위의 잠'

8. ④ 표현상의 특징 파악하기

① (가)에 설의적 표현을 통해 대상의 속성을 강조한 부분은 찾을 수 없다.
② (가)에 반어적 표현은 사용되지 않았다.
③ (나)에 구체적 청자가 드러나지 않는다. 이 작품은 과거 회상을 통해 시상을 전개하고 있다.
④ (나)는 시행의 마지막에 종결 어미 '-지'가 반복적으로 배치되어 운율을 형성하고 있다.
⑤ (가)와 (나)에 화자의 이동 경로에 따라 화자의 정서가 구체화된 부분은 나타나지 않는다.

참고자료

나희덕, '땅끝'의 시상 전개에 따른 화자의 정서 변화

화자는 어린 시절 '노을'에 대해 품었던 동경이 좌절되는 경험을 하면서 아픔과 슬픔을 느낀다. 그리고 어린 시절 찾아갔던 아름다운 공간인 땅끝은 진정한 땅끝이 아닌, 살아가면서 겪는 삶의 시련과 고난으로 내몰리고 뒷걸음치는 곳이라는 것을 경험하고 삶에서 위태로움과 절망을 느낀다. 하지만 땅끝에 대한 역설적 인식을 통해 위태로움 속에 아름다움이 있다는 것을 깨닫고 삶의 희망을 발견하게 된다.

9. ② 작품 내용 이해하기

① 2연에 화자가 엄마에게 말한 '친구들이 학교에서 자기가 감자를 좋아하는 줄 알아'라는 표현에서 화자가 감자를 좋아하지 않는다는 것을 짐작할 수 있다.
❷ 2연에서 '귀밝은 할아버지는 땅밑에서 감자알 크는 소리 들린다고 흐뭇해하셨지만'을 통해 할아버지는 식구들이 배곯지 않고 감자라도 먹을 수 있을 것이라고 흐뭇해하셨다고 이해할 수 있다. 그러나 할아버지께서 감자밥 드시는 것을 오히려 좋아했다는 정보는 알 수 없으므로 적절하지 않다.
③ '하나둘 숟가락 내려놓을 때까지 엄마 밥주발엔 숟가락 꽂히지 않는다'라는 표현에서 식구들이 밥이 모자라면 자신의 밥을 퍼 주기 위해 기다리시던 어머니의 모습을 희생적인 모습이 드러나고 있다.
④ 2연에서 '난 땅속에서 자라는 것들이 무서운데 ~ 댕글댕글한 어지럼증을 매달고'라는 표현에서 화자가 감자에 대한 거부감을 가지고 있었음을 알 수 있다.
⑤ 3연에서 싫어했던 감자를 '치명적인 그리움'이라고 표현한 것을 통해 어린 시절에 대한 향수를 드러내고 있음을 알 수 있다.

참고자료
'감자 먹는 사람들'의 과거 회상의 매개체
이 시의 화자는 감자를 매개로 궁핍한 어린 시절과 어머니의 사랑을 떠올리고 있다. 화자에게 감자는 어린 시절의 가난을 집약해서 보여 주는 존재이다. 그러나 감자는 고통의 근원인 반면 어머니의 사랑을 떠올리게 하는 그리움의 대상이다. 가난한 가운데서도 가족의 생계를 위해 안간힘을 쓰던 모습을 기억하기 때문이다. 그래서 감자 먹던 어린 시절의 기억은 엄마에 대한 '치명적인 그리움'으로 전이된다. 엄마가 키운 감자는 자식들이었으며 엄마는 '늙은 애기집'으로 형상화되고 있다.

10. ③ 문맥상 의미 파악하기

① [A]에서 화자는 그네를 타면서 사라지는 노을에 대한 화자의 아쉬움이나 허탈한 마음을 표현하고 있으며 노을을 잡아먹은 '어둠'이라는 시어를 통해 절망과 암담함을 표현하고 있다.
② [A]에서 화자가 '그네'를 힘차게 차고 오른 이유가 노을을 보기 위함임을 알 수 있다. 따라서 '그네'는 소망에 이르기 위한 수단이 되고 화자는 그네를 굴림으로써 이상적 대상인 '노을'에 다가가고자 한다는 것을 알 수 있다.
❸ [B]에서 4행의 '땅끝'은 '파도' 앞에서 더 이상 나아가지 못하고 뒷걸음 칠 수밖에 없는 '땅'의 무기력한 모습을 형상화하고 있다. 이를 통해 '땅끝'은 현실의 여러 부정적인 상황들 앞에서 화자가 현실적으로 맞닥뜨리고 있는 절망적인 상황을 의미하고 있음을 알 수 있다.

④ [C]에서 화자는 '파도'를 크고 무서운 입을 벌리고 땅끝을 향해 몰아친다고 표현하고 있으므로 삶의 위태로운 상황을 표현한 것으로 볼 수 있다.
⑤ [C]에서 화자는 절망의 공간 속으로 인식되었던 '여기' 땅끝의 위태로움 속에서 오히려 생성과 희망의 빛을 봄으로써 아름다움이 스며 있다는 역설적 깨달음을 얻는다.

참고자료
'땅끝'의 의미와 주제 의식
이 시에서 '땅끝'은 육지의 끝이면서 동시에 바다를 향한 새로운 시작점이라는 두 가지 의미를 모두 지니고 있다. 땅끝은 육지의 다른 곳과 비교할 때 출렁이는 파도만큼이나 불안정하고 위태로운 곳이다. 그래서 뒷걸음치다 도달한 삶의 '끝'이자 절망을 상징하는 공간일지도 모른다. 그러나 다시 생각해 보면 그곳은 아름다움을 추구한 끝에 도달했던 공간이기도 하다. 마르고 굳은 것이 아니라 늘 젖어 있는 땅끝은 항상 새로운 생성의 가능성과 아름다움을 품은 곳이다. 시인은 이러한 땅끝의 이중적 의미에 대한 탐색을 바탕으로 절망 속에서 발견하는 삶의 아름다움과 희망을 노래하고 있다.

11. ① 시어의 기능 파악하기

❶ 시적 상황을 보면 화자는 어느 집 담장 곁을 지나다 감자 삶는 냄새를 맡게 된다. 이 후각적 자극은 화자에게 치명적 냄새로, 그간 잊고 있던 화자의 어린 시절을 떠올리게 하는 냄새이면서 동시에 어머니에 대한 그리움을 강하게 불러일으키는 냄새임을 알 수 있다. 이를 〈보기〉의 내용과 관련지어 보면 감자 삶는 '냄새'는 비자발적 기억을 우연히 떠오르게 하는 요인으로 작용하고 있는 것이다.
② '감자알'은 어릴 적 화자가 먹었던 감자를 뜻하며 기억을 떠올리는 것과는 거리가 멀다.
③ '꽃'은 어머니의 삶을 비유한 표현으로, 마치 감자가 꽃을 돌보지 않고 감자알만 키우듯이 어머니는 여자로서의 자신은 돌보지 않고 가족만을 생각하면서 살아온 삶을 표현한 것으로 이해할 수 있다. 이는 기억을 떠올리는 것과는 거리가 멀다.
④ '그넷줄'은 어릴 적 화자가 자신이 도달하고 싶은 '노을'이라는 대상에 가까이 가기 위한 수단이지 기억을 떠올리는 것과는 거리가 멀다.
⑤ '나비'는 화자가 지향하던 밝고 순수한 세계라는 의미를 지니고 있으며 기억을 떠올리는 것과는 거리가 멀다.

참고자료
'감자 먹는 사람들'의 구성 방식
이 시는 역전적 구성 방식을 취하고 있는데, 현재 감자 냄새를 맡으면서 과거의 추억으로 빠져들어가 가난했던 유년 시절의 감자와 연관된 추억을 되새기고, 다시 현재로 돌아와 감자가 어머니에 대한 그리움과 연결되어 있음을 드러내고 있다.

고전 산문

본문 058쪽

Day 11

1. ⑤ 2. ⑤ 3. ④ 4. ② 5. ②
6. ④ 7. ② 8. ① 9. ② 10. ②
11. ②

【1~4】 작자 미상, '화산기봉'

작품해설

주인공 이성이 계모 장씨와 겪는 갈등과, 부마가 된 후 궁중의 음모를 해결하는 사건을 그린 소설이다. 제시된 내용은 계모 장씨가 이성이 화양 공주와 혼인하여 부마가 된 것을 염려하여 계교를 꾸미고 이에 화양 공주가 죽을 위기에 처했다가 이성의 비범한 침술로 살아나는 장면과, 장씨의 죄를 알게 된 이성의 아버지 이영준이 일을 벌인 장씨와 그 유모 혜랑에게 벌을 내린 장면이다.

■ **갈래** : 가정 소설, 궁정 소설, 영웅 소설
■ **성격** : 영웅적, 유교적
■ **배경** : 중국 당나라
■ **구성**
　– 발단: 당나라 때 이영준은 뒤늦게 아들 성을 얻고 성이 9세 때 아내가 죽자 장씨와 혼인한다.
　– 전개: 성질이 고약한 장씨는 아들 무를 낳은 뒤 이성을 없애려는 음모를 꾸미지만 실패하고, 이성은 집을 떠나 무예를 익힌 뒤 돌아와 강진모의 딸과 혼인하고 장원 급제한다. 황제의 총비인 설귀비는 이성을 화양 공주의 남편으로 삼기 위해 강 부인을 몰아내고 이에 이성은 공주와 마지못해 혼인한다.
　– 위기: 장씨와 혜랑이 법사를 시켜 공주를 죽이고 이성이 한 일로 모해하려 했으나 이성이 공주를 살려낸다. 하지만 이를 알게 된 황제가 이성을 유배 보내고, 공주는 강에 투신한 강 부인을 구해 함께 지낸다.
　– 절정: 서번이 침범하자 황제는 이성을 보내 물리치게 한다. 설귀비는 음모를 꾸며 황후와 태자를 몰아내려 실패하고 이에 설귀비의 조카가 황제를 공격하자 이성이 황제를 구하고 음모를 막는다.
　– 결말: 지방에서 역모의 움직임이 일자 이성이 순찰사가 되어 이들을 진정시킨 후 공주, 강 부인과 함께 화목하게 산다.
■ **주제** : 이성이 가정 내에서 겪은 갈등과 궁정의 음모에 맞선 활약

1. ⑤ 작품의 내용 파악하기

① 이성이 화양을 찔렀다는 소식을 들은 이영준은 이성을 보자마자 어디에 있었는지 묻는데, 이성이 정당에 있었다고 하자 장씨를 의심했다. 그리고 이성과 함께 화양이 있는 명월루로 간 이영준은 '휘장 밖에 서서는 이성에게 들어가 보라고 하였'으므로, 이영준이 직접 화

양의 상태를 확인한 것은 아니다.
② 장씨는 '자기 허물이 온 나라에 시끄럽게 드러나자 크게 부끄러워하며 사람을 멀리하였다'고 했을 뿐, 끝까지 결백을 주장하는 모습을 보이지는 않았다.
③ 혜랑은 그간 저질렀던 일들이 드러나자 '처음에 자객을 보내어 이성을 해하려고 한 일부터 화양을 해쳐 그 죄를 이성에게 뒤집어씌운 일까지 바로 자백'했을 뿐, 자백하는 척하며 장씨를 모함한 것은 아니다.
④ 이성이 화양이 습격을 당할 것을 예상하거나 화양에게 미리 주의를 주는 모습은 나타나 있지 않다.
❺ 이성과 화양 공주가 화목하지 않음을 알아챈 혜랑이 이성을 해치려는 장씨에게 "이러한 기회는 두 번 다시 오지 않습니다. 부인께서 뜻을 이루실 때입니다."라고 말한 것을 통해, 혜랑은 이성과 화양의 불화가 이성을 해치려는 자신의 계획에 유리하게 작용한다고 판단했음을 알 수 있다.

2. ⑤   서술상 특징 파악하기

① 인물의 외양을 세밀하게 묘사한 부분이나 인물을 희화화한 부분은 찾을 수 없다.
② 꿈과 현실의 교차는 드러나지 않으므로 그를 통해 사건의 진상을 밝히고 있다는 것은 적절하지 않다.
③ 인물 간의 대화를 통해 사건을 전개하고 인물의 심리를 드러내고 있으나, 노래가 삽입된 부분은 찾을 수 없다.
④ 신광 법사가 개용단을 이용해 이성의 모습으로 변신한 것은 비현실적 소재로 볼 수 있으나, 이를 통해 낭만적 분위기를 형성하고 있는 것은 아니다.
❺ '혜랑이 비록 크게 간악하지만 일이 이 지경에 이르렀으니 어찌 속일 수 있겠는가?'와 '그 효성스러운 거동이 사람의 분한 마음을 봄눈 녹듯이 사라지게 할 정도였다.'에서 서술자가 개입하여 사건에 대한 주관적인 판단을 드러내고 있다.

3. ④   공간의 기능 파악하기

① 이성이 ㉠'방'에서 화양의 기색을 살피고는, '조금도 방자함이 보이지 않았고, 잘난 척하는 마음이 조금도 얼굴에 드러나지 않은 것을 보고 이에 화양을 후대하며 정이 솟아났다'고 했으므로, ㉠은 이성이 화양의 태도를 확인하고 화양에게 긍정적 감정을 느끼는 공간으로 볼 수 있다.
② 신광 법사는 '혜랑의 가르침', 즉 지시에 따라 개용단을 이용해 이성의 모습으로 변신한 채 ㉡'명월루'에 숨었다.
③ 신광 법사는 ㉢'화양 공주의 방'에서 칼로 화양을 찌르려고 했는데, '때마침 방 밖에 시비들의 소리가 시끄럽게 들리자 마음이 급해'져 엉겁결에 비껴 찔렀다. 즉 신광 법사는 '시비들의 소리'라는 외부적인 요인으로 인해 조급하게 행동한 것이다.
④ ㉣'외당'은 이영준이 화양에게 일어난 일을 전해들은 곳으로, 이곳에서 이영준은 이성을 급히 불러 어디에 있었는지 물은 뒤 함께 명월루로 갔다. ㉣에서 이영준과 이성이 문제 해결에 대한 의견 차이를 드러내는 모습은 나타나 있지 않다.
⑤ 이영준이 장씨를 ㉤'후원 냉옥'에 가두고 '개과천선하기를 기다린 후 다시 처치하고자 하였다'고 했으므로, ㉤은 장씨가 자신의 행동을 반성하도록 이영준에 의해 보내진 곳임을 알 수 있다.

4. ②   외적 준거에 따라 작품 감상하기

① 장씨가 '이성이 왕실의 한 사람이 되어 그 권세가 가볍지 않음을 알고' 이성을 해하려는 계교를 꾸민 것을 통해, 이성이 화양 공주와 혼인한 것이 계모와의 갈등이 심화되는 계기가 되었음을 알 수 있다.
❷ 화양의 보모인 정 상궁은 이성이 화양 공주를 박대하자 통한히 여기고 "부마께서 이렇게 매몰차시니 어찌 분하지 않겠습니까?"라고 말한다. 이에 화양은 "서방님이 드러나게 나를 박대함이 없고 도리어 나의 불초함을 예로 대한다."라고 말하며 정 상궁을 질책했다. 즉 화양은 이성이 자신을 박대한 일이 없다고 말한 것이므로 가족 내 갈등이 유발된 책임을 가족 외 인물에게 돌리고 있다고 볼 수 없다.
③ 화양이 장씨와 혜랑의 계교로 칼에 찔린 상황에 대해 '왕실의 금지옥엽으로 이런 일을 당하였고, 그 누명이 이성에게 미칠 수 있으니 어찌 멸문지화를 면할 수 있겠는가?'라고 한 것을 통해 계모가 일으킨 사건이 가문의 존속을 위협할 수 있음을 짐작할 수 있다.
④ 칼에 찔려 쓰러진 화양을 자세히 살펴보던 이성은 화양에게 '약간의 생기'가 있는 것을 보고 '침을 내어 기를 통하게 할 곳을 짚어 찔렀고', 이 신이한 침법으로 인해 화양이 소생하였다. 이를 통해 주인공 이성이 비범한 능력을 통해 급박한 위기 상황을 벗어나고 있음을 확인할 수 있다.
⑤ 장씨의 아들 이무는 어머니의 죄가 심한 것이 부끄러워 죽고 싶었으나, 어머니를 보살필 사람이 없음을 알고 목숨을 부지하다가 아버지 이영준의 분노가 조금 가라앉자 이성과 함께 그 앞에 나아가 아버지에게 장씨를 용서해 달라고 간청한다. 이를 통해 효라는 유교적 윤리를 바탕으로 악행을 지른 장씨를 포용하려는 모습이 드러난다.

[5~8] 작자 미상, '숙향전'

작품해설

이 작품은 천상에서 죄를 지은 두 남녀가 땅으로 내려오면서 헤어졌다가 이후 우연한 기회에 서로 만나 가혹한 시련을 극복한 후 결국 천상으로 돌아가는 내용이 전개되고 있다. 숙향의 삶을 중심으로 사건이 전개되면서 영웅의 일대기 구조에 따라 여성의 수난을 그리고 있는 것이 특징이다. 또한 숙향이 여러 고난을 겪으면서 애정을 포기하지 않은 것은 여성들의 관심사를 다루어 여성 독자층의 흥미를 끌고자 하는 의도가 나타난 것이라고 할 수 있다.

■ 갈래 : 고전 소설
■ 성격 : 초현실적, 낭만적
■ 특징
  – 천상계와 지상계라는 이원적인 공간이 설정됨.
  – 고귀한 혈통의 탄생, 고난과 시련, 극복으로 이어지는 영웅 소설의 구조를 지님.
  – 주인공인 숙향에게서는 일반적인 영웅의 능력은 나타나지 않음.
■ 주제 : 시련을 극복하고 이룬 사랑

5. ②   작품의 세부 내용 이해하기

① 용자는 상서에게 '어디를 가든 제가 하라는 대로만

하소서. 가는 곳마다 용왕께서 주신 공문을 보여 주고 가겠나이다.'라고 말하였다. 공문의 사용을 주의하라고 당부한 것이 아니다.
❷ 용자는 상서에게 '인간 세상 사람은 마음대로 선계에 들어갈 수 없는데, '지금 상공께서는 인간 세상에 내려와 진객이 되었'다면서 상서가 원하는 곳까지 혼자 갈 수 없는 이유를 설명하였다.
③ 선녀가 숙향에게 '항아님이 사향이 낭자를 모함한 것을 아시고 이미 상제계 아뢰어 벼락을 치게 했'고, '장 승상 부부와 모든 종들도 다 낭자가 억울한 처지인 줄 알고 있'다고 말했으므로, 장 승상이 사향이 숙향을 모함한 사실을 알지 못했다는 설명은 적절하지 않다. 한편, '승상께서 종을 이 물가에 보내어 낭자를 찾아 모셔 오도록' 했다는 사실에서 장 승상이 숙향의 억울함을 알고 숙향을 찾았음을 알 수 있다.
④ 함밀국의 왕 필성은 용자에게 '이 앞이 제일 험하니 조심하라'고 말해 주었으나, 불미스러운 일을 피할 방법은 알려 주지 않았다.
⑤ '갈대밭'과 '낙양 옥중'에서의 곤욕은 아직 숙향에게 일어나지 않은 일이고, 선녀는 이것들 모두 '하늘이 벌써 정하신 일이기 때문에 낭자 마음대로 할 수 없'다고 말하고 있다. 또한 선녀는 숙향에게 공손한 말투로 말하고 있으므로 숙향을 질타하고 있다고 할 수 없다.

6. ④   작품의 세부 내용 파악하기

① ㉠(회회국)은 '여러 나라를 지나면서 공문을 보여 주고 가야만' 하는 곳 중의 하나이다. '공문'은 용왕이 준 것으로, 용왕의 조력을 통해 상서가 갈 수 있었던 공간임을 알 수 있다.
② ㉠(회회국)의 왕이 공문을 보고 '함께 가는 사람이 태을성인가?'라고 묻고, '물가로 나와 상서에게 반갑게 인사'한 것에서 ㉠의 왕이 태을성을 호의적으로 생각한다는 것을 알 수 있다.
③ 용자가 '상제께서 그것을 아시게 되면 용궁에 큰 변이 일어'난다고 한 것에서 ㉢(용궁)은 상제의 권위에 의해 영향을 받는 곳임을 알 수 있다.
❹ 용자의 '저 혼자 가면 아무 데도 걸릴 것이 없이 쉽게 갈 수 있사오나'라는 말을 통해, 용자는 ㉠(회회국)과 ㉡(봉래산) 모두를 드나들 수 있다는 것을 알 수 있다. 따라서 누구에게도 자유로운 이동을 허용하지 않는 공간이라는 설명은 적절하지 않다.
⑤ 상서와 용자는 ㉠(회회국)을 거쳐 '황제의 명을 받들어 ㉡(봉래산)의 개언초를 얻으러' 갔다는 것을 알 수 있다.

7. ②   인물의 말하기 방식 파악하기

① [A]는 선녀가 숙향에게, 숙향의 운명이 모두 정해져 있음을 말하는 부분이므로 과거의 사건을 요약적으로 제시한 것이라고 할 수 없다.
❷ [B]는 '상제께서 그것을 아시게 되면'과 같은 가정적 상황을 제시하여 예상치 못한 큰 변이 생길 수 있음을 나타내고 있다.
③ [A]에 '십 년', '삼천삼백육십오 리'와 같은 구체적인 수치를 언급하기는 했으나, 이것은 다급한 상황을 부각하는 것이 아니라 숙향에게 하늘의 운명을 받아들이라는 의도를 나타내려는 것이다.
④ [A]는 '어찌 그 액을 면할 수 있겠나이까?'에서 의문의 형식을 활용하여 정해진 운명에서 벗어날 수 없음을

강조하고 있다. [B]의 '수로로 곧장 가면 얼마나 좋겠습니까?'라는 의문문은 수로로 곧장 갈 수 없음을 의미한 것이다.

⑤ [A]에는 유사한 상황이 나열되지 않았고, [B]에는 여러 인물의 발화가 반복적으로 나타나 있지 않다.

8. ① 　외적 준거를 활용하여 작품 감상하기

❶ '항아께서 선군도 벌을 주어야 한다고 요청한 까닭에 상제께서 마지못해 선군을 인간 세상에 귀양 보냈나이다.'라는 선녀의 말에서 이선이 인간 세상에 온 것은 천상에서 죄를 지었기 때문임을 알 수 있다. 따라서 이를 입신양명이라는 당대 남성의 소망이 형상화된 것으로 보는 것은 적절하지 않다.

② '하늘이 벌써 정하신 일이기 때문에 낭자 마음대로 할 수 없나이다.'라는 선녀의 말에서 숙향의 고난은 징벌적 의미를 지니고 있음을 알 수 있다.

③ 이선이 용자와 함께 조롱박을 타고 '노를 젓지 않는데도 화살처럼 빠르게 바다 위를 떠'가서 신이한 세계의 여러 인물들을 만나는 과정에서 환상성이 드러난다.

④, ⑤ 상제는 선군을 가장 사랑하여 잠시도 곁을 떠나지 못하게 하다가 마지못해 귀양을 보내고, 인간 세상에서도 부귀영화를 누리게 하였다. 반면 숙향은 인간 세상에서 온갖 고행을 겪었는데, '천상에 계실 때 낭자께서 먼저 선군을 희롱했기에 낭자의 죄가 더 무겁나이다.'라는 선녀의 말에서 천상의 죄업에 대한 책임을 여성에게 두고 있다는 사실과 가부장제 사회에서 열세에 놓인 여성의 상황을 알 수 있다.

[9~11] 유성준 창본, '수궁가'

작품해설

수국의 용왕이 병에 걸리자 충성스러운 신하 자라는 이를 고칠 약인 토끼의 간을 구하기 위해 육지로 나가게 되고, 토끼는 자라의 말에 속아 위기에 처하지만 지혜를 발휘하여 그 위기에서 탈출한다. 이 내용은 인간 세계를 우의적으로 나타내고 있는데, 용왕은 일반 백성들의 생명을 귀중하게 여기지 않는 집권층의 모습을, 자라는 충성스러운 신하의 모습을, 토끼는 힘없는 백성들의 모습을 보여 준다. 이로써 이 작품에는 인간 세계를 비판하는 풍자적 성격이 강하게 드러난다.

■ 갈래 : 판소리 사설
■ 성격 : 우의적, 우화적, 해학적, 풍자적
■ 배경 : 수국(水國)과 산중(山中)
■ 특징
　- 조선 시대 판소리 사설 중 유일하게 동물 우화적인 성격을 지닌 작품임.
　- 등장인물의 행동에서 해학성이 드러남.
　- 무능한 집권층과 당대 사회에 대한 신랄한 풍자가 드러나 있음.
　- 지배층의 언어인 한문투의 문장과 평민의 일상적인 언어를 함께 사용함.
■ 주제 : 토끼의 지혜와 자라의 충성심, 무능한 집권층에 대한 비판

9. ② 　내용 파악하기

① 두 번째 아니리 부분에서 용왕은 묵묵부답하는 신하

들을 보고 탄식하고 있다.

❷ 첫 번째 중모리 부분에서 잉어는 세상 인심이 박하여 지혜 용맹 없는 자는 성공하지 못할 것이라고 말하고 있다. 즉 토끼의 간을 얻으려면 지혜와 용맹이 있어야 한다고 말하고 있는 것이다.

③ 첫 번째 중모리 부분에서 잉어는 승상 거북이 지략이 넓으나 인간들이 거북을 잡아 여러 공예품을 만들 것이라는 근거를 내세워 거북이 적임자가 아니라고 말하고 있다.

④ 첫 번째 중중모리 부분에서 방게는 세상이 자신의 고향이라 말하며 토끼를 잡아 올 수 있다는 자신감을 내비치고 있다.

⑤ 마지막 중중모리 부분에서 화공은 토끼 화상을 자세히 그리고 있지만, 자라를 돕기 위해 육지로 동행하지는 않는다.

10. ② 　표현상의 특징 파악하기

① [A]와 [B]에 용궁의 모습과 육지의 모습이 나타나지 않는다.

❷ [A]에서는 수국의 신하를 열거하고 있고, [B]에서는 토끼의 신체 부위를 열거하여 그 모습을 전달하고 있다.

③ [A]와 [B] 모두 인물의 성격이 나타나지 않는다.

④ [A]와 [B]에 용왕이 처한 문제점과 해결책이 나타나지 않는다.

⑤ [A]와 [B] 모두 객관적인 설명이 나타날 뿐, 작가의 태도는 드러나지 않는다.

11. ② 　인물 간의 관계 파악하기

① '1단계'에서 조개가 용왕에게 추천을 받았던 것과 달리 방게와 자라는 스스로 후보로 나서고 있다.

❷ '2단계'에서 용왕은 방게의 눈이 솟아 있어 왔다 갔다 하다가 뒷걸음질을 잘할 것을 이유로 들어 방게가 적임자가 아님을 밝히고 있다.

③ '2단계'에서 잉어는 조개가 휼조와 싸우다가 어부에게 잡혀 속절없이 죽을 것이니 적임자가 아니라고 말하고 있다.

④ '2단계'에서 잉어는 메기가 탐식이 있어 '어옹들'에게 쉽게 잡힐 것이니 적임자가 아니라고 말하고 있다.

⑤ '3단계'에서 스스로 후보로 나선 자라는 자신이 망보기를 잘하여 인간에게 잡힐 걱정이 없다고 주장하였는데, 이를 용왕이 받아들였기 때문에 자라가 적임자로 최종 선정된 것이다.

본문 064쪽

Day 12

1. ③	2. ⑤	3. ③	4. ①	5. ④
6. ④	7. ②	8. ③	9. ②	10. ③
11. ⑤	12. ⑤			

[1~4] 작자 미상, '춘향전'

작품해설

춘향과 이 도령의 만남과 이별, 그리고 재회라는 기본 서사 속에 황릉묘 모티프를 활용하여 두 인물의 사랑의 성취를 제시한 '이고본 춘향전'이다. 제시된 부분은 춘향의 옥중 생활과 이 도령의 과거 급제를 다룬 장면이다. 이 소설은 '황릉묘'의 주인인 '아황 부인과 여영 부인'과의 만남을 다룬 이본들과 달리 아황 부인과 여영 부인이 춘향의 전생사와 미래사를 들려주며 정절을 격려하는 내용이 담긴 작품이다. 이 소설에서는 신관 사또의 수청을 거절하여 옥에 간힌 춘향이 꿈속에서 미래에 관한 예언을 듣고 나서도 꿈에서 들은 이야기를 신뢰하지 않고 비극적 상황에 몰입하는 내용이 나온다. 독자는 작중 인물인 춘향이 꿈을 꾸고 난 후에 보이는 반응을 바탕으로 이후 내용을 예상하기보다는 꿈속 예언이 실현되는 방향으로 서사가 진행될 것이라는 기대를 하며 이후에 이어질 내용을 읽게 된다는 점에서 흥미를 자아내는 서사이다.

■ 갈래 : 고전 소설, 판소리계 소설, 애정 소설
■ 성격 : 해학적, 풍자적, 비판적, 서민적, 서사적
■ 주제 : 신분을 초월한 사랑, 민중의 신분 상승에 대한 욕망, 유교적 정조 관념의 고취, 탐관오리에 대한 민중의 저항과 위정자의 각성 촉구
■ 의의 : 자유연애와 평등사상을 고취함
■ 특징
　- 풍자와 해학이 돋보임.
　- 다양한 향유층으로 언어의 이중성이 드러남.
　- 주제의 다양성이 두드러짐.
　- 판소리적 특징을 잘 보여 줌. (4·4조의 운문, 편집자적 논평, 장면의 극대화, 희화화 등)

1. ③ 　작품에 드러난 인물 이해하기

① [A]에서 '신관 사또는 사람 죽이러 왔'냐며 땅을 치며 우는 모습에서 춘향 어미가 신관 사또를 비난하고 있음이 드러난다. 하지만 [B]에서 향단이 신관 사또를 옹호하는 모습은 드러나지 않는다.

② [A]에서 춘향 어미가 '기생이라 하는 것이 수절이 다 무엇이냐?'라고 묻는 모습에서 춘향의 수절에 대해 만류하고자 하는 입장이 드러난다. 그러나 [B]에서 향단이 춘향을 재촉하거나 그녀의 수절에 대해 의견을 보이는 부분은 찾을 수 없다.

❸ [A]에서는 춘향 어미가 옥중의 춘향을 보며 딸에게 '이 한 몸 의탁코자 하였더니'라며 탄식하는 모습을 통해, 춘향에게 닥칠 앞으로의 상황을 걱정하고 있음을 확인할 수 있다. 반면에 [B]에서는 향단이 칼을 쓴 춘향의 현재 건강 상태를 염려하며 음식을 권하고 있다. 이를 통해 춘향의 고난에 대한 두 인물의 상이한 반응을 확인할 수 있다.

④ [A]에서 춘향 어미는 삼문간에서 춘향을 보고 땅을 치며 울지만 향단이 춘향 어미를 진정시키는 모습은 드러나지 않는다. [B]에서 향단은 옥에 갇힌 춘향을 걱정하며 음식을 권하고 있을 뿐 향단의 침착한 모습을 확인하기 어렵다.

⑤ [A]에서 도련님의 약속을 일깨우고 있는 것은 향단이뿐이며, 춘향의 어미가 도련님의 약속을 믿고 있는지는 확인할 수 없다. [B]에서는 향단이 옥에 갇힌 춘향을 걱정하고 있을 뿐, 향단의 모습으로 인해 '춘향'의 내적 갈등이 심화되고 있다고 보기 어렵다.

2. ⑤　　인물의 심리를 파악하기

① 어두운 옥방 안에 '벼룩 빈대 ~ 번개는 번쩍번쩍'대는 공간의 특징을 열거하고, '이것이 웬일인고'라고 탄식하며 자신의 비참한 처지를 드러내고 있음을 확인할 수 있다.

② '도깨비', '온갖 귀신' 등 비현실적 존재를 언급하며 '무서워'하는 모습에서 춘향의 두려운 마음을 느낄 수 있다.

③ '동방의 귀뚜라미 소리', '울고 가는 기러기'라는 청각적 경험을 자극하는 자연물과 춘향이 '나의 근심 자아낸다'고 말하는 내용에서 춘향의 근심을 확인할 수 있다.

④ 향단이 미음을 권하자 춘향은 '이것을 먹고 살면 무엇할고'라고 하며 미래에 대한 암울한 전망을 드러내고 있고, '이것이 웬일인고?'라며 신세 한탄을 하고 있음을 알 수 있다.

❺ 춘향이 죽은 귀신들을 열거하며 묘사한 내용을 볼 때 그들이 자신과 같이 억울한 처지에 놓인 사람들이라면서 연민의 감정을 느끼고 있다고 보기 어렵다. 춘향은 온갖 귀신들이 달려드니 '처량하고 무'섭다고 하며 두려운 감정을 드러내고 있다.

3. ③　　서사 구조 파악하기

① 춘향이 꿈을 꾸어 황릉묘에 도착하므로, 잠을 통해 꿈과 현실이 연결되고 있음을 알 수 있다.

② 봉황 부채가 일으킨 바람에 의해 춘향이 순식간에 공간을 이동하는 것은 꿈속 공간이 현실을 초월한 곳임을 드러내고 있다.

❸ 아황 부인과 여영 부인이 춘향에게 '바삐 들라'고 하는 말은 춘향을 환대하는 말이다. 이를 자신의 문제를 서둘러 해결하고자 하는 춘향에게 천상계의 질서를 보여 주는 것으로 이해하는 것은 적절하지 않다.

④ 전생의 운화 부인 시녀는 현생의 춘향이고, 전생의 장경성은 현생의 이 도령이라는 아황 부인과 여영 부인의 말은 전생과 현생의 대응을 드러낸다. 또한 공간적 상상력의 확장을 유도하고 있음을 알 수 있다.

⑤ 정절의 표상적인 인물인 아황 부인과 여영 부인은 춘향에게 정절을 지켜나갈 것을 당부하고 있는데, 이 부분을 통해 춘향이 정절을 지켜나갈 인물임을 드러내고 있다.

4. ①　　독자의 반응 이해하기

❶ 아황 부인과 여영 부인이 장경성과의 재회에 대해 예언한 내용을 통해서 독자는 이 도령과 장경성이 동일함을 짐작할 것이다. 따라서 독자는 춘향의 '내가 죽을

꿈이로다'라는 말보다는 이 도령이 장원 급제한 내용에 주목하게 되고, 그 이후에 춘향과 이 도령이 재회할 것을 예상할 것이다.

② 독자는 춘향이 자문하고 탄식하는 모습에 관심을 두기보다는 춘향에게 긍정적인 영향을 줄 요소를 찾을 것이다.

③ 독자는 춘향의 모습에서 허무함을 느끼기보다는 춘향에게 일어날 긍정적인 변화에 주목할 것이다.

④ 독자는 춘향의 부정적 반응을 그대로 받아들이지 않고, 춘향의 고난이 지속될 것이라고 예상하지 않을 것이다.

⑤ 독자는 춘향이 달나라 구경을 이루지 못한 모습에 안타까워하기보다는, 전생과 관련된 예언에 주목할 것이다.

【5~8】 작자 미상, '정비전'

작품해설

영웅의 일대기 구성에 따라 여주인공 정성모(정비)가 여러 위험과 고난을 극복하고 뛰어난 활약을 통해 중국 당나라 황실을 구하는 과정을 그린 여성 영웅 소설이다. 중국 당나라 황실을 중심으로 사건이 전개되면서 초인적인 능력을 갖춘 여성의 성공을 다루고 있는 점이 특징이며, 남성도 감당하기 어려운 문제를 여성이 해결하고 태자비 지위를 확고히 하는 과정을 통해 당대 여성의 사회적 지위에 대한 불만과 이러한 불만을 극복하고자 하는 여성의 사회 참여 의지가 드러나 있다.

■ 갈래 : 고전 소설
■ 주제 : 시련을 극복하고 성공한 여성의 위대함.
■ 성격 : 영웅적
■ 특징
　– 영웅의 일생에 입각하여 이루어진 영웅 소설
　– 명나라를 배경으로 여성 주인공을 영웅화시킴.
　– 인물의 말과 행동을 통해 비범한 면모를 드러냄.
　– 국난을 극복하고 위기에 처한 군부(君父)를 구출하여 충효를 실현함.
　– 왕권의 약화, 국력의 쇠퇴, 정쟁의 심화 등 시대의 요구에 부응한 충효를 강조함.
　– 여성의 사회적 지위에 대한 불만과 이를 극복하고자 하는 의지를 나타냄.

5. ④　　서술상의 특징 파악하기

① 언어유희를 사용한 대목을 찾을 수 없다.

② 배경 묘사를 통해 인물의 내면 심리를 표출하고 있지 않다.

③ 인물의 행동을 과장하여 해학적 분위기를 조성하고 있는 대목은 확인할 수 없다.

❹ '주소저'를 만난 '정소저'는 자신이 '모친을 이별하고' '부친'마저 '전장에 가' '의지할 곳' 없다며 자신의 처지를 드러내고 있다. 또한 '정원수'와 '정소저'의 대화에서 '장군의 구조함을 입어' '종명을 보존'하고 '고향'으로 돌아갈 수 있게 된 '정원수'의 상황이 드러나 있음을 확인할 수 있다.

⑤ 꿈과 현실의 교차를 통해 앞으로 일어날 사건을 암시하고 있다.

---

6. ④　　작품의 내용 파악하기

❹ [A]에는 '정소저'의 처지와 관음사에 온 이유가 드러나고 있다. 그녀는 부친만 의지하고 지지냈는데 별안간 부친이 전장에 불려가시게 되자 돌아오기만을 손꼽아 기다리고 있다는 것이다. 이를 통해 정소저가 부친과의 재회를 바라는 이유가 나타나 있다. 한편 [B]에서 '정원수'가 장군의 구조함을 입어 목숨을 보존하여 부모와 자식을 상봉하게 되었다는 것에는 가족과의 재회가 가능해진 이유가 나타나 있다.

7. ②　　작품 내용 이해하기

① ㉠에서 '주소저'는 동전을 던지며 '분명 정낭자와 배필이 되게 하시려거든 이 금전이 방중에 내려오서'라고 점을 치듯 '동전의 위치'를 확인하면서 자신이 바라는 일이 이루어질 것이라고 생각했음을 확인할 수 있다.

❷ ㉡에서 '동전의 위치'가 '황상께서 양경의 딸로 간택하였으니, 만일 양 씨를 퇴할 수거든 금전이 스스로 방밖에 내려지게 하소서.'에 나타나는 '동전의 위치'와 일치하는 것은 '주소저'가 바라는 일이 이루어질 것이라는 뜻으로 해석되므로 적절하지 않다.

③ ㉢에서 '정소저'는 '부친께서 전장에 나가 성공하고 쉬이 돌아오시게 하거든 금전이 방중에 내려지소서.'라고 바랐지만 '동전의 위치'가 일치하지 않는 것을 볼 때 '정소저'가 바라는 것이 이루어지지 않을 것이라는 뜻으로 해석되고 있다.

④ ㉣에서 '알고 싶은 내용'은 '동전을 던지는 인물'인 '정소저'가 하고자 하는 행동과 관련이 있는데, '이 몸이 비록 여자이오나 어릴 적부터 병서를 공부하였사오니 부친을 위로하려 전장에 나아가 선전하려 하시거든 금전이 방중에 내려지소서.'에서 '정소저'가 '부친'을 위해 '전장에 나아가'고자 하는 것을 확인할 수 있다.

⑤ ㉤에서 '정소저'는 '이후로는 다시 험한 일이 없고 심중에 먹은 마음대로 되게 하시려거든 금전이 방중에 떨어지소서'라며 '동전의 위치'가 '방중'에 떨어지기를 바라고 있다.

8. ③　　외적 준거에 따라 작품 감상하기

❸ 제시된 내용을 통해서는 '주소저'가 '탁월한 풍채와 늠름한 기상'을 지닌 '정소저'를 보고 놀라는 상황에서 '정소저'가 복장전환을 했는지 확인할 수 없으므로 적절하지 않다.

참고자료

◆ 작자 미상의 '정비전'의 전체 줄거리

정공의 딸 정비는 어려서부터 무예에 능통한 재질을 타고난다. 권신인 양경이 정 소저의 재색에 욕심이 나서 청혼하지만 거절을 당하고는 앙심을 품고 황제에게 정비의 부친 정공으로 하여금 출전을 시킨다. 황태자도 정비를 발견하고 연모하다가 여복으로 변장하여 친해지게 된다. 적군에게 포위된 아버지를 구출하고 적을 물리친 정비는 태자의 고백을 받아들여 태자비가 된다. 여기에 위기 위식을 느낀 양경이 양귀비와 모의하여 정비와 정공을 제거하고자 음모를 꾸민다. 양귀비는 자기의 아들이 죽자 아들 정비와 태자에게 덮어 씌우고, 황제는 아들을 낳은 정비에게 사약을 내리지만 태자의 계교로 도망가게 된다. 이때 적국과 내통한 양경이 적군의 공격에 위장

항복을 하게 되면서 위기에 처한 당나라는 정비의 등장과 그녀의 출중한 무예 덕분에 위험을 극복한다. 이에 모든 음모가 탄로나서 양경은 능지처참에 처해지고 양귀비는 폐위된다.

【9~12】 작자 미상, '태원지(太原誌)'

작품 해설

18세기 전반에 창작된 고전 소설인 이 작품은 오랑캐의 원나라를 물리치고 천하를 얻고자 하는 주인공 일행의 모험담이 박진감 넘치게 그려져 있다. 원나라 임우와 부인 유씨는 슬하에 자식이 없어 치성을 들인 끝에, 꿈에 신선이 나타나 '임성'이라는 아들을 얻게 된다. '임성'은 어릴 때부터 풍채가 탁월하고 총명하여, 15세부터 대장부의 면모를 갖추게 된다. '임성'과 그의 사촌동생 '임웅'은 서로 가깝게 지내며 천하를 호령할 대의를 세우고 자신들을 추종하는 호걸들과 함께 미지의 땅인 '태원'에 도착하여 새로운 나라를 세우게 된다. 주인공 '임성'은 조력자의 도움을 통해 과업을 이루는데 성공하지만, 천하를 다스리는 황제가 지닌 내면적인 덕목 역시 지닌 인물로 그려져 있다.

■ **주제** : 미지의 세계를 탐험하는 임성의 고난과 영웅적 면모

9. ③ 　작품의 내용 파악하기

❸ 서해 용왕이 종황에게 '그대가 보배의 임자가 아님을 아는 것'이라고 하자, 종황은 보배의 주인은 따로 있다고 밝히며 '임성'을 소개하고 있다. 따라서 종황이 보배의 주인이 자신이라고 믿어 서해 용왕의 요구를 거절하였다는 설명은 적절하지 않다.

10. ③ 　소재의 기능 파악하기

① '닭의 깃털'은 종황이 큰 바다에 흔히 괴이한 족속들과 요괴가 있을 것을 예상하고, 반수에게 준비시킨 것이라고 하였다.
② 종황의 명을 받고 조정이 궤짝 안에 '닭의 깃털'을 실어두었고, 이 깃털은 신이한 힘을 발휘하여 '큰 누런 닭'의 모습으로 등장하여 '황금빛 지네'를 처치하였음을 알 수 있다. 따라서 물결을 고요하게 만들어 배를 띄우기 위해 임성이 배에 실어 놓은 것이라는 설명은 적절하지 않다.
❸ 종황은 '닭의 깃털'에 대하여 '신이 늘상 큰 바다에는 온갖 괴이한 족속들과 요괴가 있을 것으로 생각하여 반수에게 준비시킨 것'이라고 설명하고 있으므로 적절한 설명이다.
④ 석벽 틈 사이에 어려 있던 붉은 안개와 독기를 없애기 위해 종황이 흔든 것은 손에 들고 있던 '부채'였다고 하였다.
⑤ 조정이 누런 궤짝을 열자, 그 안에서 '큰 누런 닭'이 나오고 그 닭이 크게 울자 갑자기 바위가 절로 갈라지며 '황금빛 지네'가 나와 기어 다니다가 스스로 죽어 버렸다고 하였다.

11. ⑤ 　작품의 내용 이해하기

① [A]의 종황은 자신이 '비록 어리석고 용렬하지만' 하늘의 이치를 거스르면 안 된다는 것을 근거로 주인을 설득하려고 하고 있다. 따라서 상대방과의 관계 개선에 대한 기대가 드러난다는 설명은 적절하지 않다.
② [A]의 종황은 '주인이 비록 바다를 엎고 산을 뒤집는 재주가 있다고 한들, 저는 조금도 두렵지가 않습니다'라며 상대방의 능력을 인정하되, 앞으로 일어날 상황에 대해 두려움을 느끼지 않는다고 하였다.
③ [A]의 종황은 주인의 능력이 출중하나 '하늘의 뜻을 거스르는 망령된 심술을 내'고 있다고 평가하며, 자신이 '어리석고 용렬하지만 일찍이 하늘의 계시가 적힌 천서'를 얻어 하늘의 이치를 조금은 알고 있다고 밝히고 있다. 따라서 동정심에 기대어 상대방의 행동 변화를 촉구하고 있다는 설명은 적절하지 않다.
④ [A]의 종황이 상황을 과장하거나, 자신이 취한 행동에 대해 변명하는 부분은 찾을 수 없다.
❺ [A]의 종황은 '하늘의 이치를 따르는 사람은 창성하고, 하늘의 이치를 거스르는 사람은 망한다'라는 옛사람의 말을 인용하며, 주인이 '하늘의 뜻을 거스르는 망령된 심술을 내'는 상황이 잘못되었음을 지적하고 있다.

12. ⑤ 　외적 준거에 따른 작품 감상하기

① 종황은 임성이 보배를 지니고 있는 것에 대하여 '하늘이 우리 주공을 내셔서 이 보배를 주셨으니, 이것으로 하늘의 뜻을 알 것입니다'라고 평가하고 있으므로 〈보기〉에서 언급한 '임성은 황제가 될 천명을 받은 인물'이라는 내용을 뒷받침할 수 있다.
② 서해 용왕이 임성을 마주하고 매우 놀라며 '바위 아래 내려가 머리를 조아리며 사죄하였'다는 서술은 〈보기〉의 '하늘로부터 '전국옥새'를 받고 신적 존재인 용왕으로부터 천명을 인정받는' 상황과 일치한다.
③ 종황이 신이한 능력을 발휘하여 '황금빛 지네'를 처치하여 임성을 위기에서 구해주는 장면은 〈보기〉에 나온 '임성은 일반적인 영웅소설과 같이 조력자의 도움으로 시련을 극복'한다는 내용을 뒷받침한다.
④ 임성은 하늘의 선택을 받고 황제가 될 운명의 인물임에도, '임성과 여러 장수, 장졸들이 모두 묶인 채 배 안에 엎드려 있었다'는 장면은 영웅 소설의 주인공과 달리 임성이 신이한 능력을 보이지 않았음을 알 수 있다. 이는 〈보기〉의 '임성은 일반적인 영웅 소설의 주인공과 달리 시련을 극복하는 과정에서 도술을 부리는 등의 신이한 능력을 보이기보다는'이라는 내용과 상통한다.
❺ 임성 일행이 배를 타고 가다가 섬에 도착하게 된 것은 배를 타고 가다가 바다에서 '전국옥새'를 얻은 후에 일어난 일이다. 이는 임성이 황제가 될 운명임을 암시하는 것으로, 임성이 황제가 갖추어야 할 내면적인 덕목을 가진 인물임을 보여 주는 것과 관련이 없다.

Day 13

1. ①　2. ③　3. ②　4. ③　5. ①
6. ③　7. ④　8. ②　9. ③　10. ③
11. ②　12. ②

【1~4】 작자 미상, '흥부전'

작품 해설

조선 후기에 창작된 판소리계 소설로 표면적인 주제는 '권선징악과 형제 간의 우애'이지만, 그 이면에는 유랑 농민과 신흥 부농(富農)의 갈등상이 드러나 있어 조선 후기의 사회 변화와 시대 의식을 엿볼 수 있는 작품이다. 또한 인물이나 사건을 그려 나가는 방식은 다분히 서민적이고 해학적인 문체를 구사하고 있다. 이러한 문체상의 특징은 작품 속에 설정된 심각한 분위기의 시대적 배경이나 비극적 상황을 서민 특유의 건강한 웃음에 의해 극복하려는 의식을 바탕을 둔 것으로도 볼 수 있다.

■ **갈래** : 판소리계 소설, 국문 소설
■ **성격** : 풍자적, 해학적, 교훈적
■ **배경** : 조선 후기
■ **근원 설화** : 방이 설화
■ **주제** : 형제간의 우애와 권선징악

1. ① 　서술상의 특징 파악하기

❶ 흥부 부부가 박 한 통을 따서 '뚝 타 놓'기를 반복하면 그 박 속에서 온갖 것들이 줄줄이 나오는 장면을 나열하여 흥부 내외가 좋아하며 춤을 추는 모습을 극적으로 잘 보여주고 있다.
② 서술자는 작품 외부에서 인물과 사건을 서술하고 있으므로 서술자를 작중 인물로 설정했다고 볼 수 없다.
③ 죽을 고비를 넘긴 제비가 흥부에게 은혜를 갚고 박에서 온갖 재물이 쏟아지는 등 전기(傳奇)적인 요소가 드러나지만, 이를 통해 주인공의 영웅성을 부각하고 있다고 하기는 어렵다.
④ '제비 왕'을 권위 있는 인물로 볼 수 있지만 '제비 왕'이 인물 간의 갈등을 해소하는 역할을 하고 있지는 않다.
⑤ 꿈과 현실을 교차하여 서술하는 부분은 드러나지 않는다.

2. ③ 　작품의 내용 이해하기

① 흥부 부부는 먹고 살기 위해 할 수 있는 온갖 품을 다 팔면서 노력을 다하였다고 볼 수 있다.
② 박에서 나온 목수들은 흥부 부부를 위해 '명당을 가려 터를 잡고 집을 지'어 주었음을 알 수 있다.
❸ 흥부의 아내가 작년에 왔던 제비가 돌아왔다는 말에 흥부가 나와 보고 이상히 여기는 모습에서 흥부는 제비가 무엇을 물고 왔는지 알지 못했다. 따라서 제비가 박씨를 물고 왔다는 사실을 알아채고 흥부가 제비를 반겼다는 내용은 적절하지 않다.
④ 제비는 제비 왕에게 자신은 '흥부의 구조를 받아 살아서 돌아왔'다고 고하며 흥부에게 '은공을 만분의 일이라도 갚'고 싶은 마음을 전하였다. 따라서 제비는 흥부에게 은혜를 갚기를 원하고 있음을 알 수 있다.
⑤ 놀부는 흥부의 소문을 듣고 '이놈이 도둑질을 했나?'

라고 생각했다. 따라서 놀부는 흥부의 집을 방문하기 전까지는 흥부가 어떻게 부자가 되었는지 정확히 알지 못했음을 알 수 있다.

---

3. ② 외적 준거에 따라 작품 감상하기

① 흥부 부부가 온갖 품을 다 팔며 일해도 살기는 막연했다는 내용을 통해, 아무리 노력해도 가난에서 벗어날 수 없었던 조선 후기의 시대적 배경이 반영되었음을 알 수 있다.
❷ 부자가 된 흥부의 재산을 뺏어오겠다고 벼르며 찾아온 놀부가 재물이 나오는 화초장을 자신의 집으로 직접 짊어지고 간 것은 화초장을 빨리 옮기고 싶은 조급하고 탐욕스러운 마음 때문일 것이다. 이를 가난을 극복하기 위한 백성들의 노력으로 이해하는 것은 적절하지 않다.
③ 흥부는 제비 왕이 제비를 통해 전해 준 박씨를 심어 큰 부자가 되었다는 점에서 초월적인 존재의 도움으로 가난에서 벗어났음을 알 수 있다.
④ 흥부가 타는 박에서 의식주와 관련된 세간붙이와 곡식이 나오는 장면을 통해 당시 백성들의 소망이 반영되어 있음을 확인할 수 있다.
⑤ 제비가 주고 간 박씨를 심으니 사오일 만에 박이 열리고, 박 속에서 순금 궤가 나오는 장면에서 흥부에게 주어진 보상이 환상성을 띠고 있음을 알 수 있다.

---

4. ③ 속담 활용하여 인물 파악하기

① '불난 집에 부채질한다.'는 속담은 남의 재앙을 더욱 커지게 만드는 것을 비유적으로 표현한 내용이다.
② '소 잃고 외양간 고친다.'는 속담은 일이 잘못된 후에 손을 써봐야 의미가 없다는 내용을 담고 있다.
❸ 놀부는 부자가 된 흥부 집에 찾아가 때려 부수며 소란을 피우고 있으므로, 남이 잘되는 것을 시기하고 질투한다는 뜻을 가진 '사촌이 땅을 사면 배가 아프다.'는 속담를 활용하여 인물을 평가할 수 있다.
④ '간에 붙었다 쓸개에 붙었다 한다.'는 속담은 제 줏대를 지키지 못하고 이익이나 상황에 따라 이리저리 언행을 바꾸는 사람을 비꼬아 이르는 내용을 담고 있다.
⑤ '오르지 못할 나무는 쳐다도 보지 않는다'는 속담은 자기의 능력 밖의 일은 처음부터 욕심을 내지 않는 것이 좋다는 내용을 담고 있다.

【5~8】 작자 미상, '토공전'

작품해설

토공전은 토끼전을 각색하여 쓴 한문 소설이다. 용왕과 토끼는 옥황상제가 명을 받고 재판 상황에 놓이게 되는데, 그 주제는 바로 토끼의 목숨을 희생시켜 자신의 병을 고치려 한 용왕과 그에 저항하는 토끼에 대한 옥황상제의 판결에 관한 것이다. 옥황상제는 용왕과 토끼의 지위나 서열보다는 각각의 진술을 듣고 공평하게 판결을 내리고자 노력한다. 이를 통해 생명의 가치를 존중하는 작가의 의식을 엿볼 수 있으며, 재판을 통해 갈등을 해결하는 송사 설화가 작품의 전반에 깔려 있다.
■ 주제 : 생명의 소중함과 정의를 구현하는 판결 과정

---

5. ① 인물의 성격과 특징 파악하기

❶ 토끼가 만수산에 누워서 다시는 용궁 사람들과 말도 하지 않고 이곳에 머무를 것을 다짐하고 있을 무렵, 갑자기 '홀연히 한 떼의 검은 구름이 남쪽으로부터 오더니 조금 있다가 광풍이 일어나 소나기가 쏟아'지고, '우레 소리가 울리고 번갯불이 번쩍번쩍하더니 조용하고 컴컴해져 지척을 분간할 수 없'을 정도로 갑자기 날씨가 변한다. 이에 대하여 토끼는 '이는 필시 용왕의 조화'라고 생각하고 있으나, 옥황 때문이라고 생각하며 두려워 하지는 않았다.

---

6. ③ 인물의 진술을 중심으로 작품 이해하기

① [A]의 용왕은 자신을 일컬어 '모든 관리들의 장'이며 '사해의 우두머리'로 구름과 안개를 일으키고, 비를 내리는 역할을 한다고 요약하며 진술을 시작하고 있다. [B] 역시 토끼는 '소신은 만수산에서 낳고 만수산에서 자라 오로지 성명을 산중에서 다하'였다고 밝히며 자신은 세상에 출세함을 구하지 않았다고 표현하고 있으므로 [A]와 [B] 모두 자신의 내력을 요약하며 진술하고 있다.
② [A]의 용왕은 자신이 깊은 병에 걸렸음을 '몸의 위태로움이 바늘 방석에 앉은 듯하'라고 비유하고, 각종 약이 효과가 없으니 '목숨이 조석에 달려 있습니다'라고 언급하고 있다. [B]의 토끼는 자신의 결백함을 주장하며 세상 사람들에게 해를 끼친 적인 없음에도 불구하고 용왕에게 원망을 사서 '절인 생선이 줄에 꾀인 듯'하고, '뜨거운 불바람이 부는 듯' 하다라며 비유적 표현을 사용하여 자신이 고난에 처했음을 부각하고 있다.
❸ [A]의 용왕은 옥황상제에게 '전하께서는 제왕께서 작은 것을 가지고 큰 것을 바꾼 인자함을 본받아 소신의 병으로 죽게 된 목숨을 구해주소서'라며 간곡히 부탁하고 있을 뿐, 제안의 문제점을 스스로 인정하고 있지 않다. [B]의 토끼는 '오늘 뜻밖에 용왕의 비위를 거슬렸으니 어찌 감히 삶을 구하겠으며 다시 위태로운 땅을 밟아 스스로 화를 받을 것을 알겠'다고 하는 것으로 보아 자신의 제안에 대하여 확신을 갖고 있지 않다.
④ [A]의 용왕은 옥황상제에게 '엎드려 임금님께 비오니 가엾고 불쌍히 여겨 주소서'라며 병으로 죽게 생긴 자신의 목숨을 구해줄 것을 간청하고 있다. 반면 [B]의 토끼는 자신이 용왕의 비위를 거슬리게 했으니 '다시 위태로운 땅을 밟아 스스로 화를 받을 것을 알겠'다고 하고 있다. 따라서 [A]에는 자신에게 유리한 결과를 기대하는 모습이, [B]에는 자신에게 불리한 결과를 예상하는 모습이 나타나 있다.
⑤ [A]의 용왕은 발언의 마지막 부분에 '소신의 병으로 죽게 된 목숨을 구해주소서'라고, [B]의 토끼는 '말을 이에 마치고자 하오니 엎드려 비옵건대 살펴주소서'라고 밝히며 진술을 마무리하고 있다.

---

7. ④ 외적 준거에 따라 작품을 감상하기

① '상제의 명이니 용왕과 토끼를 판결하라'라는 명령에 따라 토끼는 '머리를 구부리고 턱을 고인 채 말없이 정신 나간 듯' 있고 용왕은 '전하에 꿇어 앉고 토끼를 바라보면서 몹시 한스러워'하고 있으므로, 〈보기〉에 제시된 재판을 통해 갈등을 해결하는 송사 설화의 모티프가 쓰였음을 확인할 수 있다.
② 선관이 용왕과 토끼에게 '상제의 명이니 각자 느낀

바를 진술하고 처분을 기다리라'라고 명하자, 용왕과 토끼가 각자 자기의 사정을 진술하고 있다. 이는 〈보기〉에 제시된 토끼와 용왕의 지위의 우열이 아닌 진술의 우위가 판결에 영향을 미친다는 내용과 일치한다.
③ 용왕과 토끼의 진술을 들은 일광노는 '폐하께서 병든 자를 위하여 죄 없는 자를 죽인다면 그 원망을 어찌하겠습니까?'라며 약자인 토끼의 편에 서고 있으므로 적절한 진술이다.
④ 옥황은 판결의 서두에서 '천지는 만물이 머물다 가는 여관과 같고 세월은 백대에 걸쳐 지나는 손님'이라는 비유를 통하여 만물은 시간의 흐름 앞에 공평하며, 누구나 때가 되면 죽음을 맞이하는 존재라는 것을 표현하고 있다. 이와 더불어 옥황이 '낳으면 늙고 늙으면 죽는 것은 인간의 일상적 일'이라고 표현한 것은, 용왕이 자신의 병을 고치기 위하여 무고한 토끼를 희생시키는 것이 옳지 않음을 강조하기 위한 것이다. 따라서 '낳으면 늙고 늙으면 죽는 것은 인간의 일상적 일'이라는 말에서, 옥황이 판결을 망설이는 이유를 짐작할 수 있다는 설명은 적절하지 않다.
⑤ 동해의 용왕은 자신의 병을 고치기 위해 죄 없는 토끼의 목숨을 희생시키려 하고 있고, 이에 대하여 용왕은 '토끼인들 어찌 죽음을 싫어하는 마음이 없겠는가?'라며 비판적으로 반응하고 있다. 이를 통해 〈보기〉에 제시된 생명의 가치를 존중하는 작가의 의식을 확인할 수 있다.

왜 많이 틀렸을까?

옥황상제의 시선에서 이 장면을 살펴본다면 쉽게 해결이 될 거 같아. 옥황상제는 토끼와 용왕, 둘 중 어느 누구의 편을 일방적으로 들고 있지 않아. 단지 둘의 진술을 자세히 듣고, 상식적으로 옳은 판단을 내리려고 노력하고 있지. 용왕은 자신의 목숨이 중요하다는 것을 강조하며, 토끼의 희생을 당연하게 여기고 있어. 그 모습을 본 옥황상제는 용왕에게 누구나 때가 되면 죽음을 맞이하는 것은 자연스러운 일이라고 재차 강조하고 있어. 따라서 옥황이 이를 이유로 판결을 망설인다고 판단하는 것은 적절하지 않겠지.

---

8. ② 서사적 기능 파악하기

❷ 용왕이 적혼공에게 토끼를 죽일 것을 명령을 내렸으나, '우레 소리가 나고 광풍이 갑자기 일어 뇌공이 토끼를 압령하여 북쪽을 향하여'에서 보듯이 토끼를 죽이는 것에 실패하였다. 이는 용왕과 토끼의 진술 내용을 바탕으로 토끼의 주장에 정당성을 부여하는 것이며 이를 통하여 지위의 높고 낮음보다 생명의 가치가 소중하다는 작품의 주제 의식과도 연관되어 있다.

【9~12】 작자 미상, '최현전'

작품해설

영웅 소설의 기본적인 서사 구조가 나타나는 이 작품은 최현의 고난기와 고난을 극복하는 과정에서 드러나는 최현의 영웅일대기적인 면모가 잘 드러난다. 전반부는 최현의 고행담과 월계와 영애와의 혼인 과정이, 후반부에는 최현의 영웅담에 이어 아들 최홍의 영웅담이 전개되며 가문소설의 성격을 보여 준다.
■ 갈래 : 군담 소설, 영웅 소설
■ 성격 : 전기적
■ 배경
  – 시간 : 명나라 시대
  – 공간 : 중국

- **시점** : 전지적 작가 시점
- **등장인물의 성격**
  - 최현 : 고난을 극복하고 자신의 영웅성을 발견하며 성장한다.
  - 유 소사 : 어린 최현을 양자로 맞이하여 지극정성으로 키운다.
- **작품의 구성**
  - 발단 : 명나라 최윤성과 석부인은 말년에 최현을 얻는다.
  - 전개 : 최윤성이 천자의 은총을 받자 주변에서 시기하여 최윤성을 귀양 보낸다. 이를 알게된 석부인은 최현을 데리고 남편을 찾으러 갔다가 해적을 만나 재물을 탈취당하고 모자는 이별을 맞는다.
  - 위기 : 최현은 유 소사에게 구출되어 그의 양자가 되었다가 엄숭상의 딸 월계를 만나 가약을 맺는다.
  - 절정 : 공도사를 만나 도술을 익히고, 영애를 만나 혼인한다. 최현은 과거에 장원급제하고, 헤어진 모자가 극적으로 상봉하여 기쁨을 나눈다.
  - 결말 : 최현은 침입자를 막고 서역 땅에 갇힌 아버지를 구출하고, 아버지의 원수를 갚는다.
- **주제** : 최현의 영웅적 일대기와 충절

9. ③ 서술상의 특징 파악하기

① 언어유희를 활용하여 인물을 희화화하는 부분은 없다.
② 세밀한 외양 묘사가 나타나거나 그를 통해 인물의 심리를 나타내는 부분은 없다.
❸ 최현이 도사를 만나 대화하는 장면을 통하여, 도사가 지니고 있는 천사검과 옥갑경은 본래 서천서역국(西天西域國)에 떨어진 것이며 지금까지 도사 자신이 간수하고 있었다는 상황을 알 수 있다. 또한 현이 순천부에 이르러서 밥을 구걸하러 한 집에 들어갔다가 집의 주인과 나누는 대화를 통하여 현이 칠 년 전에 진주강 모래사장에서 금은보화로 사람을 구제한 일이 있다는 것을 알 수 있다. 따라서 대화를 통해 이전에 일어난 사건의 정황을 드러내고 있다는 설명은 적절하다.
④ 풍자적 기법을 통해 인물의 부정적 성격을 강조한 부분은 나타나지 않는다.
⑤ 서술자가 개입하여 사건에 대해 주관적인 평가를 내리고 있는 부분은 없다.

10. ③ 인물의 말하기 방식 파악하기

① [A]의 화자인 도사는 칼을 찾아갈 사람이 없어 '이 늙은 것이' 갖고 있게 되었다고 밝히고 있으므로 화자가 자신의 권위를 내세웠다고 볼 수 없다. 또한 도사는 최현이 천사검과 옥갑경을 간수해야 함을 강조하고 있을 뿐, 상대방의 책임을 추궁하고 있지 않다.
② 도사는 과거에 칼이 서천서역국(西天西域國)에 떨어져서 서기가 천하에 비추었고, 현재에는 그 칼을 자신이 보관하게 되었다는 사실을 언급하고 있으나, 과거와 현재를 비교하며 상대방의 달라진 태도를 비판하고 있지 않다.
❸ 도사는 최현에게 자신이 주는 천사검과 옥갑경을 잘 간수하고 있으면, '멀지 아니하여 상장군의 절월(節鉞)과 대원수의 인신(印信)을 찰 것이니'라며 앞일을 예견하고 있으므로 적절한 설명이다.

④ 도사는 '어찌 이같이 고집하는가?', '어찌 사양함이 이같이 심하리오?'와 같은 질문을 던지고 있으며 이는 도사 자신의 본심을 숨긴 채 질문한 것이라고 볼 수 없다.
⑤ 상대방의 말과 행동이 불일치함을 지적하며 자신의 결백을 입증하는 부분은 없다.

11. ② 인물의 성격 파악하기

① ㉠은 최현에게 천사검(天賜劍)과 옥갑경(玉甲經)을 전해주며 앞으로의 사건에 대비할 것을 당부한다. ㉡은 7년 전 최현에게 큰 도움을 받았던 것에 대한 보답으로, 걸식하고 있는 최현을 맞이하며 아침저녁으로 극진히 공경한다고 하였다. 그러나 ㉡이 뛰어난 지략을 활용하여 최현을 돕는 것은 아니다.
❷ ㉠은 천사옥갑은 하늘이 최현을 위하여 내신 것이라는 점을 들며 최현에게 천사검(天賜劍)과 옥갑경(玉甲經)을 선사한다. 이와 달리 ㉡은 7년 전에 파선하고 물가에서 울고 있는 완삼을 최현이 도운 것에 대한 보답으로 최현을 돕는다.
③ ㉠은 '그대를 내실 때 대명(大明)을 위하여 내셨도다'라며 대명을 강조하고, ㉡은 최현 덕분에 위기를 모면했던 7년 전의 은혜를 갚기 위해 최현에게 의복과 거주할 곳을 제공한다. 따라서 최현이 처한 개인적 위기를 해결할 수 있도록 돕는 것은 ㉠이 아닌 ㉡이다.
④ ㉠과 ㉡ 모두 최현을 돕기로 약속을 해둔 상태는 아니었다.
⑤ ㉠은 최현에게 천사검과 옥갑경(玉甲經)을 전달하며 이 둘을 가지면 '영화(榮華)'를 누리며 대국을 편안하게 하고 이름이 사해(四海)에 진동'할 것이라고 예언하였다. 이에 비해 ㉡은 과거 최현에게 받은 보은을 갚기 위해 돕고 있으므로 최현이 초월적 능력을 가질 수 있도록 돕는 것은 ㉠에 해당한다.

왜 말이 틀렸을까?
이러한 영웅 소설에는 늘 조력자가 등장해. 현대인의 시각으로 보았을 때는 개연성이 떨어진다고 볼 수도 있지만 영웅 소설의 주인공이 미약한 힘을 지녔다가 강인한 힘과 지략을 지니게 되는 구조에서 빠질 수 없는 요소겠지. 그 조력자의 유형을 비교하고 묻는 문항이야. 쉽게 말하면 '인물'에 해당하는 질문이지.

12. ② 외적 준거에 따른 감상의 적절성 파악하기

① 도사는 최현에게 천사검과 옥갑경을 하사하며 '만일 그대 곧 아니면 가질 사람이 없는 까닭으로, 사해를 두루 돌아 이제야 전하노라'라고 하였다. 더불어 '하늘이 그대를 내실 때 대명(大明)을 위하여 내셨도다'를 통해 최현이 비범한 인물임을 짐작할 수 있다.
❷ 최현은 '소생은 인간의 천한 것이라, 이 두 보배를 어찌 지니리까?'라며 천사검과 옥갑경을 받는 것을 거부한다. 이를 통해 최현은 자신이 비범한 운명을 갖고 태어났음을 모르고 있다는 것을 알 수 있다. 따라서 천사옥갑을 자신이 지닐 수 없다고 최현이 말하는 것과 최현의 승리가 예정되어 있는 것은 연관성이 없다.
③ 최현이 어릴 적 아버지는 유배를 가고, 이어서 수적들에 의해 어머니와 헤어지게 되어 유 소자의 양자로 살아가게 된다. 이를 통해 최현은 어린 시절에 고난을 겪고 있음을 알 수 있다.
④ 최현을 양자로 들여 키우던 유 소사 부부가 죽자 최현은 의지할 곳을 잃고 양식을 구걸하며 다니던 중 도사를 만나게 되므로, 이는 〈보기〉에서 언급하는 고난의

과정이 반복되는 것임을 알 수 있다.
⑤ 최현이 수적을 만나 어머니를 잃고 떠돌고 있는 것을 발견한 유 소사는, 간밤의 꿈을 떠올리며 최현과의 만남이 운명적임을 예감한다.

Day 14
본문 076쪽

1. ⑤ 2. ③ 3. ② 4. ① 5. ③
6. ④ 7. ① 8. ④ 9. ③ 10. ③

【1~3】작자 미상, '영영전'

작품해설

김생과 영영의 만남부터 고난을 거쳐 이루어지는 과정을 담은 애정 소설로, 당대의 유교적 덕목을 강조한 소설에 비해 남녀의 애정 문제를 중점적으로 다루고 있다. 영영은 궁녀의 신분으로 자유로운 연애가 불가한 상황이나, 영영에게 반한 김생은 모험을 감행하며 영영에 대한 애정을 표현한다. 한시와 편지글을 삽입하며 인물의 심리를 상세히 드러내며 작품의 배경 또한 전기적이거나 우연성을 강조한 곳이 아닌 현실적 공간이며, 두 주인공이 이루어지는 과정 또한 조력자들의 도움을 통해 필연성이 돋보인다.

- **갈래** : 한문 소설, 애정 소설
- **성격** : 현실적
- **배경**
  – 시간 : 효종 때
  – 공간 : 명나라
- **시점** : 전지적 작가 시점
- **등장인물의 성격**
  – 김생 : 사랑을 위해 모험을 감행하고 벼슬보다 사랑을 중시하는 진취적 인물.
  – 영영 : 회산군의 시녀로 아름다운 용모와 선한 마음씨를 지니고 있으며 음악과 글에 능통함.
- **작품의 구성**
  – 발단 : 명나라 효종 때 성균진사 김생은 영영에게 첫눈에 반함.
  – 전개 : 영영은 회산군의 시녀로, 어느 노파의 도움으로 김생과 영영은 만나게 되나 영영은 김생과 이루어질 수 없는 사이임.
  – 위기 : 3년이 지난 후 김생은 상사병으로 자결까지 생각하게 됨.
  – 절정 : 김생은 장원급제를 하고 회산군의 집에 들러 친구의 도움으로 영영과 재회함.
  – 결말 : 김생은 벼슬도 사양하고 영영과 행복한 여생을 보냄.
- **주제** : 고난을 뛰어넘는 사랑의 실현, 신분을 극복한 김생과 영영의 사랑.

1. ⑤ 서술상의 특징 파악하기

① 신이한 사건들을 활용한 전기적 요소들은 이 작품에는 드러나지 않는다. 김생과 영영의 만남은 우연에 의한 것이었으나, 영영을 만나기 위해 김생은 노파의 조력을 받고 있으며 김생이 과거에 급제한 후 영영과 이어지기 위해 친구 '이정자'의 도움을 받는 등 현실적인 조치를 취하고 있다. 따라서 전기적 요소를 활용하여 긴박한 분위기를 조성한다는 설명은 적절하지 않다.
② 윗글은 김생이 첫 눈에 반한 영영을 다시 만나기 위해 노파의 도움을 받는 장면, 과거에 급제한 후 친구 '이정자'의 도움으로 영영을 만나 평생을 해로하게 되었다는 부분은 갈등이 해소되는 것에 가깝다. 그러나 비

유적 표현을 활용하여 인물 간의 갈등을 심화한다는 설명은 적절하지 않다.
③ 윗글에 드러난 인물의 외양 묘사는 다음과 같다. 노파가 영영에 대해 '영영은 자태가 곱고'라는 부분, 김생의 친구가 회산군 부인에게 상사병이 든 김생에 대해 '피부가 파리해지고 목숨이 아침저녁으로 불안하니'라고 묘사한 부분이다. 그러나 이를 통해 인물의 외양 묘사를 통해 영웅적 면모를 보여준다고 볼 수 없다.
④ 김생이 영영을 처음 보고 반한 시점부터 김생이 과거에 급제한 후 다시 영영을 찾아 온 사건까지 시간의 흐름에 따라 구성되었으므로, 역순행적 구성을 통해 사건을 입체적으로 구성한다는 설명은 잘못 되었다.
❺ 김생이 영영을 그리워하는 장면에 나타난 '끊어진 거문고 줄은 다시 맬 수가 없고 깨어진 거울은 다시 합칠 수가 없으니, 가슴을 졸이며 근심을 하고 이리저리 뒤척이며 잠 못 이룬들 무슨 소용이 있겠는가?'는 서술자의 주관적 논평에 해당하며 이를 통해 영영을 그리워하는 김생의 심리를 알 수 있다.

2. ③ 인물의 말하기 방식 파악하기

① [A]의 말하는 이 '정자'는 회산군 부인이 자신의 고모라고 밝히며 김생이 영영을 만날 수 있게끔 애써보겠다며 상대를 안심시키고 있다. [B]는 '정자'가 회산군 부인에게 자신의 친구 김생이 영영이 상사병으로 목숨이 위태로우며, 그를 살리기 위해 영영을 김생에게 주는 것을 제안하고 있을 뿐, 상대에게 거래를 제안한다고 볼 수 없다.
② [A]에 회산군 부인이 의리가 있고 인정이 많으며, 희사와 보시를 잘 한다는 점에 대한 칭찬이 나타나지만, [B]에 상대에 대한 서운함을 토로하는 부분은 없다.
❸ [A]의 말하는 이는 회산군 부인의 성품을 근거로 김생을 위로하고, [B]의 말하는 이는 김생이 상사병으로 앓아눕고 있다는 것을 근거로 들어 영영을 김생에게 줄 것을 부탁하고 있으므로 적절한 설명이다.
④ [A]는 영영의 처지를 공감하며 도와주려 하고 있다. 그러나 [B]에서 상대에게 자신의 능력을 자랑하는 부분은 없다.
⑤ [A]는 영영을 위해 자신이 회산군 부인에게 부탁해 볼 것을 다짐하고 있으므로 상대에게 충고한다고 보는 것은 적절하지 않다. [B]는 회산군 부인에게 자신의 친구인 영영에 대한 소개를 간략히 하고 있으나, 이를 통해 영영을 도와줄 것을 부탁하기 위한 것이다.

3. ② 외적 준거에 따라 작품 감상하기

① 영영은 회산군의 시녀로, '궁중에서 나고 자라 문밖을 나서지 못'하며 부모의 제삿날에도 회산군 부인께 청하여 본가로 겨우 데려왔다는 노파의 진술을 통해 조선 시대 궁녀들이 폐쇄적인 생활을 했음을 알 수 있다.
❷ 영영은 자태가 곱고 음률과 글에도 능통하여 회산군의 총애를 받고 있으며 회산군이 첩을 삼으려 하나, 그 부인의 투기가 두려워 뜻대로 하지 못한다고 하였다. 따라서 회산군 부인의 투기는 회산군이 영영을 자신의 첩으로 삼으려는 것의 장애물이다. 또한 회산군이 죽은 후, 영영을 김생의 집으로 가게끔 허락하였으므로 회산군 부인의 투기가 김생과 영영의 사랑을 가로막는 장애물이라는 설명은 잘못 되었다.
③ 김생이 영영을 만나고 싶어 하자 노파는 단오에 작

은 제사상을 벌이고 회산군 부인에게 '영아를 보내 주십사고 청하면' 가능하다고 말하는 것으로 보아 노파는 김생이 영영을 만나도록 도와주는 조력자임을 알 수 있다.
④ 김생은 영영에게 반한 뒤 영영을 만나기 위해 노파에게 '비단 적삼 하나'를 주며 도움을 청하고 있으며 영영이 회산군의 시녀라는 것을 알게 된 후에도 노파의 도움으로 '영영을 불러낼 계획을 세워' 영영을 만나기 위해 노력하고 있다.
⑤ 김생은 자신의 친구 '이정자'를 통해 영영과 재회하게 되었으며 벼슬도 마다하고 '영영과 더불어 평생을 해로하였다.'라고 하였으므로 김생이 사랑을 성취하여 행복한 결말을 맞이했음을 알 수 있다.

【4~6】작자 미상, '최고운전'

작품해설

'최고운전'은 신라 말의 대학자인 최치원(崔致遠)의 일생을 바탕으로 창작된 전기적 영웅 소설이다. 북방 민족에게 당했던 설움을 정신적으로 극복하고 보상받고자 하는 당대 민중들의 심리가 반영하는 동시에 당나라에 대한 우리 민족의 우월성을 드러내고 있다. 이 작품에는 적강(謫降)·기아(棄兒)·글재주 다툼·알아맞히기·기계(奇計) 등 다양한 설화적 소재가 결합되어 있다. 특히 실존 인물이었던 최치원을 전래되어 오는 설화 내용에 맞게 소설의 주인공으로 형상화하고 있다. 다만 최치원이 12세에 중국으로 간 점은 역사적 사실과 일치하지만 '최고운전'의 내용과 구성은 역사적 사실과 상당한 차이가 있다. 최치원은 뛰어난 학식과 문장력으로 당나라까지 이름을 떨쳤으나 신라 말기의 혼란한 현실 속에서 신분적 한계로 인해 능력을 제대로 펼치지 못하고 은거한 것으로 전해진다. 이 작품에서 최치원은 부모에게 버림받은 뒤 하늘나라의 선비들과 교류하며 글을 익힌다. 그는 승상 나업의 사위가 된 후 중국으로 가서 비범함을 인정받고 황소의 난을 평정하지만, 중국 신하들의 모함으로 외딴섬에 유배되었다가 도술을 부려 중국 황제와 사람들을 놀라게 한다. 이후 신라로 돌아온 최치원은 가야산에 은거하며 일생을 마친다.

- **갈래** : 설화 소설, 전기 소설, 영웅 소설, 적강 소설
- **성격** : 설화적, 전기적, 영웅적, 도교적, 민족주의적
- **시점** : 전지적 작가 시점
- **제재** : 최치원의 일생
- **배경**
  · 시간 – 통일 신라 시대
  · 공간 – 신라와 중국
- **주제**
  · 중국의 위협에 맞선 최치원의 비범한 능력
  · 최치원의 일대기를 통한 우리 민족의 문화적 자긍심 고취
- **특징**
  · 다양한 전래 민담 화소들이 복합적으로 구성됨.
  · 한문 경구의 인용과 한시의 삽입이 나타남.
  · 척한적(斥漢的) 민족의식이 반영됨.
- **의의** : 전기 소설에서 영웅 소설로 전환되는 과정을 전형적으로 보여 줌.
- **연대** : 16세기

같은작가 다른기출

같은작가 다른기출

2005학년도 수능 '최고운전'

4. ① 작품의 세부 내용 파악하기

❶ 중국 황제가 신라에 보낸 함 속의 물건을 알아내어 시를 지어 올리라는 왕의 명령을 듣게 된 '아이'는 나 승상댁으로 들어가 노복이 된다. 따라서 아이가 승상 댁의 노복이 된 이후에 돌함의 존재에 대해 알게 되었다는 내용은 적절하지 않다.
② '승상의 부인'이 나 승상에게 '파경노는 생김새가 기이하고 ~ 비범한 사람일 것입니다.'라고 말하는 것으로 볼 때, 그녀는 파경노가 범상한 인물이 아님을 짐작하고 있음을 알 수 있다.
③ '승상'은 부인이 파격노의 비범함에 대해 이야기 하며 그에게 천한 일을 맡기지 말라고 조언하자 그 말을 옳게 여기고 따랐다고 하였다.
④ '파경노'는 승상의 딸과 혼인한 후 스스로 자기 이름을 치원이라 하고 자를 고운으로 지었다고 하였다.
⑤ '승상의 딸'은 치원이 지은 시를 보고 승상이 믿지 않자 자신이 꾼 기이한 꿈 이야기를 들려주었다.

5. ③ 소재의 서사적 기능 이해하기

① 아이가 승상에게 자신의 능력을 증명하게 된 계기는 중국 황제가 보낸 돌함 속 물건에 대한 시를 지어 왕에게 올릴 수 있게 된 사건이다. 따라서 '거울'은 아이가 승상에게 자신의 능력을 증명하는 데 사용된 소재라고 볼 수 없다.
② 아이가 승상댁에 노복으로 들어간 후 말 먹이는 일, 꽃밭 가꾸는 일 등을 맡게 되지만 말들이 그를 따르고 선녀가 그를 대신해 꽃밭을 가꾸었다고 서술하고 있다. 따라서 '거울'을 통해 아이가 겪게 될 고난을 암시한다고 볼 수 없다.
❸ 아이는 함 속 물건을 알아내어 시를 지으면 관직을 높여 땅을 나누어 줄 것이라는 왕이 내린 명령을 들었고, 나 승상의 딸아이가 아름답고 재예가 뛰어나고 절개가 있다는 소문을 듣고 거울 장수로 사칭하고는 서울로 들어간다. 나 승상 댁에 찾아간 아이는 승상 딸의 거울을 고의로 떨어뜨려 깨뜨린 후 그 집의 노복이 되어 거울 깨뜨린 보상을 하겠다고 자청한다. 이러한 행동에서 아이가 승상의 사위가 되어 신분 상승을 이루고, 왕에게 시를 지어 올려 자신의 능력을 증명하려는 의도를 엿볼 수 있다. 따라서 '거울'이 아이의 내적 욕망을 실현하는 데 동원된 소재라고 이해할 수 있다.
④ '중략 부분의 줄거리'에서 승상이 파경노가 노비라는 이유로 자신의 딸과의 혼인을 반대했다는 내용이 드러난다. 그러나 '거울'은 혼인을 둘러싼 아이와 승상 사이의 긴장감과는 관련이 없다.
⑤ 아이는 승상의 딸이 아름답고 재예가 뛰어나며 절개가 있다는 소문을 듣고, 거울 수선 장수로 가장한 뒤 나 승상 댁을 찾아가 몰래 그의 딸을 훔쳐보았다. 그러나 '거울'을 이용해 승상 딸의 재예와 절개를 시험한 것은 아니므로 적절하지 않다.

6. ④ 외적 준거를 통해 작품 감상하기

① ㉠에서 중국 황제는 꽁꽁 봉인된 돌함 속의 물건을

알아내어 시를 지으라고 요구하며 신라를 위협하고 있다. 이러한 '시 짓기'는 중국 황제가 신라를 문제 상황에 빠뜨리기 위해 내세운 불합리한 요구라는 것을 확인할 수 있다.
② ㉡에서 어느 누구도 중국 황제가 보낸 함 속의 물건을 알아내지 못하여 온 조정이 들끓었다고 한 것으로 볼 때, 이러한 '시 짓기'는 국가적 문제를 해결할 수 있는 인재가 없는 신라의 상황을 드러내는 것으로 볼 수 있다.
③ ㉢은 주인공이 시를 읊으면 신선의 시중을 든다는 청의동자가 나타나 대신 말을 돌보고 훈련을 시키는 장면이다. 이는 '시 짓기'에 전념할 수 있도록 초월적 존재가 조력자 역할을 한다는 것으로 인물의 비범함을 부각하는 요소로 볼 수 있다.
❹ ㉣에서 주인공은 비범한 능력을 발휘하여 '시 짓기'를 완성함으로써 황제가 제시한 문제를 해결하였음을 알 수 있다. 따라서 '시 짓기'를 통해 신분적 한계로 인한 울분을 직접적으로 토로하고 있다고 볼 수 없다.
⑤ ㉤에서 승상은 사위가 쓴 시라고 말하며 신라의 왕에게 바치자, 왕은 그 시를 중국 황제에게 바친다. 이를 통해 주인공의 '시 짓기' 능력이 승상과 왕에게 인정받았음을 드러내고 있으며, 국가의 위기를 해결할 방법이 될 수 있음을 보여 준다.

참고자료

'최고운전'의 전체 줄거리
최충이 문창 수령으로 부임했을 때, 금돼지가 최충의 부인을 납치한다. 부인은 기지를 발휘해 금돼지를 죽이고 돌아와 여섯 달 만에 최치원을 낳는다. 하지만 최충은 금돼지의 자식이라 하여 최치원을 외딴섬에 버리는데, 하늘에서 선녀가 내려와 보호해 주고 선비가 내려와 글을 가르친다. 어느 날, 치원의 글 읽는 소리가 중국의 황제에게까지 들리자 황제는 두 학사를 보내 글을 겨루게 한다. 하지만 두 학사는 치원을 당하지 못하고 중국으로 돌아간다. 황제는 달걀을 넣고 밀봉한 석함(石函)을 신라에 보내며 그 속에 든 물건을 맞히지 못하면 공격할 것이라고 위협한다. 치원은 석함 속의 물건을 맞히면 벼슬과 땅을 나누어 주겠다는 임금의 제안과 승상 나업의 딸 운영이 아름답다는 소문을 듣고 서울로 올라가 나 승상의 종이 된다. 그리고 나 승상의 딸을 아내로 삼는 것을 조건으로 석함의 물건을 알아맞히는 시를 짓는다. 이 일로 중국으로 가게 된 치원은 도중에 조력자를 만나 난관을 극복할 수 있는 방법을 알게 된다. 낙양에 도착한 치원은 황제의 간계(奸計)를 모두 물리치고 중원의 학자들과 문장 실력을 겨루어 승리한다. 이때 황소의 난이 일어나서 치원이 격문(檄文)을 지어 항복을 받으니 황제의 신하들이 시기하여 치원을 죽이려고 육지에서 멀리 떨어진 작은 섬으로 유배를 보낸다. 그곳에서 몇 차례의 위기를 극복한 치원은 사람을 몰라보는 황제 밑에서 있을 수 없다고 생각하고 신라로 돌아와 가야산에 들어가 신선이 된다.

【7~10】 작자 미상, '송부인전'

작품해설

남녀 주인공이 혼사 장애를 극복하고 결혼에 이르는 과정을 그린 애정 소설이자 고전 국문 소설이다. 남편이 부재한 상황에서 가족 외부의 인물에 의해 모함을 받게 된 주인공이 남성 중심 사회의 현실적

모순에 의해 희생당하는 모습을 다루고 있다. 이 과정에서 주인공은 자신의 억울함을 적극적으로 항변하지 못하고 가정에서 퇴출당해 시련과 고난을 겪게 되지만, 이후 입신양명을 이룬 남편과의 만남에서 적극적인 태도로 오해를 풀고 모함에서 벗어나게 된다. 이 작품은 줄거리가 춘향전과 유사하나 춘향전에 비해 단순한 애정의 극적 효과만을 강조하였으나, 긍정적 인물과 부정적 인물의 대입 속에서 선인이 승리한다는 권선징악적 주제 의식을 담고 있어 고전 소설의 특징과 유사한 면을 보인다. 또한 송부인이 모든 고난을 극복하고 자신의 확고한 위치를 찾아가는 여성 수난형 소설에 속한다. 극적인 사건 전환이나 사랑, 탐욕, 음모 등 흥미로운 소설적 요건을 갖추고 있으나, 다만 한자어가 많고 문체도 번역체로 되어 있다.

[놓치지 말자!]

■ **갈래** : 고전 소설, 국문 소설, 염정 소설, 여성 수난형 소설
■ **성격** : 애정적, 유교적, 사실적, 우연적
■ **시점** : 전지적 작가 시점
■ **배경** : 중국 명나라 소주 인근
■ **제재** : 송부인의 일생
■ **주제** : 고난과 시련을 극복한 송부인의 삶
■ **특징**
   – '~더라' 등의 문어체 어투를 사용함.
   – 요약적 제시를 통해 송부인의 내력을 제시함.
   – 대화와 서술을 통해 사건을 전개함.

어휘풀이

• **부앙천지(俯仰天地)** 하늘을 우러러보고 땅을 굽어봄.
• **천우신조(天佑神助)** 하늘이 돕고 신령이 도움. 또는 그런 일.
• **여광여취(如狂如醉)** 미친 듯도 하고 취한 듯도 하다는 뜻으로, 이성을 잃은 상태를 비유적으로 이르는 말.

7. ① 작품의 표현상 특징 파악하기

❶ 시댁에서 쫓겨난 송부인이 우연히 재회하게 된 왕시랑에게 '첩은 죄인의 어미옵더니, ~ 이 지경이 되었삽는데'라며 그간에 겪은 일련의 사건들을 말하는 대목을 통해 인물이 처한 상황을 보여 주고 있다.
② 전기적 요소를 찾아볼 수 없으므로 적절하지 않다.
③ 제시된 내용에서는 인물의 해학성을 살펴볼 수 있는 부분은 나타나지 않는다.
④ 특별히 배경에 대한 묘사는 드러나지 않는다.
⑤ 꿈과 현실이 교차되는 장면은 나타나지 않는다.

참고자료

소설의 구성
1. 평면적 구성
사건이 시간의 흐름에 따라 전개되는 구성 방식이다. 대부분의 소설은 사건을 '과거-현재-미래'와 같이 시간의 흐름에 따라 순서대로 배열하는데, 시간 순서에 따랐다고 해서 '순행적 구성'이라고도 한다. 고전 소설부터 현대 소설에 이르기까지 가장 널리 사용되어 온 방식으로, 이 구성을 취하면 독자도 내용을 파악하기 쉽고 작가도 좀 더 쉽게 이야기를 전개할 수 있다.
2. 입체적 구성

사건이 시간적 순서에 따르지 않고 전개되는 구성 방식이다. 현재에서 과거로 넘어가거나, 미래에서 현재, 그리고 과거로 진행되는 방식을 보이며 시간을 거슬렀다고 하여 '역순행적 구성'이라고도 한다. '현재-과거-현재'로 구성되어 있는 김유정의 「동백꽃」을 예로 들 수 있다. 입체적 구성은 참신함을 주고 독자의 호기심을 불러일으키는 면도 있지만, 사건들이 너무 뒤얽혀 있으면 내용 파악이 어려워지기도 한다.
3. 액자식 구성
한 작품이 '내부 이야기'와 '외부 이야기'로 이루어지는 구성 방식이다. 액자식 구성에서는 보통 '내부 이야기'가 소설의 핵심 내용이 된다.
4. 피카레스크식 구성
서로 다른 이야기들이 하나의 주제 아래 통일되어 엮여 있는 구성 방식이다. 인과 관계에 따라 연결되지 않는 별개의 이야기들이, 독립적이지만 같은 인물들이 등장해서 전체적으로 연결되어 있는 느낌을 준다. 도시 빈민의 비참한 삶을 주제로 12편의 단편을 연작으로 엮은 조세희의 「난장이가 쏘아올린 작은 공」이 해당된다.

8. ④   작품의 내용 이해하기

① 무녀가 녹재에게 '조만간에 하인이 이리를 지나가리라'라고 말하는 대목에 왕진사 댁 하인이 주막을 지나갈 것이라는 무녀의 예측이 드러나 있다.
② 왕진사가 송부인을 불러 '요망한 무녀를 통하여 ~ 그것은 어찌된 일이냐?'라고 다그치는 대목에 송부인이 죄를 지은 것으로 생각하여 질책하는 왕진사의 태도가 드러나 있다.
③ 왕시랑이 송부인에게 사건의 내막을 다시 묻고자 하나 하인들 앞에 말하기가 편치 않아서 송부인에게 질문하기를 미루는 모습이 드러나 있다.
❹ 왕시랑에 대한 원망과 서운한 감정을 가지고 있던 송부인의 마음이 드러나 있는 표현으로, 왕시랑이 명사관으로서 공과 사를 구분하기를 바라는 마음이 드러나 있다고 보는 것은 적절하지 않다.
⑤ 범인을 잡아 사건의 진상을 밝히려는 왕시랑의 의지와 자신감이 드러나 있다.

참고자료
'송부인전'의 앞부분 줄거리
명나라 때 소주 땅의 왕창영이라는 선비가 과거 보러 황성으로 가던 중, 주점에서 송생이라는 사람을 만나 동행한다. 두 사람은 함께 과거에 응하여 왕창영은 장원급제, 송생은 참방에 든다. 두 사람은 기뻐하며 귀향길에 오르는데 도중 왕창영은 아들을, 송생은 딸을 낳았다는 소식을 듣고 서로 혼약을 맺기로 약속한다. 그 뒤 송생이 죽으니 부인 심씨는 왕창영에게 편지를 내어 사실을 알린다. 한편, 왕창영의 아들 한춘은 14세가 되던 해 서울로 과거 보러 가게 되었는데, 왕창영은 아들에게 송생과의 언약을 이야기한다. 한춘은 그 말을 듣고 송생의 딸 경패를 만나 서로의 인연을 확인한다. 그 뒤 경패의 어머니가 죽자, 외삼촌인 심천수가 경패의 재산을 빼앗고 경패를 상처한 거부(巨富) 조중인에게 시집보내려 한다. 한편, 한춘은 과거에 장원한 뒤 암행어사가 되어 경패의 동네에 이르러 소식을 물었으나 알 길이 없었다. 할 수 없이 한춘은 경

패 아버지의 무덤에 이르러 술잔을 올린다. 이때 경패는 조중인과의 강제 혼인이 이루어져 혼인날이 다가오는 중 꿈의 계시로 아버지의 무덤에 왔다가 뜻밖에 한춘을 만난다. 한춘은 경패로부터 이제까지의 이야기를 듣고 혼인날이 다가오자 어사로 나타나 심천수와 조중인을 잡아 가두고, 한춘과 경패는 재결합한다. 경패는 두 사람을 용서할 것을 남편에게 간청하여 모두 석방한다. 그 뒤 한춘은 병부시랑이 되어 하루는 왕에게 청하여 고향의 부모를 찾는다.

9. ③   외적 준거를 통해 작품 감상하기

① 송부인이 왕시랑에게 자신의 누명부터 씻어 달라고 하며 증거로써 품고 있던 편지봉투를 내어 던지는 장면에서, 그녀가 적극적인 태도로 오해를 풀고 모함에서 벗어나려고 하는 모습이 드러나고 있다.
② 왕진사가 복중에 있는 자식을 남편은 모른다고 하니 어찌된 일이냐며 송부인을 수죄하는 장면에서 여성의 정절을 중시하는 남성 중심 사회의 모습이 드러나고 있다.
❸ 왕시랑은 송부인에게 그간의 일을 전해 듣고 '편지도 답장도 내 한 바 아니라, 난들 어찌 알았으리오?'라고 말한 것을 볼 때 왕시랑은 송부인이 모함을 받은 사실을 모르고 있었음을 알 수 있다. 따라서 왕시랑이 송부인의 누명을 풀어 주기 위해 입신양명을 이루었다고 짐작할 수 있다는 진술은 적절하지 않다.
④ 녹재가 왕진사 댁 하인에게 술을 먹여 취하게 만들고 편지를 조작한 장면에서, 가족 외부의 인물이 주인공을 모함하려는 모습이 드러나고 있다.
⑤ 송부인이 재회한 왕시랑에게 시댁에서 쫓겨난 자신의 처지를 밝히며 억울함을 호소하는 장면에서, 그간 송부인이 겪은 시련과 고난을 짐작할 수 있다.

오H 많이 틀렸을까?
〈보기〉에서 제시된 것처럼 시가에서 쫓겨났던 송부인은 남편 왕시랑과 재회하여서는 자신을 드러내며 적극적인 태도로 오해를 풀고 모함에서 벗어나려고 하는 모습을 보이지. 그런데 왕시랑은 그간 자신의 부인에게 일어났던 일을 까맣게 알지 못했지. 그렇기 때문에 왕시랑이 송부인의 누명을 풀어 주기 위해 입신양명을 이루었다고 볼 수는 없지. 긴 내용의 고전 소설을 잘 읽고 이해한다면 충분히 해결할 수 있는 문제이니 주어진 자료를 바탕으로 꼼꼼하게 분석해 보도록 해.

10. ③   서사 내용 파악하기

① ⓐ의 서간은 본래 왕진사가 왕시랑에게 보낸 것으로 집안에 문제가 발생했다는 내용이었으나, 도중에 녹재에 의해 조작되었으므로 적절하지 않다.
② ⓑ의 서간은 녹재에 의해 '집안은 무사하고 공직에 힘쓰라'는 내용으로 조작되었으므로 적절하지 않다.
❸ ⓒ의 서간은 왕진사가 왕시랑에게 보낸 것을 녹재가 위조한 것이고, ⓓ의 서간 역시 왕시랑이 왕진사에게 보낸 것을 녹재가 위조한 것이다. 따라서 ⓒ의 서간과 ⓓ의 서간은 모두 녹재가 위조한 것이므로 적절하다.
④ ⓓ의 서간은 왕진사가 송부인을 수죄할 때 '왕시랑의 답장을 던지는지라'를 통해 송부인에게 전달되었음을 알 수 있으므로 적절하지 않다.
⑤ ⓔ의 서간은 송부인이 재회한 왕시랑에게 억울함을 토로하며 품에서 꺼내 던진 것으로, 왕시랑은 '자신의

답장이라 하나 사연은 전혀 알지 못하는 것'이라고 하였다. 이를 볼 때 왕시랑은 서간의 내용을 처음 보는 것이라는 것을 알 수 있으므로 적절하지 않다.

오H 많이 틀렸을까?
왕진사 댁에서 써보낸 서간은 하인이 주막에 들른 탓에 녹재에 의해 위조되었고, 또다시 황성의 왕시랑이 집으로 써보낸 서간 역시 주막에서 녹재에 의해 위조되고 있어. 이 과정을 잘 이해하고 소설의 흐름을 이해하길 바라.

참고자료
고전 소설의 주요 특징
1. 종류와 주제
– 대부분의 작품이 권선징악적인 특징을 띠고 있다.
① 가정 소설: 일부다처제로 인한 처첩 간의 갈등, 후처가 본처의 자식들을 구박하는 내용을 다룬 소설이 주류를 이룸.
   예) '사씨남정기', '콩쥐팥쥐전' 등
② 애정 소설: 남녀 간의 사랑과 이별을 주제로 한 소설
   예) '춘향전', '운영전', '이생규장전', '숙영낭자전' 등
③ 영웅 군담 소설: 영웅이 등장하여 전쟁에서 큰 공을 세우는 내용을 다룬 소설
   예) '임진록', '장국진전', '유충렬전' 등
④ 풍자 소설: 조선 후기 사회로 갈수록 신분제도가 무너지면서 무능하고 부패한 양반을 풍자한 내용을 다룬 소설이 등장함.
   예) '양반전', '허생전', '호질', '예덕 선생전' 등
⑤ 우화 소설: 동식물이나 기타 사물을 인격화(의인화)하여 쓴 소설로 교훈적인 성격을 띰.
   예) '장끼전', '까치전', '토끼전' 등
2. 구성
① 평면적 구성(순행적 구성): 소설에서 시간의 흐름에 따라 구성되는 방식
② 일대기적 구성: 주인공이 태어나서 죽을 때까지의 내용을 담은 방식
③ 행복한 결말: 대부분의 작품이 해피엔딩
3. 문체
① 운문체: 고전 소설은 이야기하는 사람이 한 명 존재하고 나머지 사람들이 그 사람 주위를 둘러앉아 듣는 형식으로 읽기 편하고 알아듣기 쉬운 운율을 가지고 있음.
② 문어체: 일상생활에서 쓰이는 구어체가 아니라 글을 쓸 때 사용하는 문어체로 쓰임.
4. 인물
① 평면적 인물: 작품에 등장하는 인물이 처음부터 끝까지 성격이 변하지 않음.
② 전형적 인물: 한 사회의 집단적 성격을 대표하는 인물로 보편성을 지님.
③ 재자가인(才子佳人): 시련과 고난을 이겨내는 영웅적인 인물
   예) '홍길동전', '박씨전' 등
④ 열녀(효녀): 남편이나 부모를 위하여 정성을 기울여 살아가는 인물
   예) '춘향전', '운영전' 등
5. 사건
① 우연적: 사건이 필연적인 상황이나 원인 없이 우연하게 발생함.
② 비현실적: 현실세계에서는 도저히 일어날 수 없는 현상이 발생함.
③ 전기적: 현실성이 있는 이야기가 아닌 진기한

것, 일상적이거나 현실적인 것과 거리가 먼 신비로운 내용이 제시됨.

6. 서술자
– 서술자의 개입(편집자적 논평): 서술자가 전지적 입장에서 작품 속 인물과 사건에 대한 판단이나 자신의 생각, 느낌을 서술하는 태도가 주류를 이룸.

Day 15

본문 081쪽

1. ③　2. ④　3. ⑤　4. ⑤　5. ⑤
6. ④　7. ⑤　8. ②　9. ②　10. ④
11. ③

【1~4】 작자 미상, '서해무릉기(西海武陵記)'

작품해설

남자주인공이 왜적에게 빼앗긴 신부를 구해 돌아오는 이야기를 엮은, 혼사장애담(婚事障碍談)에 속하는 작품이다. 이 작품의 구성은 '신부의 납치와 구출 과정, 귀환 및 혼인 성취 과정'으로 '지하국대적퇴치담(地下國大賊退治談)'과 유사한 형태를 취하고 있다. '외지동 팔랑간의 도둑이야기'라는 전주 일원의 민담 내용이 이 작품과 유사한 점을 보이고 있어, 이 민담이 소설로 발전되었음을 알 수 있다. '서해무릉기'는 불교적인 정서를 배경에 깔고 있기는 하지만, 여인을 납치해 간 존재가 왜장인 점, 지하국이 서해무릉의 백두산으로 굴절된 점, 신이(神異)로운 투쟁이 현실적인 위계로 변질된 점 등을 볼 때, 현세적·경험적 세계관이 작가의식 속에 투영되어 있음을 확인할 수 있다.

[놓치지 말자!]

■ **갈래** : 고전 소설, 국문 소설
■ **성격** : 혼사 장애담, 비현실적, 불교적
■ **시점** : 전지적 작가 시점
■ **배경**
  – 공간: 우리나라, 서해무릉
  – 시간: 불분명
■ **제재** : 유연과 최 씨의 사랑
■ **주제** : 유연과 최 씨의 지고지순한 사랑
■ **특징**
  – 서술자의 개입을 통해 주관적 견해를 드러내는 전지적 작가 시점임.
  – 다른 장소의 상황을 병렬적으로 제시함.
■ **어휘 풀이**
  • **중수(重修)** 건축물 따위의 낡고 헌 것을 손질하며 고침.
  • **절행(節行)** 절개를 지키는 행실.
  • **빙옥(氷玉)** 1. 얼음과 옥을 아울러 이르는 말. 2. 맑고 깨끗하여 아무 티가 없음을 비유적으로 이르는 말.
  • **남가일몽(南柯一夢)** 꿈과 같이 헛된 한때의 부귀영화를 이르는 말. 중국 당나라의 순우분이 술에 취하여 홰나무의 남쪽으로 뻗은 가지 밑에서 잠이 들었는데 괴안국(槐安國)의 부마가 되어 남가군(南柯郡)을 다스리며 20년 동안 영화를 누리는 꿈을 꾸었다는 데서 유래한다.
  • **구절죽장(九節竹杖)** 마디가 아홉인 대나무로 만든. 승려가 짚는 지팡이.
  • **몽조(夢兆)** 꿈에 나타나는 길흉의 징조.
  • **연보(蓮步)** 미인의 정숙하고 아름다운 걸음걸이를 비유적으로 이르는 말.

---

1. ③　서술상의 특징 파악하기

① 언어유희를 통해 웃음을 유발하고 있는 부분은 찾을 수 없다.

② 풍자적 서술을 통해 인물의 행위를 비판하고 있는 내용은 찾을 수 없다.

❸ '더구나 이렇게 머리를 ~ 최 씨의 심정이 오죽하였겠는가?'라는 부분에서 서술자가 직접 개입하여 주관적 견해를 드러내고 있음을 알 수 있다.

④ 구체적 시대 상황을 통해 인물의 처지를 나타내고 있는 부분은 확인할 수 없다.

⑤ 유연과 최 씨가 만나는 장면이 나타나지만, 이를 통해 사건의 반전이 일어나는 것은 아니며 갈등이 구체화되지도 않는다.

왜 맞히 말이 틀렸을까?

이 작품에서 몇 가지 짚어 볼 점은 다음과 같다. 고전 소설에서는 서술자의 개입을 통해 주관적 견해를 드러내는 전지적 작가 시점으로 전개되는 경우가 많지. 이러한 대목을 구체적으로 찾아낼 수 있어야 하고 서술자가 어떠한 견해를 보이는지 파악하는 것이 중요해. 또 이야기에서는 '최 씨가 서해무릉에 온 지 수삼 년이 지났'다는 등의 시간의 흐름은 제시되고 있지만, 구체적 시대 상황은 드러나지 않는다는 점도 꼭 확인해 두어야 할 점이야. 그리고 혼롓날 납치된 아내 최 씨의 행적을 찾는 유생의 꿈에서 부처님이 나타나 아내는 아직 절개를 지키며 살아 있고 삼 년이 지나면 아내를 찾게 된다고 알려주었지. 이러한 대목은 사건의 반전으로도 볼 수 있지만 이러한 사건을 통해 인물 간의 갈등이 구체화되었다고 볼 수는 없어. 구체적인 대목과 연결 지어서 차근차근 파악해 보아야 해.

---

2. ④　사건 전개 양상 파악하기

① ⓐ는 유연과 최 씨의 혼롓날 도적 장군이 최 씨를 납치한 사건으로 인해 발생한다.

② ⓑ에서 유연은 최 씨를 만나기 위해 팔도강산 방방곡곡과 사해팔방으로 두루 돌아다니며 산속이든 바닷가든 아니 간 곳이 없었다.

③ ⓑ에서 유연의 꿈속에 초월적 존재인 부처님이 나타나 삼 년 후에 최 씨와 재회할 것임을 알려 주었다.

❹ ⓑ에서 유연과 떨어져 고난을 겪고 있는 최 씨는 오랜만에 계선과 외출을 준비하지만 유연과의 재회를 예상하고 있다고 볼 수는 없다. 또한 계선의 신뢰를 얻었다는 내용도 확인할 수 없다.

⑤ ⓒ에서 최 씨는 남들이 유연의 정체를 알게 될까봐 걱정하고 있다.

---

3. ⑤　인물의 말하기 방식 파악하기

① [A]에서 예상되는 부정적 결과를 경고하고 있는 내용은 확인할 수 없고, [B]는 자신의 소원을 들어주지 않는 상대에 대해 원망을 드러내고 있다.

② [A]에서 유연이 자신의 요구를 드러내고 있다.

③ [A]에서 유연은 '최 씨를 만난다면 금은보화를 아끼지 않고 절을 중수'하겠다며 조건을 내세워 자신의 입장을 밝히고 있다. 하지만 [B]에서 자신의 잘못을 인정하며 용서를 구하는 내용은 확인할 수 없다.

④ [B]는 자신의 처지를 한탄하며 어려움을 토로하고 있다.

❺ [A]에서 유연은 '이렇게 노상유객이 되어 떠도는 이유는 ~ 인연을 잇기 위해서입니다.'라며 자신의 행동의 이유를 밝히고 있다. 또한 '유연의 정성을 살펴주시기

바라옵니다.'라며 자신이 원하는 바를 드러내고 있다. [B]에서 유연은 '어찌 이다지 무심하시어 ~ 도움도 주지 않으십니까?'라며 자신에게 도움을 주지 않는 상대를 원망하고 있다.

---

4. ⑤ 　　　작품 감상의 적절성 파악하기

① '서해무릉'은 '최 씨'가 유연과 원치 않는 이별을 하며 홀로 떨어져 지낸 곳으로, 그녀에게는 시련을 겪는 공간으로 볼 수 있다.
② '도적 장군'이 최 씨를 납치하여 '서해무릉'에 잡아두고 혼례를 하려고 한 것을 보니, 그에게는 욕망을 드러내는 공간으로 볼 수 있다.
③ 유연이 온 나라를 떠돌며 고난을 겪은 후 '서해무릉'에서 최 씨를 다시 만나게 된 것을 보니, 유연에게는 소망이 실현된 공간으로 볼 수 있다.
④ '서해무릉'에 납치되었던 '최 씨'가 도적 장군으로부터 정절을 지키며 마음을 돌리지 않았던 곳으로, 그녀에게는 애정을 지키는 공간으로 볼 수 있다.
❺ '서해무릉'은 유연이 원치 않은 이별을 했던 최 씨와 다시 만나게 된 공간이다. 이를 두고 유연이 최 씨의 도움으로 용맹과 지략을 갖추게 되는 공간으로 이해하는 것은 적절하지 않다.

'서해무릉기'의 전체 줄거리
전라도 전주에 사는 선비 유현중의 아들 유연은 15세에 장원급제하여 한림학사를 제수받고 금의환향한다. 하루는 유연이 친척 최공을 문병하러 갔다가. 최공의 딸에게 마음이 끌려 마침내 상사병을 앓게 된다. 이를 안 부모는 하는 수 없이 두 사람을 혼인시킨다. 혼롓날 밤 갑자기 한 떼의 도적 무리가 쳐들어와 순식간에 신부를 납치해 가버린다. 최소저를 납치해 간 도적은 왜적의 괴수로, 최소저를 서해무릉 백두산이라는 산적촌에 가두어 놓는다. 왜장은 최소저가 마음을 돌리여 자신과 혼인해 주기를 기다린다. 한편, 유연은 부친의 재혼 강요에도 불구하고 최소저를 잊지 못하다가, 마침내 부모에게 서한을 남긴 채 집을 떠난다. 전국 방방곡곡을 떠돌며 최소저를 찾다가 드디어 금강산에 들어가 중이 되어 부처님에게 지성으로 발원한다. 하루는 금산사 미륵불이 꿈에 나타나 최소저가 무사하다는 사실과 삼 년 뒤에는 만나게 되리라는 말을 전하자 다시 힘을 얻어 길을 떠난다. 유연은 여승으로 변장을 하고 최소저의 자취를 수소문하다가, 드디어 배를 타고 대해를 건너 한 섬에 이르렀는데, 이곳이 바로 서해무릉이었다. 한편, 최소저는 밤낮으로 울부짖으며 하루하루를 보내는데, 하루는 꿈에 금산사 부처가 나타나 내일 오시에 남편이 찾아올 것이라 말하고 사라진다. 이튿날 오시에 과연 한 여승이 찾아와서 양식을 구하는데 만나보니 유연이었다. 둘이 만나 기쁨을 나누는데, 마침 적장이 들어와 유연을 쫓아낸다. 최소저는 밤에 또다시 금산사 부처의 현몽을 받고 장원을 빠져나오는데 성공하고 드디어 유연과 만난다. 서해무릉을 빠져나온 두 사람은 천신만고 끝에 집으로 돌아온다. 유연의 가출로 황병이 나 있던 부친은 유연 부부를 집안에 들이려 하지 않으나 장인 최학사의 회유로 마음이 풀려 두 사람을 맞아들인다. 두 부부는 온갖 부귀와 영화를 누리다가 극락세계로 승천한다.

【5~7】 작자 미상, '매화전'

작자, 연대 미상의 한글 필사본 소설로, 남녀 간의 사랑을 주제로 한 애정 소설로 '매화양유전', '유화양매록'이라고도 한다. 이 작품에는 남녀 간의 사랑을 다룬 애정 모티프와 계모에 의한 시련과 고난, 부모로부터 버림받음(기아), 도술을 통한 문제 해결 등 고전 소설의 다양한 모티프들이 복합적으로 사용되고 있다. 남녀 주인공들의 혼사 실현을 주요 내용으로 하면서 도술을 통한 권선징악의 의미가 강하게 깔려 있다. 그러나 악인형 계모에 대한 징계가 없는 점에 의하여 권선적 경향이 지배적인 작품이다. 또한 임진왜란이라는 역사적 사실을 배경으로 하고 있어 조선 후기 작품으로 추측된다. 이와 아울러 일반적 문장 표현과 함께 새타령·몸치장·방치레·술상치레·자탄가·산천경개 등 판소리 사설의 문체를 함께 지니고 있어 판소리계 소설, 혹은 판소리계 소설의 영향을 받은 작품으로 평가받고 있다.

┌ [놓치지 말자!]
- **갈래** : 가정 소설, 애정 소설, 전기 소설
- **성격** : 전기적
- **배경** : 조선 시대 경기도
- **제재** : 매화의 위기와 극복
- **주재** : 온갖 시련을 이겨낸 양유와 매화의 사랑
- **특징**
  - 등장인물의 심리를 자연적 배경과 대비시켜 표현함.
  - 등장인물의 내면 심리를 구체적으로 서술하여 독자의 이해를 도움.
  - 동음이의어를 활용하여 등장인물의 심리를 그려냄.
  - 전기적 요소가 개입되어 사건 전개 양상이 비현실적임.
  - 악인형 인물인 계모에 대한 징벌이 없음, 권선징악의 의식이 보임.
  - 일반적 문장 표현과 함께 새타령. 몸치장. 방치레, 술상 치레. 자탄가. 산천경개 등 부분적으로 판소리 사설 문체가 보임.

- **경개(景槪)** 산이나 들, 강, 바다 따위의 자연이나 지역의 모습.
- **유리걸식(流離乞食)** 정처 없이 떠돌아다니며 빌어먹음.

---

5. ⑤ 　　　서술상의 특징 파악하기

① 시간의 흐름대로 사건이 전개되고 있는 작품으로, 과거와 현재가 교차되고 있는 부분은 찾을 수 없다.
② 장면의 전환은 있지만 이를 통해 긴박한 분위기가 조성되고 있지는 않다.
③ 제시된 부분에서는 조 병사의 집을 배경으로 사건이 전개되고 있지만 이를 통해 주제가 암시적으로 드러나지는 않는다.
④ 상객이 병사 아들에게 닥칠 재앙을 예언하자 노하여 쫓아내는 부분은 있지만, 인물 간의 첨예한 갈등을 중심으로 사건이 전개된다고 볼 수 없다.

---

❺ '양유 그 소리 들으며 ~ 마음만 상할 따름일러라', '병사 크게 놀라며 또한 크게 기뻐하여' 등 전지적 서술자가 등장인물의 심리를 직접 제시하고 있다.

많은 학생들이 선택지 ④번을 두고 고민을 했던 모양이야. 제시된 부분에서 불거진 갈등이라면 조 병사의 집에 찾아온 상객이 호랑이에게 잡혀먹을 것이라는 예언을 하자 이에 놀란 병사가 상객을 내쫓게 되지. 이를 두고 인물 간의 갈등을 중심으로 사건이 전개된다고 볼 수는 없어. 제시된 부분에서는 양유와 매화의 성장과 매화가 여자임이 밝혀지는 과정 중심으로 전개되고 있어. 여기에서 중요한 점은 '양유 그 소리 들으며 ~ 마음만 상할 따름일러라', '병사 크게 놀라며 또한 크게 기뻐하여' 등을 보면 서술자가 직접 인물의 심리를 제시하고 있다는 점이야. 고전 소설에서 나타나는 특징을 잘 파악해 두도록 해.

---

6. ④ 　　　인물의 태도 파악하기

① 양유는 '오늘 사람들이 여자가 남복을 입었다 하니 그 일로 그러한가 싶으니 그럼 여자가 분명한가?'라고 매화에게 물으며 의심하고 있다.
② 양유의 청혼을 받은 매화는 '부모의 명을 받아 백년해로한다면 낸들 아니 좋으리냐.'라고 자신의 뜻을 밝히고 있다.
③ 상객은 '양유와 매화로 부부 아니 되면 임진 3월 초삼일에 필연 호식(虎食)하리라.'라는 글을 남기며 경고하였다.
❹ 병사는 '전일 상객이 이러이러하니 내두 길흉을 어찌하리요. 매화는 양유와 동갑이요, 인물이 비범하니 혼사함이 어떠하리까.'라며 양유와 매화의 혼인에 대해 부인 최 씨의 동의를 구하고 있다. 하지만 양유가 아버지 병사에게 매화와의 적극적인 결혼 의지를 피력하진 않았으므로 적절하지 않다.
⑤ 최 씨는 '매화는 유리걸식하는 아이라, 근본도 아지 못'한다는 점을 핑계로 양유와 매화의 혼인을 반대하고 있다.

28%의 정답률을 보이는 고난도 문제로, 34%의 학생들이 선택지 ②을 선택했어. 왜 이런 혼동을 겪었는지 제시된 내용을 살펴볼까. 양유는 함께 자란 매화의 용모를 보고 연정을 느껴왔는데, 하루는 서로 시를 지어 나누다가 매화의 글귀를 보고는 여자임을 알아채고 부모의 승낙을 받은 뒤 혼인을 약속하자고 하게 되지. 이러한 사실을 모르는 병사는 상객의 꺼림칙한 말과 매화의 아름다운 용모를 놓고 볼 때 매화와 양유의 결혼이 나쁘지 않다고 생각하여 부인 최 씨에게 동의를 구하고 있어. 그런데 제시된 내용에서는 양유가 아버지 병사에게 매화와 결혼하고 싶다는 의지를 밝히고 있지는 않지. 다만 매화와 양유가 서로 부모의 허락 하에 결혼할 것을 약속한 사이라는 점을 간과하지만 않으면 되겠지. 지문을 다시 찬찬히 보면서 내용을 잘 파악해 봐.

작자 미상, '매화전'의 전체 줄거리
경기도 장단에 김주부라는 도술이 능한 선비가 매화라는 무남독녀를 두고 살고 있었다. 조정의 간신들이 그를 해치려 하므로 딸 매화를 남장을 시켜 길에 버리고 구월산으로 내외가 피하였다. 매화는 조병사 집에서 살면서 그의 아들 양유와 함께 학당에서 공부하며 성장한다. 양유는 매화의 용모를 보고 연정을 느껴왔는데, 하루는 매화가 자신의 사연을 털어놓고는 부모의 승낙을 받은 뒤 혼인을 약속하자고 한다.

어느 날 관상을 보는 사람이 와서 양유가 귀하게 될 상이지만 호랑이에게 잡혀죽을 위험이 있다며, 매화와 양유를 혼인시켜야 한다는 편지를 남겨 놓는다. 매화의 신분을 알게 된 조병사는 매화를 내당에 머물게 한다. 조병사의 부인은 계모로서 성품이 악하여, 매화를 자기 동생과 혼사시키고자 한다. 계모는 동생을 시켜, 장단의 주민을 매수하여 매화의 아버지가 나쁜 인물이라고 소문내도록 한다. 조병사가 장단에 가서 김주부에 대한 악평을 듣고는 매화를 천한 사람의 자식이라며 박대한다. 매화가 계모의 강제 혼인을 거절하자 조병사는 매화를 내쫓는다. 양유는 쫓겨 가는 매화와 슬픈 이별을 한다. 계모의 하수인에 의해 납치될 처지에 이른 매화는 물에 몸을 던졌으나, 아버지 김주부가 도로로 매화를 구출한다. 매화는 구월산에 있는 어머니와 상봉한다. 혼인 전날 신랑 양유가 호랑이에 물려 구월산에 와서 혼례를 치르고 보니 신부는 매화였다. 도사로 변한 김주부가 조병사에게 구월산에 아들이 있음을 알려주자 조병사는 그곳으로 가 아들을 만난다. 그들은 김주부의 예언으로 그 곳에서 임진왜란의 피해를 면하였다. 김주부는 신선이 되고, 그들은 전쟁 후에 고향에 돌아가 행복하게 살았다.

---

7. ⑤ | 외적 준거를 통해 소재의 기능 파악하기

① ⓐ에서 양유는 봄날의 정경을 즐기는 가운데 '봄빛을 얻었'다고 표현하면서 자신의 즐거운 마음을 함축적으로 드러내고 있다.

② ⓐ에서 양유의 마음과는 다르게 매화는 왜 쓸쓸한 모습을 하고 있는지에 대한 안타까움을 표출하자, ⓑ에서 매화가 자신이 여자라는 정체를 밝힌 것은 인물 간의 의사소통 행위로 볼 수 있다.

③ 일반적인 상징에서 볼 수 있듯이 ⓑ에서 '나비'는 양유를, '꽃'은 매화를 빗대어 표현하고 있다.

④ ⓑ에서 매화가 자신이 여자라는 정체를 우회적으로 밝힌 내용을 본 양유가 이러한 사실을 알아차리고 매화에게 청혼한 것을 볼 때, ⓑ가 사건 전개의 역할을 했다고 볼 수 있다.

❺ ⓐ와 ⓑ를 통해 서로의 마음과 정체를 드러내는 계기로 작용하여 인물들의 관계를 발전시키는 사건 전개의 역할을 하고 있지만, 양유와 매화의 앞날이 순탄하지 않을 것이라는 사건 전개의 방향을 암시한다고 볼 수 없다.

참고자료

고전 소설에서 삽입 시의 기능

서사적인 글의 중간에 시가 삽입되면 사건이 정지되며 대신에 정서적 가치가 두드러지게 된다. 즉, 서사적 전개와 대비되어 서정성이 강조되는데, 이런 방법으로 작중 상황 및 인물 감정을 구체적으로 감지하게 하여 등장인물의 정서나 심리적 정황을 극대화시킬 수 있는 효과가 있다. 그뿐만 아니라, 시적 상상력을 자극하여 낭만적인 분위기와 심미성을 고조시킴으로써 작중 인물의 절실한 심정을 강조하는 기능도 가지고 있다. 이러하듯 작품의 서정성을 높이는 동시에 서사 전개를 매끄럽게 하기도 한다. 이런 이유에서 삽입 시는 중요한 미적 특질 중 하나가 될 수 있다. 특히, 한문 소설에서 한시는 문학성과 밀접하게 연관된다.

[8~11] 작자 미상, '신유복전'

작품해설

조선 시대 신유복의 영웅적 일대기를 잘 보여 주고 있는 고전 소설이다. '신유복전'은 '쫓겨난 여인 발복 설화'가 수용되어 있는 작품이다. '쫓겨난 여인 발복 설화'는 친지의 미움을 받고 쫓겨난 여인이 지혜와 용기를 발휘하여 남편을 입신출세시키는 서사 구조를 보여 주고 있다. 또한 고전 소설 '낙성비룡'과 비슷한 내용으로, 무대가 중국 명나라에서 우리나라 조선 시대로 바뀐 점이 크게 달라 '낙성비룡'의 개작본으로 추측된다. 이 작품에서 신유복은 아버지의 꿈에 선관이 나타나 점지하여 태어난 인물로 어려서 부모를 잃고 유리걸식한다. 상주 목사가 그의 인물됨을 알아보고 호장의 딸인 경패와 혼인하게 하지만, 가난하다는 이유로 경패와 함께 집에서 쫓겨나 고난을 겪는다. 그러나 경패의 의지로 유복이 학문을 닦아 입신출세하게 되고 나라를 구하는 것은 물론 위기에 빠진 중국을 구하는 등의 영웅적 활약상을 보인다. 신유복이 구원병 원수가 되어 명나라를 구한다는 내용은 우리나라의 국력을 중국에 과시하려는 민족적인 긍지와 자주 독립 정신을 표현한 것이라 할 수 있다. 작가는 주인공을 통해 변방의 호국을 격파하고 명나라를 위기에서 구출함으로써 조선국의 위력을 세계에 빛내야 한다고 주장한다. 이를 통해 신유복의 비범한 영웅으로서의 행적을 보여 주며 흥미를 느끼게 하는 한편 민족적 자부심을 잘 드러내는 이야기라고 할 수 있다. 또한 후반의 영웅담을 제외하면 대체적으로 모든 사건이 현실적으로 표현되어 있으며, 전기성이나 우연성이 드물다는 점에서 독특하다. 이 작품은 걸인인 신유복에 대한 여주인공 경패의 희생적인 사랑과 신유복의 영웅적인 행동을 통해 우리 민족의 능력과 위력을 보여준 소설이다.

[놓치지 말자!]

■ **갈래** : 고전 소설, 영웅 소설
■ **성격** : 영웅 일대기적
■ **시점** : 전지적 작가 시점
■ **시간적 배경** : 조선 시대
■ **특징**
　– 외양 묘사를 통해 인물의 비범함을 부각시킴.
　– 전기성과 우연성이 다른 영웅 소설에 비해 드물게 나타남.
　– 영웅 소설의 전형적 요소를 갖추고 있음. (아내가 남편을 출세시킴.)
■ **주제** : 신유복의 고난 극복과 영웅적인 행적

어휘풀이

• **점지하다** 신불이 사람에게 자식을 갖게 하여 주다.
• **유리걸식(流離乞食)** 정처 없이 떠돌아다니며 빌어먹음.
• **소위(所爲)** 하는 일.
• **만장(萬丈)** 높이가 만 길이나 된다는 뜻으로, 아주 높거나 대단함을 이르는 말.
• **전명사알(傳命司謁)** 조선 시대에, 액정서(掖庭署)에 속하여 임금의 명령을 전달하는 일을 맡아 하던 정육품 벼슬아치.

---

8. ② | 서술상의 특징 이해하기

① 장면이 순간적으로 전환되면서 사건의 환상적 면모가 부각되는 부분은 살펴볼 수 없다.

❷ 서술자가 등장인물이나 사건에 대해 '유복은 ~ 군자였다.', '고어에 ~ 던져두시겠는가.'라고 하며 직접 자신의 생각을 드러내고 있다.

③ 전지적 작가 시점으로 서술되고 있는 이야기로, 장면마다 서술자를 달리 하고 있지 않다.

④ 특별히 시대적 배경을 요약적으로 설명하는 부분은 살펴볼 수 없다.

⑤ 인물의 외양을 과장되게 묘사한다거나 풍자하고 있는 부분은 살펴볼 수 없다.

왜 말이 틀렸을까?

'신유복전'은 전지적 작가 시점으로 서술되고 있는데, '괘씸하기 짝이 없었다' 등에서 인물이 느끼는 감정에 대해서도 서술할 뿐만 아니라 인물이나 사건에 대한 평가도 서술하고 있는 것을 확인할 수 있지. 그런데 많은 학생들이 혼동하고 있는 부분은 ④번이지. 조선시대를 배경으로 하고 있다는 점은 잘 알고 있어. 과거제나 '전명사알'이라는 벼슬아치 등의 요소를 볼 때 시대적 배경을 짐작해 볼 수 있기 때문이지. 그리고 왕이 유복의 글을 보고 '충효'가 드러난 부분을 크게 칭찬하고 있는데 이를 통해 충효를 국가 이념으로 삼았던 조선시대라는 점을 알 수 있어. 그런데 이 소설에서 특별히 시대적 배경을 요약적으로 설명이 드러난 부분은 찾아 볼 수 없지. 또 그러한 배경을 통해 사건의 인과 관계를 드러내고 있는 부분도 확인할 수 없어. 이러한 점에서 혼동하지 않아야 실수가 없겠지.

---

9. ② | 말하기 방식 파악하기

① 경패는 '옛글에 '장부 ~ 하라' 하였으니'라고 옛글을 통해 말하며 유복에게 공부의 중요성을 강조하고 있다.

❷ 동정심에 호소하는 방법은 상대방에게 연민의 감정을 일으켜 설득하는 말하기를 말하는 것인데, [A]는 경패가 남편 신유복에게 글공부를 할 것을 강력하게 설득하는 내용이다. 이 부분에서 경패가 동정심에 호소하여 유복으로 하여금 자신의 결정을 따르도록 하고 있다고 볼 수 없다.

③ 경패가 '문필을 배우지 ~ 어떻게 바라겠습니까?'라고 말하며 자신의 뜻을 유복에게 드러내고 있음을 알 수 있다.

④ 유복이 '내 어려서 글자나 ~ 없으니 어쩌겠소.'라고 말하는 데서 현재의 처지를 들어 자신의 답답한 심경을 드러내고 있음을 알 수 있다.

⑤ 유복이 '또한 장차 ~ 의지한단 말이요?'라고 말하는 데서 경패가 처하게 될 상황을 우려하고 있다는 것을 알 수 있다.

---

10. ④ | 적절한 속담으로 표현하기

① '선무당이 사람 잡는다'는 속담은 '서투른 사람이 잘하는 체하다가 일을 그르친다.'라는 뜻이다.

② '믿는 도끼에 발등 찍힌다'는 속담은 '믿는 사람에게서 배신당한다.'라는 뜻이다.

③ '달면 삼키고 쓰면 뱉는다'는 속담은 '사리에 옳고 그름을 돌보지 않고, 자기 비위에 맞으면 취하고 싫으면 버린다.'라는 뜻이다.

❹ 경패는 어려운 일에 처해 도움을 요청하러 간 유복을 도와주기는커녕 오히려 많은 사람들 앞에서 망신을 당하게 만든 일에 대해 매우 분노하고 있다. 즉 유복을 박대한 유소현, 김평에 대해 분노하는 경패의 마음은

'요구를 들어주기는커녕 방해만 한다.'라는 뜻의 '동냥은 못 줘도 쪽박은 깨지 마라'와 같은 속담으로 나타낼 수 있다.

⑤ '닭 잡아먹고 오리발 내민다'는 속담은 '옳지 못한 일을 저질러 놓고 엉뚱한 수작으로 속여 넘기려 한다.'라는 뜻이다.

---

11. ③   작품의 서사 구조 이해하기

① ⓐ는 과거에 구성이 무주 땅에 떨어져 영웅이 난 줄 짐작하였다는 원강 대사가 말하는 내용에서 확인할 수 있다.

② 신유복이 어려서 부모를 잃고 유리걸식하다가 고난에 처하지만 경패와 혼인을 하면서 과거에 급제하고 입신출세하는 과정을 잘 보여 주고 있다. ⓑ는 신유복이 유리걸식하다가 경패와 혼인하게 되고 밥을 빌어서 음식을 나눠 먹는 등 서로 사랑하며 살아가는 데서 확인할 수 있다.

❸ '신유복전'은 '쫓겨난 여인 발복 설화'가 수용되어 있는 작품이다. '쫓겨난 여인 발복 설화'는 친지의 미움을 받고 쫓겨난 여인이 지혜와 용기를 발휘하여 남편을 입신출세시키는 서사 구조를 보여 주고 있다. 이 설화의 서사 구조에서 ⓒ는 주인공들이 친지에 의해 쫓겨나 고난을 겪는 단계이다. 이 소설에서 ⓒ는 신유복과 경패가 호장 부부에 의해 쫓겨나서 곤궁하게 살아가는 이야기로 나타난다고 할 수 있다. 이 과정에서 신유복과 경패는 인근 동리 사람들의 도움으로 생계를 이으며 움집이나마 마련해 곤궁하게 살아간다. 따라서 신유복과 경패가 인근 동리 사람들에게조차 외면을 당한다는 내용은 적절하지 않다.

④ ⓓ는 경패가 신유복에게 글을 읽어 성공해야 한다며 팔 년을 공부하여 이십이 되거든 절에서 내려오라는 뜻으로 신유복이 원강 대사 밑에서 글을 배우게 하는 데서 확인할 수 있다.

⑤ ⓔ는 신유복이 과거 시험에서 '만장 중의 제일'일 만큼 뛰어난 글을 써서 대궐로 입시하게 되는 데서 확인할 수 있다.

딸이 사는 모습을 궁금히 여긴 아버지가 찾아와 만나는 경우와 거지가 된 아버지가 동냥 와서 만나는 경우, 딸이 걸인 잔치를 열어 만나는 경우, 대문을 여닫을 때마다 딸의 이름을 부르는 소리가 나거나 '내 복에 산다'는 소리가 나서 만나게 되는 경우 등이 있다. 보다 주목해야 할 변이는, 백정 딸이 양반 아들과 혼인해 살다가 쫓겨나, 숯구이 총각을 만나고, 부자가 된 후 거지가 된 남편을 다시 만나 살았다는 내용으로 이루어진 이야기이다. 아버지에게서 쫓겨난 이야기는 아버지와 딸 사이에 갈등이 일어난다는 점에서 '삼국사기' 권45에 수록된 '온달설화(溫達說話)'와 비슷하며, 남편에게서 쫓겨난 이야기는 남자와 여자 사이의 신분적 갈등이 문제되고 있어 '삼국유사' 권2에 전하는 '무왕설화(武王說話)'와 관련이 깊다. 한편 제주도의 서사무가인 '삼공본풀이'에도 이 설화의 내용이 나타나고 있다. 이러한 관련으로 보아, 이 설화는 그 생성연대가 상당히 오래된 것으로 추측된다. 쫓겨난 여인이 얻은 행운은 우연한 것만은 아니고, 소중한 것을 알아볼 수 있는 지혜이며, 새로운 삶을 찾으려는 노력에 따라 온 것이다. 그러므로 이 설화에는 기존의 관습적 사고를 강요하는 사람들의 구속을 떨치고, 자신의 삶을 스스로 개척할 때 새로운 삶의 계기가 마련될 수 있다는 긍정적 인식이 나타나고 있다.

고전 시가

Day 16

1. ④	2. ④	3. ①	4. ②	5. ③
6. ③	7. ④	8. ④	9. ①	10. ②

【1~4】 (가) 정철, '훈민가'

작품해설

작가가 45세 때 강원도 관찰사로 있으면서 백성들을 교화하고 계몽하기 위해 지은 연시조로경민가(警民歌) 또는 권민가(勸民歌)라고도 불린다. 중국 송나라 신종 때 진양이 지은 '선거권유문'을 본보기로 삼아 유교적 윤리의 실천을 강조하기 위해 창작되었다고 전해진다. 그런데 일반적으로 도덕의 실천궁행(實踐躬行)을 목적으로 하는 계몽적인 내용의 작품들은 독자들의 호응을 얻기가 쉽지 않다. 그래서 작가는 이를 일방적으로 따르도록 명령하는 어법만을 사용하지 않고, 청유형을 섞어서 활용하였으며 백성들이 절실하게 느끼는 인간관계를 설정하고 정감 어린 어휘들을 사용함으로써 계몽적인 제재를 다룬 다른 어떤 작품들보다 강한 설득력을 얻고 있다.

■ **갈래** : 평시조, 연시조(16수)
■ **성격** : 교훈적, 교화적, 유교적, 계몽적, 설득적
■ **주제** : 유교적 윤리의 실천(백성 교화)
■ **표현상 특징**
　• 우리말로 된 일상어의 사용으로 백성들의 이해를 도움.
　• 청유형, 명령형 어미의 사용으로 설득력을 높임.
　• 제13수와 제16수에서 화자를 백성을 훈계하는 사람으로 설정하지 않고, 백성의 한 사람으로 설정하여 설득력을 높임.

같은작가 다른기출

(나) 작자 미상, '복선화음록'

작품해설

조선 말기에 김 한림의 종손부인 이씨 부인이 지은

규방 가사로, 시집가는 딸에게 계훈(戒訓)으로 준 내용이 담겨 있다. 착한 이에게는 복이 오고 못된 사람에게는 화가 온다는 주제를 삼고 있는 복선화음(福善禍淫)으로 구성되어있다. 시부모님, 남편, 주변 이웃들에게 어떤 마음을 가지고 행동해야 할지를 적고 있으며, 구체적인 사례를 들어 여인이 금기해야 할 사항도 적혀있다. 이 작품은 복선화음가, 권선중악가, 계녀옥설 등으로 불리기도 하였다. 이 작품은 구체적인 사례들을 열거하면서 주제를 보다 실감나게 전달하고 있다. 이 작품은 괴똥어미라는 부정적인 인물과 대비되는 어머니 자신을 시집가는 딸이 배우고 닮을 것을 권고하고 있다.

- **갈래** : 한글 규방 가사
- **성격** : 유교적, 교훈적
- **주제** : 어머니 자신을 시집가는 딸이 배우고 닮을 것을 권고

---

1. ④ 　표현상의 공통점 파악하기

❹ (가)의 '풀목 쥐시거든 두 손으로 바티리라', '나갈 데 겨시거든 막대 들고 조초리라'와 (나)의 '문전옥답 큰 농장이 물난리에 내가 되고', '안팎 기와 수백간이 불이 붓터 밧치 되고'를 보면 유사한 통사 구조를 활용하여 운율을 형성하고 있음을 확인할 수 있다.

---

2. ③ 　시구의 의미 이해하기

① ㉠에서 화자는 자신의 서러운 처지를 하소연하고 싶지만 '염치'가 없어 '친정에 편지'하는 것이 '불가ㅎ다'고 하고 있다.
② ㉡에서 화자는 '빈궁'이 타인의 탓이 아닌 '내 팔즈'라고 하며 자신의 운명으로 돌리고 있다.
❸ ㉢은 쌀을 꾸러 이웃집에 갔던 '설매'가 돌아와서 이웃집에서 들었던 말을 화자에게 전하고 있다. 따라서 설매에게 하소연하는 화자의 모습이 나타나 있다는 진술은 적절하지 않다.
④ ㉣에서 화자는 재산을 늘리기 위해 '밤낮으로 힘써 벌면' '김장즈'와 '이부즈'처럼 자신도 '부즈'가 될 수 있다고 생각하고 있다.
⑤ ㉤에서 화자는 '길쌈도 ㅎ려니와' '전답' 얻어 '역농'하여 '가업'의 기반을 마련하기 위해 열심히 노력하고 있다.

---

3. ① 　시어의 의미 파악하기

❶ (가)의 '나갈 데 겨시거든 막대 들고 조초리라'를 보면 어른이 밖으로 나가실 때는 막대를 들고 좇아가자는 내용이므로 ⓐ는 타인을 위한 행위를 의미한다. 그런데 (나)의 '압집에 가 밥을 빌고 뒤집에 가 장을 빌고'를 보면 '단독일신 뿐'인 '괴똥어미'가 이웃집에 가서 밥을 빌어먹는 행위를 나타낸 내용이므로 ⓑ는 자신을 위해 한 행위에 해당함을 의미한다.

고전 시가 ▶ 현대어 풀이

　　　　　　　　　　정철 '훈민가'

〈제8수〉
마을 사람들아. 옳은 일을 하자꾸나.
사람으로 태어나서 옳지 못하면
말과 소에게 갓이나 고깔을 씌워 놓고 밥이나 먹이는

것과 다를 게 무엇이 있겠는가?
〈제9수〉
(어른이 기동할 때에 만일) 팔목을 쥐시는 일이 있거든 (그 손을) 내 두 손으로 받들어 잡으리라.
나들이하기 위하여 밖으로 나가실 때에는 지팡이를 들고 따라 모시리라.
향음주가 다 끝난 뒤에는 또 모시고 돌아오련다.
〈제13수〉
오늘도 날이 다 밝았다. 호미를 메고 나가자꾸나.
내 논을 다 매거든 너의 논을 조금 매어 주마.
일을 마치고 돌아오는 길에 뽕을 따다가 누에에게 먹여 보자꾸나.

---

4. ② 　외적 준거를 바탕으로 작품 감상하기

① (가)의 '사름이 되어 나셔 올티곳 못ㅎ면'을 드러내기 위해 '모쇼를 갓 곳갈 싀워 밥 머기나 다ㄹ랴'라는 비유 대상을 활용하여 옳은 일의 실천을 강조하고 있음을 알 수 있으므로 적절하다.
❷ (나)의 '이질 앓던 시아버지'가 '초상'한들 상관하지 않고 '정성' 없이 '졔ㅅ음식'을 차린 '괴똥어미'가 '시가'를 '존중'하는 화자와 대비되는 대상으로 제시되고 있다. 따라서 '귀신'을 화자와 대비되는 대상으로 상부상조를 강조하고 있다는 진술은 적절하지 않다.
③ (가)의 '므올 사름들하 올흔 일 ㅎ쟈스라'에서는 구체적인 청자로 '므올 사름들'로 설정하고 있고, (나)의 '딸아딸아 요내딸아 시집사리 조심ㅎ라'에서는 구체적인 청자로 '딸'을 제시하고 있음을 알 수 있으므로 적절하다.
④ (가)의 '풀목 쥐시거든 두 손으로 바티리라'를 통해 어른에 대한 공경을, (나)의 '깨진 그릇 좋단 말은 시가를 존중ㅎ미라'를 통해 부녀자의 덕목을 드러내고 있음을 알 수 있으므로 적절하다.
⑤ (가)의 '내 논 다 매여든 네 논 졈 매여 주마'에서 서로 상부상조하며 실천하자는 행위를 제시하고 있고, (나)의 '수족이 건강ㅎ니 내 힘써 벌게 되면'과 '치산범절 힘쓰리라'를 통해 '수족이 건강'한 '내'가 재산을 늘리는 일에 '힘써' 벌겠다고 하며 실천하려는 행위를 제시하고 있음을 알 수 있으므로 적절하다.

Q＆A 많이 틀렸을까?

(나)의 화자는 자신의 일생에 대해 이야기한 후에 괴똥어미의 일생에 대해 설명하면서 잔ㅅ이와 괴똥어미를 대조하고 있어. 이렇게 화자와 대비되는 부정적 인물을 활용해서 자신을 본받아야 할 대상임을 강조하고 있지. 작품의 내용을 이해하는 데는 크게 어려움이 없으리라고 보는데 제시된 선택의 문맥의 흐름을 놓치지 않아야 실수를 하지 않을 수 있어.

【5~7】 (가) 윤선도, '어부사시사(漁父四時詞)'

작품해설

1651년 윤선도가 보길도를 배경으로 지은 40수의 연시조이다. 사시사철의 계절에 따라 10수씩 배정하여 배가 출발하여 돌아오는 과정을 질서있게 보여준다. 춘사에는 봄에 고기잡이 떠나는 광경을, 하사에는 소박하지만 자신의 삶에 만족하는 어옹의 생활을, 추사에는 속세를 떠나 자연과 묻혀 사는 생활을, 동사는 정치에 대한 작자의 우려가 드러나 있다. 우리말의 유려한 율조를 살리고 대구적 표현과 감각적 묘사를 통해 강호의 아름다움과 여유를

그리고 있는 작품이다.

- **갈래** : 연시조
- **성격** : 강호한정가
- **어조** : 예찬적
- **제재** : 계절의 변화에 따른 어부의 생활상
- **주제** : 자연에 묻혀 사는 즐거움
- **중요 시구 및 시어 풀이**
  - 삼공(三公)을 부러워하랴 만사(萬事)를 생각하랴 : 속세의 부귀영화보다 자연에 묻혀 사는 현재의 삶에 더욱 만족하는 모습을 보여줌.
  - 험한 구름 흔(恨)치 마라 세상(世上)을 가리운다 : 인간 세상의 번잡함에 관여하고 싶지 않은 화자의 마음이 드러나 있음.

(나) 남석하, '초당춘수곡(草堂春睡曲)'

작품해설

초가집에서 봄날의 낮잠을 자다가 일어나 봄을 만끽하며 예찬하는 가사 작품이다. 봄날의 풍경과 조선 후기 선비들 특유의 유유자적한 태도가 드러난다. 작품의 전반부에는 화자가 느끼는 애상적 정서가, 후반부에는 자연을 즐기는 흥취가 드러난다. 세속적 부귀보다 곁에 두고 볼 수 있는 풍경을 완상하는 만족감을 섬세하게 표현하였다.

- **갈래** : 가사
- **성격** : 애상적, 풍류적
- **어조** : 예찬적
- **제재** : 봄날의 흥취
- **주제** : 봄날의 아름다움과 물아일체.
- **중요 시구 및 시어 풀이**
  - 공명(功名)이 때가 늦어 백발은 귀밑이요 : 공명을 이루기에는 화자의 나이가 너무 많아 안타까움.
  - 때 없는 두 귀밑을 돌시내에 다시 씻고 : 속세의 때를 맑은 자연을 보며 씻어냄.

---

5. ③ 　표현상의 공통점 파악하기

① (가)는 춘하추동의 각 계절에 따른 어부의 생활상을 구체적으로 표현하고 있는 작품으로 의인화된 대상을 통한 세태를 비판하고 있는 부분은 없다. (나)는 초가집에서 봄날의 낮잠을 자다가 일어나 봄을 만끽하는 노래이다. '수풀 아래 뻐꾹새는 계절을 먼저 알아/ 태평세월 들일에는 농부를 재촉한다'는 부분에 뻐꾹새를 의인화하고 있으나, 의인화된 대상을 통해 세태를 비판하고 있는 것은 아니다.
② (가)의 '삼공(三公)을 부러워하랴 만사(萬事)를 생각하랴', '연강(煙江) 첩장(疊嶂)은 뉘라서 그려낸고', '물외(物外)에 조흔 일이 어부 생애 아니러냐' 등의 설의적 표현을 통해 아름다운 풍경 속에 한가한 어부의 정취를 그려내고 있으나 (나)에는 설의적 표현을 통한 시적 의미를 강조하는 부분이 나타나지 않는다.
❸ (가)는 '버들이며 물가의 꽃은 굽이굽이 새롭구나', '사시(四時) 흥(興)이 흔 가지나 추강(秋江)이 으뜸이라' 등의 영탄적 어조를 통해 사시사철 변하는 풍경에 대한 예찬을, (나)는 '앉아 보고 서서 보니 별천지가 여기로다' 등의 영탄적 어조를 통해 봄날에 대한 흥취를 표현하고 있으므로 적절한 설명이다.
④ (나)의 '풍대(風臺)의 맑은 바람 심신이 시원하고'에 촉각적 심상이 드러나 있으나, (가)에는 나타나지 않는다.

⑤ (가)와 (나) 모두 역설적 표현을 통해 이상향에 대한 의지는 드러낸 부분은 없다.

6. ③ 　시어의 의미 파악하기

① (가)의 '버들'과 (나)의 '뻐꾹새'는 봄을 드러내는 소재이다.
② (가)의 '흥'은 아름다운 풍경을 보며 느끼는 정취이며, (나)의 '정'은 '백화주 두세 잔'과 어울려 봄날의 자연에 느끼는 애정을 뜻한다.
❸ (가)의 화자는 '어옹(漁翁)을 욷디 마라 그림마다 그렷더라'라며 어옹의 한가로운 정서와 생활을 긍정적으로 평가한다. (나)의 '태평성세 들일에는 농부를 재촉한다'의 '농부'는 봄 풍경을 이루는 하나의 존재임을 알 수 있다. 따라서 (가)의 '어옹'과 (나)의 '농부'가 화자의 처지에 공감하는 인물이라는 생각은 적절하지 않다.
④ (가)의 화자는 사시(四時)의 흥취 중에서도 '추강(秋江)'이 으뜸'이라고 하였다. (나)의 '풍대(風臺)'의 맑은 바람 심신이 시원하고 월사(月榭)'의 밝은 달은 맑은 의미 일반이라'는 봄날의 아름다운 풍경에 대한 예찬을 드러내므로 (가)의 '추강'과 (나)의 '밝은 달'은 화자가 긍정적으로 인식하는 대상이다.
⑤ (가)의 화자는 '낚싯대'를 둘러메나 '깊은 흥(興)을 못 금(禁)하겠다'라고 하였고, (나)의 화자는 '백화주'를 따라 산수의 아름다움을 즐기며 '정'이 들었다고 하였으므로 적절한 설명이다.

7. ④ 　외적 준거에 따라 감상의 적절성 파악하기

① 화자는 봄날의 강가에서 석양, 버들, 물가의 꽃을 감상하며 '삼공'도 부럽지 않다고 표현하고 있다. '삼공'은 속세의 사람들이 얻고 싶어 하는 벼슬로, 이보다 자연을 벗삼아 살고 있는 자신의 삶에 만족감을 더욱 크게 느끼고 있으므로 적절한 설명이다.
② 여름의 강가를 묘사하며 궂은 비가 멎고 시냇물이 맑아지는 모습과 산수의 경계가 마치 누가 그려낸 것처럼 섬세하고 유려하다고 표현하고 있으므로, 화자가 자연의 아름다움에 감탄하며 이를 즐기고 있다고 볼 수 있다.
③ '물외'는 어부가 일생을 보내는 공간으로, 속세의 부귀영화와 대립하는 자연을 뜻하며 화자가 이상적으로 여기는 공간이다.
❹ '물가의 외로운 솔'은 물가에 외롭게 선 나무를 보며 그 기상과 자태에 대해 '혼자 어이 씩씩흐고'라며 예찬을 보내고 있다. 따라서 이를 화자가 안타까워하는 대상이라고 보는 것은 적절하지 않다.
⑤ 겨울에 몰아치는 물가의 파도 소리가 속세의 소음을 막아준다고 표현하고 있으므로, 자연에 몸담으며 인간 세상을 멀리하고자 하는 화자의 태도가 드러난다.

【8~10】 (가) 어무적, '유민탄(流民歎)'

작품해설

자기 고장에 머물러 살지 못하고 떠돌아다니는 유민(流民)의 탄식을 담아내고 참다운 애민정치(愛民政治)의 실현을 갈망하고 있는 작품이다. 화자는 곤란에 처한 백성이 굶주려 곤궁하고, 헐벗어 고통 받는 것을 알면서도 아무것도 해 줄 수 없는 데 대한 무력감을 토로한다. 그리고 자신은 무언가 하고 싶

어도 할 만한 힘이 없는데, 무언가 할 수 있는 힘이 있는 사람들은 무언가를 할 마음이 없다고 개탄한다. 중앙에서 백성을 생각한다며 만든 온갖 지시 사항들도 지방에 오는 사이 한낱 쓸모없는 종잇장이 되어 버리는 일이 비일비재한 현실의 모습을 비판적으로 그리고 있다. 작자는 서얼(庶孽)이라는 신분 때문에 과거에 응시하지 못하고 불우하게 살았지만, 당시에 문학적 재능은 높이 평가받았다. 허균(許筠)은 자신의 시 비평집 「성수시화」에서 이 시를 당시의 대표적 걸작이라고 평가하였다.

[놓치지 말자!]

■ 갈래 : 한시, 위항 문학(여항 문학, 중인 문학)
■ 성격 : 현실 비판적, 사실적, 풍자적
■ 어조 : 현실을 한탄하는 어조
■ 제재 : 힘겨운 백성들의 삶
■ 배경 : 조선 전기
■ 주제 : 백성들을 구제하지 않는 부패한 관리에 대한 비판
■ 특징
　– 대구적 표현을 사용하여 시적 운율감을 형성함.
　– 대조적인 표현을 통해 화자의 무기력감과 관리들에 대한 비판을 드러냄.

(나) 이별, '장육당육가(藏六堂六歌)'

작품해설

세상의 명예와 이욕에서 벗어나 초연한 태도로 은둔 생활을 하며 자연을 지향하는 마음이나, 세상 사람들에 대한 질책 등의 복합적인 심정을 담아 낸 연시조이다. 작가 이별은 황해도 평산의 옥계산에 은거하며 지내면서 사는 집을 '장육당'이라고 이름을 붙였다고 한다. 그곳에서 자신의 울분과 현실에 대한 마음을 풍자적으로 드러낸 연시조 '장육당육가'를 지었다. 그의 시조는 당시 세상에 널리 전승되었다고 하는데 현재 원래의 노래는 전하지 않고 종손(從孫)인 이광윤이 한역한 작품에서 4수만 전하고 있다. 이후 이황의 「도산십이곡」을 비롯한 육가 계열의 연시조 창작과 전승에 매우 중요한 영향을 주었다.

[놓치지 말자!]

■ 갈래 : 고시조, 연시조
■ 성격 : 자연 친화적, 탈속적, 은일적, 현실 비판적, 냉소적
■ 제재 : 자연에서의 삶
■ 주제 : 속세를 떠나 자연에서의 삶을 지향
■ 특징
　– 6수의 연시조 중에서 4수만 전해짐.
　– 세상의 모순과 부조리를 질타하는 풍자적인 성격을 지님.

8. ④ 　표현상의 특징 파악하기

① (나)에서는 '백구'나 '붉은 잎' 등 색채 대비를 통해 시적 분위기를 형성하고 있으나 (가)에서는 찾아볼 수 없다.
② (가)는 선경후정의 방식을 통해 시상을 전개하고 있다고 볼 수 없다.
③ (가)의 '서울 관리는 귀는 없고 백성은 입이 없다네'

나 (나)의 '내 이미 백구 잊고 백구도 나를 잊네' 등에서 대구적 표현을 활용하고 있다.
❹ (가)에서는 '어느 겨를에 마음속 일을 말이나 하겠소'라는 설의적 표현을 통해 백성들이 겪는 힘겨운 현실을 부각하고 있다. (나)에서도 '세상에 득 찾는 무리 어찌 알기 바라리'라는 설의적 표현을 통해 자연을 지향하며 살고자 하는 화자의 마음을 부각하고 있다.
⑤ (나)에서는 '백구도 나를 잊네 / 둘이 서로 잊었으니'에서 의인법을 찾을 수 있으나 (가)에서는 찾을 수 없다.

어휘풀이

• 선경후정(先景後情) 앞부분에 자연 경관이나 사물에 대한 묘사를 먼저하고 뒷부분에 자기의 감정이나 정서를 그려내는 구성.

왜 많이 틀렸을까?

두 작품을 비교하며 공통점을 찾는 문제인데 정답률이 44%로 학생들이 다소 어려움을 느꼈을 내용으로 보여. 두 작품의 공통점으로는 설의법이 쓰이고 있다는 정도인데, (가)에서는 '어느 겨를에 마음속 일을 말이나 하겠소'라는 설의적 표현을 통해 비참한 생활을 말조차 할 수 없는 백성들의 안타까운 처지를 부각하고 있어. (나)에서는 '세상에 득 찾는 무리 어찌 알기 바라리'라는 설의적 표현을 통해 세속적인 출세와 가치를 구하지 않고 자연 속에서 안빈낙도하며 살고자 하는 화자의 마음을 담고 있지. 이러한 표현 방법들을 살펴보고 작품의 전체적인 의미와 분위기를 잘 파악할 수 있어야 해.

참고자료

작가 이별

이별은 여말의 대학자 이제현의 후손이며 사육신 박팽년의 외손자이다. 이별은 재주와 명성이 뛰어났지만, 박팽년의 외손이었던 까닭에 벼슬길이 막혀 있었다. 성종 대에 금고가 풀리는 듯했으나 삼형 이원이 김종직의 문하로 무오사화에 연루되면서 다시 벼슬길이 막히자 황해도 평산에 숨어 지내면서 세상을 향한 자신의 내면을 드러내는 육가(六歌)의 전통을 이어받아 6수의 연시조를 지었다.

9. ① 　시어의 의미와 관계 파악하기

❶ ㉠은 '백성들'을 의미하고 ㉡은 백성들을 구제하고 싶어도 구제할 힘이 없는 '화자'임을 알 수 있다. 그러나 백성들이 화자를 원망한다는 내용은 확인할 수 없으므로 적절하지 않다.
② '나는 너희들을 구제할 마음이 있어도 너희들을 구제할 힘이 없구나'에서 어려움에 처한 백성들을 돕고 싶으나 능력이 되지 않아 도울 수 없는 화자의 안타까움이 드러나 있다.
③ '군자의 생각을 가져 보게나', '군자의 귀를 빌려'를 통해 화자가 ㉢ '저들'이 군자와 같은 생각을 갖기를 바라고 있다는 것을 알 수 있다.
④ '저들은 너희들을 구제할 힘이 있어도'를 통해 관리들이 백성들을 구제할 힘을 지니고 있다는 것을 알 수 있다.
⑤ '날이 추워 네가 이불이 없을 때 ~ 너희들을 구제할 마음이 없구나'를 통해 부패한 관리들은 백성들이 겪고 있는 문제를 해결하지 않고 있다는 것을 알 수 있다.

10. ② 　외적 준거를 통해 작품 감상하기

① '백구'와 '나'가 서로 잊어 누군지 모른다는 것에서 화

자가 자연과 하나가 된 삶을 지향하는 태도가 드러난다.
❷ 자연과 하나 되어 풍류를 즐기며 '빈 강'에서 낚시를
즐기고 있는 화자가 '득 찾는 무리'를 알기를 바라지 않
는다고 말하는 것에서 공명을 추구하는 세속의 사람들
과는 거리를 두고 살겠다는 의지가 드러난다. 이를 세
속적 삶에서 벗어나기 어려운 현실로 이해하는 것은 적
절하지 않다.
③ '공명'을 '해진 신'에 비유한 것에서 화자가 세속적 삶
의 가치를 멀리하고 있음이 드러난다.
④ '옥계산'에서 '물', '달'과 함께 지내는 모습에서 화자
의 자연 친화적 삶의 태도가 드러난다.
⑤ '세상 사람'을 '청탁'이 있는 줄 모른다고 하였는데,
이는 옳고 그름을 분간하지 못하는 사람들을 비판하면
서 분별 있는 삶의 자세에 대한 의지를 드러내는 것으
로 볼 수 있다.

참고자료

갑자사화

1504년(연산군 10) 연산군의 전횡이 심해지자, 사간
원(司諫院), 사헌부(司憲府), 홍문관(弘文館)의 3사
(三司)는 연산군에 대한 간쟁의 수위를 높여 갔고,
대신들 또한 연산군의 실정에 대해 논하며 시정을 요
구했다. 결국 연산군은 임금을 능멸하는 행위와 폐
비 윤씨 사건의 보복이라는 명분으로 갑자사화를 일
으켰다. 그 결과, 궁중 세력이 승리해 정권을 잡고,
신진사류 세력은 완전히 몰락하였다. 무오사화가 기
성 훈구 세력과 신진사류 세력의 정치 투쟁이었다고
하면, 갑자사화는 궁중 세력과 훈구사림파 중심의
부중 세력과의 정치 투쟁이었다. 이 사화로 인해 성
종 때 양성된 많은 사람이 수난을 당해 유교적 왕도
정치가 침체하고 학계가 위축되었다. 또 연산군의
폭정과 만행은 성균관과 사원(寺院)을 유흥장으로 만
들고, 훈민정음(訓民正音)의 교습 및 사용을 금하는
한편, 한글 서적을 모아 불사르는 등 문화의 정체와
인륜 질서의 파괴를 가져왔다. 이 사화를 계기로 더
심해진 연산군의 실정은 새로운 정치 변동과 정치 문
화를 요청하게 되었고, 이로써 마침내 중종반정(中
宗反正)이 일어나게 되었다.

Day 17

1. ①	2. ②	3. ③	4. ④	5. ②
6. ⑤	7. ②	8. ②	9. ⑤	10. ②

【1~4】 (가) 송이, '남은 다 쟈는 밤에'

작품해설

기생인 작가가 사랑하는 임과 헤어져서 임을 그리
워하는 연정가로 애상적인 분위기를 자아낸다. 의
문형 어미를 활용하여 임에 대한 그리움을 가진 화
자의 정서를 강조하고 있고, 화자의 상황을 통해 남
과 다른 상황에서의 외로운 처지를 표현하고 있다.
'꿈'은 임과 만날 수 있는 시간을 의미하는데, 이를
'외로운', '오락가락 ㅎ노라'라고 하여 임과의 만남이
이루어지기 힘든 상황을 드러내고 있다. 또한 '천리'
라고 임과의 심리적 거리감으로 표현하고 있다.

[놓치지 말자!]

■ 갈래 : 고시조, 평시조, 서정시
■ 성격 : 연정가, 애상적
■ 정서 : 그리움
■ 제재 : 그리움
■ 주제 : 임에 대한 그리움
■ 특징 : 의문형 어미를 활용하여 화자의 정서를
강조함.
■ 중요 시구 및 시어 풀이
• 옥장(玉帳) 옥으로 장식한 장막.

(나) 성현, '장상사(長相思)'

작품해설

'장상사'는 악부의 편명으로 '고원사'의 25수 가운데
하나로 고시에서는 '長相思' 세 글자를 많이 사용하
고 있다. 이 시는 임에 대한 그리움을 노래하고 있
다. 임을 애타게 그리워하는 화자의 심정을 '종이연',
'푸른 버들', '공후', '쌍비조' 등의 사물에 빗대어 표
현하고 있다. 전반부에서는 그리운 임을 만날 수 없
다는 답답한 심정과 임의 부재로 인한 슬픔을 노래
하고 있다. 후반부에서는 새가 되어서라도 임과 함
께 하고 싶은 소망을 표현한 후 꿈속에서조차 임을
볼 수 없는 안타까운 심정을 드러내고 있다. 또한
화자와 임의 관계는 '군신(君臣)'의 관계로도 볼 수
있어 '충신연주지사'로 보기도 한다.

[놓치지 말자!]

■ 갈래 : 한시 악부(한시의 한 형식. 인정 풍속을
읊은 것으로, 글귀에 장단(長短)이 있음.), 충신
연군지사, 고원사(古寃思) 25수의 하나
■ 성격 : 애상적, 연모적, 비유적
■ 구성
– 그리워라~풀릴건가: 멀리 떨어져 있는 임을
그리워함.
– 그리운 임~눈물에 젖었구나: 공후를 연주하
며 그리움을 달램.
– 쌍쌍이 날아가는~임의 휘장을 뚫으리라: 임
에게 가고픈 마음
– 잠 못 이뤄 슬픈 노래~애간장이 끊어지누나:

긴긴 밤을 임에 대한 그리움 때문에 고통으로
보냄.
■ 주제 : 임에 대한 그리움
■ 표현상의 특징
• 여성 화자를 등장시켜 임에 대한 그리움을 형
상화하고 있다.
• 여성 화자와 임의 관계는 '임금'과 '신하'와의
관계로 볼 수 있어 '충신연주지사(忠臣戀主之
詞)'로 볼 수 있다.
• 적절한 비유와 상징적 소재를 자연물을 동원
하여 섬세한 내면을 잘 표현하고 있다.
■ 중요 시구 및 시어 풀이
• 종이 연 '하늘가'를 지향하는 화자의 애처로운 내
면을 형상화함.
• 늘어진 푸른 버들 수심에 잠겨 있는 화자의 모습
을 나타냄.
• 꿈 화자의 소망이 간절함을 나타내는 동시에 비극
성을 두드러지게 함.

(다) 박인로, '상사곡(相思曲)'

작품해설

이별한 임에 대한 연정의 마음을 잘 표현한 시가로
서 화자를 둘러싼 배경과 자연물을 활용하여 임에
대한 간절함을 잘 드러내고 있다. 또한 이 작품은
이별의 상황을 신의로 극복하려는 모습에서 더 나
아가 안분지족의 일념으로 자신의 부정적 상황을
견디려는 선비로서의 자세를 드러낸다는 점이 특징
이다. 또한 장부(丈夫)가 임을 절절히 그리워하는
형식을 빌려 변함없는 연군(戀君)의 정을 읊은 충신
연주지사(忠臣戀主之詞)이다. '노계가집'(경오본)에
실린 작품으로, 임과 이별한 화자의 처지, 이별의
안타까움과 임에 대한 그리움, 임과의 재회를 바라
는 심정, 그리고 임에 대한 변함없는 일념을 드러내
고 있다.

[놓치지 말자!]

■ 갈래 : 서정 가사, 노계 가사, 충신연주지사(忠
臣戀主之詞)
■ 성격 : 애상적, 대조적, 비유적, 감각적
■ 주제 : 변함없는 연군의 정(연군지정(戀君之情))
■ 특징
• 군신 관계를 남녀 관계에 빗대어 우의적으로
형상화하였다.
• 사랑하는 임(여성)과 이별한 장부(丈夫–남성
화자)가 화자로 등장. 남성 화자는 임을 잊
지 못해 그리워하지만 임은 소식조차 알 수
없는 상태임.
• 임은 지상계에 존재하는 여성이라는 사실만
드러날 뿐 구체적 정보는 없음.
■ 중요 시구 및 시어 풀이
• 칠석비 견우와 직녀가 만나 흘리는 눈물.

같은작가 다른기출

2015학년도 수능 '상사곡'
2013학년도 9월 모의 수능 '누항사'
2009학년도 6월 모의 수능 '누항사'
2004학년도 6월 모의 수능 '조흥시가'
2003학년도 9월 모의 수능 '누항사'

1.① 표현상의 공통점 파악하기

❶ (가)는 '옥장 깊푼 곳에 자는 님 싱각는고'에서 의문형 표현을 활용하여 화자의 그리움을 강조하고 있다. 또한 (나)는 '이 마음의 응어리 어느 때나 고칠까', '슬픈 노래 ~ 밤 어찌 이리 긴고'에서 의문형 표현을 활용하여 화자의 시름, 외로움이나 슬픔을 강조하고 있다. 그리고 (다)는 '우리그티 셜울런가'에서 의문형 표현을 활용하여 화자의 서러움을 강조하고 있다. 따라서 세 작품 모두 의문형 표현을 활용하여 화자의 정서를 강조하고 있음을 알 수 있다.

고전 시가 ▶ 현대어 풀이
송이 '남은 다 쟈는 잠에'

남은 다 잠을 자는 잠에 나 어찌 홀로 깨어
옥장 깊은 곳에서 자는 임을 생각하는가?
천 리에 외로운 꿈만 오락가락 하는구나.

2.② 문맥상의 의미 이해하기

① ㉠은 '남은 다 쟈는'의 '남'의 상황과 '뉘 어이 홀로 씨야'의 화자의 상황을 통해 남과 다른 상황에서의 외로운 처지를 표현하고 있다.
❷ ㉡에서 '꿈'을 통해 화자가 임과 만날 수 있는 시간이지만, 이를 '외로운', '오락가락 ㅎ노라'라고 하여 임과의 만남이 이루어지기 힘든 상황을 드러내고 있다. 또한 '천리'라고 임과의 심리적 거리감으로 표현하고 있다. 따라서 '꿈'을 통해 화자가 먼 곳에서 여유롭게 살고자 하는 염원을 표현했다는 진술은 적절하지 않다.
③ ㉢에서 화자가 애타게 그리워하는 마음이 '돗자리'라면 차라리 둘둘 말아 한곳으로 치워 버리고, '돌'이라면 굴러서 없앨 버리면 되련만 그럴 수가 없다. 이러한 표현에서 '돗자리'와 '돌'은 화자의 마음과 대비되는 소재임을 알 수 있다. 또한 가슴에 맺힌 한이 풀릴 날이 아득하기만 하여 한탄하고 있는데, 이를 '어느 때나 고칠까'라고 하여 풀리지 않는 감정을 표현하고 있음을 알 수 있다.
④ ㉣에서 공후는 고대 현악기의 일종으로, 화자가 '홀로 앉아' '공후'를 연주하는 소리가 '하소연하는 듯 흐느끼는 듯'하다고 하였다. 이러한 표현을 통해 화자의 답답함과 슬픔이 드러나고 있다.
⑤ ㉤은 '슬픈 노래'를 통해 화자의 슬픈 감정을 드러내는데, '밤'에 잠 못 들고 있는 화자가 그 밤을 '어찌 이리 긴고'라고 하여 밤을 길게 느끼는 것을 통해 화자의 애절한 감정을 강조하고 있다.

고전 시가 ▶ 현대어 풀이
성현 '장상사(長相思)'

그리워라 그리워도 볼 수 없으니
마음은 종이연인 양 바람에 펄럭이네.
돗자리라면 둘둘 감고 돌 같으면 굴리련만
이 마음에 맺힌 시름 언제나 풀릴 건가.
그리운 임 아득히 하늘가에 계시는데
흐린 하늘 아래 늘어진 푸른 버들 멀기만 하구나.
가득한 수심 끝이 없어
홀로 앉아 공후를 연주한다네.
공후의 곡조 하소연하듯 흐느끼듯
공후 내려놓자 비단 적삼 눈물에 젖었구나.
쌍쌍이 날아가는 새 되어
임 계신 창문 앞에 서 있을거나

아니면 저 둥근 달빛 되어
임의 휘장 뚫으리라.
잠 못 이뤄 슬픈 노래 부르나 밤은 왜 이리 긴지
꿈 속의 넋은 요산(療山) 땅을 건너지 못하였네.
그립고 그리워라 애간장이 끊어지누나.

3.③ 외적 준거를 통해 작품 감상하기

① (나)에서 '하늘 모퉁이'는 '그리운 사람'이 있는 공간으로 이를 '멀리'라고 했으므로 〈보기〉를 참고하면 신하가 왕으로부터 멀어져 있는 상황을 나타낸 것으로 볼 수 있다.
② (나)에서 '기나긴 그리움'을 통해 신하가 왕을 그리워하고 있음을 나타낸 것으로 볼 수 있다.
❸ (다)에서 '수심은 블이~늠의 탓도 아니로디'에서 '수심'은 가슴에서 저절로 생겨났다고 했고, '블'이 된 '수심'이 남의 탓도 아니라고 했다. 따라서 화자는 임과의 이별에 대해 누구를 원망하는 것이 아닌 자책하고 있다고 볼 수 있는데, 이를 두고 신하가 왕을 원망하고 있다고 이해하는 것은 적절하지 않다.
④ (다)에서 '검던 머리 희도록'에서 오랜 시간이 흘렀음을 짐작할 수 있고 '여휠 제'와 '못 보는고'에서 이별의 상황을 확인할 수 있다.
⑤ (나)에서 '밝은 달'이 되어 '임의 창문 휘장'을 비추겠다고 한 것은 임에 대한 화자의 사랑을 나타내고 있다. 또한 (다)의 '내 뜻'은 임을 '다시 볼가 ㅂ라'는 것이기 때문에 임에 대한 화자의 사랑을 나타내고 있다.

4.④ 소재의 의미 비교하기

❹ (나)의 '원컨대 쌍쌍이~서 있고자'에서 '새'는 화자가 임을 보기 위해 되고 싶은 대상이므로, 임을 보고 싶은 화자의 간절한 바람을 드러내고 있는 소재임을 알 수 있다. 또한 (다)의 '수심은 블이 되여'를 통해 '블'이 걱정을 나타냄을 알 수 있는데, '풍우중에 투노왜라'에서 '블'이 바람과 비에도 쉽게 꺼지지 않을 만큼 강함을 알 수 있다. 이는 수심 즉, 걱정하는 마음이 몹시 강함을 의미하므로, 애타는 정서를 부각하여 나타낸 것이라고 할 수 있다.

고전 시가 ▶ 현대어 풀이
박인로 '상사곡(相思曲)'

명황은 섧다 섧다 한든 우리같이 서러운가
살아서 못 보니 더욱 망극하다
수심은 불이 되어 가슴에 피어나니
저절로 난 그 불이 남의 탓도 아니로되
내가 서러움 많아 수인씨를 원망하는구나
함양 궁전은 다만 삼개월만 탔는데
지금은 그 불을 오래 탓다 하건마는
이 원수의 불은 몇 삼월을 타는 것인가
눈물은 장마되고 한숨은 바람되어
불고 뿌리고 칠 때가 없으리니
이 비로 저 불을 끌 수도 있지마는
어찌된 불인지 비바람 속에 타는구나
물과 불이 상극이란 말이 거짓말이 되었구나
피거나 뿌리거나 승부없이 싸우는데
조그마한 내 몸이 전쟁터가 되었구나
아이고 하느님아
칠석날 비를 내려 이 싸움 말리소서
불쌍한 이 몸이 살기를 바랍니다

알고자 전생에 무슨 죄를 지어두고
헤어질 때 검던 머리 희도록 못보는가
내 사랑 생각 없어 늙어가는 것을 모르는가
십년 전 맹세를 오늘 문득 생각하니
금석 같은 말씀이 어제인지 그제인지 귀에 쟁쟁하야
사나이 마음이 맹세가 흙이 된다고 잊을소냐
아쉬운 내 뜻을 다시 볼까 바라거든
일년 삼백일에 잊힌 하루가 있을소냐

【5~7】 (가) 이개, '방 안에 켜 있는~'

작품해설
조선 전기 사대부가 지향하는 의식을 보여 주는 시조로, 임금과의 이별을 슬퍼하며 그에 대한 충성심을 특정한 대상에 빗대서 표현하고 있는 작품이다. 수양 대군의 왕위 찬탈 후 강원도 영월로 유배 가는 단종과 이별하는 안타까운 마음을 타는 촛불에 비유하여 형상화하고 있다. 겉으로 보이는 것은 눈물뿐이지만 속에서는 더 뜨거운 충정(忠情)이 타고 있음을 여성적 어조를 활용하여 완곡하게 표현하고 있다.

[놓치지 말자!]
■ 갈래 : 평시조, 서정시
■ 성격 : 여성적, 애상적, 감상적, 연군가
■ 제재 : 촛불
■ 주제 : 임(단종)과 이별한 슬픔
■ 표현상 특징
  - 여성적 어조의 완곡한 표현으로 자신의 절의를 드러냄.
  - 의인법을 사용하여 시적 화자의 감정을 특정한 대상(촛불)에 이입함.

(나) 이명한, '꿈에 다니는 길이~'

작품해설
현실에서의 바람을 꿈으로 옮겨 임을 만나고 싶어 하는 자신의 간절한 그리움을 구체적 사물을 통해 드러내고, 임이 이를 알아주기를 바라는 마음을 노래한 연정가이다. 만약 자신이 다녀간 자취가 남기라도 한다면 임의 집앞 자갈길이 다 닳아 없어질 것이라는 과장된 표현을 통해 임을 향한 자신의 그리움이 얼마나 간절한지를 은근히 드러내면서 이를 알아주지 못하는 임에 대한 안타까운 마음을 토로하고 있다. 여기서 '자취'는 화자의 임을 향한 사랑의 구체적 징표로 볼 수 있다.

[놓치지 말자!]
■ 갈래 : 평시조, 서정시
■ 성격 : 연정가(戀情歌)
■ 주제 : 임에 대한 간절한 그리움과 사랑
■ 특징 : 상황을 가정법과 과장된 표현을 사용하여 임에 대한 그리움을 강조함.
■ 작품의 구성
  - 초장 : 꿈길(자취가 남는다고 가정)
  - 중장 : 임의 집 밖 돌길이 다 닳았을 것임.(과장)
  - 종장 : 꿈길(자취가 없음.)

(다) 작자 미상, '님이 오마 하거늘~'

작품해설

임을 기다리고 그리워하는 진솔한 마음을 노래한 사설시조이다. 임을 간절히 기다리던 화자가 주추리 삼대를 임으로 착각한 나머지 급한 마음에 허둥거리며 달려가는 모습을 과장적으로 묘사하여 해학적으로 표현하고 있다. 솔직하고 소박한 표현을 통해 임을 기다리는 마음을 실감나게 그려내고 있으며, 임을 애타게 그리워하는 여성의 섬세하고 간절한 마음을 느낄 수 있다. 자신의 경솔한 행동에 대해 멋쩍어하는 모습을 해학적으로 표현하여 당시 서민들의 낙천적인 성정 또한 엿볼 수 있게 해 준다.

[놓치지 말자!]

- **갈래**: 사설시조
- **성격**: 해학적, 과장적
- **제재**: 임이 온다는 소식
- **주제**: 임을 기다리는 애타는 마음
- **표현상 특징**
  - 임을 기다리는 마음을 과장되게 묘사함.
  - 과장되고 수다스러운 어조
- **작품의 구성**
  - 초장: 임을 기다리는 초조한 마음.
  - 중장: 마음을 행동으로 구체화함.
  - 종장: 경솔한 행동에 대한 겸연쩍음.

어휘풀이

• 정(情)옛말 정이 있는 말.

---

5. ②   표현상의 공통점 파악하기

① (가), (나)에는 청각적 심상이 나타나지 않는다. (다)에서 '워렁충창'은 '우당탕퉁탕'이라는 음성상징어로, 청각적 심상을 활용하고 있음을 알 수 있다. 이러한 표현에서 화자의 우스꽝스러운 모습이 연상되므로 이를 통해 해학적 분위기를 조성하고 있지만 애상적 분위기와는 관련이 없다.

❷ (가)는 종장의 '모르도다'를 통해 임과 이별한 화자의 안타까움과 슬픔을 강조하고 있다. (나)는 중장의 '닳으리라'와 종장의 '슬퍼하노라'를 통해 임이 부재하는 상황에 대한 화자의 그리움과 슬픔을 강조하고 있다. (다)는 중장의 '속였구나'와 종장의 '하괘라'를 통해 '주추리 삼대'를 사랑하는 '임'으로 착각한 상황에 대한 화자의 실망감과 겸연쩍음 등 복합적인 정서를 부각하고 있다. 따라서 (가)~(다)는 공통적으로 영탄적 표현을 통해 화자의 정서를 부각하고 있다.

③ (가), (나)에는 자조적 어조가 나타나지 않는다. 그런데 (다)의 종장에서 낮이었다면 하마터면 웃음거리가 될 뻔했다며 자신의 행동에 대해 멋쩍어하며 자조 섞인 어조로 표현하고 있다. 하지만 이를 두고 과거의 행동에 대한 자책감을 드러낸 것으로 볼 수는 없으므로 적절하지 않다.

④ (가), (나), (다) 모두 역설적 표현이 나타나지 않는다.

⑤ (가), (다)에는 가정적 상황을 제시하지 않는다. (나)의 초장에서 '꿈에 다니는 길이 자취를 남긴다'는 가정적 상황을 제시하지만, 이를 통해 현재에 비해 미래가 나아질 것이라는 기대감이 드러나지는 않는다.

어휘풀이

• 자조적(自嘲的) 자기를 비웃는 듯함.

참고자료

시에서 영탄적 표현의 효과

영탄적 표현은 감탄사나 감탄형 어미 등을 활용하여 기쁨, 슬픔, 놀라움과 같은 감정을 강하게 나타내는 표현 방법이므로 고조된 감정을 드러내는 데 용이하다. 영탄적 표현을 나타내는 방법은 다음과 같다.

1. '아아, 오오, 어머나, 아이구, 어즈버' 등과 같은 감탄사를 사용하는 방식
2. '(임)아, (그대)여, (이름)이여, (임)이시여' 등과 같은 호격 조사를 사용하는 방식
3. '—아라/—어라, —구나, —ㄴ가' 등과 같은 감탄형 종결어미를 사용하여 놀라움, 슬픔, 기쁨 따위의 감정을 증폭하여 표현하는 방식

---

6. ⑤   시어의 의미 파악하기

① 화자는 촛불의 촛농이 떨어지는 모습을 보며 마치 촛불이 울고 있는 것처럼 느끼며 임과 이별한 자신의 슬픈 감정을 이입하고 있다. 따라서 '촛불'의 '눈물'은 화자의 눈물과 슬픔을 표현한 것이다.

② '촛불'은 감정이입의 대상으로 화자와 동일시된 대상임을 알 수 있다.

③ 화자는 '꿈'에서 '임의 집 창 밖'의 석로가 닳을 정도로 찾아가는 애절한 마음을 보인다. 따라서 '꿈'에는 임을 보고 싶고 만나고 싶어 하는 화자의 소망이 투영되어 있다고 할 수 있다.

④ 단단한 '석로'가 다 닳았을 것이라는 말은 화자가 그만큼 임을 그리워하고 보고 싶기에 돌길이 닳을 정도로 찾아 간다는 의미이다. 따라서 이는 화자의 임에 대한 간절한 그리움을 드러낸다.

❺ 화자가 슬퍼하는 까닭은 '꿈길'에 '자취'가 있다면 꿈마다 임을 향해 걸어갔을 화자의 흔적이 남아서 임을 향한 화자의 마음을 임에게 전할 수 있었을 것이다. 그러나 '꿈에 다니는 길'은 흔적이 남지 않기에 임을 향한 화자의 마음을 임은 결코 알 수가 없을 것이기 때문에 화자는 안타까움을 느꼈을 것이다. 따라서 임에 대한 원망이 담겨 있다고 보는 것은 적절하지 않다.

참고자료

감정 이입(感情移入)

감정 이입은 화자의 감정을 특정 대상(자연물)으로 투사(投射)하거나 대상의 감정을 자신에게 이입하여 대상과 화자가 같은 처지에서 동일한 감정을 가지고 있는 듯이 표현하는 기법을 말한다. 감정의 직접적인 표출을 자제했던 조선 시대 사대부들은 자신의 감정을 객관화하면서 효과적으로 표현하기 위한 방법으로 감정 이입의 방법을 사용했는데 (가)에서는 촛농을 흘리며 심지를 태우는 촛불에 자신의 감정을 이입하여 표현하였다.

---

7. ②   외적 준거에 따른 작품 감상하기

① '곰븨님븨', '천방지방'과 같은 의태어, 즉 음성상징어를 활용하고 있다. 엎어졌다 뒤집어졌다 허둥지둥하는 화자의 정신없이 서두르는 우스꽝스러운 모습을 생동감 있게 표현하고 있다.

---

❷ 화자가 '버선'과 '신'을 벗어 품에 품고 손에 쥔 것은 임을 향해 달려갈 준비를 하고 있다는 것을 뜻한다. 이러한 소재는 주변에서 흔히 볼 수 있는 대상이지만 임의 소중함을 상징하고 있지는 않다.

③ 화자가 임을 기다리는 마음이 애가 타서 주추리 삼대를 임으로 착각한 모습이 해학적이며 주추리 삼대에게 허둥거리며 달려가는 모습을 과장적으로 표현한 것도 해학적이라고 볼 수 있다.

④ 일반 평시조에 비해 중장이 길게 표현된 이유는 임을 기다리는 화자의 애타는 마음을 드러내기 위해 임을 향해 정신없이 달려가는 행동을 구체적으로 묘사하고 있기 때문이다.

⑤ 질퍽한 곳과 마른 곳을 가리지 않고 뛰어가서 마음에 품은 말을 솔직하게 꺼내려는 화자의 모습은 애정을 서슴없이 표현하려는 대담성과 진솔한 모습을 드러낸다고 볼 수 있다.

어휘풀이

• 대담성(大膽性) 일을 대하는 데 담력이 크고 용감한 성질.

오H 말이 틀렸을까?

조선 후기에 등장한 사설시조는 서민 특유의 진지함과 솔직함, 대담성과 해학성 등을 특징적으로 드러낸다. 임을 애타게 기다리는 이 작품의 화자 또한 그 감정을 해학과 과장을 통해 솔직하고 대담하게 표현하고 있어, 임을 애타게 그리워하는 여성 화자의 마음을 행동으로 구체화하여 보여 줌으로써 서민적 진솔성을 드러내고 있지. 또 자신의 경솔한 행동에 대해 멋쩍어하는 모습을 해학적으로 표현하여 당시 서민들의 낙천적인 성정 또한 엿볼 수 있게 해 준다는 점도 기억해 두렴.

【8~10】 이신의, '단가육장'

작품해설

귀양살이의 고달픔과 임금에 대한 변함없는 충정을 담아낸 6수의 연시조이다. 작가는 광해군 9년(1617년) 인목대비의 폐위를 반대하는 상소문을 올렸다가 함경도로 유배되는데, 그때의 심정과 처지가 이 작품에 잘 드러나 있다. 이때의 고달픔을 제비나 명월 등의 자연물을 통해 잘 드러내고 있을 뿐만 아니라, 자신의 변함없는 충정도 표현하고 있다. 다른 시조와 마찬가지로 자연물에 관습적이고 상징적인 의미를 부여하고 화자의 처지와 심정을 드러내고 있다는 점이 특징이다. 5장의 '명월'은 머나먼 거리에도 불구하고 따라오는 대상이라는 점에서 진정한 벗으로서의 의미를 드러내고 있으며, 6장의 '매화'는 그 '향기'로 보아 작가가 지향하는 지조를 나타낸다고 볼 수 있다.

[놓치지 말자!]

- **갈래**: 평시조, 연시조
- **연대**: 조선 중기
- **성격**: 상징적, 서정적, 우의적
- **특징**: 자연물의 관습적이고 상징적 의미를 활용하여 화자의 처지와 심리를 드러냄.
- **작품의 구성**
  - 제1장: 장부로서 할 일에 대한 천명
  - 제2장: 당대의 정치적 상황과 인재 복귀에 대한 희망
  - 제3장: 귀양살이의 처량한 신세 한탄
  - 제4장: 귀양살이의 시름
  - 제5장: 귀양살이의 외로움

– 제6장: 임금에 대한 변함없는 충정
■ **주제** : 귀양살이의 고달픔과 임금에 대한 변함없는 충정

같은작가 다른기출
2011학년도 9월 모의 수능 '단가 육장'

8. ②   작품의 표현상 특징 이해하기

① '4장'에서는 동일한 시어가 반복되지 않으므로 적절하지 않다.
❷ '5장'의 '인간에 유정한 벗은 명월밖에 또 있는가'라는 구절에서 '명월에 대한 화자의 반가움'을 강조하고 있다. 따라서 설의적 표현을 사용하여 화자의 정서를 효과적으로 드러내고 있다는 내용은 적절하다.
③ '6장'에서는 점층적인 전개가 나타나지 않는다.
④ '4장'과 '5장'은 현재 귀양살이 중인 화자의 시름과 외로운 심경을 표현하고 있다. 이를 과거와 현재를 대조하고 있는 것으로 보는 것은 적절하지 않다.
⑤ '6장'에서는 '설월', '매화'에서 흰색의 색채 이미지를 확인할 수 있으나 이와 대비되는 색채를 활용한 부분은 드러나지 않으므로 적절하지 않다.

9. ⑤   외적 준거를 통해 작품 감상하기

① 화자는 현재 '적객'의 처지이기 때문에 '풀어낸 시름'이 화자의 현 처지에서 비롯되었을 것임을 알 수 있다. '풀어낸 시름'은 '적객'이 '벗이 없는' 외로운 귀양살이의 상황으로 인해 생겨난 정서로 볼 수 있다. 따라서 '풀어낸 시름'은 '적객'으로 살아가는 화자의 처지와 관련이 있다고 보는 것은 적절하다.
② 밤하늘의 저 달만은 자신을 잊지 않고 따라 온 것처럼 보이기에 화자는 '명월'에 대해 '유정한 벗'이라 표현했다. 화자는 어디를 가든 따라오는 명월의 모습에서 신의 있는 벗의 모습을 떠올리고 있다.
③ 자연물인 '명월'을 화자가 '너'라 칭하며 인격화하며 반가워하는 모습이나,' 매화를 보려 잔을 잡고 창을 여는 행위에서 '자연물에 친화적인 화자의 시선'을 확인할 수 있다.
④ 차가운 눈이 내리고 모진 추위 속에서도 꽃을 피워내는 매화의 모습에 시련 속에서도 지조와 절개를 잃지 않는 충성스러운 신하의 모습을 투사하였다. '설월'에 핀 '매화'는 화자가 지향하는 '충절'의 이념과 관련지을 수 있을 것이다.
❺ '이 향기'는 '꽃'과 마찬가지로 시련 속에서도 본래의 모습을 유지하는 존재, 즉 '충절'을 상징하는 대상이 된다. 그런데 매화의 향기는 귀양살이를 오기 전 화자의 삶과 관련된다고 보기 어렵기 때문에 적절하지 않다.

10. ②   시어의 의미 파악하기

① ㉠과 ㉡ 모두 화자의 '벗'에 대한 태도 변화를 이끌어낸다고 보기 어렵다.
❷ ㉠은 자신의 시름이 '종일' 지저귀는 제비의 말보다 많다는 뜻으로 화자의 마음속 시름이 무척이나 크다는 것을 나타내고 있다. 따라서 '㉠종일'은 화자가 처한 상황을 부각하는 시간으로 볼 수 있다. 또한 적객으로 생활하고 있는 화자가 위치하고 있는 공간이 당대 모든

것의 중심이었던 한양으로부터 '천 리'나 떨어져 있음을 확인할 수 있기 때문에, '천 리'는 현재 화자가 처한 부정적인 상황을 강조해 주는 시어라 할 수 있다. 따라서 '㉡천 리' 역시, 화자가 처한 상황을 부각하는 거리로 볼 수 있다.
③ 유배지에서 어느 날 밝은 달을 본 화자는, 밤하늘의 달이 과거 한양에서 보던 달이자 동시에 자신을 잊지 않고 따라온 달이라 생각하고 있다. 멀리 떨어져 있는 사람들은 귀양 온 자신을 잊었지만, 명월은 천 리 길도 따라온다. 이를 통해 보면, '㉡천 리'는 화자와 '인간'과의 물리적 거리이자 심리적 거리를 구체화한 표현이라 할 수 있다. 따라서 심리적 거리감은 ㉠이 아니라 ㉡을 통해 드러나므로 적절하지 않다.
④ ㉠은 내면의 시름을 풀어내어 해소하는 시간이 되지만, ㉡은 화자가 있는 유배지와 '인간과의 거리이므로 화자의 내적 갈등이 해소되는 공간으로 보는 것은 적절하지 않다.
⑤ ㉠과 ㉡ 모두 낙관적이든 비관적이든 미래에 대한 화자의 전망을 드러낸다고 볼 수 없다.

갈래 복합

Day 18

1. ①	2. ②	3. ④	4. ③	5. ⑤
6. ⑤	7. ①	8. ④	9. ①	10. ②
11. ②	12. ③			

【1~4】 (가) 윤이후, '일민가'

작품해설

벼슬길에서 떠나 자연에 은거하고 있는 화자의 내면을 그린 가사이다. 화자는 강호에 은거하며 '청복'을 누리면서도 지난날을 돌이켜 보며 애달파한다. 화자는 뒤늦게 벼슬길에 올라 뜻을 펼치고자 했으나 채 이루지 못하고 결국 자연에 귀의하게 되었다. 자연 속에서 풍류를 즐기며 위안을 얻기도 하지만 속세에 대한 번민을 떨치지 못하고 임금을 생각하는 심정이 드러나 있다. 제목의 '일민(逸民)'은 '학문과 덕행이 있으면서도 세상에 나서지 아니하고 묻혀 지내는 사람'을 뜻한다.

■ **갈래** : 가사
■ **성격** : 성찰적, 회고적, 풍류적
■ **주제** : 속세에서의 번민과 은거하는 삶
■ **중요 시어 및 시구 풀이**
• 물외청복(物外淸福): 구체적인 현실 세계의 바깥세상, 즉 속세 바깥에서의 좋은 복을 이름.
• 이목총명(耳目聰明): 귀와 눈의 감각과 기억력이 좋음.
• 지업(志業): 학업에 뜻을 둠.
• 백수공명(白首功名): 늦은 나이에 벼슬길에 오르게 됨을 의미함.
• 삼춘휘(三春暉): 봄날의 햇볕이라는 뜻으로, 어머니의 사랑을 의미함.
• 삼경(三逕): 은자(隱者)의 문안에 있는 뜰. 또는 은자가 사는 곳. 한(漢)나라의 은자 장후(蔣詡)가 정원에 세 개의 좁은 길을 내고 소나무, 대나무, 국화를 심었다는 데서 유래함.
• 소쇄하다(瀟灑––): 기운이 맑고 깨끗하다.
• 희희호호(熙熙皥皞): 백성의 생활이 매우 즐겁고 평화로움.
• 북궐(北闕): 경복궁을 창덕궁과 경희궁에 상대하여 이르는 말. 임금이 계신 곳을 이름.

(나) 이효석, '화춘의장'

작품해설

성실하고 한결같은 태도로 아름다운 꽃밭을 가꾸는 '육십 옹'의 태도를 관찰하고 그를 통해 자신의 생활을 돌아보는 내용의 수필이다. '육십 옹'은 오십 평 땅에 씨를 뿌린 뒤 필요한 과정을 알뜰하게 수행함으로써 아름다운 꽃밭을 이루어 내는데, 이 과정에서 그의 행동은 괴로운 노동이 아니라 즐거운 예술로 보인다. 글쓴이는 '육십 옹'의 착실한 자태와 자신의 무기력한 삶의 모습을 대조하며 반성하고, 그것에서 벗어나고자 하는 다짐을 드러낸다.

■ **갈래** : 수필
■ **성격** : 성찰적, 묘사적
■ **제재** : 육십 옹이 꽃밭을 가꾸는 모습
■ **주제** : 육십 옹이 노동하는 모습에서 발견한 예술과 자신의 무기력한 삶에 대한 반성

1. ① 작품 간 공통점 파악하기

❶ (가)는 '금서일실이 이 아니 내 분인가', '호탕한 미친 흥을 행여 아니 남이 알겠는가'에서, (나)는 '빈틈없는 이론으로 든든히 무장을 해본다 하더라도 행동이 없는 이상 갑을흑백을 어떻게 가린단 말인가.'에서 의문의 형식으로 의도를 드러내고 있다. 설의적 표현은 쉽게 판단할 수 있는 사실을 의문의 형식으로 표현하여 의도를 강조하는 방법이므로, (가), (나) 모두 설의적 표현을 활용하여 의미를 강조하고 있다고 볼 수 있다.
② (가)와 (나) 모두 구체적인 지명으로 현장감을 드러낸 부분은 찾을 수 없다. (가)에서 '남주(南州) 백리지(百里地)'는 구체적인 지명이 아니라 남쪽 지방의 백 리의 땅을 의미하며, (나)에서는 '오십 평'의 꽃밭이라는 공간이 드러날 뿐이다.
③ (가)는 자연, (나)는 꽃밭의 모습을 묘사하고 있을 뿐 둘 다 청각적 이미지로 대상의 특성을 강조한 부분은 찾을 수 없다.
④ 연쇄의 방식은 앞 구절의 끝부분을 다음 구절의 앞 부분에 이어받아 표현하는 방법으로, (가), (나) 모두 이러한 방식으로 상황의 심각성을 나타낸 부분은 찾을 수 없다.
⑤ 언어유희는 동음이의어의 활용이나 수수께끼, 모음의 전환, 낯익은 어법에 변화 주기 등을 통해 의미를 해학적으로 드러내며 암시하는 방법이다. (가), (나) 모두 이러한 방법으로 현실에 대한 태도를 드러낸 부분은 찾을 수 없다.

왜 말이 틀렸을까?

이 문제는 두 작품에 사용된 공통된 표현 방법을 파악하는 문제인데, 설의적 표현을 쉽게 찾지 못해서인지 ④, ⑤번을 선택한 학생들이 많았다. 문학 작품에 설의적 표현이 나타났는지 파악하기 위해서는 일단 의문문이 나타난 부분을 찾아야 해. '-가', '-까', '-냐'와 같은 표현이 나타난 부분을 찾고, 그것이 당연한 사실에 대한 질문인지를 판단해야 해. 이러한 방식으로 접근했다면 (가)와 (나)에서 설의적 표현이 사용된 부분을 어렵지 않게 찾을 수 있었을 거야. ④번이나 ⑤번을 골랐다면 연쇄나 언어유희에 대해 잘못 파악하고 있지 않은지 점검해 보자. 연쇄의 방법은 '집일을 고치려면 종들을 휘어잡고 / 종들을 휘어잡으려면 상벌을 밝히시고 / 상벌을 밝히려면 어른 종을 믿으소서'와 같이 앞 구절의 뒷부분이 다음 구절의 앞부분에 반복됨으로써 이어지는 표현이야. 그리고 언어유희에는 흔히 동음이의어나 발음이 유사한 단어를 활용한 말장난이 있어. 이러한 개념을 정확히 알고 있다면 연쇄나 언어유희가 (가), (나)에 나타나지 않는다는 것은 어렵지 않게 확인할 수 있어.

2. ② 작품의 세부 내용 이해하기

① ㉠은 꽃밭의 풍경이 '가구에서는 좀체 얻어 볼 수 없는 귀한 경물'이라고 인식하고, '아침저녁으로 손쉽게 그것을 바라볼 수 있는' 것에 대해 '행복스럽게' 여기는 심정이 드러나 있다.
❷ ㉡의 '옹은 허리가 휘고 기력이 부실하나 서두르는 법 없이 지치는 법 없이 말하는 법 없이 날이 맞도록 묵

묵히 일하며'에는 꽃밭을 가꾸는 옹의 모습과 태도가, '그의 장기가 미치는 뒷자취는 나날이 면목이 새롭고 아름다워진다.'에는 그러한 옹의 모습에 대한 긍정적인 인식이 드러나 있을 뿐, 대상에 대한 의혹의 해소와 그에 따른 인식은 나타나지 않는다.
③ ㉢의 '아이같이 방긋 웃어 보이는 동심의 표정'은 글쓴이가 주의 깊게 살펴본 옹의 면모로, 이에 대해 글쓴이는 '그는 괴롭게 노동하고 있는 것이 아니라' '천진하게 장난하고 예술하고 있는 것'이라고 주관적으로 해석하고 있다.
④ ㉣의 '희망이라는 것이 어떤 내용 어느 정도 어느 거리의 것인가를 생각할 때 역시 답답해지는 것이 당연'하다는 것에는 희망의 의미를 구체화하지 못하는 것에 대해 답답해하는 심정이 드러나 있다.
⑤ ㉤의 '할 바를 모르는 것이 아니라 길이 없는 것'에 '좀체 구하기 어려운 저미의 근인'이 있다고 했으므로, ㉤은 자신이 현재 상태에 이르게 된 근본적 원인을 드러낸 것으로 볼 수 있다.

3. ④ 소재의 기능 파악하기

① (가)의 화자는 '오마'를 바삐 몰아 '남주 백리지'에서 '여민휴식(백성과 함께 지내는 마음으로 다스림)'을 하고자 했으므로, 이때 '오마'는 화자를 억압하던 대상으로 볼 수 없다. (나)의 '꽃'은 글쓴이가 관찰한 육십 옹이 가꾸어 낸 것으로 글쓴이가 그에 대해 긍정적, 이상적으로 인식하고 있을 뿐, 옹이 자신의 이상을 펼치는 것을 돕는다고 보기는 어렵다.
② (가)에서 '젖은 옷 벗어놓고'는 관복을 벗는다는 의미이므로 이때 '옷'이 화자가 자연 풍경에 대한 감탄을 자아내게 하는 소재라고 볼 수는 없다. (나)에서 '손잡이'는 글쓴이가 무기력에서 벗어나기 위해 붙잡고자 하는 것일 뿐, 이를 사용하는 인물의 능력에 대해 감탄을 자아내는 소재는 아니다.
③ (가)에서 '송죽'은 속세를 떠나 자연에 돌아온 화자가 보게 된 것이므로, 자연을 속세와 다른 새로운 공간으로 본다면 화자가 새로운 공간으로 돌아와서 만난 소재라고 해석할 수도 있다. 그러나 (나)에서 '튤립'은 글쓴이가 긍정적으로 인식하는 꽃밭을 이루는 것이므로, 글쓴이가 벗어나고자 하는 공간의 특징을 나타낸다고 볼 수 없다.
❹ (가)에서 술을 마시며 수조가를 읊던 화자가 날이 저물어 먼 뫼에 '달'이 오르자 '모래 둑을 돌아들어 석경으로 올라가'고 있으므로, 이때 '달'은 행동 변화가 일어나는 시간적 배경을 나타내는 소재이다. (나)에서 '아침'만 되면 '육십 옹'이 '하루도 번기는 날이 없이' '보에 쟁기를 싸가지고 어디선지 나타'나 일과를 수행하므로, 이때 '아침'은 화자가 관찰한 옹의 일관된 행동이 나타나는 시간적 배경이다.
⑤ (가)의 '오류대'은 화자가 은거하는 공간을 일컫는 말이다. (나)의 '꽃밭'은 글쓴이가 노동의 참된 경지로 인식하는 육십 옹의 행위가 있는 공간이므로 글쓴이가 경계하는 행위가 드러나는 공간이라고 볼 수 없다.

4. ③ 외적 준거에 따라 작품 감상하기

① (가)에서 자연에 돌아온 화자가 '앞내에 고기 낚고 뒷뫼에 약을 캐'며 '인생지락'을 느끼는 것에서 자연에서의 삶 속에서 위안을 얻는 모습이 나타난다.

② (나)의 글쓴이는 꽃밭을 성실하게 가꾸는 '육십 옹'의 생활이 '근로와 예술을 동시에 가진 생활'이라고 하며 '노동의 참된 경지'를 발견하고 있으므로, 이를 통해 글쓴이가 깨달은 가치 있는 삶의 모습이 드러난다.
❸ (가)에서 '금서일실이 이 아니 내 분인가'는 화자가 자연 속에서 소박하게 지내며 만족하는 태도를 드러내는 표현일 뿐, 속세로 돌아가고 싶어 하는 고민은 나타나 있지 않다. 한편 (나)에서 생활이 '소침됨을 깨닫'는다는 것과 '생활의욕이 급거히 저락'되었다는 것에는 글쓴이가 해결하고 싶은 무기력한 삶에 대한 고민이 드러나 있다.
④ (가)에서 '내 근심 무익한 줄 모르지 아니하되 천성을 못 변하니 진실로 가소롭다'는 것은 근심이 의미 없다는 것을 알면서도 천성을 못 바꾸고 근심하는 것이 가소롭다는 의미로, 번민을 떨치지 못하는 자신의 모습에 대한 성찰이 드러난다. 또한 (나)에서 '육십 옹의 여일한 생활의식에 비겨' 자신의 생활을 부끄러워하는 것에는 타인과 대조하며 자신을 성찰하는 글쓴이의 모습이 나타난다.
⑤ (가)에서 '강호의 일민이 되야 축성수나 하리라'는 것은 강호에 은거하면서도 임금의 장수를 비는 모습으로 세상을 향한 화자의 마음이 드러나 있다. (나)에서 '허구한 날 상을 찌푸리고만 지낼 수도 없는 노릇이니' 무기력에서 '행의 생활'로 솟아올라야 할 것이라고 다짐하는 모습에서 무기력한 삶을 극복하고자 하는 글쓴이의 의지를 엿볼 수 있다.

【5~8】 (가) 정철, '훈민가'

작품해설

이 작품은 작가인 정철이 강원도 관찰사로 재직하던 1580년(선조 13) 정월부터 이듬해 3월 사이에 백성들을 계몽하고 교화하기 위해 지은 것이다. 정철은 유교적 윤리관에 근거하여 바람직한 생활이 무엇인지 작품에 담았다. 독자들의 호응을 얻기 위해서 청유형 어법을 많이 사용하였으며, 백성들이 중요하게 생각하는 인간관계를 설정하고 정감 있는 어휘를 적었다.

■ **갈래** : 연시조
■ **성격** : 계몽적, 교훈적, 설득적
■ **특징**
  – 순우리말과 평이한 어휘를 사용하여 이해하기 쉽게 주제를 전달함.
  – 백성들을 가르친다는 목적이 뚜렷하게 제시되어 있음.
  – 당위적 가르침은 명령형으로, 권유하는 내용에는 청유형을 적절하게 사용하여 전달 효과를 높임.
■ **제재** : 유교 윤리
■ **주제** : 유교 윤리의 권장

(나) 장영희, '괜찮아'

작품해설

이 작품은 작가의 어린 시절 경험을 사실적으로 담아내었다. 소아마비로 다리가 불편한 작가를 위해 따뜻한 배려를 보여 준 어린 시절의 친구들과 깨엿을 건네며 위로를 전한 깨엿 장수의 일화를 통해 '괜찮아'라는 말이 격려, 위로, 용서 등 다양한 의미를 지니고 있음을 드러내고 있다.

- **갈래** : 수필
- **성격** : 회상적, 체험적, 교훈적
- **특징**
  - 두 가지의 일화를 통해 삶에 대한 깨달음을 정리하고 있음.
  - '괜찮아'의 다양한 의미를 나열하여 제시하고 있음.
  - 구체적인 지명과 시기가 등장하여 사실감이 강조되고 있음.
- **제재** : '괜찮아'라는 말의 의미
- **주제** : '괜찮아'라는 말에 담긴 따뜻한 배려와 격려의 소중함

5. ⑤ 작품 간의 공통점 파악하기

① (가)와 (나) 모두 과장된 표현은 나타나지 않는다.
② (가)와 (나) 모두 역설적 표현은 나타나지 않는다.
③ (가)의 〈제7수〉의 '내 아들 소학은 모레만 마치도다'에서 감탄형 어미가 사용되었지만, (나)에서는 영탄법이 사용되지 않았다.
④ (가)의 〈제8수〉에서 '사람'과 '마소'의 상반된 모습이 나오기는 하지만, 이것이 다양한 상황을 가정하여 상반된 가치관을 드러내는 것은 아니다. (나) 역시 다양한 상황을 가정하여 상반된 가치관을 제시하지 않았다.
❺ (가)의 〈제9수〉에서 '팔목 쥐시거든 ~ 받치리라', '나 갈 데 계시거든 ~ 좇으리라'와 같은 유사한 구조의 어구를 반복하여 삶의 교훈을 제시하고 있다. (나)는 '~는 용서의 말', '~는 격려의 말'과 같은 유사한 구조의 어구를 활용하여 삶의 태도를 드러내고 있다.

6. ⑤ 소재의 의미 파악하기

① ㉠(마을 사람들)과 ㉡(깨엿 장수)의 심리 변화는 나타나지 않았다.
② ㉠(마을 사람들)과 ㉡(깨엿 장수)로 인해 경각심이 일어나고 있지 않다.
③ ㉠(마을 사람들)은 화자가 옳은 일을 하자고 설득하는 대상이므로 이질감을 느끼는 대상이라고 볼 수 있지만, ㉡(깨엿 장수)은 글쓴이에게 긍정적인 경험을 준 사람으로, 글쓴이가 동질감을 느끼는 대상은 아니다.
④ ㉠(마을 사람들)이 화자를 예찬한다는 내용은 확인할 수 없고, ㉡(깨엿 장수)은 글쓴이에게 긍정적인 경험을 준 사람으로, 그가 글쓴이를 안타까워하는지는 알 수 없다.
❺ ㉠(마을 사람들)은 화자가 윤리적 교훈을 주어 실천을 유도하려는 대상이고, ㉡(깨엿 장수)은 글쓴이가 세상은 그런대로 살 만한 곳이라고 깨닫게 만든 대상이다.

7. ① 외적 준거를 활용하여 작품 감상하기

❶ 〈제1수〉는 '두 분'의 '은덕'을 '하늘'에 빗댄 비유적 표현을 사용하였을 뿐, 청자에게 권위를 인정받는 경전에 기대는 '권위에 의존하기' 전략을 활용하고 있지 않다.
② 〈제7수〉는 '효경'과 '소학'을 배우면 '어질'게 된다고 표현하고 있으므로, 원인과 결과를 드러내는 '인과 관계 활용하기' 전략을 활용한 것이다.
③ 〈제8수〉는 '옳은 일'을 하지 않는 사람이 사람이 아

닌 '마소'로 바라보고 있으므로, 논의 대상을 흑 아니면 백으로 바라보는 '흑백 사고 활용하기' 전략을 활용한 것이다.
④ 〈제9수〉는 '두 손으로 받치'는 행동과 '막대 들고'의 행동이 어른을 공경하는 방법에 대한 사례라고 할 수 있으므로, 구체적인 행동이나 모습을 보여 주는 '사례 제시하기' 전략을 활용한 것이다.
⑤ 〈제13수〉는 '내 논 다매거든 네 논 좀 매어'주는 상부상조의 정신이 구체적으로 드러나는 모습이 제시되어 있으므로, 구체적인 행동이나 모습을 보여 주는 '사례 제시하기' 전략을 활용한 것이다.

오H 많이 틀렸을까?

이 문제가 어려웠던 이유는 두 가지 정도로 정리할 수 있을 것 같아. 첫째, 평소 보지 못한 방식의 문제여서 생소한 느낌이 강하게 들었기 때문일 거야. 〈보기〉는 화법에 나올 법한 말하기 방식들인데, 이를 고전 시가에 나타난 말하기 방식과 연결 지었으니 어색할 만도 하지. 둘째, 〈제7수〉에 나온 내용 제시 방법이 원인과 결과의 구성이 아니라 '언제 두 글을 다 읽을까' 하며 아들을 걱정하는 마음으로 해석이 되어서였을 거야. 고전 시가는 형식상 현대시와 다른 점이 많아서 내용까지 다를 것이라 생각하기 쉽지만, 고전 시가 또한 사람들이 살면서 흔히 생각할 법한 내용들이 많이 나오기 때문에 고전 시가도 내용을 파악한다는 생각으로, 내용을 이해한다는 생각으로 편하게 접근해 볼 필요가 있어. 어려운 단어나 생소한 형식에 집중하지 말고, 누군가에게 무슨 깨달음을 주려 하는 건가 내용을 생각하면서 읽어 보는 거지.

8. ④ 작품 이해의 적절성 평가하기

① 골목길에서 친구들이 여러 놀이를 할 때, '나'에게도 무언가 역할을 주어 함께 놀았던 작가의 어린 시절을 확인할 수 있다.
② 공기놀이 외에는 그 어떤 놀이에도 참여할 수 없던 '나'가 소외감이나 박탈감을 느끼지 않도록 친구들이 배려해 준 것이나 깨엿 장수가 '괜찮아'라고 말해 준 일화에서 주변에 작가를 배려해 주는 좋은 사람들이 있었음을 확인할 수 있다.
③ 깨엿 장수와의 일화를 통해 작가는 이 세상은 그런대로 살 만한 곳이라는, 선의와 사랑, 용서와 너그러움이 있는 곳이라는 긍정적인 생각을 갖게 되었음을 확인할 수 있다.
❹ (나)는 다른 사람을 감싸 주며 배려하는 태도가 잘 나타난 수필로, 이 글에 삶에 좌절하고 희망을 잃었던 사람들의 이야기는 나오지 않는다. '세상 사는 것이 만만치 않다고 느낄 때, 죽을 듯이 노력해도 내 맘대로 일이 풀리지 않는다고 생각될 때'를 언급하고 있기는 하지만 이것은 희망을 생각하는 것이 중요하다고 말하기 위해서이다.
⑤ '괜찮아'라는 말에 담긴 '용기, 용서, 격려, 나눔, 부축'의 의미가 나타나고 있음을 알 수 있다.

【9~12】 (가) 정철, '속미인곡'

작품해설

이 작품은 「사미인곡」의 속편으로, 임금을 그리워하는 마음을 표현한 연군가사이다. 두 여성 화자의 대화 형식으로 구성되어 있으며 두 화자의 태도가 대비를 이루고 있다. 화자는 임금을 향한 일편단심을 간곡하게 노래하며 죽어서도 임을 따르겠다는 마음을 드러내고 있다.

- **갈래** : 양반 가사, 서정 가사, 정격 가사
- **성격** : 서정적, 여성적, 연모적
- **제재** : 임에 대한 그리움
- **주제** : 임금을 향한 그리움, 연군지정
- **중요 시어 및 시구 풀이**
  - 하늘이라 원망하며 사람이라 허물하랴 / 서러워 풀어 헤아리니 조물의 탓이로다: 임을 탓하거나 원망하지 않고 자신의 숙명으로 받아들이는 화자의 모습을 통해 신하로서 군주를 비판하지 않는 작가의 유학자적인 태도를 알 수 있음.
  - 어느덧 힘이 다해 풋잠을 잠깐 드니 / 정성이 지극하여 꿈에 임을 보니: 꿈에서 임을 만나는 장면을 통해 임에 대한 시적 화자의 간절한 그리움을 나타내고 있음.
  - 방정맞은 닭 울음에 잠을 어찌 깨었던고: 임을 만날 수 있었던 꿈에서 깨어나게 되었으므로, '닭'은 임과 시적 화자 사이를 방해하는 장애물의 역할을 한다고 볼 수 있음.
  - 차라리 사라져 낙월이나 되어서 / 임 계신 창안에 번듯이 비추리라: 시적 화자는 죽어서라도 임을 따르겠다는 간절한 의지를 보여 주고 있는데, 이 표현을 통해 임금을 향한 신하의 일편단심을 드러내고 있음. 여기서 '낙월'은 멀리서 바라만 보는 소극적인 형태의 사랑을 표현하였다고 볼 수 있음.

(나) 권근, '주옹설'

작품해설

'손'과 '주옹'의 문답 형식을 통해 험난한 세상 속에서 어떻게 살아야 바람직하게 살아가는 것인지를 비유의 방법으로 제시한 교훈적 수필이다. 글쓴이는 허구적 대리인으로 '주옹'을 내세워 주제를 보여 주고 있다. '주옹'은 태연하여 느긋하면 흐트러질 수 있어 더욱 위태로워지고, 위태로운 상황에서는 늘 조심하고 경계하며 살게 되어 오히려 안전하다고 말하고 있다.

- **갈래** : 한문 수필, 설(說)
- **성격** : 교훈적, 비유적, 계몽적
- **제재** : 뱃사람의 삶
- **주제** : 세상을 살아가는 올바른 삶의 태도

9. ① 표현상의 특징 파악하기

❶ (가)에서는 '하늘이라 원망하며 사람이라 허물하랴'에서 설의적 표현으로 화자의 심정을 강조하고 있으며, (나)에서는 '비록 풍랑이 거세게 인다 한들 편안한 내 마음을 어찌 흔들 수 있겠는가?' 등의 설의적 표현을 통해 '주옹'의 가치관을 강조하고 있다.
② (가)와 (나) 모두 자신의 감정을 점점 강하게 표현하는 점층법을 활용하여 주제를 부각한 부분은 찾을 수 없다.
③ (가)에는 '반벽 푸른 등'과 같은 시각적 심상, '닭 울음'과 같은 청각적 심상이 사용되었지만 (나)에는 '그대가 배에서 사는데~'와 같은 시각적 심상만 나타난다. 또한 이를 통해 대상을 예찬하고 있지는 않다. (가)는 시적 대상인 임을 그리워하는 내용이고, (나)는 삶의 올바른 자세에 대한 내용이다.
④ (가)와 (나) 모두 지니고 있는 생각과 반대로 표현하

는 반어적 진술이 나타난 부분은 찾을 수 없다.

⑤ (가)에서 명령적 어조와 현실에 대한 비판 의식을 확인할 수 없다. (나)에는 '내가 배에서 살면서 세상 사람을 보니, 안전한 때는 후환을 생각지 못하고, 욕심을 부리느라 나중을 돌보지 못하다가 마침내는 빠지고 뒤집혀 죽는 자가 많다.'와 같이 세상에 대한 비판은 나타나지만, 명령적 어조는 확인할 수 없다.

10. ② 외적 준거에 따라 감상하기

① '천상 백옥경을 어찌하여 이별하고'에서 화자는 임금과 함께 있었던 곳에서 나왔음을 알 수 있다. 〈보기〉에 따르면 이 작품은 연군 가사이므로 '천상 백옥경'은 임금이 있는 궁궐로 볼 수 있다.

❷ 화자가 '내 몸의 지은 죄'를 '조물의 탓'으로 보는 것은 숙명론적 사고방식에 의한 것이지 다른 사람들을 원망하고 있음을 보여 주는 것이 아니다.

③ 화자가 꿈에서 '임'의 모습을 보고 '눈물이 이어져' 난다고 한 것은 〈보기〉의 내용처럼 임금을 그리워하고 걱정하며 충성심을 드러내고 있는 것이다.

④ 화자가 자신의 그림자를 '불쌍한'으로 표현한 것은 〈보기〉의 내용처럼 낙향한 상황에 대한 안타까움을 보여 준 것이라고 할 수 있다.

⑤ 화자가 '낙월'이 되어서라도 '임 계신 창 안에 번듯이 비추'려는 것은 〈보기〉의 내용처럼 임금과 떨어져 있어도 임금을 그리워하고 걱정하며 충성심을 드러내고자 하는 모습을 보여 주는 것이다.

11. ② 극적 구성 이해하기

① (가)에서 '너'는 주변 인물로, '누굴 보러 가시는고'라고 질문함으로써 중심 인물의 말을 이끌어 내고 있다.

❷ (가)에서 '너'는 주변 인물로, 자신의 죄가 조물의 탓이라고 말하는 중심 인물에게 '그리 생각 마오'라고 말하면서 위로를 건네고 있다.

③ (가)에서 '너'는 주변 인물로, '낙월'이 되겠다는 중심 인물에게 '궂은 비나 되소서'라고 말함으로써 대안을 제시하고 있다.

④ (나)에서 '주옹'은 중심 인물로, 마지막 부분에서 '그대는 어찌 이를 두려워하지 않고 도리어 나를 위태롭다 하는가?'라고 말함으로써 바람직한 삶의 자세에 대한 작가의 의식을 드러내고 있다.

⑤ (나)에서 '손'은 주변 인물로, '그대는 도리어 이를 즐겨 오래오래 물에 떠가기만 하고 돌아오지 않으니 무슨 재미인가?'라고 말함으로써 중심 인물의 삶의 모습에 문제를 제기하고 있다.

오H 많이 틀렸을까?

이 문제는 인물을 중심 인물과 주변 인물로 나누고 각각의 역할을 〈보기〉와 연결 지어 정리해야 하는 문제였어. 이 부분은 어렵게 여기지 않았을 거야. 그렇다면 이 문제를 어렵게 생각한 친구들은 무엇이 어려웠고, 어떤 부분을 실수했을까? 아무래도 선지에 제시된 부분만 읽고 그 역할을 연결 지은 친구들이 많았던 것 같아. '그리 생각 마오'라는 말만 보고 주변 인물과 대립하고 있다고 생각해 ②번 선지의 내용을 맞다고 생각한 거지. 이러한 실수를 하지 않으려면 해당 내용을 작품 속 전체 맥락에서 보고 문제를 풀어야 해.

12. ③ 세부 내용 파악하기

① '넓은 바다(㉠)'는 변화를 예측할 수 없는 공간으로, '세상 사람들'이 위험하다고 생각하는 공간이다.

② '평탄한 땅(㉡)'은 '주옹'이 사는 '바다'와 대비되는 곳으로, '세상 사람들'이 안전하다고 생각하는 공간이다.

❸ '풍랑(㉢)'은 '넓은 바다'에 있는 조각배를 위험에 빠뜨릴 수 있지만, 이를 통해 '주옹'이 위태로움을 느끼고 있지는 않다.

④ '한바탕 큰 바람(㉣)'은 사람들의 마음(인심)으로, 세상 사람들을 위태롭게 만드니 경계해야 할 대상으로 나타나고 있다.

⑤ '한 잎 조각배(㉤)'는 세상 사람들이 바람에 쉽게 흔들릴 수 있어 위태롭다고 생각하는 곳이지만, '주옹'은 이와 반대로 이곳에서 안전함을 느끼고 있다.

Day 19

1. ⑤ 2. ⑤ 3. ③ 4. ② 5. ②
6. ② 7. ④ 8. ③ 9. ① 10. ①
11. ④ 12. ①

【1~4】(가) 송순, '면앙정가'

작품해설

아름다운 자연 속에서 은거하는 삶의 즐거움을 노래한 가사로, 송순이 고향인 전남 담양에 내려와 면앙정을 짓고 살면서 창작한 작품이다. 면앙정이 위치한 제월봉의 근원과 형세를 노래하는 것으로 시작하여 계절에 따른 면앙정의 아름다운 모습을 묘사하고, 마지막으로 강호에서의 풍류 생활과 호연지기를 드러냈다. 면앙정을 둘러싸고 있는 자연 풍경을 근경과 원경으로 그려내고, 또 사계절에 따른 풍경의 변화 등을 세밀하게 묘사하면서 그 속에서의 풍류적 삶에 대한 만족감을 나타내고 있다. 또한 결사 부분의 '역군은이샷다'와 같은 관습적 표현을 통해 연군지정을 드러내고 있다. 한편 이 작품은 형식과 내용 면에서 정극인의 '상춘곡'의 영향을 받고, 또 정철의 '성산별곡'에 영향을 주면서 강호가도의 전통을 이어 주었다는 점에서 문학사적 의의를 갖는 작품이기도 하다. 제시된 부분은 계절의 변화에 따른 정경을 묘사하면서 자연 속에서 풍류를 누리는 삶에 대한 화자의 만족감이 나타난 부분이다.

- **갈래** : 서정 가사, 양반 가사, 은일 가사
- **성격** : 강호한정가, 서정적, 강호가도(江湖歌道)의 노래
- **주제** : 자연 속에서의 풍류와 임금의 은혜에 대한 감사
- **표현** : 다양한 표현법(의인법, 직유법, 대구법 등)과 유려한 문장 구사로 사계절의 변화를 실감 나게 묘사
- **의의** : 강호가도를 확립한 노래. 정극인의 '상춘곡'을 이어받고, 정철의 '성산별곡'과 '관동별곡'에 영향을 줌
- **구성**
  - 서사 : 제월봉의 형세와 면앙정의 모습
  - 본사 1 : 면앙정의 근경과 원경
  - 본사 2 : 면앙정의 계절 변화에 따른 풍경
  - 본사 3 : 자연에서 즐기는 풍류적 삶
  - 결사 : 풍류 생활의 만족감과 임금의 은혜에 대한 감사

(나) 백석, '가재미 · 나귀'

작품해설

백석이 함흥으로 이주한 이후 1936년 9월 신문사의 기획란 '나의 관심사'에 발표한 수필이다. 새로운 거처에서 생긴 일상의 관심사 두 가지를 통해 그곳 생활의 정취를 전하며, 이를 통해 일상의 작고 평범한 존재를 소중히 여기는 그의 마음을 드러내고 있다.

- **갈래** : 수필(경수필)
- **성격** : 경험적, 체험적, 신변잡기적
- **제재** : 가재미, 나귀
- **태도** : 일상적 소재를 통하여 생활 속의 정감을 표출하고, 작고 평범한 것들을 소중히 여기는 마

음을 드러냄.
- **주제**: 일상의 작고 평범한 존재를 소중히 여기는 마음
- **특징**
  - 감각적 묘사 : 이 골목의 공기는 하이야니 밤 꽃의 내음새가 난다. 백모관봉의 시허연 눈도 바라보인다.
  - 색채어 활용 : 흰밥과 빨간 고추장, 시허연 눈, 하이야니
  - 공간의 이동에 의한 전개 : 동해 가까운 거리 → 증리

1. ⑤ — 표현상의 공통점 파악하기

① (가)는 '누렇게', (나)는 '빨간', '시허연' 등과 같이 색 채어가 활용되고 있음을 확인할 수 있다. 그러나 이것 을 통해 사물의 역동성을 표현하고 있다고 보기 어렵 다.
② (가)의 '없을쏘냐', '붙었으랴' 등과 같이 의문의 형식 을 사용한 표현을 말을 건네는 방식이라고 볼 수 있으 나, 이를 통해 독자의 주의를 환기한다고 보기는 어렵 다. (나)에는 말을 건네는 방식이 사용되지 않았다.
③ (가)는 '산빛이 금수로다', '간 데마다 승경이로다' 등 의 영탄적 표현을 통해 자연의 아름다움에 대한 경탄을 드러내고 있다. 그러나 (나)에는 영탄적 표현이 사용되 지 않았다.
④ (가)와 (나) 모두 주변 사물을 제시한 부분을 확인할 수 있다. 그러나 이를 연쇄적 표현을 통해 드러내고 있 지는 않다.
❺ (가)는 '녹음', '누렇게 익은 벼', '빙설' 등의 사물을 통해 각각 여름, 가을, 겨울의 자연 풍경을 드러내고 있 고, (나)는 산봉우리에 덮인 '눈'을 통해 겨울의 자연 풍 경을 드러내고 있다.

2. ⑤ — 표현에 담긴 의도 파악하기

① 어부의 피리 소리도 흥을 이기지 못하고 흘러가는 달을 따라 불며 간다고 표현한 것은, 청각적 경험을 통 해 떠올린 장면을 묘사하여 인간이 자연과 어우러지는 상황을 보여 준다.
② '아침'과 '저녁', '오늘'과 '내일' 등 시간을 표현한 시 어를 대응시켜 자연을 감상하느라 분주한 지금의 모습 이 앞으로도 계속 이어질 것임을 드러내고 있다.
③ 당나라 시인 이백과 비교하여 보아도 '강산풍월'을 거느리고 '호탕한' 풍류를 즐기는 자신의 삶이 더없이 만족스럽다는 것을 드러내고 있다.
④ '가재미'를 구할 수 있는 '음력 팔월 초상'이 되어 '흰 밥'에 '고추장'과 함께 '가재미'를 먹게 된다면 '아침저녁 기뻐하게' 될 것이라며, 기대하는 일이 실현되었을 때 느낄 심정을 직접 표출하고 있다.
❺ '나귀'를 구하기 위해 '소장 마장'에도 가보고, 다른 사람에게 수소문도 해봤지만 구할 수 없었다고 실패한 과정을 서술하고 있지만 체념하고 있지는 않다. '그래도 나는 그 처량한 당나귀가 좋아서 좀 더 이놈을 구해보 고 있다'라는 진술을 통해 나귀를 구하는 것을 단념하지 않았음을 알 수 있다.

3. ③ — 외적 준거를 통해 작품 감상하기

① 자연 속에서 사는 화자가 꾀꼬리가 흥을 이기지 못 해 교태를 부리며 우는 모습을 발견하면서, 아름다운 자연 풍경을 감상하며 흥겨움을 느끼는 자신과 꾀꼬리 의 태도의 동일성을 인식하고 있다.
② 화자가 자연을 '간 데마다 승경'이라고 인식하며 '내 몸이 쉴 틈 없'다고 말하고 있는데, 이는 다양한 일들을 통해 자연의 다채로운 풍광을 감상하게 될 것이라는 기 대로 이어지고 있다.
❸ '이 산에 앉아보고 저 산에 걸어 보니 / 번거로운 마 음에도 버릴 일이 전혀 없다'는 의미는 아름다운 자연 풍광을 놓치지 않기 위해 바쁘게 돌아다니는 생활이 즐 겁다는 것이다. 이를 두고 '인간 세상'의 번잡한 일상을 여전히 의식하고 있다고 이해하는 것은 적절하지 않다.
④ 새로운 거처인 '동해 가까운 거리'로 이주하여 주목 하게 된 '가재미'에 대해 '가장 친하다'라고 표현하고, '가재미'를 '가난하고 쓸쓸한' 삶 속에서 '한없이 착하고 정다운' 존재라고 서술한 것을 통해 '가재미'를 소중히 여기는 글쓴이의 태도를 확인할 수 있다.
⑤ '당나귀'와 '일없이 왔다갔다 하고 싶다'는 글쓴이의 바람과, '그래도 나는 그 처량한 당나귀가 좋다'고 언급 한 것을 통해 일상의 작은 존재인 '당나귀'에 대한 글쓴 이의 우호적 인식을 확인할 수 있다.

4. ② — 소재의 기능 파악하기

① (가)에서 ⓐ는 삶의 여유를 주고 근심과 시름을 떨쳐 내도록 하고 있으므로 화자에게 심리적 위안을 준다고 볼 수 있다. 그러나 (나)에서 ⓑ는 글쓴이를 기쁘게 하 는 대상이므로 고독감을 느끼게 하는 매개체라는 진술 은 적절하지 않다.
❷ (가)에서 화자는 ⓐ를 즐기며 흥취에 빠져드는 모습 을 보이고 있으므로 ⓐ는 화자가 느끼는 흥을 심화한다 고 볼 수 있다. 한편 (나)에서 글쓴이는 'H'에게도 '가재 미'를 보내어 함께 나누어 먹으려 하고 있으므로 ⓑ는 글쓴이가 '가재미'를 먹으며 느끼는 기쁨을 확장하는 매 개체라고 볼 수 있다.
③ (가)에서 ⓐ는 자연 속에서 풍류를 즐기는 화자의 만 족감을 드러낸다고 볼 수 있으나, (나)에서 ⓑ는 글쓴이 가 현실에 대한 불만을 표출하는 매개체라고 볼 수 없 다.
④ (가)에서 ⓐ를 통해 화자의 풍류 지향적 태도를 드러 내고 있으므로 화자에게 삶의 목표를 일깨워 준다고 볼 수 있으나, (나)에서 ⓑ가 글쓴이의 심경 변화의 계기를 제공한다고 이해하는 것은 적절하지 않다.
⑤ (가)에서 ⓐ는 화자에게 현실에서의 근심과 시름을 잊고 이상적 세계를 떠올리게 하는 기능을 한다고 볼 수 있으나, (나)에서 ⓑ는 글쓴이에게 윤리적 삶의 태도 를 떠올리게 하는 매개체가 아니다.

고전 시가 ▶ 현대어 풀이

송순, '면앙정가'

뚜껑 없는 가마를 재촉해 타고 소나무 아래 굽은 길 로 오며 가며 하는 때에
푸른 버드나무에서 우는 꾀꼬리는 흥에 겨워 아양을 떠는구나.
나무와 억새풀이 우거져 녹음이 짙어진 때에
긴 난간에서 긴 졸음을 내여 펴니
물 위에 서늘한 바람이야 그칠 줄을 모르는구나.
된소리 걷힌 후에 산빛이 수놓은 비단 물결 같구나.
누렇게 익은 곡식은 또 어찌 넓은 들에 퍼져 있는고?

고기잡이를 하며 부르는 피리도 흥을 이기지 못하여 달을 따라 계속 부는가.
초목이 다 떨어진 후에 강산이 묻혀 있거늘
조물주가 야단스러워 얼음과 눈으로 꾸며 내니
경궁요대와 옥해은산 같은 설경이 눈앞에 펼쳐져 있 구나.
하늘과 땅도 풍성하구나, 가는 곳마다 아름다운 경치 로구나.
인간 세상을 떠나와도 내 몸이 한가로울 겨를이 없 다.
이것도 보려 하고 저것도 들으려 하고
바람도 끌어당기려 하고, 달도 맞으려 하고
밤은 언제 줍고 고기란 언제 낚고
사립문은 누가 닫으며 떨어진 꽃은 누가 쓸 것인가.
아침이 모자라거니 저녁이라고 싫을쏘냐.
오늘도 부족한데 내일이라고 넉넉하랴.
이 산에 앉아 보고 저 산에 걸어 보니
번거로운 마음이지만 버릴 일이 전혀 없다.
쉴 사이도 없는데 길이나마 전할 틈이 있으랴.
다만 하나의 푸른 명아주 지팡이가 다 무디어져 가는 구나.
술이 익어 가니 벗이 없을 것인가.
노래를 부르게 하며, 악기를 타게 하며, 켜게 하며, 방울을 흔들며
온갖 소리로 취흥을 재촉하니
근심이라 있으며 시름이라 붙었으랴.
누웠다가 앉았다가 구부렸다가 젖혔다가
읊다가 휘파람을 불었다가 마음 놓고 노니
천지도 넓고 넓으며 세월도 한가하다.
복희씨의 태평성대를 모르고 지냈더니
지금이야말로 그때로구나.
신선이 어떤 것인지, 이 몸이야말로 신선이로구나.
아름다운 자연을 거느리고 내 평생을 다 누리면
악양루 위의 이태백이 살아온다 한들
넓고 끝없는 정다운 회포는 이보다 더할쏘냐.

【5~8】 (가) 이방익, '표해가'

작품해설

조선 후기에 이방익(李邦翼)이 지은 기행 가사로 1914년 청춘(靑春) 창간호에 소개되었다. 제주도에 서 태어난 작가는 1796년(정조 20)에 상경하여 무 과에 급제하고, 충장장(忠壯將)의 직명으로 근친(勤 親) 차 고향에 내려왔다. 이때 선인 7명과 함께 뱃 놀이를 하다가 폭풍으로 표류하여, 대만과 중국 내 륙 지방, 북경(北京), 요동 벌판을 거쳐 고국으로 무사히 돌아오기까지의 고행담을 자세히 술회한 작 품이다. 이 작품은 술회 가사이므로 음수율도 자유 롭고 길이도 아무 제한 없이 자유롭게 서술된 장편 가사이다. 폭풍이 거세게 몰아치는 망망대해에서 일엽편주에 몸을 의지하여 생사의 갈림길에서도 절 망하지 않고 무사히 헤쳐 나온 작자의 내면세계를 엿볼 수 있는 작품이다.
- **갈래** : 가사(기행 가사)
- **성격** : 사실적, 체험적, 구체적
- **주제** : 표류 경험과 이로 인해 얻은 깨달음
- **특징**
  - 실제 경험한 것을 사실적으로 기록하여 문학 적 가치 외에도 역사적 가치가 있음
  - 시간과 공간 이동에 따른 추보식 구성으로 작 품을 구성함

■ **구성**
– 서사 : 무과에 급제 후 근친 와서 뱃놀이를 떠남
– 본사 1 : 풍랑을 만나 표류함
– 본사 2 : 팽호도 도착
– 본사 3 : 대만으로 호송
– 본사 4 : 중원 땅 도착
– 본사 5 : 연경 산해관 봉황성
– 본사 6 : 조선으로 돌아와 임금을 뵘
– 결사 : 자신의 삶을 돌아보고 시원함을 느낌

(나) 김기림, '여행'

작품해설

현실적 공간과 상상적 공간을 활용하여 주관적이고 개성적인 관점에서 대상을 바라보고 있는 수필이다. 글쓴이에게 바다는 상상하는 공간이자 자유롭고 생명력 넘치는 공간이다. 이러한 바다를 향해 떠나고자 하는 글쓴이는 일상에서 벗어날 수 있는 꿈을 꾸게 된다. 일상에서 느끼는 심리를 생동감 있게 전달하고 있다.
■ **갈래** : 수필
■ **성격** : 현학적, 소망적
■ **주제** : 무기력하고 답답한 일상에서 벗어나고 싶은 소망
■ **특징**
– 여행을 떠나는 것에 대한 상상을 통해 글을 전개함.
– 서술자의 생각이 닿는 대로 의식의 흐름 기법과 유사하게 글을 전개함.
– 독특한 비유로 대상을 생동감 있게 참신하게 형상화함.
– 어려운 어휘들을 많이 사용하여 현학적 분위기를 형성

같은작가 다른기출

2019학년도 6월 모의 수능 '주을온천행'
2006학년도 6월 모의 수능 '바다와 나비'
2004학년도 9월 모의 수능 '길'

5. ② 표현상의 특징 파악하기

① (가)에 '시월'이라는 시간이 제시되어 있지만 두 작품이 계절의 변화를 중심으로 전개되고 있다고 보기 어렵다.
❷ (가)의 '조수할 길 있을쏘냐', '하직 없는 이별인가' 등에 설의적 표현이 나타나 망망대해에서 화자가 겪은 조난의 상황에서 느낀 감정을 강조하여 드러내고 있다. 한편 (나)의 '얼마나 더 청신하랴', '나는 얼마나 자랑스러우랴' 등에 설의적 표현이 나타나 글쓴이가 생각하는 여행의 의미를 강조하고 있다.
③ 두 작품 모두 명령형 어미를 사용하여 긴장감을 고조하고 있지 않다.
④ 두 작품 모두 동일한 색채어를 나열하여 현장감을 표현하고 있지 않다.
⑤ 두 작품 모두 특정 대상과 대화하는 방식으로 주제를 부각하고 있지 않다.

6. ② 소재의 기능 파악하기

① ㉠과 ㉡은 모두 화자나 글쓴이가 경계하는 것이 아니라 선망하는 대상이다.
❷ (가)에서 표류하던 화자는 ㉠의 '큰 섬'이 눈앞에 보여도 '인력'으로 어찌할 수 없는 상황임을 드러내며 바다에서 벗어나고 싶은 마음을 나타내고 있고, (나)에서 글쓴이는 '제일 먼' 곳으로 갈 수 있는 ㉡의 '차표'를 부러워하며 이후 '차표가 끝나는 데까지 갈 것'이라고 하며 멀리 여행 가고 싶은 마음을 드러내고 있다.
③ ㉠과 ㉡은 모두 화자나 글쓴이가 극복하려는 대상과는 거리가 멀다.
④ ㉠과 ㉡은 모두 화자나 글쓴이가 동화되려고 하는 대상으로 볼 수 없다.
⑤ ㉠과 ㉡은 모두 화자나 글쓴이가 우월감을 갖게 하는 대상으로 볼 수 없다.

7. ④ 작품의 내용 이해하기

① ⓐ에서 글쓴이는 '산'은 '산의 기틀을 감추고 있'고, '바다'는 '바다대로 호탕'하다고 평가하며, 오직 하나만을 가리라면 '바다'를 선택할 것이라고 말하고 있다.
② ⓑ에서 글쓴이는 여행지에서의 '만약에' '이국의 소녀를 만날' 낯선 상황을 가정하고 있으며, '서투른 외국말로 대담하게 대화를 하리라'라고 하며 자신이 취할 행동을 떠올리고 있다.
③ ⓒ에서 글쓴이는 『보스톤 · 백』과 '단장'을 사겠다고 했으며, 이러한 물건을 들고 '차표가 끝나는 데까지' 가겠다고 하며 자신이 원하는 여행자의 모습을 상상하고 있다.
❹ ⓓ에서 글쓴이는 모든 '의무'와 '미정고들'을 '먼지낀 방안에 묶어서 두고' 떠나고 싶어하는 마음을 나타내고 있다. 이를 두고 해결하지 못한 일을 여행지에서 마무리하고 싶어 한다고 진술하는 것은 적절하지 않다.
⑤ ⓔ에서 글쓴이는 여행에 대해 '그것 밖에 남은 것은 없다'고 하며 '행복의 최후의 제비'라고 하며 여행이 자신에게 지니는 의미를 드러내고 있다.

8. ③ 외적 준거에 따라 작품 감상하기

① (가)에서 화자는 '선판 치며 즐기'다가 '태산 같은 높은 물결'을 만나 손쓸 길 없이 예상치 못한 조난을 겪게 되고, '만경창파 일엽선이 끝없이 떠나'간다고 하며 생명의 위협을 느끼며 벗어나고 싶은 공간으로 나타나 있다.
② (나)에서 '오늘은 진주의 촌락'을, '내일은 해초의 삼림'을 다니는 '어족들'에는 바다를 자유로운 공간으로 여기는 글쓴이의 인식이 드러나 있다.
❸ (가)에서 '삼대도'가 보이자 '선구를 보집'하는 것에는 바다에서 벗어나고자 배의 기구를 수리하는 화자의 모습이 나타나 있다. 하지만 (나)에서 글쓴이는 '사치한 어족들'의 여행을 상상하고 있지만 그들이 '해저에 국경을 만들었다는' 것을 들은 일이 없다고 하였으므로 적절하지 않다.
④ (가)에서 화자는 '어복 속에 영장'할 수 있음에 '원통'함을 느끼는 것에서 바다를 생명을 위협하는 공간으로 생각하고 있음이 드러나 있다. (나)에서 '선창'에 기대서 '청초'와 '활발'을 지닌 '어린 고기들'을 바라보는 것을 통해 바다를 생명력이 넘치는 공간으로 인식하는 글쓴이의 모습이 나타나 있다.
⑤ (가)에서 '선판을 치는 소리'를 듣고 '검은 고기'를 먹음으로써 '이 고기 아니었으면 우리 어찌 살았으라'라고

하는 모습에는 생존을 위한 화자의 체험이 드러나 있다. (나)에서 '눈을 감고' 바다를 '머리 속에 그려'보는 모습에서 바다에 대해 상상하고 있는 글쓴이의 모습이 드러나 있다.

【9~12】 (가) 안민영, '매화사(梅花詞)'

작품해설

작가가 매화를 보고 감탄하여 지은 작품으로, 매화에 인격을 부여하며 말을 거는 방식으로 시상을 전개하고 있다. 차가운 눈 속에서 피는 매화의 강인함과 우아함에 대한 예찬적 태도를 보이고 있다. 매화를 '빙자옥질', '아치고절', '백설양춘' 등으로 표현하며 매화의 절개와 지조에 의미를 부여하고 있다.
■ **주제** : 매화의 고결함과 아름다움에 대한 예찬

(나) 신석정, '향기 있는 사람'

작품해설

1969년에 창작된 수필로 글쓴이는 '나무'에 대한 애정을 숨김없이 드러내고 있다. 꽃나무인 관목보다는 아교목이 좋고, 아교목보다는 교목이 더욱 믿음직하다는 그의 고백에서 작가의 우직하고 꾸밈없는 인생관을 엿볼 수 있다. 그는 '호화찬란'하거나 '눈부신 여생'보다는 '담담하기를 바라는' 태도로 자신의 삶을 담백하게 성찰하고 있는데, 특히 오월부터 개화하기 시작하는 '태산목'의 자태와 향기에 크나큰 행복감을 표현한다. 특히 작가는 '도연명'의 '한 정소언 불모영리'를 언급하며 스스로 향기를 지닐 여유조차 없는 자신의 삶을 돌아보고, 다섯 그루의 나무를 가꾸며 도를 터득한 도연명의 풍모를 흠모한다. 부귀영화를 누리는 화려한 삶이 아닐지라도 자신에게 주어진 삶에 감사하는 태도가 작품 전반에 드러나 있다.
■ **주제** : 나무를 바라보며 자신의 삶을 성찰함.

9. ① 작품 간의 공통점 파악하기

❶ [A]는 '매화'를 '빙자옥질'과 '아치고절'에 빗대며 매화의 아름다운 모습과 높은 절개를 드러내고, [B]는 '태산목'에 맺힌 꽃을 '백련꽃 송이처럼 탐스러운 봉오리'에 빗대어 그 모양새와 향기를 예찬하고 있다. 따라서 [A]와 [B] 모두 비유적 표현을 사용하여 대상의 속성을 드러내고 있다는 설명은 적절하다.
② [A]는 눈 속에서 피어난 '매화'의 모습에 대하여 형상화하고 있을 뿐, 시선의 이동을 통하여 대상의 변화 과정을 제시하고 있지 않다. 또한 [B] 역시 '태산목'에 피어난 꽃의 모습이 탐스러우며, 향기를 가득 풍길 것 같다고 묘사할 뿐 시선의 이동을 통하여 대상의 변화과정을 드러낸 부분은 없다.
③ [A]는 눈 속에서 피어난 '매화'의 모습이 마치 '빙자옥질'과 같아 얼음처럼 맑고 깨끗하다고 표현하였으나, 색채 이미지를 활용하여 애상적 분위기를 조성한 부분은 찾을 수 없다. [B] 역시 '태산목'에 피어난 꽃송이의 모습이 '백련꽃 송이처럼 탐스'러우며 향기를 가득 저장하고 있는 것처럼 보인다고 표현하였으나 색채 이미지를 활용하여 애상적 분위기를 조성한 부분은 나타나지 않는다.
④ [A]는 '매화'의 아름다움과 절개를 칭송하며 '눈 속에

네로구나', '너뿐인가 하노라'와 같이 자연물에 말을 건네는 형식을 활용하여 화자와 대상과의 거리를 좁히고 친근감을 드러내고 있다. 그러나 [B]에서는 '태산목'에 핀 꽃의 아름다움과 향기에 대한 묘사가 있을 뿐 자연물에 말을 건네는 표현은 드러나지 않는다.

⑤ [A]는 눈 속에 핀 '매화'를 예찬하며 '빙자옥질', '아치고절'이라고 표현하며 대상에 대한 화자의 주관적인 인식을 드러내고 있으나, 대상에 감정을 이입하였다고는 볼 수 없다. [B] 역시 '태산목'에 핀 꽃에 대하여 '백련꽃 송이처럼' 탐스럽고, '향기를 가득 저장하고 있을 것만 같다'라는 화자의 주관적 감상을 표현할 뿐, 대상에 감정을 이입한 부분은 찾을 수 없다.

10. ① 소재의 의미와 기능 파악하기

❶ (가)의 '철쭉'은 겨울에는 피지 않는 꽃으로, 화자가 예찬하는 '매화'가 눈 속에서도 고혹적으로 피는 것과 대비하기 위해 제시한 소재이다. 따라서 (가)의 '철쭉'은 화자가 선호하는 대상은 아니다. 한편 (나)의 '철쭉'은 '오색영롱한 철쭉도 싫은 바 아니지만~교목이 믿음직해서 더 좋다'라는 구절로 미루어 보았을 때, 화자가 선호하는 대상은 아님을 알 수 있다. 따라서 (가)와 (나)의 '철쭉'은 모두 화자가 거부하는 대상이라는 설명은 적절하지 않다.

왜 말이 틀렸을까?

'(가)와 (나)의 '철쭉'은 모두 화자가 거부하는 대상이라는 설명은 적절하지 않다'라는 문장을 정확히 해석해봐야 해. 문학은 작품을 다양하게 해석하는 연습을 통해 사물과 세계를 다채롭게 보는 과정을 익히는 영역이거든. 따라서 '거부하는 대상'이라는 말이 (가)와 (나)의 '철쭉'이라는 시어에 어떻게 적용되는지를 차근차근 따져봐야 해.

11. ④ 감상의 적절성 평가하기

① ㉠에서 '나'는 '태산목처럼 격 높은 향기를 마음에 지니기란 쉬운 일이 아니'라고 느끼며 본인 스스로 향기 지닐 마음의 여유가 없음을 슬퍼한다고 표현하였다. 따라서 이를 두고 '향기 지닐 마음'을 지니고 살아가는 삶에 대한 '나'의 자부심을 표현한다는 설명은 적절하지 않다. ㉡에서는 버드나무가 다섯 그루 그대로 남아있었더라면 '오류(五柳)선생'으로 불렸겠지만, 세 그루만 남게 되어 짓궂은 친구가 자신을 '삼류선생(三流先生)'이라고 부르는 상황에 대하여 제시되어 있다. '나'는 '삼류선생의 칭호도 오히려 과분한 것만 같'다고 느끼고 있으므로, '삼류선생'이라 불리는 삶에 대한 '나'의 부끄러움을 나타낸다는 설명은 적절하지 않다.

② ㉠의 '나'는 '태산목처럼 격 높은 향기를 마음에 지니기란 쉬운 일이 아니기에'라고 서술하고 있으므로, '태산목 같은 거목'이 되고 싶은 '나'의 꿈을 실현한 만족감을 드러낸다는 설명은 적절하지 않다. 또한 ㉡의 '나'는 다섯 그루의 버드나무가 그대로 자랐더라면 '도연명의 풍모'를 배우고자 하였는데, 세 그루의 나무만 남게 되어 '삼류선생(三流先生)'이 되었다고 하였다. 그러나 '나'는 '오류(五柳)선생은 못 될지언정, 삼류선생의 칭호'에도 과분하다고 느끼고 있다. 따라서 '도연명의 풍모'를 배우고자 노력했던 '나'에 대한 자족감이 드러난다는 설명은 적절하지 않다.

③ ㉠에는 '도연명'은 '한정소언 불모영리'의 도를 터득하였으나, '나'는 '내 스스로 향기 지닐 마음의 여유 없

음을 슬퍼할 따름'이라고 하였다. 또한 '태산목처럼 격 높은 향기를 마음에 지니기란 쉬운 일이 아니'라고 깨닫고 있으므로 '나'가 '한정소언 불모영리'의 도를 터득하지 못해서 슬퍼한다는 설명은 적절하지 않다. ㉡은 도연명이 다섯 그루의 나무를 가꾸며 '한정소언 불모영리'의 도를 터득한 것을 두고, 자신도 다섯 그루의 나무를 키우며 그 풍모를 배워보려고 하였으나, 세 그루의 나무만 남게 되었다고 하였다. 이를 두고 '한소언 불모영리'의 도를 터득한 후 느꼈던 '나'의 기쁨을 나타낸다는 설명은 적절하지 않다.

④ ㉠에서 '나'는 '태산모처럼 격 높은 향기를 마음에 지니기'란 쉬운 일이 아니라고 밝히며, 더불어 '내 스스로 향기 지닐 마음의 여유가 없는 것을 슬퍼하고 있다고 하였다. 따라서 ㉠을 두고 '격 높은 향기'를 지니고 살아가지 못하는 삶에 대한 '나'의 안타까움이 드러난다는 설명은 적절하다. 더불어 ㉡은 '오류(五柳)선생은 못 될지언정, 삼류선생의 칭호도 오히려 과분한 것만 같'다고 하고 있으므로, ㉡에 '오류선생'의 풍모에 미치지 못한다고 생각하는 '나'의 겸손함이 드러난다는 설명은 적절하다.

⑤ ㉠은 도연명의 도를 따라가기에는 자신이 부족하다고 느끼며, '내 스스로 향기 지닐 마음의 여유 없음을 슬퍼'한다고 하였으므로, '오류를 가꾸어' 도연명의 도를 터득하고 싶었던 '나'의 소망을 드러낸다는 설명은 적절하지 않다. ㉡은 '집 주변에 오류'를 가꾸지 못한 상황에 대하여 간략하게 설명하고, 세 그루의 나무를 가꾸며 '삼류선생(三流先生)'이라고 불리는 상황에도 과분함을 느낀다며 겸손함을 드러내고 있다. 따라서 ㉡에 '집 주변에 오류'를 가꾸지 못한 상황을 핑계로 도연명의 도를 저버리려는 '나'의 의도가 나타난다는 설명은 적절하지 않다.

12. ① 갈래의 특징과 성격 파악하기

❶ (나)에서 다섯 그루의 버드나무 중에 이웃집에서 자기 집 옆에 있는 나무는 베어 달라고 부탁하자, '그 집 주인에게 처분을 맡겼'다라고 서술하고 있다. 따라서 버드나무를 베고 싶다고 성화를 부린 것은 글쓴이가 아니라 이웃 사람임을 알 수 있으므로 적절하지 않은 감상이다.

② (나)에서 화자는 자신의 좁은 뜨락이 초만원이 되자, 먼저 장미를 분산시키고, 아교목과 교목을 알맞게 자리 잡아 세운 이유에 대하여 '눈부신 여생이기보다는 담담하기를 바라는 탓'이라고 설명하고 있으므로, 적절한 설명이다.

③ (나)에서 화자는 '세속적인 생각에 젖어 사는 것이 너무나 치사한 것만 같아 새삼 허탈을 느낄 때가 한두 번이 아니다'라고 표현하고 있으므로 적절한 설명이다.

④ (나)에서 '아교목들에게 끌리는 정이 더욱 도탑고 믿음직한 탓이기도 하리라', '난(蘭) 또한 감히 따를 바 못 되리라', '향기를 맡아 본 사람이면 알리라' 등에서 '(으)리라'를 반복하여 나무에 대한 자신의 생각을 개성적으로 표현하고 있다.

⑤ (나)의 화자는 키우던 다섯 그루의 버드나무 중에, 한 그루는 이웃집의 성화에 베어 내고, 또 한 그루는 동네 애들이 매달려서 고사(枯死)하였다고 설명하고 있으므로 글쓴이가 자신의 생활 주변에서 글감을 찾았음을 알 수 있다.

【1~5】 (가) 송순, '십 년을 경영하여~'

작품해설

산수 자연의 아름다움에 몰입하여 풍류를 즐기는 생활을 노래한 평시조이다. 화자는 자연과 물아일체 된 경지를 느끼며 아름다운 자연 안에서 안빈낙도하는 삶의 자세를 노래하고 있다.

- **갈래** : 평시조, 정형시, 서정시
- **제재** : 전원 생활
- **성격** : 풍류적, 낭만적, 전원적, 한정적
- **주제** : 자연 친화와 안분지족의 삶
- **특징**
  - 근원과 원경이 조화를 이루고 있음.
  - 자연을 소유의 대상으로 생각하지 않았던 동양의 자연관이 잘 드러남.
  - 의인법과 강산을 병풍처럼 둘러 두고 보겠다는 기발한 발상을 통해 자연과 혼연일체된 모습을 효과적으로 표현함.

같은작가 다른기출

2003학년도 대수능 '면앙정가'
2007학년도 6월 모의 수능 '면앙정가'
2010학년도 대수능 '면앙정가'

(나) 위백규, '농가구장(農歌九章)'

작품해설

농촌의 일상과 농사일, 농촌 삶의 흥겨움 등을 사실적으로 노래한 작품으로, 전 9수의 평시조이자 연시조이다. 농촌에서 실제 화자가 농사를 지으면서 생활하면서 느낀 정서와 생각을 노래하고 일과의 진행 순서에 따라 노래하고 있다. 농촌의 실재적인 삶의 모습과 노동을 사실적으로 그리는 가운데 성실하고 소박함에 만족함을 느끼는 화자의 긍정적인 태도를 드러내고 있다.

- **갈래** : 평시조, 연시조(전9수)
- **성격** : 농가(農歌), 전원적, 사실적, 현실적, 묘사적
- **화자의 정서와 태도** : 전원에서 농사를 지으며 지내는 생활에 만족하며 흥겨워함.
- **표현** : 묘사적, 사실적 표현 기교가 두드러짐.
- **의의** : 농촌과 자연이 '땀을 흘리며 일하는 삶의 터전'으로 제시됨. → 조선 전기 사대부들의 시조에 나타나는 '풍류를 즐기며 안빈낙도하는 공간'으로서의 자연과 차이가 있음.
- **주제** : 농사일을 하는 즐거움
- **특징**
  - 시간의 흐름에 따라 시상을 전개함.
  - 설의적 표현을 통해 삶의 흥취를 강조함.
  - 여름부터 가을까지의 계절의 변화를 아침부터 저녁까지의 하루 농사일의 상황으로 병치시키고 있음.
- **구성**

- 1수 : 아침에 김매기를 위해 나섬
- 2수 : 농구를 준비하여 내려감
- 3수 : 일터에서 김을 맴
- 4수 : 땀을 흘리며 일을 함
- 5수 : 점심을 먹고 졸려 함
- 6수 : 일을 끝내고 돌아감
- 7수 : 7월에 풍요로운 결실을 봄
- 8수 : 농촌 생활 중 풍요로움을 느낌
- 9수 : 흥겹게 서로 어울림

(다) 한백겸, '접목설(接木說)'

작품해설

보잘것없는 복숭아나무에 홍도 가지를 접붙여 아름다운 나무로 변화시킨 접목의 경험을 바탕으로 삶의 자세에 대한 깨달음을 기록한 고전 수필이다. 글쓴이는 나무의 변화는 곧 사람의 변화 가능성을 뜻한다고 보았다. 오래된 가지를 베어내듯 나쁜 생각을 제거하고, 새로운 가지를 접붙이듯 선한 본성을 배양하면 사람도 달라질 수 있다는 생각을 전하고 있다. 늙었다는 이유로 변화를 위한 노력을 포기한 이들에게 삶의 자세를 바꿀 것을 권하고 있다.
- **갈래** : 고전 수필
- **성격** : 사색적, 긍정적
- **주제** : 접목의 경험을 통해 삶의 자세에 대해 다시금 깨닫게 됨

1.④ 표현상의 특징 파악하기

① (가)에서 공간의 이동은 드러나지 않으므로 적절하지 않다.
② (나)에서 색채어는 활용되지 않았다.
③ (다)에서 음성 상징어는 사용되지 않는다.
❹ (가)에서는 '흔 간이', (나)에서는 '둘러내자', '돌아가자' 등의 시어를 반복하여 리듬감을 형성하고 있다.
⑤ (가)에는 구체적인 묘사가 나타나지 않으며, 계절감도 나타나지 않는다.

2.① 작품의 내용 이해하기

❶ 〈제1수〉에서 농부가 농기구를 가지고 밭을 가는 모습은 확인할 수 없으므로 적절하지 않다.
② 〈제3수〉의 '잡초 짙은 긴 사래 마주 잡아 둘러내자'에서 농부들이 함께 잡초 뽑는 모습을 확인할 수 있다.
③ 〈제4수〉의 '청풍에 옷깃 열고'에서 옷깃을 열고 바람을 쐬고 있는 농부의 모습을 확인할 수 있다.
④ 〈제5수〉의 '내 밥 많을세라 네 반찬 적을세라'에서 농부들이 모여 식사하는 모습을 확인할 수 있다.
⑤ 〈제6수〉의 '해 지거든 돌아가자 ~ 호미 메고 돌아올 제'에서 해 질 무렵 농사일을 마치고 돌아오는 농부의 모습을 확인할 수 있다.

3.② 외적 준거를 통해 감상하기

① (가)에서 화자는 소박한 초가집을 짓고 '돌', '청풍'과 함께하는 삶의 만족감을 노래하고 있으므로 '초려삼간'은 화자가 안빈낙도하며 사는 공간임을 알 수 있다.
❷ (가)에 등장하는 '돌', '청풍', '강산'은 모두 화자가 물아일체를 느끼는 자연물이다. 종장에서 '강산'을 '둘러

두고 보리라'라고 언급하며 자연 속에서 살고 싶어 하는 화자의 마음을 드러내고 있으므로 '강산'에서 벗어나려 한다고 이해한 것은 적절하지 않다.
③ (나)의 '묵은 풀'을 매는 '밭'은 화자가 땀 흘리며 일해야 하는 삶의 터전으로 건강한 노동을 하는 공간으로 볼 수 있다.
④ (나)에서 농부들이 일한 뒤 맛보는 소박한 음식을 '밥 그릇에 보리밥'과 '사발에 콩잎 나물'로 나타내고 있음을 알 수 있다.
⑤ (나)에 하루 일과를 마치고 돌아오는 길에 들리는 '우배초적'에서 농부들의 흥취를 느낄 수 있다.

고전 시가 현대어 풀이

송순 '십 년을 경영흐여'

십 년을 애써서 조그만 오두막집을 지어내니,
내가 한 간 차지하고, 달이 한 간 차지하고, 맑은 바람에 한 간 맡겨두고,
강과 산은 들여놓을 곳이 없으니, 밖에 둘러 있게 하고 보겠다.

4.① 인용 구절의 기능 파악하기

❶ 글쓴이는 삶의 경험을 통해 얻은 깨달음을 서술한 후, 주역의 구절을 인용하며 '이것을 보고 어찌 스스로 힘쓰지 아니하겠는가.'라고 언급하고 있다. 이러한 인용문을 통해 자신이 깨달은 바를 뒷받침하고자 한다는 것을 알 수 있다.

5.③ 세부 내용 이해하기

① 이 글은 꽃도 열매도 보잘것없었던 복숭아나무로부터 시작이 된다.
② 이웃에 사는 박 씨의 도움으로 접목을 한 경험을 제시하고 있다.
❸ 글쓴이는 '심은 땅의 흙도 바꾸지 않고 그 뿌리의 종자도 바꾸지 않았으며 단지 접붙인 한 줄기의 기운'으로 복숭아나무의 변화가 나타났다고 서술하고 있다. 따라서 사물의 '자태가 돌연히 다른 모습'으로 바뀌기 위해서는 '근본의 변화'가 중요하다고 이해한 것은 적절하지 않다.
④ 글쓴이는 자신이 경험했듯이 사물이 변화하는 이치를 사람들이 깨달아 실천하게 되면 마음의 변화도 가능하다고 언급하고 있다.
⑤ 글쓴이는 '마음을 분발하여 뜻을 불러일으키기를 권하지 아니하겠는가'라며 사람들에게 삶의 태도를 바꾸도록 권하고 있다.

[6~9] (가) 이황, '도산십이곡'

작품해설

'도산십이곡'은 12수로 이루어진 연시조로 전6곡(前六曲)과 후6곡(後六曲)으로 나뉜다. 전6곡은 '언지(言志)', 후6곡은 '언학(言學)'이라 이름 붙였으며 순우리말로 창작하여 노래하기 쉽게 만들었다는 특징이 있다. '언지(言志)' 부분에는 도산 서당 주변의 빼어난 경관에 대한 감상을 수록하였고, '언학(言學)' 부분에는 학문에 정진할 것을 권하는 내용을 담았다. 또한 교훈적인 내용을 담고 있으나 다양한 수사법을 활용하여 뛰어난 문학성을 지니고 있는 작품이다.

- **주제** : 자연 속에서 사는 즐거움과 학문에 정진할 것에 대한 다짐

(나) 법정, '인형과 인간'

작품해설

필자는 지식인이 명료한 진리와 지식을 쪼개어 도리어 진리를 추구하는 것을 어렵게 만드는 현실에 개탄하고 있다. 자기 자신의 문제도 해결하지 못한 채 이미 뱉어 버린 말의 찌꺼기를 가지고 따지려 들며 형식에만 집착하는 모습에 대해 비판적인 태도를 지니고 있는 필자는 인간의 탈을 쓴 인형은 많아도 인간다운 인간이 적다는 것을 새삼 강조하고 있다. 따라서 '무학'을 강조하는데, 이는 많이 배웠으면서도 자취가 없는 것을 뜻하는 것으로, 지식의 과잉에 얽매이지 않고 자유롭고 발랄한 삶의 태도를 강조하고 있다. 또한 이웃의 아픔에 공감하며 신념을 갖고 당당한 태도로 살아야 함을 이야기한다.
- **주제** : 올바른 지식인의 태도와 인간에게 필요한 덕목

6.① 작품의 특징 이해하기

❶ (가)의 '제9수'에 '고인을 못 봐도 가던 길 앞에 있네', '가던 길 앞에 있거든 아니 가고 어찌할까' 등을 통해 옛사람을 뵙지 못하여도 그들의 업적을 따라 가고 싶다는 표현이 드러나고, (나)의 첫 번째 문단에 나타난 '지나간 성인들의 가르침은 하나같이 간단하고 명료'하다는 화자의 표현을 통하여 (가)와 (나) 모두 옛사람의 행적을 긍정적으로 바라보고 있음을 알 수 있다.

7.④ 작품의 표현에 담긴 작가의 의도 파악하기

① [A]는 '~도 보고', '~도 ~네'라는 유사한 문장 구조를 반복하여 리듬감을 형성하고 있다.
② [B]는 '당시에', '이제야'라는 시간과 관련된 표현을 활용하여 부진했던 학문에 정진할 것을 당부하고 있다.
③ [A]는 '~어찌할까'라는 의문형 어구를 통해, 고인들이 닦아온 학문의 업적을 따르는 것의 당위성을 재차 강조하고 있다. [B]는 '~돌아왔는고'라는 의문형 어구를 통해 학문에 꾸준히 정진하지 못한 이들에 대한 조언의 태도를 드러낸다.
❹ [A]에는 '못'이라는 부정 표현을 통해 이미 고인이 되신 훌륭한 어른들의 가르침을 배울 수 없는 상황을 표현한다. 또한 '아니'라는 부정 표현을 통해 훌륭한 어른들이 닦아놓은 학문의 길을 따라가지 않을 수 없다는 것을 강조하고 있으므로, 화자가 '못', '아니'라는 표현을 통하여 반성하는 자세를 드러낸다고 볼 수 없다. 또한 [B]에는 부정 표현이 드러나지 않는다.
⑤ [A]는 '나도 고인 못 뵈네'라는 구절에 이어서 '고인을 못 봐도'라는 구절로 앞의 내용을 연결하고 있으며, '가던 길 앞에 있거든'이라는 앞의 내용을 반복하고 있다. 또한 [B] 역시 '당시에 가던 길', '이제야 돌아왔는고', '이제야 돌아왔으니'처럼 앞 구절의 일부가 다음 구절에서 반복되고 있다.

8.④ 외적 준거에 의거하여 작품 감상하기

① (가)의 9수에서 '고인(古人)도 날 못 보고 나도 고인

못 뵈네'라는 구절을 통하여 '고인'과 '나'가 만나지 못하는 현실을 인식하고 있다. 비록 고인을 만날 수는 없지만 그가 이미 닦아 놓은 학문적 수양의 길을 '가던 길'이라고 표현하고 있으며, '가던 길 앞에 있거든 아니 가고 어찌할까'에서와 같이 '고인'을 따르겠다는 의지를 표현한다.

② (가)의 10수에서 '당시(當時)에 가던 길'은 그 당시에 학문에 뜻을 두고 정진하던 상황을 뜻하고, '딴 데'라는 시어는 '이제야 돌아왔으니'와 연결되며 학문 수양이 아닌 다른 것에 정신을 쏟았던 것을 뜻한다. 10수에서 '딴 데 마음 말으리'는 앞으로는 학문 수양에 온 힘을 다하겠다는 의미로 파악할 수 있다.

③ (가)의 11수에 등장하는 '청산'은 '만고에 푸른' 존재이고, '유수'는 '주야에 그치지 않는' 존재로 자연물의 변치 않는 속성을 대변한다. 또한 '우리도 그치지 마라 만고상청하리라'는 변치 않는 자연물처럼 학문 수양에 정진하겠다는 자세를 표현한 것이라 할 수 있다.

❹ (나)의 첫 번째 문단에서 지나간 성인들의 가르침은 간단 명료하여 이해하기 쉬웠으나, 요즘의 일부 학자들은 진리를 표현하며 '말의 갈래를 쪼개고 나누어' 이해를 어렵게 하고, 정작 자기 자신의 문제에 대하여 성찰은 하지 않은 채 남들에게 진리를 설파하려고 한다며 비판하고 있다. 따라서 '말의 갈래를 쪼개고 나누'며 '자신의 문제는 묻어'두는 태도는 대비되는 것이 아니라 비슷한 성격을 지닌 것이다.

⑤ (나)의 다섯 번째 문단에서 인간과 동물을 구분 짓는 덕목은 바로 '책임'이며 우리는 이웃의 기쁨과 아픔을 나눠 가질 책임이 있다고 하였다. 따라서 '끌려가는 짐승'이란 인간이 지녀야 할 책임 의식, 신념 등이 존재하지 않는 자를 뜻하며, '살아 움직이는 인간'이 되려면 학문을 통해 배운 신념을 바탕으로 당당하게 살아야 함을 강조하고 있다.

9. ② 외적 준거에 의거하여 작품 감상하기

① 네 번째 문단에서 필자는 학문이나 지식을 많이 아는 것에 자만하지 않고, 지식 과잉에서 오는 관념성과 지식을 피상적으로만 아는 태도를 경계해야 함을 강조하고 있다.

❷ (나)의 네 번째 문단에서 '무학'이란 학문에 대한 무용론이 결코 아니며, 전혀 배움이 없거나 배우지 않았다는 뜻이 아니라고 하였다. 또한 지식이 인격과 단절될 때 그 지식인은 사이비요, 위선자가 되고 만다고 하였다. 따라서 배움이 부족하여 지식을 인격과 별개로 보는 태도라는 것은 적절하지 않다.

③ 네 번째 문단에서 '무학'이란 많이 배웠으면서도 배운 자취가 없는 것을 가리킨다고 하였다.

④ 세 번째 문단에서 인간이 얼마만큼 많이 알고 있느냐는 대단한 것이 못 되며, 아는 것을 어떻게 살리느냐가 중요하다고 하였다. 이와 더불어 네 번째 문단에서 무학이란 지식에서 추출된 진리에 대한 신념이 일상화되어야 한다고 밝히고 있다.

⑤ 네 번째 문단에서 지식 과잉에서 오는 관념성을 경계하고, 지식이나 정보에 얽매이지 않은 자유롭고 발랄한 삶의 소중함에 대해 제시하고 있다.

【10~14】 (가) 윤동주, '눈 오는 지도'

작품해설
1939년 '하늘과 바람과 별과 시'에 실린 이 작품은

시적 대상인 '순이'를 그리워 하는 마음을 산문적 형태의 줄글로 표현한 작품이다. 순이가 떠나는 날에 흩날리는 눈에 슬픈 감성이 투영되었고, 그 슬픔이 발자국, 꽃 등의 시어로 섬세하게 표현되며 시각적 이미지가 강조되었다.

- **갈래** : 자유시, 서정시
- **성격** : 서정적, 산문적
- **어조** : 애상적
- **제재** : 순이와의 이별
- **주제** : 순이와의 이별에 대한 안타까움
- **중요 시구 및 시어 풀이**
  - 벽과 천정이 하얗다 : 슬픔의 정서를 시각적 이미지로 표현함.
  - 눈이 녹으면 남은 발자국 자리마다 꽃이 피리니 : 꽃 사이로 발자욱을 찾아 나서면 일 년 내 눈이 녹으면 발자국 자리마다 그리움의 꽃을 피워 그 꽃 사이로 순이를 따라 가고픈 심정을 나타냄.

(나) 김종철, '만나는 법'

작품해설
어린 시절의 '나'와 어머니와의 대화를 시작으로 일상적인 삶의 의미에 대한 성찰을 담은 작품이다. 어른이 된 현재 시점에서 자신이 어머니에게 '내일'이 언제 오냐고 묻던 일과, 어머니가 임종을 앞두고 '내일'이 올 것인지를 묻는 장면을 교차시키며 사랑하는 이와의 이별을 담담한 어조로 표현하고 있다. 어제, 오늘, 내일은 우리가 구분해 놓은 시간 개념이지만, 우리가 몸담고 있는 일상의 소중함은 늘상 존재한다는 진리를 참신하게 나타내고 있다.

- **갈래** : 자유시, 서정시
- **성격** : 일상적, 사색적
- **어조** : 회상적
- **제재** : 어머니의 죽음
- **주제** : 어머니와의 사별과 일상적 삶의 진실과 소중함.
- **중요 시구 및 시어 풀이**
  - 아니란다 오늘은 오늘이고 내일은 또 하룻밤 더 자야 한단다 : 내일은 '나'의 기다림과 설렘 속에서만 존재하는 시간.
  - 수실로 뜨인 학 한 마리가 날아오르며 다시 물었습니다 : 어머니의 죽음을 간접적으로 표현함.

(다) 정약용, '떠 있는 삶'

작품해설
작가의 유배 경험을 소재로 '떠 있는 삶'이라는 소재를 철학적으로 풀어낸 글이다. 유배지에 머물면서도 마치 평생을 살 것처럼 화초를 가꾸고 주변을 정돈하는 작가의 모습을 보고 나산 처사는 삶이란 떠 있는 것인데 굳이 그럴 필요가 없다며 반색을 표하자, 작가는 물고기와 새, 물방울과 구름, 해와 달, 하늘, 지구 등 만물이 떠 있으며 도리어 떠 있는 것은 슬픈 것이 아니라고 강조한다. 현재의 처지에서 의미를 부여하며 삶에 대해 긍정적으로 인식하는 화자의 태도에서 삶에 대한 여유가 느껴진다.

- **갈래** : 고전 수필, 기
- **성격** : 관조적, 귀납적
- **어조** : 긍정적, 철학적
- **제재** : 떠 있는 삶

- **주제** : 삶이란 세상이라는 물결에 떠 있다는 것을 인정하는 태도

10. ① 작품의 특징 파악하기

❶ (가)에는 '순이'의 부재에 대한 슬픔과 공허함을 '방안을 돌아다 보아야 아무도 없다.' '네 쪼고만 발자욱을 눈이 자꾸 나려 덮여 따라갈 수도 없다'와 같이 나타내고, (나)에는 사랑하는 어머니가 돌아가신 후 '이제 더 이상 고향에서 급한 전갈이 오지 않았습니다'라고 어머니에 대한 그리움을 담담하게 표현하고 있다. 따라서 (가)와 (나)에는 대상의 부재에서 느끼는 정서가 드러나 있다.

② (가)의 화자는 순이가 떠난 후 '슬픈 것처럼 창밖에 아득히 깔린 지도 우에 덮인다', '열두 달 하냥 내 마음에는 눈이 나리리라'와 같이 쓸쓸함과 공허함을 느끼고 있으므로 자신의 현재 모습에 대해 긍정적으로 인식한다고 볼 수 없다. (다)의 '나는 유배지에 있는 처지이지만 꽃모종을 심고 약초 씨앗을 가꾸며 지내고 있다. 이에 대해 의아함을 표현하는 나산 처사에게 '나'는 '떠다닌다는 게 아름답지 않습니까?'라는 자신의 가치관을 드러내고 있으므로 현재 모습에 대해 긍정적으로 인식하고 있음을 알 수 있다.

③ (나)의 화자는 '어머니는 어제라는 집', '아내는 오늘이라는 집', '딸은 내일이라는 집에' 살고 있다는 것에 현실을 인정하고 일상을 소중하게 여기고 있다. (다)에는 유배지에서의 '떠 있는 삶' 그대로의 가치를 인정하고 있다. 따라서 (나)와 (다)에 부정적인 현실이 개선되리라는 믿음이 드러나 있다는 설명은 적절하지 않다.

④ (가)에는 순이가 떠나는 상황에 대한 슬픔이 중점적으로 드러나 있을 뿐, 과거에 대한 만족감은 나타나지 않는다. (나)의 1연에는 '내일은 언제 오냐', '오늘이 내일인가요?' 등에서 어린 '나'가 내일에 대한 기대감을 갖고 있음이 부분적으로 드러난다.

⑤ (나)에는 외적 갈등이 해소되는 과정이 드러나지 않았다. 단지 어머니의 죽음이 '어머니의 베갯모에 수실로 뜨인 학 한 마리가 날아오르며', '이제 더 이상 고향에서 급한 전갈이 오지 않았습니다' 등을 통해 간접적으로 표현되어 있을 뿐이다. (다)의 화자는 '화초와 약초, 물과 바위는 모두 나와 함께 떠 있는 것'이라는 깨달음을 통해 인생의 태도에 대해 통찰하고 있을 뿐, 내적 갈등이 해소되는 과정은 드러나 있지 않다.

11. ⑤ 감상의 적절성 파악하기

① 화자는 순이가 떠나간다는 아침이 되자 하늘에 내리는 함박눈이 마치 '슬픈 것처럼 창밖에 아득히 깔린'다고 하였다. 이는 화자의 슬프고 아련한 정서가 이입된 것에 해당한다.

② 화자는 창밖에 아득히 내리는 함박눈을 보며 '벽과 천정이 하얗다'라고 표현한다. '하얗다'는 것은 슬픔의 정서를 시각적으로 표현한 것이다. 이어서 '방안에까지 눈이 나리는 것일까'라며 순이가 떠나는 상황에 대한 공허함과 슬픔을 나타내고 있다.

③ 순이는 '잃어버린 역사처럼 홀홀이' 떠날 수 밖에 없는 존재이고 순이가 가는 곳을 알 수 없으며 '너는 내 마음 속에만 남아 있는' 존재가 되고 만다. 뒤에 이어지는 '네 쪼고만 발자국'을 내리는 눈이 자꾸 덮어 따라갈 수도 없다고 한 것으로 보아, 화자는 순이가 가는 곳을 몰

라서 순이를 만날 수 없기 때문이라고 볼 수 있다.
④ 화자는 '눈이 자꾸 나려 덮여 따라갈 수도 없다'고 하고 있으며 떠나간 순이에 대한 간절한 그리움이 드러난다.
❺ '눈이 녹으면 남은 발자국 자리마다 꽃이 피리니 꽃 사이로 발자욱을 찾아 나서면 일 년 열두 달 하냥 내 마음에는 눈이 나리리라'라는 것은 눈이 녹으면 순이가 떠나간 발자국 자리마다 그리움의 꽃을 피워 그 꽃 사이로 순이를 따라 가고픈 간절한 심정을 표현한 것이다. 이를 두고 화자가 꽃이 피면 순이를 만날 수 있다고 확신하는 것이라고 볼 수 없다.

12. ② 작품의 내용 파악하기

① [A]에서 시간에 대해 묻던 주체는 어린 시절의 '나'이다. 어린 '나'는 '내일'의 의미에 대해 묻고 있고 곁의 어머니는 '내일은 또 하룻밤 더 자야'오는 것이라고 답해 준다. [B]는 세월이 흐른 후의 상황으로 어머니는 임종을 앞두고 '내일까지 갈 수 있을까?'하고 묻고, 어른이 된 '나'는 '그럼요 하룻밤만 지나면 내일인 걸요'라며 어머니에게 답하고 있다.
❷ [B]에서 화자는 어머니의 임종을 겪으며 '오늘'은 '내일'이라는 존재를 예상할 수 없지만, 사랑하는 이와의 이별을 맞이하는 것을 피할 수는 없음을 깨닫고 있다. 이를 통해 [C]에서 삶이란 과거, 현재, 미래가 어우러진 것이라는 일상적인 삶의 진실을 깨닫고 있다. 따라서 [B]에서 만남에 대한 화자의 긍정적인 인식이 [C]에서 부정적인 인식으로 전환되고 있는 부분은 찾을 수 없다.
③ [A]에는 어린 시절의 '나'가 어머니에게 내일이 언제 오는지를 묻는 화자의 경험이, [B]에는 어머니의 임종을 앞두고 어머니와 대화를 나누었던 경험이 나타난다. [C]에는 삶이란 과거, 현재, 미래가 어우러진 것이라는 화자의 깨달음이 드러난다.
④ [A]와 [B]는 어머니와 '나'가 대화를 나누는 형식을 통해, [C]는 어머니의 임종 후 '나'의 고백적인 깨달음을 통해 삶에 대한 통찰을 표현하고 있으므로 적절한 설명이다.
⑤ [A]는 어린 시절의 '나', [B]는 어른이 된 '나'가 어머니의 임종을 눈 앞에 두고 있는 상황, [C]는 어머니의 임종 후를 나타내고 있으므로 [A]에서 [B], [B]에서 [C]는 시간의 흐름에 따라 시상이 전개되고 있다.

오H 많이 틀렸을까?
시 문학에서 '인식'이라는 단어가 나오면 '나'의 생각이 아니라 이 작품의 '화자'의 눈으로 보는 연습을 꾸준히 해야 해. 어린 시절의 '나'는 내일이 무엇인지도 잘 모르는 미숙한 존재였지만, 어른이 된 지금은 '내일'이란 내가 노력한다고 오는 것은 아니지만, 내가 피할 수도 없는 대상이라는 것을 깨닫고 있어. 특히 어머니의 임종을 앞두고 삶의 진면목을 마주하고 있는거야.

13. ① 소재의 기능 파악하기

❶ 화자는 '네가 가는 곳을 몰라 어느 거리, 어느 마을, 어느 지붕 밑, 너는 내 마음속에만 남아 있는 것이냐'라며 눈이 녹으면 '남은 발자국'을 찾아 순이를 찾아 나서고 싶다고 하고 있다. 이때의 '편지'는 순이에 대한 그리움의 표현한 것일 뿐, 화자가 순이를 만나러 가는 계기가 되지는 않는다. 이에 비해 '전갈'은 어머니의 임종이 임박했다는 것을 알려주는 것으로 '전갈'을 받고 화자는 어머니를 만나러 가고 있으므로 만남의 계기라 할 수 있다.

② 화자는 순이의 부재에 대해 '너는 잃어버린 역사처럼 홀홀이 가는 것이냐'라고 표현하고 있으므로 부분적으로, 나라의 암울한 시대 상황에 대한 인식이 반영되어 있다고 볼 수도 있다. 이에 비해 '전갈'는 고향에 계신 어머니의 임종이 임박했음을 알리는 것으로 시대 상황은 드러나 있지 않다.
③ '편지'는 화자가 순이에게 자신의 할말을 전하는, '전갈'은 화자에게 어머니의 소식을 전해주는 소재이다. 따라서 화자에게 대상의 소식을 전해주는 소재는 '편지'가 아닌 '전갈'이다.
④ '편지'와 '전갈' 모두 과거의 상황에 대한 화자의 반성은 나타나지 않는다.
⑤ '편지'는 순이에 대한 화자의 애틋함이 드러나는 소재이다. '전갈'은 어머니의 임종에 관한 소식이 담긴 소재로 이를 통해 어머니와 '내일'에 대한 마지막 대화를 하게 되었다. 따라서 '편지'와 '전갈'은 화자의 태도를 부정적으로 바꾸는 소재가 아니다.

14. ⑤ 외적 준거에 따른 감상의 적절성 파악하기

① '나산 처사'는 나산의 남쪽에 암자를 세울 때, '대충 깎은 나무로 기둥을 세우고 낡은 밧줄로 얽어 놓았으며, 뜰과 채마밭은 가꾸지 않아 잡초가 무성'하게끔 두었다고 회상하며 귀양 온 '나'가 마치 오래오래 여기 살 것처럼 정성들여 거처를 가꾸는 것에 대해 의아한 시선을 보낸다. 따라서 '나산 처사'는 자신의 삶이란 떠 있는 것에 불과하다는 것으로 생각하는 것이지, 아름답다는 근원적인 긍정에 도달했기 때문은 아니다.
② '나산 처사'가 나산의 남쪽에 암자를 세우고 사당을 모실 때, 대충 깎은 나무로 기둥을 세우고, 밭은 가꾸지 않아 잡초가 무성하다고 하였다. 이는 자신의 생활 터전에 대하여 커다란 애착이 없다는 것을 보여주는 것으로, 자신의 삶이 덧없다는 것을 인정하지 않았기 때문이 아니다.
③ 글쓴이는 '어부는 떠다니며 고기를 잡고, 장사꾼은 떠다니며 이익을 얻습니다'라며 떠 있는 존재를 슬프게만 보지 않는다. 이는 삶의 덧없음을 수용하면서 근원적인 긍정에 도달한 것과 연관이 있으므로, 글쓴이가 자신이 만나는 대상이 덧없는 존재임을 깨닫지 못했기 때문이라는 설명은 적절하지 않다.
④ 글쓴이는 물고기와 새, 물방울, 구름과 안개, 해와 달, 별자리, 하늘, 지구 등 만물이 천하에 떠 있다는 것을 인정하고 있다. 또한 '떠 있다가 서로 만나면 기뻐하고, 떠 있다가 서로 헤어지면 홀홀 잊을 따름'이라고 하는 것으로 보아 글쓴이는 존재의 무상성과 덧없음을 수용하고 있음을 알 수 있다.
❺ 글쓴이는 유배지에 고립되어 있는 상황에서도 '꽃모종을 심고 약초 씨앗을 뿌리며 샘을 파고 못과 도랑을 만들고 바위를 세우는 등' 정성을 쏟으며 가꾸고 있다. 이는 '떠 있는 것이 슬픈 건 아니'라는 화자의 가치관과 통하는 것으로 가변적인 상황에서도 덧없음을 슬퍼하지 않고 자신의 삶을 즐기고 있음을 알 수 있다.

Day 21

본문 119쪽

1. ③ 2. ⑤ 3. ④ 4. ① 5. ①
6. ③ 7. ④ 8. ③ 9. ④ 10. ③
11. ③ 12. ② 13. ①

【1~4】 (가) 양사언, '태산이 놉다 하되~'

작품해설
'태산'은 중국에 있는 높고 큰 산으로 작품에서 화자가 추구하는 이상과 목표를 뜻한다. 화자는 힘들고 어려운 일도 스스로 꾸준히 노력하면 반드시 결실을 맺을 것이라고 강조한다. 그러나 대부분의 사람들이 포기하는 것에 대한 안타까움을 표하며 인내와 꾸준함을 강조하고 있다.
■ 갈래 : 평시조, 단시조
■ 성격 : 교훈적
■ 어조 : 성찰적
■ 제재 : 태산
■ 주제 : 실천적 노력과 끈기의 중요성
■ 중요 시구 및 시어 풀이
 • 사람이 제 아니 오르고 뫼만 놉다 하더라 : 사람들이 스스로 산을 오를 시도조차 하지 않으면서 산이 높다고만 하는 것에 대한 안타까움과 경계를 표현하고 있다.

(나) 김시습, '사청사우'(乍晴乍雨)

작품해설
'사청사우'(乍晴乍雨)란 날이 개었다가 비가 내린다는 뜻으로 변화무쌍한 날씨를 인간사에 빗대어 주제를 강조하고 있다. 지조와 원칙을 중요시하던 사람들도 이해관계에 따라 남을 헐뜯지만 이와 다르게 자연은 의연한 모습을 보이며 지조를 지킨다고 표현한다. 인간사는 인심의 변화와 세태에 따라 달라지는 것이므로 지나친 욕심을 버리고 순리대로 살 것을 권고하는 작품이다.
■ 갈래 : 한시
■ 성격 : 교훈적
■ 어조 : 풍자, 비판적
■ 제재 : 자연과 인간사
■ 주제 : 세속적인 인간 세상에 대한 비판
■ 중요 시구 및 시어 풀이
 • 逃名却自爲求名(공명을 피하더니 도리어 스스로 공명을 구함이라) : 자신의 편에 섰던 사람들도 입장이 바뀌거나 이해관계가 달라지면 자신을 헐뜯고, 명예를 마다하던 사람 역시 상황에 따라 명예를 탐하는 면모를 보이는 것을 표현함.

(다) 이규보, '이옥설'(理屋說)

작품해설
행랑채를 수리한 자신의 경험을 구체적으로 제시하고 거기서 얻은 깨달음을 유추의 방식으로 인간사와 정치의 경우로 확장한 수필이다. 작은 실수라도 고치지 않으면 커다란 문제가 될 수 있으며 바로잡기 어려울 수 있음을 강조하며 설의적 표현을 통해 교훈적 주제 의식을 독자에게 전달하고 있다.

■ **갈래** : 한문 수필, 설
■ **성격** : 교훈적, 체험적
■ **어조** : 성찰적
■ **제재** : 행랑채를 수리한 경험
■ **주제** : 삶을 사는 바른 자세와 정치 개혁의 필요성
■ **중요 시구 및 시어 풀이**
  • 나는 이에 느낀 것이 있었다. 사람의 몸에 있어서도 마찬가지라는 사실을 : 사람이 살면서 겪는 모든 일에도 행랑채를 수리하며 느낀 교훈이 적용된다는 것을 뜻한다.

---

1. ③ 〈작품 간의 공통점 파악하기〉

① (가)는 포기하지 않고 무엇인가를 꾸준히 행하면 이룰 수 있다는 것을 강조하며, 쉽게 포기해버리는 사람들에게 경계를 표현하고 있다. (나)는 변덕이 심한 날씨를 인간사에 빗대어 설명하며 인간의 헛된 욕망을 버리고 순리대로 살 것을 권하고 있다. 따라서 (가)와 (나)는 자신의 가치관을 남에게 전파하며 설득과 교훈적 주제 의식을 표현하고 있으므로, 자신의 가치관을 성찰하며 개선하고 있다고 볼 수 없다. (다)는 자신이 집을 수리했던 경험을 바탕으로 작은 실수라도 방치하면 큰 문제로 불거져 낭패를 볼 수 있다는 주제 의식을 성찰하며 깨달음을 얻고 있다.
② (가), (나), (다) 모두 현재의 상황에 대한 성찰과 깨달음을 다루고 있으나 현재의 상황을 극복하고자 노력하는 모습은 나타나지 않는다.
❸ (가)는 '태산'이 아무리 높아도 하늘 아래에 있는 산에 불과하듯이 꾸준히 노력하면 이루지 못할 일이 없다는 것을 강조하고 있다. (나)는 사람들이 진리로 굳게 믿고 있는 자연의 이치마저 사실은 변덕스러우며, 자신의 편이던 사람들도 이해관계가 따라 입장을 달리 할 수 있다는 것을 강조하며 순리에 따른 삶을 강조하고 있다. (다)는 잘못을 알고도 바로 고치지 않으면 전체를 망칠 수 있다는 점을 부각시키며 삶의 이치와 나라를 다스리는 것에 대해 논하고 있으므로 (가), (나), (다) 모두 바른 삶을 살아가는 자세에 대해 말하고 있다는 설명은 적절하다.
④ (가), (나), (다) 모두 이념과 현실 사이의 갈등 속에서 방황하는 모습은 드러나지 않는다.
⑤ (가)는 포기하지 않고 꾸준히 노력하는 모습을, (나)는 욕망에 휩쓸리지 않는 삶을, (다)는 백성을 좀먹는 무리들을 적시에 처단하는 것을 강조하고 있다. 그러나 이를 두고 추구하는 이상 세계의 모습을 구체적으로 언급하고 있다고 볼 수 없다.

---

2. ⑤ 〈작품을 종합적으로 감상하기〉

① [A]에서는 날씨가 개었다가 비가 오고 다시 개는 상황을 드러내며, 인간이 진리로 여기고 있는 자연도 이러하거늘 인간사의 인정이란 더욱 변덕이 심하다고 표현하고 있으므로, 자연 현상에 빗대어 세상 인정에 대한 화자의 부정적 인식을 드러낸다고 볼 수 있다.
② [B]는 세상 사람들이 자신을 기리고 따르다가도 이해관계가 맞지 않으면 자신을 헐뜯는 것, 명예를 마다 하던 사람들도 입장이 바뀌면 명예를 탐하는 모습을 대구의 형식으로 사례로 들고 있다.
③ [C]는 꽃은 피고 지는 것을 반복하는 변덕스러운 존재이지만, 그 꽃을 봄조차 다스릴 수 없으며, 구름이 오

고 가는 것에 대해 산은 의연한 태도로 다투지 않는다고 강조하였다. 즉 가변적인 대상인 '꽃'과 '구름'을 불변의 대상인 '봄'과 '산'과 대조하며 화자의 의도를 강조하고 있다.
④ 도치법이란 문장의 일반적인 어순을 달리하며 주제를 강조하는 기법으로, [D]는 '세상 사람들에게 말하노니, 반드시 기억해 알아 두라'는 문장을 의도적으로 먼저 배치하고, 알아 두어야 할 대상인 '기쁨을 취하려 한들, 어디에서 평생 즐거움을 얻을 것인가를'을 뒤에 배치하며 우리가 어느 세계의 질서에 따라 사는 것이 행복하겠냐는 의미를 강조하고 있다.
❺ [A]~[D]는 전반적으로 세상 사람들에게 지나친 욕심을 버리고 세상의 이치에 맞게 살 것을 권하고 있으나, 자연물에 빗댄 인간사를 바탕으로 시상을 전개하고 있을 뿐 묻고 답하는 방식으로 시상을 전개하고 있지는 않다.

---

3. ④ 〈내용 전개 과정 파악하기〉

① ㉠은 자신의 거처에 있는 행랑채를 수리했던 경험을 예로 들며 장마에 오래 노출되었던 부분은 주변의 서까래, 추녀, 기둥, 들보가 모두 썩어 있었고, 비를 한 번밖에 맞지 않았던 한 칸의 재목들은 다시 쓸 수 있었음을 밝히고 있다. 이 경험을 토대로 사람이 살면서 겪는 많은 일들도 이와 같다고 느꼈다고 하였다. 따라서 ㉠은 자신의 경험을 바탕으로 느낀 문제점을 제시하고 있을 뿐 문제에 대해 다양한 해결책은 나타나지 않는다.
② ㉠을 통해 얻은 깨달음을 유추의 방식을 통해 확장시킨 것이 ㉡이므로 ㉠과 ㉡이 서로 상반되는 견해라는 설명은 적절하지 않다.
③ ㉠은 행랑채를 고치며 얻은 개인적인 경험이고, ㉡은 ㉠을 세상사의 이치에 적용시켜 얻은 보편적이고 교훈적인 깨달음이다. 따라서 사건의 원인에 해당하는 것은 ㉠이고, ㉡은 ㉠을 통해 얻은 깨달음에 해당한다.
❹ ㉠에서 행랑채를 수리하는 과정에서 잘못이 있으면 미루지 않고 빨리 고치는 태도가 필요하며, 그 진리를 유추를 통해 사람의 몸과 마음, 더 나아가서 나라를 다스리는 정치의 경우에도 확장시킨 것이 ㉡이므로 적절한 설명이다.
⑤ ㉠은 생활 속에서 얻은 개인적인 깨달음과 경험인데 비해, ㉡은 일상에서 얻은 진리를 사람이 행하는 일과, 정치에 적용한 것이다. 따라서 ㉠이 ㉡에서 얻은 깨달음을 자신의 생활에 적용한 것이라는 설명은 적절하지 않다.

---

4. ① 〈구절의 의미 파악하기〉

❶ 호미로 막을 걸 가래로 막는다는 것은 일이 사소할 때에는 처리하지 않다가 결국에는 쓸데없이 큰 힘을 들이게 됨을 이르는 말이다. ㉮는 비에 젖은 부분을 방치하여 결국에는 전체를 못 쓰게 됨을 이르는 상황이므로 이에 대한 반응으로 적절한 속담이다.
② 낫 놓고 기역자도 모른다는 말은 글자를 전혀 알지 못할 정도로 지식이 부족한 경우를 뜻하는 것이므로 ㉮에 대한 반응으로 적절하지 않다.
③ 까마귀 날자 배 떨어진 상황이란 아무 관계 없이 한 일이 공교롭게도 때가 일치하여 어떤 관계가 있는 것처럼 의심을 받게 되는 상황을 비유적으로 이르는 말이므로 ㉮에 대한 반응으로 적절하지 않다.

④ 개구리 올챙이 적 생각 못 한다는 말은 형편이나 사정이 전에 비하여 나아진 사람이 지난날의 어렵거나 보잘 것 없던 때를 생각하지 못하고 처음부터 자신이 잘난 듯이 뽐내는 것을 비유적으로 이르는 말로, ㉮에 대한 반응으로 적절하지 않다.
⑤ 우물에 가서 숭늉을 찾는 경우란 모든 일에는 질서와 법도가 있는데 일의 순서를 모르고 성급하게 덤비는 것을 비유적으로 이르는 말로 ㉮에 대한 반응으로 적절하지 않다.

【5~9】 (가) 윤선도, '오우가(五友歌)'

▶ **작품해설**

작가가 56세 때 전라도 해남 금쇄동(金鎖洞)에 은거할 무렵에 지은 '산중신곡(山中新曲)'에 실린 여섯 수의 시조로, 수(水-물)·석(石-돌)·송(松-솔)·죽(竹-대)·월(月-달)을 다섯 벗으로 삼아 서시(序詩) 다음에 각각 그 자연물들의 특질을 들어 자신의 자연애(自然愛)와 관조를 담아냈다. 우리말의 아름다움을 잘 나타내어 시조를 절묘한 경지로 이끈 고산 윤선도 문학의 대표작이다. 첫 수는 뒤에 나올 다섯 수에 대한 소개를 하며 서시이고, 둘째 수는 물, 셋째 수는 바위, 넷째 수는 소나무, 다섯째 수는 대나무, 여섯째 수는 달을 각각 친근한 벗으로 표현함으로써 사물에 대한 작가의 짙은 애정을 드러내고 있다. 이 작품은 우리말의 어휘와 어미, 문장 등을 잘 다듬는 시인의 언어적 감각에 의해 완벽하게 구현이 되고 있으며, 자연에 대한 우리 선조들의 사상과 정신이 잘 응축되어 있는 작품으로 볼 수 있다. 특히, 자연과 인간이 하나로 어우러진 물아일체(物我一體)의 경지를 잘 그려내고 있다.

■ **갈래** : 연시조(전 6수)
■ **성격** : 예찬적, 찬미적(讚美的)
■ **제재** : 물, 바위, 소나무, 대나무, 달
■ **주제** : 오우(五友-수·석·송·죽·월) 예찬
■ **특징**
  – 대상의 속성을 예찬의 근거로 제시함.
  – 자연물에 가치를 부여하는 인간 중심의 가치관을 드러냄.
■ **연대** : 조선 인조
■ **출전** : '고산유고'

같은작가 다른기출

1995학년도 수능 '오우가'
2000학년도 수능 '어부사시사'
2003학년도 9월 모의 수능 〈보기〉 '만흥 2'
2005학년도 6월 모의 수능 〈보기〉 '어부사시사'
2007학년도 9월 모의 수능 '만흥'
2012학년도 6월 모의 수능 '견회요'
2014학년도 예비 모의 수능 '어부사시사'

(나) 박완서, '꽃 출석부 1'

▶ **작품해설**

글쓴이가 자신의 마당에 핀 꽃들을 관찰하며 느끼는 즐거움을 표현하고 있는 수필이다. 하찮은 잡초처럼 보였던 복수초가 눈을 녹이고 피어나 해를 바라보는 모습을 보면서 복수초의 강한 생명력에 경탄하고 있다. 또한 글쓴이는 자신의 마당에 피어나는 수많은 꽃들이 계절의 질서에 맞춰 차례대로 피

는 모습을 오랜 시간 관찰하면서 다른 이들에게는 대수롭지 않아 보이는 꽃들도 일일이 기억하고 있으며, 100가지 종류가 넘는 꽃들이 피어나는 순서도 빠짐없이 외우고 있다. 꽃 출석부를 만들어 꽃 하나하나를 확인하고 소중히 여기는 글쓴이의 모습에서 섬세한 감정과 자연에 대한 무한한 애정을 느낄 수 있다.

- **갈래** : 경수필
- **성격** : 체험적, 사색적
- **제재** : 마당의 꽃과 나무
- **주제** : 봄꽃에 대한 애정
- **특징** : 글쓴이의 세심한 관찰력과 섬세한 감정이 드러남.

같은작가 다른기출

2005학년도 9월 모의 수능 '엄마의 말뚝 2'
2016학년도 수능 '나목'

---

5. ① 　作品 간 공통점 파악하기

❶ (가)에서는 〈제2수〉에서 '검기', 〈제3수〉에서 '푸르는 듯', 〈제5수〉에서 '푸르니' 등에서, (나)에서는 '흑갈색 잔뿌리', '검은 흙', '샛노란 꽃', '진한 황금색', '더욱 샛노랗게' 등에서 색채어를 사용하여 대상을 감각적으로 묘사하고 있음을 알 수 있다.
② (가)에서 〈제4수〉의 '~ 눈서리를 모르느냐', 〈제5수〉의 '~어이 비었느냐', 〈제6수〉의 '~ 너만한 이 또 있느냐' 등에서 설의적 표현을 사용하고 있지만 이를 통해 대상에 대한 그리움을 강조하고 있지는 않다. 또 (나)에서는 설의적 표현을 활용한 부분이 없으므로 적절하지 않다.
③ (나)에서는 '축 처진'에서 의태어 '축'이 음성 상징어로 사용되었지만, (가)에서는 음성 상징어가 사용된 부분을 찾기 어렵다.
④ (가)에서는 '솔아 너는 어찌 눈서리를 모르느냐' 등에서 말을 건네는 방식을 통해 자연물에 대한 화자의 애정을 표출하고 있으나, (나)에서는 봄꽃에 대한 애정을 드러내고 있지만 자연물에게 말을 건네는 방식은 표현되고 있지 않다.
⑤ (가)와 (나) 모두 반어적 표현을 활용한 부분을 찾을 수 없다.

---

6. ③ 　외적 준거를 통해 작품 감상하기

① (가)의 〈제4수〉에서 추운 겨울 눈서리를 맞아도 솔의 잎이 지지 않는 모습에서, 화자는 시련에 굴하지 않는 굳건함을 '솔'의 속성으로 인식하고 있음을 알 수 있다.
② (가)의 〈제5수〉에서 곧도 사계절 푸른 모습을 잃지 않는 대나무의 모습에서, 화자는 본모습을 지켜 나가는 꿋꿋함을 '대나무'의 속성으로 인식하고 있음을 알 수 있다.
❸ (가)의 〈제6수〉에서 화자는 높이 떠서 만물을 비추는 광명의 존재인 '달'이, 모든 것을 비추고, 보고도 말을 하지 않는다며 그 과묵함을 '달'의 속성으로 인식하고 있다. 그런데 높이 떠 있는 것이, 보고도 말을 하지 않는 과묵함이라는 속성을 인식하는 데 방해가 된다는 진술은 적절하지 않다.
④ (나)의 글쓴이는 '키는 땅에 닿을 듯이 작은데 잎도 새의 깃털처럼 잘게 갈라져 있어서 전체적으로 볼륨이

느껴지지 않아 하찮은 잡초처럼 보'이는 복수초의 겉모습을 보면서 눈 속에서 피는 '복수초'의 강인함이라는 속성을 한동안 인식하지 못한 것으로 볼 수 있다.
⑤ (나)의 글쓴이는 작은 키로는 견디기 어려운 두터운 눈 속을 헤치고 꽃을 피우는 '복수초'의 모습에서 역경을 이겨 내는 강인한 생명력을 발견하고 있다.

---

7. ④ 　시상 전개 과정 이해하기

① A에 속하는 〈제1수〉에서는 다섯 벗을 '수석', '송죽', '달'로 묶어 제시하고 있는데, 수석은 무생물, 송죽은 생물, 달은 천상의 자연물과 각각 대응된다.
② B에 속하는 〈제2수〉와 〈제3수〉에서는 각 수의 중심 소재인 '물'과 '바위'의 덕성을 예찬하고자 이와 대조적인 속성을 지닌 존재인 '구름', '바람'과 '꽃', '풀'과 대응시키고 있다.
③ B에서는 초장과 중장이 서로 대구를 이루고 있고, C에 속하는 〈제4수〉와 〈제5수〉의 초장, 중장에서도 대구가 이루어지고 있다. 따라서 B에 시작된 대구의 방법은 C에서도 이어지며 시적 운율감을 이어가고 있음을 확인할 수 있다.
❹ A에서 제시된 다섯 벗은 B, C, D에서 차례대로 각각의 덕성을 예찬하고 내용으로 이어지고 있다. 따라서 화자의 시선은 B, C, D 모두 중심 소재인 다섯 자연물로 향하고 있는 것으로 볼 수 있다. 그런데 이를 두고 화자의 시선이 D에서 내면으로 이동하고 있다고 이해하는 것은 적절하지 않다.
⑤ 〈제1수〉는 긴 시에서 머리말 구실을 하는 부분으로, 여기서 언급된 다섯 자연물은 이후 〈제2수〉에서 〈제6수〉까지 각 수에서 순차적으로 배치되고 있다.

고전 시가 현대어 풀이

윤선도 '오우가(五友歌)'

〈제1수〉
나의 벗이 몇이나 있느냐 헤아려 보니 물과 돌과 소나무, 대나무이다.
게다가 동쪽 산에 달이 밝게 떠오르니 그것은 더욱 반가운 일이로구나.
그만 두자, 이 다섯 가지면 그만이지 이 밖에 다른 것이 더 있은들 무엇하겠는가.
〈제2수〉
구름의 빛깔이 아름답다고는 하지만, 검기를 자주 한다.
바람 소리가 맑게 들려 좋기는 하나, 그칠 때가 많도다.
깨끗하고도 끊어질 적이 없는 것은 물뿐인가 하노라.
〈제3수〉
꽃은 무슨 까닭에 피자마자 곧 져 버리고,
풀은 또 어찌하여 푸르러지자 곧 누른 빛을 띠는가.
아무리 생각해 봐도 영원히 변하지 않는 것은 바위뿐인가 하노라.
〈제4수〉
따뜻해지면 꽃이 피고, 날씨가 추우면 나무의 잎은 떨어지는데,
소나무여, 너는 어찌하여 눈이 오나 서리가 내리나 변함이 없는가?
그것으로 미루어 깊은 땅 속까지 뿌리가 곧게 뻗쳐 있음을 알겠노라.
〈제5수〉
나무도 아니고 풀도 아닌 것이, 곧게 자라기는 누가 그리 시켰으며,
또 속은 어이하여 비어 있는가?
저리하고도 사시사철에 늘 푸르니, 나는 그것을 좋아하노라.

〈제6수〉
작은 것이 높이 떠서 온 세상을 다 비추니
한밤중에 밝은 빛이 너보다 더한 것이 또 있겠느냐?
보고도 말을 하지 않으니 나의 벗인가 하노라.

---

8. ③ 　대상에 대한 심리적 태도 파악하기

① (가)의 〈제3수〉에서 화자는 다섯 벗 중의 하나인 '바위'의 변치 않는 덕성을 예찬하고자, 피었다가 쉽게 지는 '꽃'의 속성을 제시하고 있다. 이를 통해 화자는 바위와 대조적인 성격을 지닌 꽃에 대해 부정적으로 인식하고 있음을 알 수 있다. 따라서 ㉠에는 '꽃'에 대한 화자의 동질감이 담겨 있다고 볼 수 없다. 이에 반해 (나)의 글쓴이는 두터운 눈을 녹이고 더욱 샛노랗게 더욱 싱싱하게 해를 보고 있는 '복수초'를 애정 어린 시선으로 바라보며 대견해 하고 있다. 따라서 ㉡에서 '꽃'에 대한 글쓴이의 이질감이 나타난다고 볼 수 없다.
② ㉠에는 '꽃'에 대한 화자의 안도감이, ㉡에는 '꽃'에 대한 글쓴이의 불안감이 담겨 있다고 볼 수 없다.
❸ (가)의 화자는 '바위'를 벗으로 인식하면서 반면에 꽃에 대해서는 부정적으로 인식하며 심리적 거리감을 드러내고 있다. 반면에 (나)의 글쓴이는 '복수초'에 대한 애정과 친근감을 표현하고 있으므로 적절한 내용이다.
④ ㉠에서 '꽃'의 가변성에 대한 화자의 아쉬움 정도 드러난다고 볼 수 있으나 비애감이 드러난다고 보기는 어렵고, ㉡에는 '꽃'에 대한 글쓴이의 애상감이 나타나 있지 않다.
⑤ ㉠에서 '꽃'에 대한 화자의 자괴감이 드러나지 않고, ㉡에는 '꽃'에 대한 글쓴이의 심리적 만족감이나 뿌듯함이 담겨 있다고 볼 수 있다.

---

9. ④ 　제목에 담긴 상징적 의미 이해하기

① 글쓴이는 100식구나 되는 대식구를 부양할 마당이 있다는 생각에 뿌듯하고 행복감을 느낀다고 했지만, 더 많은 종류의 꽃들을 마당에 심고 싶어 하는 마음을 드러내고 있다고 볼 수 없다.
② 글쓴이는 복수초처럼 작은 꽃도 자랑스러워하며 손님들에게 구경시켰지만 기대하는 것만큼 신기해 해 주는 이가 별로 없다고 했다. 이를 통해 글쓴이는 남들 눈에는 보잘 것 없어 보이는 소박한 꽃들에 대해서도 애정을 보이고 있으므로 화려한 꽃의 가치를 우선시했다는 것은 적절하지 않다.
③ 글쓴이는 꽃들은 기다리지 않아도 때가 되면 자연히 피어날 것이라고 말하고 있으므로 봄이 빨리 오기를 기다리는 조급함이 드러난다는 것은 적절하지 않다.
❹ 글쓴이는 마당에 피는 꽃들을 기다리고 마중하면서 이름과 번호를 매기다 보니 '출석부'가 생기게 되었다고 했다. 이를 통해 '출석부'에는 자연의 질서에 따라 차례대로 피고 지는 꽃들에 대한 글쓴이의 애정, 기다림, 설렘, 기대감이 담겨 있다고 할 수 있다.
⑤ 글쓴이가 마당에 핀 꽃들을 주변 사람들과 함께 즐기기를 바라는 마음은 나타나 있지만, 이는 '출석부'의 의미와는 관련이 없다.

[10~13] (가) 작자 미상, '황계사'

작품해설

조선 말기의 가곡집인 「남훈태평가」에 실려 있는 작

품으로, 작자와 연대가 알려져 있지 않은 12가사의 하나로 '황계타령(黃鷄打令)'이라고도 불린다. 『청구영언(靑丘永言)』, 『악부(樂府)』 등의 책에 실려 전하는데, 수록본마다 가사가 조금씩 다르다. 이별한 임을 그리워하며 속히 돌아와 주기를 바라는 여인의 심정을 과장과 해학을 통해 드러내고 있는데, 가사의 내용에 「구운몽」의 내용이 삽입된 것으로 보아 「구운몽」이 창작된 이후에 불렸음을 알 수 있다. 이별한 임이 소식조차 전해 주지 않는 상황에서 임에 대한 애절한 마음을 병풍에 그린 황계에 의탁하여 표현하고 있다. 특히 의성어, 의태어의 음성 상징어가 빈번히 사용되고 있는 특징을 보이고 있으며, 어구의 반복, 일정한 문장 구조를 통한 대구, 과장과 해학 등 다양한 방식으로 화자의 정서를 전달하고 있다. 또한 가창(歌唱)을 고려하여 반복과 병렬이 두드러지며, 후렴구가 나타나기도 하는데 이는 연행 과정의 즉흥성 혹은 구비성을 드러내는 부분이라고 볼 수 있다.

[놓치지 말자!]

- **갈래** : 가사, 가창 가사
- **성격** : 서정적, 애상적, 낭만적
- **제재** : 임과의 이별
- **주제** : 임에 대한 그리움과 기다림
- **의의** : 조선 후기 가창(歌唱) 문화권에서 대중적 인기를 누린 작품
- **특징**
  - 유사한 정서의 사설들을 나열하는 형식을 취함.
  - 가창되는 특성을 고려하여 일정한 운율로 전개됨.
  - 자연물에 의탁하여 화자의 심정을 나타냄.
- **구성**
  - 1~8행: 이별한 후에 오지 않는 임에 대한 원망
  - 9~19행: 죽어서라도 임과 만나고 싶어함.
  - 20~25행: 임에 대한 기다림과 그리움
- **중요 시구 및 시어 풀이**
  - 일조(一朝): 갑작스러울 정도의 짧은 시간. 하루아침.
  - 황계(黃鷄): 털빛이 누런 닭.

(나) 이규보, '봄의 단상'

작품해설

고려 시대 대표적인 문인인 이규보가 지은 작품으로 『동국이상국집』과 『동문선』에 수록되어 있는데, 원제는 '춘망부'이다. 이 작품은 작자의 생각이나 눈 앞의 경치 같은 것을 있는 그대로 드러내 보이는 한문 문체를 보이는데 오늘날의 수필에 해당한다. 작가는 다양한 사람들을 관찰하면서 그들이 봄을 대하는 태도에 차이가 있음을 제시하고, 그런 것처럼 세상은 단순하지도 않고 한 가지로 묶어서 설명할 수 없다는 생각을 드러내고 있다. 이 작품은 춘망의 다채로운 정서뿐만 아니라 작가의 자유분방한 성격과 달관의 경지를 보여 주고 있다.

[놓치지 말자!]

- **갈래** : 고전 수필, 한문 수필, 설(設)
- **성격** : 경험적, 묘사적, 사색적, 성찰적, 달관적, 병렬적, 대조적

- **제재** : 봄에 느끼는 다양한 정서
- **주제** : 봄에 느끼는 다양한 정서와 깨달음
- **특징**
  - 다양한 상황에 따른 사람들의 정서를 추측하여 표현하고 있다.
  - 추측과 열거를 통해 다양한 반응을 표현하고 있으며 추측을 나타내는 표현을 통해 자신의 생각을 드러내고 있다.
  - '나의 경험' → '나의 생각' → '나의 깨달음' 순으로 전개되고 있다.
  - '봄'과 다른 계절을 대조하여 표현하고 있다.
  - 비유와 감각적 표현을 사용하여 봄의 경치를 형상화하고 있다.
  - 비유, 객관적 상관물을 통해 감정을 표현하고 있다.
  - 다른 대상과의 대조를 통해 처지를 강조하고 있다.

같은작가 다른기출

- 2015학년도 6월 모의 수능 〈보기〉 '사가재기'

10. ③ · 작품 간 표현상의 공통점 파악하기

① (가)의 '육관대사 성진(性眞)이는 ~ 다리고 희롱한다'에서 구운몽의 내용을 인용하고 있지만, 두 작품에서 환상적 공간의 묘사를 통해 긴장된 분위기를 드러내고 있는 부분은 확인할 수 없다.

② (가)에서 '이 아해야 말 듣소'라는 후렴구가 반복되고 있지만 (나)에서 부르는 말을 반복하는 부분은 찾아볼 수 없으므로 적절하지 않다.

❸ (가)에서 화자는 임과의 재회가 늦어지는 이유를 '물이 깊어 못 오던가', '산이 높아 못 오던가' 등의 추측을 나타내는 표현을 통해 그 이유를 찾으려 하고 있다. 또한 (나)에서 '나'는 '부귀한 사람이 봄을 볼 때는 이러하리라', '슬프고 비탄에 찬 사람이 봄을 볼 때는 이러하리라' 등의 추측을 나타내는 표현을 통해 사람들이 처한 상황에 따라 봄을 받아들이는 태도가 달라질 수 있다는 생각을 드러내고 있다.

④ 두 작품에서 언어유희를 통해 현실에 대한 태도를 간접적으로 드러내고 있는 부분은 확인할 수 없다.

⑤ 두 작품에서 명령형 어조를 찾아볼 수 없으므로 적절하지 않다.

11. ③ · 외적 준거를 통해 작품 감상하기

① '일조 낭군 이별 후에 소식조차 돈절하야'를 통해, 화자가 하루아침에 임과 이별하여 소식이 갑자기 끊긴 상황임을 알 수 있다.

② '자네 일정 못 오던가 무삼 일로 아니 오더냐'를 통해, 임이 오지 않는 이유를 알지 못하는 상황에서 임에 대한 화자의 원망과 답답한 심정을 짐작할 수 있다.

❸ 임과 화자 사이를 가로막는 장애물을 '개', '물', '산', '달'이라는 외부적 요인에 두고 임과의 재회가 늦어지는 이유를 찾고 있다. 작품에서 화자가 임과 이별하게 된 이유는 제시되어 있지 않으므로 적절하지 않다.

④ '병풍에 그린 ~ 울거든 오랴는가'에서 '병풍에 그린 황계'가 우는 불가능한 상황을 가정하며 그런 상황이 되어야만 임이 올 것인지 묻고 있는데, 여기서 화자는 임

이 돌아오지 않는 것에 대한 원망을 드러내고 있다.

⑤ '너란 죽어 ~ 떠서 노자'에서 화자가 죽어서라도 다시 임과 재회하고 싶어 하는 간절한 마음을 드러내고 있다.

오H 맘이 틀렸을까?

'황계사'에는 자신을 찾아오지 않는 임에 대한 그리움의 감정과 함께 임과 즐거운 시간을 보내고 싶다는 소망을 드러내고 있는데, 이를 위해 화자는 반복과 과장, 대구, 나열, 해학적 표현과 같은 다양한 표현을 사용하여 자신의 정서를 효과적으로 드러내고 있어. 그런데 많은 학생들이 '병풍에 그린 황계'가 우는 불가능한 상황을 가정하며 그런 상황이 되어야만 임이 돌아올 것인지 묻고 있는 내용을 잘 이해하지 못한 듯 해. 또한 화자는 임과의 재회가 늦어지는 이유를 '물이 깊어 못 오던가', '산이 높아 못 오던가'라고 추측하며 그 이유를 찾으려 하고 있어. 이는 화자가 임과 이별하게 된 이유를 외부적 요인에서 찾고 있는 것으로 볼 수 없지. 이 문제의 정답률이 낮은 이유가 고전 시가의 감상이 어렵고 선택지의 내용을 제대로 파악하지 못했기 때문이라고 분석이 돼. 아래 현대어 풀이 자료를 참고해 봐.

고전 시가 ▶ 현대어 풀이

작자 미상 '황계사'

하루아침에 낭군과 이별 후에 소식조차 끊어져서
그대 정말 못 오는가? 무슨 일로 아니 오는가?
이 아이야 말 들어 보소.
황혼 저문 날에 개가 짖어 못 오는가?
이 아이야 말 들어 보소.
봄비에 못에 물이 가득 차니 물이 깊어 못 오는가?
이 아이야 말 들어 보소.
여름 구름이 봉우리에 가득하니 산이 높아 못 오는가?
이 아이야 말 들어 보소.
한 곳을 들어가니 육관대사 성진이는 석교상에서 팔선녀 데리고 희롱한다.
지화자 좋을시고.
병풍에 그린 누런 닭이 두 날개 둥둥 치고 짧은 목을
길게 빼어 긴 목을 쭉 펴서
새벽녘 날 새라고 꼬끼요 울거든 오려는가?
그대 어이 그리하여 오지 않는가?
너는 죽어 황하수 되고 나는 죽어 큰 나룻배가 되어
밤이나 낮이나 낮이나 밤이나
바람 불고 물결치는 대로 어화 두둥실 떠서 놀자
저 달아 보느냐?
임 계신 데 나도 보게 밝은 빛을 비춰주렴,
이 아이야 말 들어 보소.
가을 달이 밝게 빛나니 달이 밝아 못 오는가?
어디를 가서 너는 아니 오느냐?
지화자 좋을시고.

12. ⑤ · 작품 구조화하여 감상하기

① A에서 봄을 즐기느라 온화한 표정인 사람들의 모습을 보면서 그 따뜻한 기운이 자신에게도 전해지는 것 같다고 하면서도 '나'가 답답한 마음을 갖게 되었다고 하였다. 이러한 경험은 B의 '나'의 생각이 시작되는 계기가 되고 있음을 알 수 있다.

② B에서 아름다운 경치를 바라보며 흡족해 하는 '천자'의 모습을 추측하여 봄을 대하는 부귀한 사람의 태도를 생각하고 있다.

③ B에서 '왕족과 귀족의 자제들'은 화려하고 사치스럽게 봄을 즐기고 있지만, 반면에 집 떠난 '나그네'가 봄을 볼 때는 마음이 조급하고 한스럽다고 하였으므로, 봄을

대하는 입장이 서로 대비되고 있음을 알 수 있다.
④ B에서 봄을 대하는 사람들, 즉 '천자', '왕족과 귀족의 자제들', '부인', '군인', '나그네'를 통해 짐작해 본 '나'의 생각들은, '보이는 경치와 처한 상황'에 따라 다르게 받아들일 수 있다는 C의 깨달음으로 이어지고 있다.
❺ C에서 '나'는 '닥쳐오는 상황을 마주하고 변화하는 조짐을 순순히 따르며 나를 둘러싼 세상과 더불어 움직여 가리니'라고 하며 상황의 변화에 순응하며 살겠다는 깨달음을 드러내고 있다. 그런데 이러한 깨달음이 자신을 둘러싼 세상을 변화시키고자 하는 의지로 확장되고 있다고 이해하는 것은 적절하지 않다.

13. ① 소재의 기능 파악하기

❶ (가)의 화자는 ㉠의 '달'에게 '임 계신 데'를 밝게 비추어 자신도 임을 보게 해달라고 요청하고 있으므로 화자의 소망을 드러내는 소재이다. 또한 (나)에서 ㉡의 쌍쌍이 나는 '제비'는 남편과 이별한 부인을 눈물짓게 만들고 있으므로 인물의 처지를 부각하는 소재라고 볼 수 있다.

Day 22

1. ② 2. ③ 3. ⑤ 4. ④ 5. ④
6. ④ 7. ③ 8. ② 9. ① 10. ⑤

【1~5】 (가) 김소월, '삭주구성(朔州龜城)'

작품해설

작가의 고향인 '삭주구성'에 대한 그리움을 3음보 율격에 담아낸 작품이다. '삭주구성'은 다양한 의미를 담고 있다. '물 맞아 함빡이 젖은 제비도 / 가다가 비에 걸려 오는 곳이요, '산 넘어 / 먼 육천 리'인 곳으로, 꿈속에서도 쉽게 갈 수 없는 장소이다. 그러므로 유배지, 불귀지지(不歸之地), 또는 죽음의 이미지를 지닌 공간이다. 그렇기에 화자에게 '삭주구성'은 체념의 장소이다. 그러나 화자는 그곳이 결코 돌아올 수 없는 곳임을 알면서도, 사랑하는 '님을 둔 곳이길래' 그곳을 지향하고 있다. 비록 '산 넘어 / 먼 육천 리'인 곳이지만, '새들도 집이 그리워 / 남북으로 오며가며' 하는 것을 바라보며 화자는 귀향에 대한 소망의 의지를 불태운다. '들 끝에 날아가는 나는 구름은 / 반쯤은 어디 바로 가 있을 텐고' 하는 데에서 화자는 그 구름을 타고 어느덧 '삭주구성' 가까이 가 있는 듯한 꿈에 부풀기도 한다. 이처럼 화자가 갖는 체념과 미련의 양면성을 함께 표상하는 것이 바로 '산'이다. 산은 화자가 지향하는 '삭주구성'을 가로막고 있는 장애물의 표상이기도 하지만, 한편으로는 그것을 넘기만 하면 곧바로 '삭주구성'에 도달할 수 있기에 극복의 대상이기도 하다. 화자가 존재하는 이곳은 고달픈 생활의 연속인 현실의 공간이요, 임이 없는 부재의 공간임에 비해, 화자가 그토록 가고 싶어 하는 '삭주구성'은 다시는 돌아올 수 없는 곳임에도 불구하고 임이 계신 곳이자 안식과 평화를 가져다주는 동경(憧憬)의 공간으로 이해할 수 있다.

[놓치지 말자!]

- **갈래** : 자유시, 서정시
- **성격** : 감상적, 민요적, 향토적, 애상적, 체념적, 서정적
- **어조** : 그리워하며 안타까워하는 어조
- **제재** : 삭주구성(고향)
- **주제** : 삭주구성(고향)에 대한 그리움
- **특징**
  - 일정한 율격(7·5조)을 사용함.
  - 명사형으로 시상을 종결하여 여운을 조성함.
  - 자연물을 통해 자신의 처지를 드러냄.
  - 수치 표현으로 심리적 거리를 표출함.
- **'삭주구성'의 시상 전개**
  - 1연 : 멀고도 험한 곳으로서의 삭주구성
  - 2연 : 갈 수 없는 곳으로서의 삭주구성
  - 3연 : 꿈속에서라도 가고 싶은 삭주구성
  - 4연 : 간절히 그리운 곳으로서의 삭주구성
  - 5연 : 삭주구성에 대한 그리움과 체념
- **중요 시구 및 시어 풀이**
  - 삭주구성 화자가 가고 싶어도 갈 수 없는 체념의 장소이자, 끝없이 동경하는 공간을 상징함.
  - 물에 젖은 제비 그리운 곳에 가고 싶어도 갈 수 없는 화자의 처지를 대신하는 소재임.

- 산 화자에게 시련과 고통을 안겨다 주는 매개체이지만, 동시에 이 산을 넘기만 하면 바로 삭주구성에 도달할 수 있다는 점에서 극복의 대상이 되기도 함. 장애물의 표상이자 극복의 대상임.
- 못 보았소 새들도 집이 그리워 / 남북으로 오며가며 아니합니까 화자의 귀향에 대한 소망과 의지를 드러냄.
- 새, 구름 화자와 대조적 처지에 놓인 소재로, 화자의 비애감을 증폭시켜 주는 소재임.
- 먼 육천 리 화자와 대상과의 사이에 놓인 정서적 거리감으로, 체념의식의 표현이기도 함.

같은작가 다른기출

2014학년도 6월 모의 수능 '접동새'
2011학년도 9월 모의 수능 '길'
2008학년도 6월 모의 수능 '나의 집'
1999학년도 수능 '진달래꽃'
1996학년도 수능 '삼수갑산'
1994학년도 수능 '산'

(나) 이성복, '당신'

작품해설

삶의 상처를 안고 노동의 현장에서 땀 흘리며 힘겹게 살아온 사람들에 대한 연민의 정을 노래한 작품이다. 1연에서는 '아낙네들'이 '얼어붙은 땅을 파고 무씨를 갈고 있는' 공간이, 2연에서는 '연뿌리'를 캐고 있는 '뻘밭'을 통해 소외된 사람들의 힘겨운 삶의 현장이 배경이 된다. 이 두 공간은 '노동'이라는 표면적 연관성과 '상처'라는 이면적 연관성을 공유함으로써 서로 연결되고, 그렇게 확장된 의미와 정서는 3연에 이르러 '당신'의 삶을 연민의 시선으로 떠올리는 화자의 목소리를 통해 집약된다. 화자는 노동을 하며 고단하게 살아 온 사람들의 모습을 그리고 있다. 그리고 그들의 고달픈 처지와 삶의 상처를 떠올리며 그들에 대한 연민의 정서를 드러내고 있다.

[놓치지 말자!]

- **갈래** : 자유시, 서정시
- **성격** : 애상적, 관찰적, 추보적, 사실적, 서정적, 서경적
- **어조** : 연민의 어조
- **제재** : 당신
- **주제** : 힘겨운 삶을 살아온 사람들에 대한 연민의 정
- **특징**
  - 공간의 나열로 시적 이미지를 형상화하고 화자의 정서가 확충됨.
  - 계절적 배경을 활용하여 힘겨운 현실을 드러냄.

같은작가 다른기출

2011학년도 6월 모의 수능 '서해'

(다) 함민복, '길의 열매 집을 매단 골목길이여'

작품해설

전통적인 골목길이 사라져가는 현실을 안타까워하며 골목길의 다양한 풍경과 그 안에서 펼쳐지는 삶의 모습을 전달하고 있다. 작가는 시골 방앗간이 완

벽한 건축물이라고 말하는 이일훈 선생의 강의에 공감하며, 자신이 만났던 완벽한 골목길을 떠올린다. 담이 없어 길이 담장인 골목길과 대비하여 불신의 산물로 세워지는 높은 담장으로 구분된 현재의 골목길을 비판적으로 바라보고 있다. 작가는 평화롭고 완벽하며 믿음으로 세워진 골목길의 건강함을 강조하고 있다. 그리고 골목길을 우리들의 삶의 때가 묻은 길이라고 표현하며 다양한 삶의 모습들을 열거하며 일상이 깃든 골목길에 대한 애정을 드러내고 있다.

[놓치지 말자!]

- **갈래** : 현대 수필, 경수필
- **성격** : 감각적, 회고적, 대비적, 체험적, 비판적, 예찬적
- **어조** : 안타까움의 어조
- **제재** : 골목길
- **주제** : 다양한 풍경과 삶이 어우러진 골목길에 대한 애정
- **특징**
  - 간결한 문장으로 구성됨.
  - 골목길에 대한 작가의 인상을 몽타주 기법으로 제시함.
  - 골목길에서 만날 수 있는 다양한 풍경을 열거하고 묘사함.
  - 대상의 모습을 비유와 감각적 이미지를 활용해 구체적이고 생생하게 전달함.
  - 현재형 시제를 활용해 현장감과 생동감을 느끼게 함.
  - 불신의 담장과 믿음의 담장을 대비해 주제 의식을 강조함.
  - 비교법을 통해 삶이 묻어 있는 골목길에 대한 애정을 드러냄.

1. ②   표현상의 특징 파악하기

① (가)에서 '먼 육천 리'라며 명사로 시행을 마무리하고 있지만, (나)에서는 찾을 수 없다.
❷ (가)에서는 새들도 집이 그리워 남북으로 오며 가며 나는 모습과 삭주구성에 가고 싶지만 갈 수 없는 화자의 상황을 대비하여 고향에 대한 그리움을 드러내고 있다. (다)에서는 불신의 산물로 세워지는 담장과, 함께 살아가는 똑같은 인간이라는 믿음으로 세운 담장을 대비하여 골목길에 대한 서술자의 생각을 드러내고 있다.
③ (나)와 (다)에서는 반어적 표현을 찾을 수 없다.
④ (다)에서는 '후드득', '부지직' 같은 음성 상징어를 사용하고 있다. 하지만 (가)와 (나)에서는 찾을 수 없다.
⑤ (나)에서는 '얼어붙은 땅'을 통해 계절감을 느낄 수 있지만, 다른 작품에서는 공감각적 이미지를 통해 계절감을 드러낸 부분은 찾을 수 없다.

왜 말이 틀렸을까?

갈래가 다른 세 작품을 놓고 표현상 특징을 파악하는 것은 쉬운 작업은 아닐거야. 세 작품은 시각적 심상이 두드러진 특징을 보이고 있어. 그리고 (가)는 집이 그리워 남북으로 오고 가는 새들과 삭주구성에 가고 싶지만 갈 수 없는 화자의 상황을 대비하여 삭주구성에 대한 그리움을 드러내고 있지. 또한 (다)는 담장을 통해 서로를 불신하는 공간에서 살아가는 것과 믿음이 있는 공간에서 살아가는 것을 대비하여 골목길에 대한 생각을 드러내고 있는 점을 다시 한 번 살펴보도록 해.

참고자료

공감각적 이미지

1. 공감각적 이미지
: 둘 이상의 감각적인 표현이 함께 어우러져 사용될 때 하나의 감각을 다른 종류의 감각으로 바꾸어 표현하는 이미지, 감각의 전이 현상이 일어난다.
  ⑩ 퇴색한 성교당(聖敎堂)의 지붕 위에선
    분수(噴水)처럼 흩어지는 푸른 종소리
    (→ 청각의 시각화)
김광균의 '외인촌' 중에서 '분수처럼 흩어지는 푸른 종소리'는 종소리인 청각적 심상을 푸른색의 시각적 이미지로 전이해 표현한 구절이다. 공감각적 이미지는 하나의 감각을 다른 감각으로 바꾼다는 것에서 감각의 전이라고도 한다.
  ⑩ 즐거운 지상(地上)의 잔치에
    금(金)으로 타는 태양(太陽)의 즐거운 울림
    (→ 시각의 청각화)
박남수의 '아침이미지' 중에서 '금으로 타는 태양의 즐거운 울림'은 금빛으로 타고 있는 태양의 시각적 이미지를 즐거운 울림이라는 청각적 이미지로 전이하여 표현한 시구이다.
이처럼 공감각적 이미지는 '청각의 시각화'나 '시각의 청각화'처럼 본래 인식한 이미지와 전이된 이미지를 각각 밝히어 표현한다.
2. 복합감각적 이미지
: 둘 이상의 감각적 표현이 함께 쓰일 때 각각 다른 감각적 대상이 단순하게 나열되는 것을 말한다. 즉, 두 가지 이상의 감각이 단순히 그냥 나란히 제시되는 것이다.
  ⑩ • 벌이 응응거리다 빨간 꽃에 내려앉았다.
    (→ 청각과 시각의 나열)
  • 전나무 우거진 마을
    집집마다 누룩을 디디는 소리 누룩이 뜨는 내음새 …… – 오장환 '고향 앞에서' 중에서
    (→ 청각과 후각의 나열)
위 표현은 감각적 표현이 나란히 열거된 것에 불과하다. 공감각적 이미지처럼 하나의 감각에서 다른 감각으로 전이된 것이 아니라 각각의 감각적 심상이 나란히 나열만 된 것이다.
이와 같이 공감각적 이미지와 복합감각적 이미지를 구분해 보면, 하나의 대상을 나타내는 이미지들이 하나로 연결되어 있으면 공감각적 이미지라고 볼 수 있다. 반면에 하나의 대상이더라도 각각의 이미지가 구분된 채로 나열되어 있으면 복합감각적 이미지라고 할 수 있다.

2. ③   작품 감상의 적절성 파악하기

① 삭주구성은 '물로 사흘 배 사흘'을 가야 할 정도로 멀리 있음을 보여 주고 있다.
② '높은 산'은 화자가 삭주구성을 가는 데 방해가 되는 대상으로, 이를 반복함으로써 삭주구성에 가기 어려움을 강조하고 있다. 또한 화자가 갖는 체념과 미련의 양면성을 함께 표상하는 것이 바로 '산'이다. 산은 화자가 지향하는 삭주구성을 가로막고 있는 장애물의 표상이기도 하지만, 한편으로는 그것을 넘기만 하면 곧바로 삭주구성에 도달할 수 있기에 극복의 대상이기도 하다. 그렇기 때문에 화자는 마음속으로나마 '산'을 넘고 있다고 이해할 수 있다.
❸ 화자는 삭주구성에 가는 꿈을 꾸지만 꿈속에서마저

도 실현되지 않고 있다. 삭주구성은 '산 너머 / 먼 육천리'에 있지만 꿈에서는 '사오천 리'이기 때문에 꿈속 상황에서 삭주구성이 더 멀어졌다고 보는 것은 적절하지 않다.
④ 화자는 사랑하는 '님을 둔 곳이길래' 그곳을 지향하는 것이다. 삭주구성은 임이 계신 곳이자 안식과 평화를 가져다주는 동경(憧憬)의 공간이다.
⑤ 화자는 삭주구성에 자유롭게 갈 수 없기에 자유롭게 날아가는 '구름'을 통해 삭주구성을 그리워하는 마음을 드러내고 있다.

참고자료

시인 김소월

1902년 평안북도 구성의 부유한 농가에서 태어나 유복한 환경이었으나 아버지가 철도 공사를 하던 일본인들에게 폭행을 당해 정신 이상 증세를 보이자, 할아버지 밑에서 한문을 배우며 자랐다. 특히 그는 둘째 숙모로부터 옛날이야기를 많이 들으며 자랐는데, 이것이 유년 시절 그의 정서에 많은 영향을 끼쳤다고 회상한다. 1917년 정주에 있는 오산 학교에 들어간 김소월은 스승 김억의 지도로 시를 쓰기 시작했다. 1919년 3·1 운동이 일어나 오산 학교가 문을 닫자 배재 학교로 옮겨서 졸업했다. 1920년 '창조'에 처음으로 '낭인의 봄', '그리워' 등 시를 발표하여 문단에 발을 들여 놓았다. 김소월은 매우 아름다운 시를 많이 발표하여 우리나라 문학 발전에 크게 기여했다. 그는 5~6년이라는 짧은 문단 생활을 했지만 100편이 넘는 많은 작품을 남겼으며, 우리 겨레의 정서와 자연을 민요적인 가락으로 아름답게 노래했다. 이리하여 김소월은 우리나라의 대표적인 서정 시인으로 일컬어진다. 또 그는 개인적인 감정의 '님'을 대상화시킴으로써 한(恨)의 정서를 통해 일제 강점기 우리 민족의 보편적인 감정을 잘 표현한 민족시인이기도 했다. 김소월의 시에는 민요에서 흔히 보이는 사투리와 땅이름이 자주 나타나며, 임에 대한 이루지 못한 사랑을 노래하여 그리움과 상실감이 그의 시 밑바탕에 잔잔히 흐르고 있다. 또한 전통 가락으로 우리의 정서를 아름답게 노래하여 일제 강점기 우리 민족의 설움을 잘 나타내고 있다. 김소월의 대표작이라 할 수 있는 '진달래꽃'은 한국 서정시의 전통을 계승한 작품으로 평가받고 있으며, 우리 민족의 정서를 아름답게 노래한 그의 작품들은 시대를 뛰어넘어 오늘날에도 많은 사람들에게 널리 불리고 있다.

3. ⑤   외적 준거를 통해 감상하기

① '얼어붙은 땅'은 아낙네들이 땅을 파고 무씨를 가는 것을 더 힘겹게 하는 요소로 작용한다.
② 물이 마르지 않은 뻘밭은 고된 노동의 현장으로 볼 수 있다.
③ 화자가 '당신의 상처'를 연뿌리보다 질기고 뻣세다고 한 것은 그들의 삶에 대한 연민을 드러낸 것으로 볼 수 있다.
④ 얼어붙은 연뿌리만 연신 캐고 있는 당신의 보람 없는 삶을 지켜보며 '도로뿐인 한 생애'를 보낸다고 말하고 있는데, 이를 통해 나아지지 않는 삶을 살아가는 사람들의 고달픈 처지를 드러냈다고 볼 수 있다.
❺ 뻘밭에서 얼어붙은 연뿌리를 캐고 있는 '당신'을 목청을 다해 화자가 부른 것은 상처를 안고 힘겨운 노동을 하는 이들에 대한 연민의 마음을 드러낸 것으로 볼 수

있다. 이를 두고 화자 자신이 삶의 상처를 위로받고 싶은 마음을 드러냈다고 이해하는 것은 적절하지 않다.

참고자료
시적 화자의 태도

1. 시적 화자의 태도란?
   시적 화자가 시적 제재·독자·사회를 향해 내는 개성적 목소리 및 대응 방식을 말한다. 주로 시적 화자의 태도는 '어조'를 통해 드러나는 것이 일반적이다.

2. 주된 유형
   - ㉠ 예찬적 태도 → 사람이나 대상이 가진 좋은 점을 찾아서 그것을 칭찬하고 세워주는 태도
   - ㉡ 비판적 태도 → 사회나 대상의 잘못된 점을 따지는 태도
   - ㉢ 구도적 태도 → 진리나 궁극적인 깨달음의 경지를 구하는 태도
   - ㉣ 긍정적, 낙관적 태도 → 상황이나 대상이 옳다고 인정하거나 바람직하다고 받아들이는 태도 또는 지금은 어렵고 힘들지만 앞으로 일이 잘 풀릴 것이라고 생각하는 태도
   - ㉤ 달관적 태도 → 세상의 근심 걱정, 사소한 사물이나 일 등에 얽매이지 않고 세속에서 벗어나 초월한 자세를 보이는 태도
   - ㉥ 반성과 성찰의 태도 → 자기의 잘못을 되짚어 뉘우치거나, 자신이나 대상을 찬찬히 살펴보는 태도
   - ㉦ 의지적 태도 → 절망적이거나 어려운 상황을 이겨내려는 굳센 마음을 먹는 태도
   - ㉧ 수용적 태도 → 어떤 상황을 자신의 운명으로 생각하고 받아들이는 태도
   - ㉨ 관조적 태도 → 좀 떨어진 위치에서 거리를 두고 대상을 바라보면서 차분한 마음으로 그 의미나 본질을 추구하고 자신에게 비추어보는 태도

4. ④ 작품 공간의 의미 파악하기

❹ '논두렁'은 농사를 지으며 살아가는 사람들의 삶의 터전이고, '골목길'은 가장이 일을 마친 후 귀가하며 걷는 길, 만삭의 아낙네가 시장을 봐서 가족이 살고 있는 집을 향해 걷는 길을 뜻한다. 따라서 ㉠과 ㉡은 일상적인 생활을 이어가는 삶의 터전으로서의 공간이다.

5. ④ 작품 감상의 적절성 파악하기

① 글쓴이는 골목길의 다양한 풍경과 그 안에 담긴 정서와 그에 대한 느낌을 표현하고 있다.
② 글쓴이는 이일훈 선생의 강의를 들으며 '가슴이 찡했다. 나도 어느 골목길에서였던가 그 비슷한 느낌을 받아 보았기에 더 그랬을 것이다.'라며 공감대를 형성하고 있음을 드러내고 있다.
③ 글쓴이는 '나도 완벽한 골목길을 만났었'다고 하며 자신이 만났던 완벽한 골목길을 떠올리고 있다.
❹ 글쓴이는 이일훈 선생의 강의를 들으며 자신의 경험을 떠올린다. '완벽한 골목길'을 만났던 그때 길 담장 체험 후 골목길이 건강해 보이기 시작했다고 회상했다. 하지만 골목길에 대해 가지고 있던 자신의 편견을 후회하고 있지는 않는다.
⑤ 글쓴이는 골목길에 대해 '밥숟가락보다도 더 우리들

의 삶 때가 묻어 반질반질 윤기가 도는 길 아닌가'라며 골목길에 대한 애정을 드러내고 있다.

【6~10】 (가) 작자 미상, '잠노래'

작품해설

'잠노래'는 온종일 이어지는 여성의 고된 일상을 잠과의 씨름으로 형상화한 작품이다. 잠을 의인화하여 작중 청자로 설정하고, 원하지도 않는데 자신을 찾아와 괴롭히는 것에 대해 원망조의 넋두리를 늘어놓는 형식을 취하고 있다. 잠을 참으며 일해야 하는 삶의 고달픔을 해학을 통해 풀어내는 민중의 모습을 발견할 수 있다. '잠노래'에는 대개 농사일이나 집안일 등 바쁜 낮의 일과를 보내고 나서도 밤늦게까지 바느질과 다림질 등 남은 집안일을 해야 했던 옛날 우리나라 여인들의 애환이 담겨 있다. 바느질을 하며 불렀다는 점에서는 일종의 노동요로 볼 수 있지만, 고된 시집살이나 가난으로 인한 고된 노동을 한탄하고 있다는 점에서 노동요라기보다 서정민요에 가깝다고 볼 수 있다.

놓치지 말자!
- **갈래** : 민요, 부요, 노동요
- **성격** : 해학적, 서민적, 한탄적
- **운율** : 4·4조, 4음보
- **제재** : 잠
- **표현** : 반복과 의인법. 대조, 대구법
- **어조** : 익살스러운 여인의 목소리
- **주제** : 밤새워 바느질해야 하는 삶의 고달픔
- **특징**
  - 잠을 의인화함. 잠을 작중 청자로 설정하여 원망의 마음을 전하고 있음.
  - 일하지 않아도 되는 사람과 노동에 시달리는 자신의 처지를 대조함.
  - 넋두리 형식의 노래임.
  - 기·승·전·결의 4단 구성을 가짐.
- **중요 시구 및 시어 풀이**
  - **무삼 잠고 무슨 잠이냐? 어떻게 된 잠이야? '무삼'**은 '무슨'의 고어(古語)임.
  - **월명 동창** 달이 밝게 비추는 동쪽의 창.
  - **실 한 바람** 한 발 정도 길이의 바느질 실.

(나) 작자 미상, '귓도리 저 귓도리~'

작품해설

임과 이별한 여인의 외로움을 귀뚜라미에 의탁해서 노래하고 있는 사설시조이다. 화자는 잠을 깨우는 귀뚜라미를 원망하면서도, 자신의 슬픔을 알아주는 것은 귀뚜라미밖에 없다고 여기고 있다. 긴 소리, 짧은 소리로 슬프게 우는 귀뚜라미 소리에 대한 청각적 심상을 활용하여 깊은 밤 독수공방하며 짙은 외로움을 느끼는 화자의 심정을 애절하게 환기시키고 있다. 즉 자신의 깊은 슬픔을 귀뚜라미 소리에 감정이입하여 동병상련을 느끼고 있다.

놓치지 말자!
- **갈래** : 사설시조
- **성격** : 연모적(戀慕的), 애상적
- **제재** : 귀뚜라미
- **표현** : 의인법, 반어법, 반복법, 대상에 화자의

감정이입
- **연대** : 조선 후기
- **주제** : 임과 이별한 처지에 대한 슬픔과 외로움
- **중요 시구 및 시어 풀이**
  - **사창(紗窓)** 사붙이나 깁으로 바른 창.

(다) 이옥, '어부'

작품해설

작가는 물 속 물고기의 세계라는 우의적 방법을 통해 당대 현실을 비판하고 있다. 이 글에서 물은 국가, 용을 군주, 큰 물고기를 조정의 신하, 그다음 큰 물고기를 서리·아전, 한 자 못 되는 물고기를 백성에 비유하여 올바른 국가 경영의 도를 밝히고 있다. 이 글을 쓸 당시 왕은 백성들을 위해 정치하며 자애롭지만, 그 밑의 신하들과 벼슬아치들은 백성을 부리며, 자신의 부를 축적하는 데에만 눈이 멀어 있다는 점을 꼬집고 있으며, 작가는 왕에게 백성을 괴롭히는 신하들을 물리쳐야함을 호소하고 있다. 작가는 이 글에서 약자를 괴롭히는 강자, 즉 백성들을 괴롭히는 관리들을 잘 다스리는 것이 중요함을 강조하고 있다.

놓치지 말자!
- **갈래** : 고전 수필
- **성격** : 현실 비판적
- **주제** : 당대 사회 현실의 비판 및 올바른 국가 경영의 도

같은작가 다른기출
2011학년도 6월 모의 수능 '어부'
2004학년도 수능 '심생전'

6. ④ 화자의 태도 파악하기

① (나)는 임과 이별한 외로움을 토로하고 있지만, (가)와 (다)에는 그리움의 정서가 드러나지 않는다.
② (나)의 화자가 처한 외로움이 현실의 어려움이라고 볼 수는 있으나, 이를 극복하려는 의지적 태도는 드러나 있지 않다.
③ 세 작품 모두 이상과 현실의 괴리는 나와 있지 않다.
❹ (가)는 잠이 쏟아지지만 밤새워 일을 해야 하는 현실에 힘들어 하며 넋두리를 하고 있고, (나)는 독수공방하는 자신의 처지에 외로움을 느끼며 탄식하고 있다. 또한 (다)는 관리들이 백성을 괴롭히는 현실에 대해 안타까움을 느끼며 비판하고 있으므로 세 작품 모두 부정적 현실에 대해 탄식하는 태도를 드러내고 있음을 알 수 있다.
⑤ (가)의 바늘이나 (나)의 사창을 일상생활과 관련된 사물이라고 볼 수는 있으나, 이것의 속성에서 삶의 교훈을 이끌어 낸다고 볼 수는 없다.

7. ③ 표현상의 특징 파악하기

① (가)는 '잠아 잠아', (나)는 '귓도리' 등에서 동일한 시어를 반복함으로써 운율을 형성하고 있다.
② (나)의 귀뚜라미가 가을을 드러낸다고 볼 수는 있으

나, (가)의 원망소리가 계절감을 드러낸다고 보기는 어렵다.

❸ (가)의 '황혼'이나 '밤', (나)의 '지는 달 새는 밤'은 시간적 배경을 나타낸다고 볼 수 있으며, 이를 통해 시적 상황을 구체화하고 있다.

④ (가)의 '자심하뇨'를 설의적 표현으로 볼 수도 있으나, (나)에는 설의적 표현이 나와 있지 않다.

⑤ (가)와 (나) 모두 색채 대비는 나와 있지 않다.

고전 시가 ▶ 현대어 풀이

작자 미상 '귓도리 저 귓도리~'

귀뚜라미, 저 귀뚜라미, 불쌍하다 저 귀뚜라미,
어찌된 귀뚜라미가 지는 달, 새는 밤에 긴 소리 짧은 소리, 마디마디 슬픈 소리로 저 혼자 계속 울어, 비단 창문 안에 있는 나의 옅은 잠을 잘도 깨우는구나.
두어라, 제가 비록 미물이나 독수공방하는 나의 뜻을 아는 이는 저 귀뚜라미뿐인가 하노라.

8.② 시어의 기능 파악하기

① 화자는 일을 빨리 끝내야 하는데 ⓐ '잠'은 이러한 목적을 방해하고 있다.

❷ 화자는 외부적 요인인 귀뚜라미 소리 때문에 ⓑ '잠'이 드는 것을 방해 받고 있으므로 적절하다.

③ (가)와 (나)는 모두 잠을 통해 현실로부터 벗어나려는 모습은 보이지 않는다.

④ ⓐ는 화자의 고통을 해소시키지 않고 있다.

⑤ ⓐ는 화자가 거부한다고 볼 수 있으나, ⓑ는 화자가 거부한다고 보기 어렵다.

9.① 시구의 함축적 의미 파악하기

❶ '원망 소래'는 화자와 상반된 처지에 있는 사람이 '잠'에게 불만을 드러내는 것이 아니라, 화자가 잠에게 드러내는 불만이므로 적절하지 않다.

② 낮에도 내내 일 했음에도 불구하고 밤에 잠도 자지 못하고 다 못 끝낸 일을 마저 해야 하는 화자의 고달픈 삶이 드러나 있다.

③ 잠이 쏟아져 괴로운 화자의 상황을, 잠을 의인화하여 잠이 이 눈 저 눈 왔다 갔다 하며 요상한 수를 피운다며 해학적으로 표현하고 있다.

④ 화자가 내면적 슬픔을 귀뚜라미라는 대상에 의탁하여 드러내고 있다.

⑤ 화자는 '내 뜻 알 이는 너뿐'이라고 하며 자신의 슬픔을 알아주는 것은 귀뚜라미밖에 없다고 여기고 있다.

왜 말이 틀렸을까?

(가)의 화자는 늦은 밤에 쏟아지는 잠을 참으며 바느질을 하고 있는 상황인데, 잠을 의인화하여 청자로 두고 자신에게 찾아온 잠에게 원망을 쏟아내고 있어. 화자는 밤낮 한가하게 지내다가 잠이 안 와서 고생한다는 사람들의 처지를 자신의 처지와 대조하면서 그들에게나 찾아가라고 잠에게 부탁하기도 하지. 화자는 고달픈 자신의 신세를 한탄하기보다는 이러한 해학적인 노래를 부르면서 잠을 쫓고 나서 해야 할 일을 마치려는 의지를 나타내 보이고 있지만, 이러한 내용 속에 옛 여성들의 참혹한 노동의 한 단면을 읽고 있다는 점도 알아두렴. (나)는 임을 향한 애절한 그리움의 심경을 귀뚜라미에 의탁하여 읊은 이 작품으로 감정이입의 수법을 많이 쓴다는 점도 아울러 정리해 두는 것이 좋겠구나.

10.⑤ 외적 준거를 통해 작품 감상하기

① 사람들이 물고기를 다 잡을까 걱정하여 물을 덮어 물고기를 가려주는 행위는 군주의 어진 모습을 형상화한 것으로 볼 수 있다.

② 작은 물고기를 백성으로, 교룡과 악어를 관리로 비유하여 백성을 수탈하는 관리들의 모습을 형상화한 것으로 볼 수 있다.

③ 작은 물고기가 없이는 용이 군주가 될 수 없으며, 〈보기〉에서 나라의 근본은 백성이라는 표현에서 글쓴이의 주된 생각이 드러난다고 할 수 있다.

④ 군주의 임무 중에 백성을 괴롭히는 관리를 잘 다스리는 것이 가장 중요하다고 밝히고 있다.

❺ '사람에게도 큰 물고기가 있'다는 의미는 관리들이 백성들을 괴롭히는 현실에 대한 안타까움을 드러낸 것으로 볼 수 있다. 이를 백성의 태도를 비판하는 내용으로 이해하는 것은 적절하지 않다.

어휘풀이

• 수탈하다(收奪) 강제로 빼앗다.

참고자료

풍자 문학(諷刺文學)의 흐름과 특질

풍자 문학이란 한 사회를 지배하고 있는 모순과 불합리에 관하여 조롱·멸시·분노·증오 등의 여러 정서 상태를 통하여 독자를 감동시켜 이를 비판하고 고발하는 사회적 문학양식을 일컫는다. 풍자는 어리석음의 폭로, 사악함에 대한 징벌을 주축으로 하는 기지(機智, wit)·조롱(嘲弄, ridicule)·반어(反語, irony)·비꼼(sarcasm)·냉소(冷笑, cynicism)·조소(嘲笑, sardonic)·욕설(辱說, invective) 등의 어조를 담고 있다. 따라서 문학의 어느 갈래에서나 작가가 전개하는 논의나 교훈이 제반하게 된다. 한국 문학에서는 가전체 소설(假傳體小說)·천군류 소설(天君類小說)이나 의인화 소설·몽유록 소설(夢遊錄小說), 실학파의 소설에 풍자가 행해진다. 그리고 일부 사대부 층의 한시, 위항인의 한시와 시조, 탈춤·판소리·인형극, 하층민의 민요 등의 영역에도 나타났던 특질이다. 흔히, 풍자는 해학과 결부시켜 설명되는데, 풍자의 웃음이 공격성을 띠는 데에 반하여 해학의 웃음은 연민을 유발한다는 차이점이 있다.

한국 문학에서의 풍자 소설의 효시는 「삼국사기」에 실려 있는 설총(薛聰)의 「화왕계(花王戒)」와 불경을 통하여 전래된 인도의 「육도집경(六度集經)」 권4의 「원숭이와 자라 이야기」가 「자라와 토끼」로 정착되었다고 하는 「귀토설화(龜兎說話)」이다. 「화왕계」는 이로써 신문왕에게 풍간(諷諫)하였다는 일화가 있어서 「동문선」에는 「풍왕서(諷王書)」라고 수록되어 있다. 이 「화왕계」는 조선 시대에 와서 이이순(李頤淳)의 「화왕전(花王傳)」으로까지 발전하였다. 「귀토설화」는 본격적인 풍자 소설의 정착에 많은 영향을 끼쳤으리라고 짐작된다.

고려 시대에 와서는 무신의 집권으로 몰락한 문인들이 당(唐)·송(宋)을 전후하여 성행한 중국의 풍자 소설을 애독하고, 그것을 모방하여 현실에 대하여 신랄한 풍자를 가하게 되어 풍자 소설이 정착하게 되었다고 한다. 이것이 곧 고려 시대의 가전체 소설이며 의인전기체 소설(擬人傳記體小說)이라고도 한다. 가전체 소설은 의인화된 소재를 통하여 당시 사회의 정치·경제·사회의 모순 및 불합리함을 토로하였다. 사물에 대한 객관적인 관념과 인간 생활에 대한 합리적

의식을 표현한 가전체 문학은 경기체가(景幾體歌)와 함께 당대 사대부의 의식을 대변한 것이며, '傳(전)'의 형태를 취한 사실의 기록과 사물을 가탁(假託)한 허구를 결합함으로써 소설 형식에 접근하고 있다. 대표적인 작품으로는 임춘(林椿)의 술을 의인화하여 도피적이고 향락적인 생활과 정치적 풍토를 비판한 「국순전(麴醇傳)」과 엽전으로 당시의 경제상을 풍자한 「공방전(孔方傳)」, 이규보(李奎報)의 술을 의인화한 「국선생전(麴先生傳)」, 거북을 통하여 실속 없는 인간형의 한 양상을 풍자한 「청강사자현부전(淸江使者玄夫傳)」 등이 있다. 그리고 이곡(李穀)의 대나무를 의인화하여 올바른 정치상을 희구한 「죽부인전(竹夫人傳)」, 이첨(李詹)의 종이를 의인화한 「저생전(楮生傳)」, 석식영암(釋息影庵)의 오챙이를 통하여 부패한 승려들의 각성을 추구한 「정시자전(丁侍者傳)」 등이 있다.

조선 사회에서는 소설이 도(道)에 어긋나고 덕(德)을 어지럽힌다 하여 배격하는 양상을 보였다. 그러나 음담패설이나 남녀상열(男女相悅)의 소재 대신 유교 사상을 소재로 한 천군류와 의인류는 당대의 사회체제 및 인식에 부합하였으므로 더욱 성행하였다. 인간의 심성을 의인화한 천군류에는 임제(林悌)의 「수성지(愁城誌)」를 비롯하여 정태제(鄭泰齊)의 「천군연의(天君演義)」, 임영(林泳)의 「의승기(義勝記)」, 정기화(鄭琦和)의 「천군본기(天君本記)」, 정창익(鄭昌翼)의 「천군실록(天君實錄)」, 이옥(李鈺)의 「남령전(南靈傳)」, 김우옹(金宇顒)의 「천군전(天君傳)」이 있다. 마음을 의인화한 천군(天君)과, 충신형과 간신형의 인물유형을 중심으로 천군의 나라를 배경으로 사건이 진행되는 천군소설은 뛰어난 풍자로 소설사에서 주목되는 작품으로 평가되고 있다. 소재의 현실성이나 적극적인 시대성의 반영, 소설 구성의 요건 구비 등을 갖추게 된 조선 시대의 풍자 소설은 사물의 의인화에서도 소재를 다양화시켰다. 꽃을 의인화한 남성중(南聖重)의 「화사(花史)」와 이이순의 「화왕전」, 권필의 술을 의인화한 「주사장인전(酒肆丈人傳)」과 게를 의인화한 「곽색전(郭索傳)」, 여인의 화장용구를 의인화한 안정복(安鼎福)의 「여용국전(女容國傳)」 등이 있고, 동물을 의인화한 「장끼전」·「별주부전(鼈注簿傳)」·「두껍전(蟾同知傳)」·「쥐전(鼠同知傳)」 등이 있다. 이들은 특히 숙종을 전후로 한 귀족 문학에서 평민 문학으로의 전환과 관련하여 임진·병자 두 난 동안 지배계급의 무능력을 실감하게 된 서민층의 풍자라는 점에서 특색을 가진다. 동물의 의인화는 안국선(安國善)의 「금수회의록(禽獸會議錄)」과 같은 개화기의 소설에까지 계승된다. 고발이라는 풍자의 노골성을 완화하기 위하여 사용하는 몽유(夢遊)의 기법은 한국 고전 문학에서 간접적인 풍자 양상으로 소설의 한 유형을 형성하였는데, 꿈의 형태를 빌려 자신의 불만을 마음껏 토로한 것이 몽유류 소설이다. 김시습(金時習)의 「남염부주지(南炎浮洲志)」를 위시한 임제의 「원생몽유록(元生夢遊錄)」, 심의(沈義)의 「대관재몽유록(大觀齋夢遊錄)」, 윤계선(尹繼善)의 「달천몽유록(達川夢遊錄)」·「피생몽유록(皮生夢遊錄)」·「강도몽유록(江都夢遊錄)」·「운영전(雲英傳)」 또는 「유영전(柳永傳)」으로도 불리는 「수성궁몽유록(壽聖宮夢遊錄)」·「금화사몽유록(金華寺夢遊錄)」·「사수몽유록(泗水夢遊錄)」이 있다. 이 몽유류는 사적 현실에 밀접하게 관련되어 있고 따라서 작가의식도 제반에 갈려 있다.

풍자 문학은 기존의 권리나 윤리의 허위를 폭로하고

진실을 깨우치는 것으로부터 권력의 횡포를 비판하고 고발하는 데까지 이르는 생생한 삶의 모습을 표상하는 문학에서는 어느 시대에나 늘 있어온 문학 양식이었다. 그렇지만 이들이 어디까지나 제한적으로 나타났던 현상임에 비하여, 사회의 격변기였던 조선 후기에 와서는 사대부·위항인·하층민들의 여러 계층의 문학에서 두루 나타나는 현상으로 증폭되었다. 김삿갓으로 알려진 김병연(金炳淵)의 육담풍월(肉談風月)과 언문풍월(諺文風月), 권력의 횡포를 비판하는 「토끼전」이나 「두껍전」과 같은 우화소설을 필두로 「흥부전」이나 「춘향전」, 「적벽가」 등의 판소리, 「봉산탈춤」의 양반춤과장이나 「양주별산대놀이」의 샌님과장, 유랑광대의 공연물인 인형극 제9장의 평양 감사가 꿩사냥을 나갔다가 개미한테 물려 죽는 장면 등이 모두 풍자에 해당한다. 이는 양반사회의 실상을 비판하고 당대 현실의 허위를 꼬집으며 지배층인 양반 계층을 풍자하고 있다. 조선 후기의 박지원(朴趾源)의 소설은 풍자 문학의 정점이라 할 수 있다. 사대부층 주인공이 사회악을 풍자하는 「양반전(兩班傳)」·「호질(虎叱)」·「허생전(許生傳)」 등과 하층민의 주인공을 등장시켜 풍자를 하는 「예덕선생전(穢德先生傳)」·「광문자전(廣文者傳)」·「마장전(馬駔傳)」 등 두 갈래로 크게 나누어진다. 이들은 모두 봉건사회에서 근대사회로 이행하는 과정에서 겪게 되는 사회체제 및 가치체계의 붕괴를 풍자를 통하여 다루었다. 자서(自序) 및 그의 아들이 쓴 「과정록(過庭錄)」에는 박지원이 세상의 교우관계가 권세와 이익을 따르는 정태를 증오하여 「방경각외전(放璚閣外傳)」으로 구전(九傳)을 엮어 풍자하였다고 밝혀져 있다.
조선 말기의 풍자 소설에서는 계급의식이 무너져 평민들이 변질된 봉건사회의 내막을 투시하게 되면서 골계와 해학이 두드러지게 되고 호색풍자(好色諷刺)와 같은 대담한 소재도 다루어졌다. 「배비장전(裵裨將傳)」·「오유란전(烏有蘭傳)」·「이춘풍전(李春風傳)」·「옹고집전(雍固執傳)」·「변강쇠전」 등이 이에 속한다. 개화기에 와서는 이해조(李海朝)의 「자유종(自由鐘)」에서 명명된 토론체 소설이 다수 창작되면서 우화의 형식을 빌린 안국선의 「금수회의록」, 김필수(金弼秀)의 「경세종(警世鐘)」, 몽유록의 형식을 빌린 유원표(劉元杓)의 「몽견제갈량(夢見諸葛亮)」, 박은식(朴殷植)의 「몽배금태조(夢拜金太祖)」, 이보다 앞선 「소경과 안즘방이 문답」·「거부오해(車夫誤解)」·「향로방문의생(鄕老訪問醫生)」 등의 작품이 풍자문학이다. 이는 민족적 자각을 촉구하는 계몽적 목표에 풍자와 해학을 가미시켜 시대상을 비판하는 정치 토론의 문학으로 당시 크게 유행하였다. 이들은 대화체형식이나 극적 요소로 된 현실 문제에 대한 직접적인 발언으로서의 풍자라는 점에서 소설 형식에서는 미흡한 점이 있다. 그러나 교술적 성격의 몽유록이나 우화 소설의 전통을 계승하였다는 점에서 의미가 있다. 이외에도 신체시·신소설·신파극에 이르는 평민 지식인들의 정치 비판과 사회 풍자를 목적으로 문학 형식이 널리 차용되었다.
이러하듯 풍자 문학은 웃음의 쾌미가 암시하는 강력한 경계와 고발로 하여 다른 양식의 문학에 비하여 의미 부여가 강하므로 문학사에서는 한 시대의 특질을 표상하는 문학 작품으로 평가되고 있다.

Day 23

본문 128쪽

| 1. ④ | 2. ① | 3. ③ | 4. ⑤ | 5. ① |
| 6. ⑤ | 7. ⑤ | 8. ④ | 9. ② | |

【1~5】 (가) 이문열, '우리들의 일그러진 영웅'

작품해설

이 작품은 1960년대 시골의 한 초등학교를 배경으로 엄석대라는 절대 권력을 가진 급장과 그 앞에서 굴복하는 나약한 아이들의 모습을 통해 한국 사회의 왜곡된 의식 구조와 권력의 행태를 풍자하고 있는 작품이다. 새로운 선생님을 만나면서 아이들은 각성하게 되고, 힘을 합하여 이 문제를 해결해 나간다.

- **갈래** : 현대 소설
- **성격** : 우의적, 사회 비판적, 교훈적
- **제재** : 시골 초등학교 교실 안의 풍경
- **주제** : 절대 권력의 허구성과 소시민의 안일한 대응에 대한 비판

(나) 이문열 원작 · 박종원 각색, '우리들의 일그러진 영웅'

작품해설

소설 「우리들의 일그러진 영웅」을 시나리오로 각색한 작품으로, 배경과 인물을 그대로 유지하면서 중심이 되는 사건을 좀 더 자세하고 생동감 넘치게 드러내고 있다.

- **갈래** : 시나리오
- **성격** : 우의적, 사회 비판적, 교훈적
- **특징**
  - 대사, 지문 등을 이용하여 인물들의 감정과 태도를 자세히 제시하고 있음.
  - 병태의 대사를 내레이션으로 처리하여 사건을 요약적으로 제시하고 있음.
- **제재** : 시골 초등학교 교실 안의 풍경
- **주제** : 절대 권력의 허구성과 소시민의 안일한 대응에 대한 비판

1. ④   서술상 특징 파악하기

① [A]에는 '나'의 독백이 제시되어 있긴 하지만 대상, 즉 엄석대에 대한 의문과 해답을 제시하고 있지는 않다.
② [A]에는 학생들이 무엇을 배우게 되었는지 나와 있을 뿐, 감각적인 묘사와 인물 간의 대립은 찾을 수 없다.
③ [A]에는 공간의 이동을 통한 인물의 심리 변화가 나타나지 않았다.
❹ [A]에는 시간이 흐른 뒤 과거의 이야기를 전달하는 방식이 나타난다. 즉 회상의 방식을 통해 과거 사건의 의미를 '나'가 정리하여 서술하고 있다.
⑤ [A]에는 '나'를 포함한 학급의 학생들이 어떤 변화를 겪었는지에 대한 내용이 나타나는데, 이것은 직접 겪은 일이기 때문에 들은 바를 전달하는 형식이라고 할 수 없다.

2. ①   갈래의 전환 이해하기

❶ (가)의 김 선생님은 학생들이 잘못된 권력에 맞서지 못하는 것을 못마땅하게 여기고 이를 다그쳐 그들이 변화하기를 바라고 있다. 이러한 모습이 S#136에서 '다시'라는 말을 반복하는 장면으로 드러난다. 이것은 김 선생님이 학생들의 변화를 비판적으로 본 것이 아니라 학생들의 변화를 이끌어 내기 위한 모습이라고 볼 수 있다.
② 학생들이 엄석대에게 대항하는 (가)의 장면은 S#136에는 나타나지 않은 대신 '일제히 힘차게'라는 모습으로 대체되어 엄석대에게 대항할 수 있으리라는 기대감을 보여 주고 있다.
③ S#137에는 불길에 싸인 교실이 나타나 있고, S#139에는 김 선생이 같은 장소에서 주먹을 불끈 쥐고 있는 모습이 나타난다. 병태는 시커멓게 그을린 병을 발견하고, 이어진 병태의 내레이션에서는 그날 이후 엄석대를 본 사람은 아무도 없었다고 한다. 이를 통해 방화 사건은 엄석대가 저지른 일이라는 것을 짐작할 수 있고, 이는 (가)에는 제시되어 있지 않은 것으로 보아 소설에 없던 장면을 시나리오에 추가한 것이라고 볼 수 있다.
④ (가)에서는 병태가 '나'로 등장하여 자신의 생각을 직접 서술하고 있지만, S#140에서는 시나리오의 특성을 살려 내레이션 기법을 사용하였다.
⑤ (가)의 후반부는 학급이 정상적으로 돌아가는 내용을 담고 있다. 이를 S#140에서는 새로운 급장이 선출되면서 이를 환영하는 학생들의 박수 소리로 보여 주고 있다.

Oㅐ 많이 틀렸을까?

국어 문제는 추론의 범위를 정하는 것이 참 어렵지. 어느 정도 추론해서 정답을 고르면 해석의 범위를 넘어가 버린 과도한 해석이 되어 버리고, 글의 내용만으로 해석을 하면 너무 좁은 해석이 되어 버리잖아. 혹시 이 문제도 그렇지 않니? '불길에 싸인 교실'과 '시커먼 병'만으로 엄석대의 보복을 추론하기는 어렵다고 느껴서 선지 ③을 적절하지 않다고 생각한 학생이 많았던 것 같아. 이렇게나 추론을 어려워하는 친구들을 도와주고자 이 문제는 〈보기〉를 제시해 주고 있어. 〈보기〉에는 각색의 방법을 '시각화, 영화적 기법, 삭제, 대체, 추가'로 제시하였어. 그렇다면 (나)의 내용에는 위에서 제시한 방법들이 사용되었을 거라 예상할 수 있지. 〈보기〉에서 제시한 방법들 안에서 각색이 되었을 거라 생각하고 (나)를 읽어 본다면 과도하게 혹은 좁게 해석하는 오류를 범하지 않게 될 거야.

3. ③   작품 내용 파악하기

① 석대의 질서(ⓐ)를 그리워하는 몇몇의 학생들은 작은 석대를 꿈꾸며 그 질서에서 벗어나지 못하고 있다.
② 석대가 학교를 떠난 후 석대의 질서(ⓐ)가 지배했던 학급은 새롭게 질서를 잡지 못해서, 즉 석대의 질서를 대체할 것을 찾지 못해서 혼란을 겪었다.
❸ 석대의 질서(ⓐ)는 아이들 '스스로가 스스로를 규율'할 수 있도록 하기 위해 만든 것이 아니라 학급을 장악하기 위해 만든 것이다. '스스로가 스스로를 규율'할 수 있게 된 것은 석대의 질서(ⓐ)가 무너진 후 아이들에게 생긴 변화이다.
④ '나'의 의식이 굴절되어 있었던 것은 학급을 장악하고 있었던 석대의 질서(ⓐ) 때문이었다고 볼 수 있다.
⑤ '나'는 석대의 질서(ⓐ)가 편의와 효용성을 가져다 주긴 했으나 지금은 금지돼 있기에 더 커지는 유혹 같은 것에 지나지 않는다고 판단하고 있다.

4. ⑤ 구절의 기능 파악하기

① 석대가 학교를 떠난 뒤 학급에서 일어난 다양한 변화와 문제 상황들을 '안팎의 도전(㉠)'이라 말할 수 있다.

② 선생님의 꾸지람을 듣고 각성한, '우리 중에서 좀 별나고 당찬(㉡)' 아이들이 석대와 맞붙었다.

③ 선생님은 『용기 있는 사람들』이라는 '책 한 권씩을 나눠 주며(㉢)' 다른 학생들도 석대와 맞붙을 수 있도록 학생들의 변화를 유도했다.

④ '제7차 급장 선거(㉣)'를 보면 급장을 여러 차례 바꾸어 왔다는 것을 알 수 있다. 그리고 김 선생님이 '좀 혼란했던 기간이 있긴 했지만 이제는 너희들이 제자리를 찾은 것 같구나.'라고 말하는 것을 통해 여러 차례 급장 선거를 거치는 과정이 혼란의 시간들이었음이 드러난다.

❺ 새로운 급장이 '단상에 오르지 않고(㉤)' 인사를 하는 모습은 엄석대와는 달리 학급의 아이들과 평등한 입장의 급장임을 보여 주는 것이지, 새 급장이 아직 완전히 인정받지 못하고 있음을 나타내는 것은 아니다.

5. ① 외적 준거에 따라 감상하기

❶ 석대가 떠난 뒤 '새로 생긴 건의함'은 올바른 기능을 하기보다는 밀고와 모함의 모습을 보여 주는 소재이다. 따라서 이것은 석대가 떠난 뒤 나타난 혼란을 보여 주는 것이지, 공동선을 실현하기 위한 기능을 수행한 것은 아니다.

② '학급의 일이 갈팡질팡해도 담임 선생님은 철저하게 모르는 척'하는 것은 학생들 스스로 자기 통치를 할 수 있게 하려는 의도를 보여 주고 있다.

③ '자치회가 끝없는 입씨름으로 서너 시간씩 계속'된 것은 아이들에게 공동선을 위한 토론이 아직 익숙하지 않기 때문에 일어난 일이다.

④ '내'가 '새로운 급장 선거에서 기권표를 던'진 것은 자신의 시민 의식이 아직 머뭇거리던 상황이라고 제시되어 있다. 따라서 자기 통치에 참여할 준비가 되지 않았음을 보여 주는 것이라고 할 수 있다.

⑤ '다 같이 힘을 합쳐야 할 작업에 요리조리 빠져나가'는 아이들은 우리 반이 딴 반에 뒤지게 만드는 아이들이라고 제시되어 있다. 따라서 이들은 동료 시민들과 함께하는 것에 대해 적극적이지 않은 시민이라고 할 수 있다.

왜 말이 틀렸을까?

외적 준거에 따라 감상하는 문제를 풀 때에는 <보기>에 제시된 외적 준거를 잘 파악하는 것도 중요하지만, 그 준거를 바탕으로 살펴봐야 하는 지문 속 내용이 어떤 맥락 속에 제시되어 있는지도 봐야 해. '새로 생긴 건의함'은 이 속에 밀고와 모함이 가득했다고 되어 있으니 긍정적인 역할을 하고 있지 못한 것이고, '학급의 일이 갈팡질팡'한 일과 학생들의 '끝없는 입씨름', 그리고 '나'가 '기권표'를 던진 일들은 모두 혼란스러운 상황을 보여 주는 맥락 안에서 서술되어 있어. 맥락을 잘 읽어냈다면 위의 내용들이 모두 긍정적인 공동선의 모습을 보여 주기에는 아직 부족하다는 것을 잘 이해할 수 있었을 거야. 제시된 내용이 어느 부분에, 어느 맥락에 사용되었는지 살펴보는 것 잊지 마!

【6~9】 (가) 작자 미상, '임진록'

작품해설

민족의 긍지와 자부심을 고취하고자, 왜군에 당한

굴욕적인 수모를 허구적 상상력을 동원하여 통쾌하게 승리하는 것으로 변용한 작품으로, 민족적 자부심을 고취하고자 한 역사 군담 소설이다. 이 작품의 주된 내용은 왜적이 쳐들어 왔을 때 나라를 구하려고 일어선 민족적 영웅들인 최일경, 이순신, 강홍립, 정충남, 김덕령, 김응서, 사명당 등의 활약상을 그린 것으로, 이 중에서 왜에 건너가 항복을 받아 온 사명당의 이야기가 가장 대표적이다. 역사적으로 임진왜란은 한산도 대첩, 행주 대첩, 진주 대첩 등 몇몇 전투를 제외하면 우리 민족에게 아픔을 안겨 준 전쟁이다. 그런데 이 작품에서는 우리가 전쟁에서 승리한 것으로 바꿔 완벽하게 정신적 위안을 얻으면서 민족의 사기를 진작시키고, 패전으로 인한 수모를 정신적으로 보상하여 민족의 정기를 회복하고자 하는 의도가 담겨 있는 것이라 할 수 있다. 이 작품이 비록 형식이나 내용 면에서 소설적으로 완결성을 지니고 있다고 보기는 어렵지만, 주체적인 민족 정서를 다루고 있다는 점에서 문학사적 의의를 지닌다고 할 수 있다.

- **갈래** : 역사 소설, 군담 소설
- **성격** : 전기적(傳奇的), 설화적
- **시점** : 전지적 작가 시점
- **배경**
  ① 시간 – 조선 선조 때 임진왜란 전후
  ② 공간 – 조선 팔도 및 왜국
- **제재** : 임진왜란 때 영웅들의 활약상
- **주제** : 임진왜란 패배에 대한 정신적 보상과 승리
- **특징**
  ① 역사적 사실을 바탕으로 설화와 혼용하여 소설로 창작됨.
  ② 영웅적 인물들이 활약하는 애국적 무용담을 순차적으로 엮음.
- **의의**
  ① 우리나라 군담 소설의 대표작임.
  ② 민족적 자부심과 응전 의지를 고취함.

같은작가 다른기출

2008학년도 6월 모의 수능 작자 미상, '임진록'
2013학년도 6월 모의 수능 작자 미상, '임진록'

(나) 전철홍 · 김한민, '명량'

작품해설

'명량'은 2014년에 개봉한 한국 영화로 명량 해전을 다룬 시나리오이다. 배경은 1597년 임진왜란 6년, 오랜 전쟁으로 인해 혼란이 극에 달한 조선을 향해 무서운 속도로 왜군이 북상한다. 국가가 절체절명의 위기에 처하자 누명을 쓰고 파면당했던 이순신 장군(최민식)이 삼도수군통제사로 재임명된다. 하지만 그에게 남은 건 전의를 상실한 병사와 두려움에 가득 찬 백성, 그리고 12척의 배뿐이었다. 마지막 희망이었던 거북선마저 불타고 잔혹한 성격과 뛰어난 지략을 지닌 용병 구루지마(류승룡)가 왜군 수장으로 나서자 조선은 더욱 술렁인다. 330척에 달하는 왜군의 배가 속속 집결하고 압도적인 수의 열세에 모두가 패배를 직감하는 순간, 이순신 장군은 단 12척의 배를 이끌고 330척의 왜군에 대항하기 위해 명량 바다를 향해 과감히 나아가 역사를 바꾼 위대한 전쟁을 시작한다.

- **갈래** : 시나리오

- **성격** : 현실 비판적, 비극적
- **배경**
  ① 시간 – 조선 선조 때 임진왜란 전후
  ② 공간 – 조선 및 왜국
- **주제** : 이순신의 기상과 민족적 자부심과 응전 의지를 고취

6. ⑤ 작품의 내용 이해하기

❺ '적선 수백 척'을 보고 '도망하려 하'던 안위가 순신의 호령에 진격하여 '적진에 달려들어 싸우는데, 적선이 안위의 배를 둘러싸고 공격하니 안위가 거의 죽게 되었다'고 하였다. 따라서 안위가 적선을 피해 달아나다가 위기에 처했다는 설명은 적절하지 않다.

참고자료

작자 미상, '임진록'의 전체 줄거리

하루는 선조가 꿈을 꾸었는데, 우의정 최일경이 왜군이 쳐들어올 징조라고 해몽한다. 이에 선조는 태평성대에 말도 안 되는 요사스러운 말을 하였다고 최일경을 동래로 귀양 보낸다. 최일경은 동래에서 왜군의 침략을 목격하고 이 사실을 조정에 알린다. 임진년 3월에 왜장 청정, 소서, 평수길 등이 군사를 이끌고 조선을 침략하자, 왜군이 침략할 것을 예측하고 거북선을 만들었던 이순신은 수군을 지휘하여 싸우다 전사한다. 왜군이 평양을 점령하자 선조는 유성룡을 명나라에 보내 원군을 요청한다. 한편 김덕령은 의병을 일으켜 왜장 청정을 곤욕을 치르게 만들고, 조헌, 곽재우 등도 의병을 일으켜 왜군을 물리친다. 명나라가 군대를 파견해 달라는 조선의 요청을 거절하자, '삼국지'의 관운장이 명나라 천자의 꿈에 나타나 조선에 군사를 파병하게 된다. 또 이여송의 꿈에도 관운장이 나타나 이여송이 청정의 목을 벨 수 있게 해 준다. 대장을 잃은 왜군은 대패하여 귀국하게 되는데, 조정에서는 김응서와 강홍립을 대장으로 삼아 왜국의 항복 문서를 받게 한다. 임진왜란이 끝난 지 13년 만에 왜군이 재침하려고 하자, 사명당이 일본으로 건너가 왜왕을 굴복시키고 항복 문서를 받아 온다.

7. ⑤ 장면의 특징 이해하기

① S#51에서 이순신이 장수들의 호소를 듣고 의외로 담담하게 대하는 태도를 보고 S#52에서 장수들이 기대감을 갖게 된 것으로 볼 수 있으므로 적절하지 않다.

② S#52에서 이순신은 한치의 망설임도 없이 자신의 의지를 드러내고 있으므로 적절하지 않다.

③ S#51에서 안위가 군사 한 명도 귀하다고 한 것은 우리 군의 병력이 적어 무모해 보이는 전투에 반대 의사를 표명한 것으로, S#52에서 군사들이 생각을 바꾸어 절망을 극복하는 것과는 관련이 없다.

④ S#51에서 이순신이 군사들을 모으라 명령한 것은 S#52에서 군사들 앞에서 죽음을 불사하며 전장에 나아갈 의지를 가지라는 메시지를 전하기 귀한 것이다. 구선에 불을 지른 것은 우수사 배설의 짓이었으므로 적절하지 않다.

❺ S#51에서 이순신의 출병 계획을 듣고 장수 일동이 싸움은 불가하다고 호소한 것은, S#52에서 이순신이 군사들 앞에서 우수영 본채에 기름을 붓고 햇불을 던져

넣게 하여 불태운 후 '나는 바다에서 죽고자 우수영을 불태운다!', '우리가 죽어야 나라가 산다!'라며 자신의 결심을 드러내는 것의 계기가 된다.

8. ④ 인물의 말하기 방식 파악하기

❹ [A]는 '내가 연락하거든 그 즉시 수군을 거느리고 나아와 공격하면 청정을 죽일 수 있을 것'이라고 벌어질 상황을 언급하면서 '오래지 않아 청정이 다시 바다에 나올 것'이라는 정보를 제공하고 있고, [B]는 '열두 척의 배가 남아 있다'는 현재의 상황을 언급하며 '죽을힘을 다하여 싸우'겠다는 의지를 표현하고 있으므로 적절하다.

9. ② 갈래의 특성 이해하기

① (가)의 '순신이 군관 십여 명과 ~ 보성에 가서 보니'에서 순신이 통제사로 임명되어 진주에서 보성에 이르기까지의 과정을 서술자가 요약하여 서술하고 있고, (나)의 '장군! 소장 ~ 이 싸움은 불가합니다', '아무리 적들을 ~ 귀한 때입니다'에서 안위가 '승산이 없는 싸움'이라며 이순신을 설득하는 과정을 대사를 통해 확인할 수 있다.

❷ (나)에서 이순신의 명으로 '우수영 본채에 기름을 붓기 시작'하자 당황하는 군사들의 정서가 '놀라며 웅성거리는 군사들.'이라는 지시문을 통해 제시되고 있다. 그런데 (가)의 순신이 '장수들을 모아' '마땅히 죽기를 각오하고 나라의 은혜를 갚'아야 한다며 '엄하게 주의를 주어' 말했다는 부분과, 이 말을 듣고 '장수들 중에 감동하지 않는 이가 없었'다는 부분을 통해 '마땅히 죽기를 각오하고 싸'우자는 말을 한 것은 순신이며 '감동'한 것은 장수들임을 알 수 있다. 따라서 장수들의 결심에 순신이 감동했다는 내용은 적절하지 않다.

③ (가)의 '십여 척 전선으로 맞아 싸우라'라고 '순신이 다급하게 명령'하는 대목을 통해, 인물의 태도를 서술자가 직접 설명함을 확인할 수 있고, (나)의 '(의외로 담담하게) 그대들의 뜻이 정히 그러하다면'에서 인물의 태도를 지시문을 통해 전달한 것을 확인할 수 있다.

④ (가)의 '순신을 둘러싸고 ~ 사방을 둘러싸는지라'에서 순신이 처한 상황을 서술자가 묘사하고 있음을 확인할 수 있고, (나)의 '바람에 흔들리는 ~ 긴장된 분위기다'에서 긴장된 상황이 지시문을 통해 제시되고 있음을 확인할 수 있다.

⑤ (가)의 '전선을 휘몰아 ~ 물러나게 되었다'에서 '적을 공격'하는 장수들의 행동을 서술자가 직접 설명하고 있음을 확인할 수 있고, (나)의 '글씨를 쓰던 ~ 글씨를 이어가는 이순신'에서 장계를 쓰는 이순신의 행동이 지시문을 통해 제시되고 있음을 확인할 수 있다.

참고자료

서술 방식

소설을 표현하는 데 있어 중심을 이루는 진술 방식은 서술, 묘사, 대화이며, 서술은 '말하기' 방식에서, 묘사와 대화는 '보여 주기' 방식에서 주로 쓰인다. 즉 '서술(敍述)'은 설명하는 문장으로, 인물이나 배경 등을 직접 설명하는 방식이다. 서술은 해설적이고 추상적이며 요약적인 표현으로, 소설을 출발시키고 그 속도를 빨리 진행시킨다.

• 말하기 : 서술자가 인물과 사건을 직접 설명(해설, 분석, 평가)한다. 요약적 제시, 직접 제시라고도

한다.

• 보여 주기 : 행동이나 대화를 통하여 인물이나 사건을 간접적으로 보여 준다. 장면적 제시, 간접 제시라고도 한다.

직접적 방법	간접적 방법
말하기(telling)	보여 주기(showing)
설명 위주	묘사 위주
서사, 서술	행동, 대화, 장면 묘사
성격, 심리의 직접적 분석 방법	간접적 제시 방법
작가의 견해를 나타내는 데 알맞음.	작가의 견해를 나타내는 데 불편함.
추상적으로 흐르기 쉬움.	구체적, 감각적으로 제시함.
화자의 요약 · 설명 · 언급은 물론, 타인의 보고 등을 통하여 이루어짐.	등장인물의 언어 행위를 중심으로 타 인물에 주는 반응을 극적으로 표현함.

미니 Test

본문 133쪽

Day 24

1. ②	2. ③	3. ②	4. ②	5. ④
6. ①	7. ②	8. ①	9. ③	10. ⑤
11. ⑤	12. ④			

1. ② 작문 상황 파악하기

① 첫 번째 문단에서, '학생회 운영진에게' 건의 사항을 전달하고 있다는 것을 알 수 있다. 이는 건의문의 특성에 맞게 예상 독자를 학생회 운영진으로 명시하고 있는 것이다.

❷ 이 건의문은 학교 체육대회의 운영 종목을 다양하게 하기 위해 장기와 이 스포츠를 실시하자는 의견을 제시하고 있는데, 이와 관련된 자료의 출처를 밝히고 있지는 않다.

③ 두 번째 문단에서, 학교 체육대회에서 운영되는 종목들이 주로 운동 능력이 좋은 친구들에게 유리한 것이기 때문에 경기에 참가할 수 있는 기회가 모두에게 제공되지 못한다는 공동체적 문제 상황을 밝히고 있다.

④ 이 건의문은 학생회 누리집 게시판에 작성한 것으로 공식적인 글쓰기의 상황을 보여 준다. 글쓴이는 '~ㅂ니다.'의 격식체를 사용하여 언어 예절을 지키고 있다.

⑤ 이 건의문이 게시된 '학생회 누리집 게시판'은 쌍방향적 소통이 가능한 매체이고, 글쓴이는 '댓글을 통해 긍정적인 답변을 부탁드립니다.'와 같이 상대방의 응답을 요구하고 있다.

2. ③ 건의문의 내용 조직 방식 파악하기

① 두 번째 문단에서, 체육대회가 학생들의 성취감과 단합력을 높이기 위해 개최되는 것이라는 취지를 밝히면서 경기 참가가 어려운 친구들이 소외될 수 있다는 문제점을 제시하여 문제 해결의 필요성을 드러내고 있다.

② 두 번째 문단에서, 체육대회의 종목들이 주로 운동 능력이 좋은 친구들에게 유리하다는 특성을 언급하며 경기 참가가 어려운 친구들이 소외될 수 있다는 문제점의 원인을 밝히고 있다.

❸ 세 번째 문단에서, 체육대회 운영 종목을 다양화하기 위해 장기와 이 스포츠를 실시하자고 하였는데, 국제 대회에서 정식 종목으로 채택되었다는 근거는 이 스포츠에만 해당하는 내용이다.

④ 세 번째 문단에서, 제안한 두 종목을 모두 진행하는 것이 어렵다면 학생들이 더 잘 알고 선호하는 이 스포츠를 채택해 달라며 제안한 종목들의 우선순위를 달리하고 있다.

⑤ 세 번째 문단에서, 두 번째 문단에서 제시한 문제점을 해결하기 위해 새로운 운영 종목인 장기와 이 스포츠를 추가하는 것을 제안하고 있다.

3. ② 회의 참여자의 역할 파악하기

---

① '학생 2'의 첫 번째 발언에서, 장기와 이 스포츠를 경기 종목으로 추가하는 것의 필요성을 확인하고 이를 회의 주제로 정하고 있다.
❷ '학생 2'는 현재 체육대회 종목 구성의 한계를 확인하고, 새로운 종목으로 이 스포츠만 추가하자고 결론을 제시하고 있다. 제시된 의견을 절충하고 있지는 않다.
③ '학생 2'의 두 번째 발언에서, 이 스포츠가 신체 일부를 활용해서 경쟁하고 유희성을 추구하는 활동이기 때문에 체육대회의 운영 종목으로 적절하다는 의견을 제시하고 있다.
④ '학생 2'의 네 번째 발언에서, 이 스포츠만 체육대회 종목으로 추가하자고 결정한 후 유의해야 할 점에 대해서 추가적으로 논의하고자 하고 있다.
⑤ '학생 2'의 세 번째 발언에서, 이 스포츠가 항저우 아시안 게임에서 정식 종목으로 채택되었다는 것을 신문을 통해 확인한 내용을 제시하고 있다.

4.② 회의 참여자의 말하기 방식 파악하기

① [A]에서 '학생 3'은 체육대회에 학생들의 흥미와 특기를 반영할 필요가 있다는 '학생 1'의 의견에 동의할 뿐, 자신의 의견을 보충하고 있지 않다.
❷ [A]에서 '학생 3'은 체육대회에 학생들의 흥미와 특기를 반영할 필요가 있다는 '학생 1'의 의견에 동의하면서 프로 게이머를 희망하는 친구가 다섯 명이나 된다는 사례를 제시하여 의견을 뒷받침하고 있다.
③ [A]에서 '학생 3'은 체육대회에 학생들의 흥미와 특기를 반영할 필요가 있다는 '학생 1'의 의견에 동의할 뿐, 자신의 의견과 다른 부분을 확인하고 있지 않다.
④, ⑤ [B]에서 '학생 1'은 '학생 3'이 언급한 점에 대해 추가적인 정보를 요구하고 있다. '학생 3'의 발언을 구체화하거나 자신의 의견에 동의를 구하고 있지 않다.

5.④ 음운 변동 이해하기

① '법학'은 첫음절의 받침 'ㅂ'이 둘째 음절의 'ㅎ'을 만나 'ㅍ'으로 축약되어 [버팍]으로 발음된다. 따라서 '축약(ㅂ+ㅎ→ㅍ)'의 음운 변동이 나타난다.
② '담요'는 첫음절의 받침 'ㅁ'이 둘째 음절의 '요'를 만나면서 'ㄴ'이 첨가되어 [담뇨]로 발음된다. 따라서 '첨가(요→뇨)'의 음운 변동이 나타난다.
③ '국론'은 [국논]>[궁논]으로 발음되는데 비음화 현상이 일어나 '교체'의 음운 변동이 나타난다.
❹ '색연필'은 앞말이 자음으로 끝나고 뒷말이 모음 'ㅣ'나 반모음 'ㅣ'로 시작할 때 'ㄴ'이 덧붙는 '첨가'가 일어나 [색년필]로 음운 변동이 일어난 후, 'ㄱ'이 첨가된 'ㄴ'의 영향을 받아 'ㅇ'으로 바뀌는 '교체'가 일어나 [생년필]로 발음된다. 따라서 '잡일[잠닐]'과 동일한 음운 변동 과정이 일어난다.
⑤ '한여름'은 첫음절의 '한'이 둘째 음절의 '여'를 만나 'ㄴ'이 첨가되어 [한녀름]으로 발음된다. 따라서 '첨가(여→녀)'의 음운 변동이 일어난다.

Skill
음운 변동 현상
1. 첨가: 없던 음운이 덧붙는 현상

'ㄴ'첨가	파생어나 합성어에서, 또는 단어와 단어 사이에서 앞말이 자음으로 끝나고 뒷말이 'ㅣ'나 반모음 'ㅣ'로 시작할 때 'ㄴ'이 그 사이에 덧붙는 현상	예 색연필 → [색년필] → [생년필]
반모음 첨가	반모음 'ㅣ'가 덧붙는 현상으로 'ㅣ'를 붙여 발음해도 허용됨.	예 아니오 → [아니오/ 아니요]

2. 교체: 한 음운이 다른 음운으로 바뀌는 현상

음절의 끝소리 규칙	음절의 끝에서 'ㄱ, ㄴ, ㄷ, ㄹ, ㅁ, ㅂ, ㅇ'의 일곱 소리로만 발음되는 현상	예 부엌 → [부억], 밖 → [박]
비음화	'ㄱ, ㄷ, ㅂ'이 비음 앞에서 각각 비음인 'ㅇ, ㄴ, ㅁ'으로 바뀌는 현상	예 막는 → [망는], 잡는다 → [잠는다]
유음화	'ㄴ'이 'ㄹ'의 앞 또는 뒤에서 유음인 'ㄹ'로 바뀌는 현상	예 칼날 → [칼랄], 난로 → [날로]
구개음화	'ㄷ, ㅌ'이 'ㅣ'나 반모음 'ㅣ'로 시작하는 형식 형태소를 만날 때 'ㅈ, ㅊ'으로 바뀌는 현상	예 미닫이 → [미다지], 굳히다 → [구치다]
경음화 (된소리되기)	예사소리가 된소리로 바뀌는 현상	예 책상 → [책쌍], 덥고 → [덥꼬]

6.① 형태소 이해하기

❶ '하늘이 매우 높고 푸르다'의 자립 형태소는 '하늘', '매우'로 2개이므로 적절하지 않다.
② 형식 형태소는 '이, -고, -다'로 3개이다.
③ 의존 형태소는 '이, 높-, -고, 푸르-, -다'로 5개이다.
④ 실질 형태소이면서 의존 형태소는 '높-, 푸르-'로 2개이다.
⑤ 실질 형태소이면서 자립 형태소는 '하늘, 매우'로 2개이다.

왜 많이 틀렸을까?
자립 형태소와 의존 형태소에서 약간 혼동이 있었던 모양이야. 의존 형태소는 반드시 어떤 다른 형태소와 결합하여야만 단어가 되는 형태소를 말해. '읽어라'의 '읽'은 '읽으니, 읽고, 읽는다'처럼 반드시 어떤 다른 형태소와 결합해야만 문장에 쓰일 수 있고 단어 행세도 할 수 있지. 동사·형용사의 어간이나 어미, 접두사, 접미사 등은 의존 형태소이지. 개념을 잘 파악해 둬야 해.

7.② 높임법의 이해와 적용하기

① '선생님께서는 댁에 계십니다'는 문장의 주체인 '선생님'을 높이는 주체 높임법이다.
❷ '형은 어머니께 그 책을 드렸다'는 객체 높임법이 사용된 문장으로 '께'와 '드렸다'를 통해 문장의 부사어 '어머니'에 대한 높임의 태도를 나타낸다.
③ '할아버지께서는 눈이 밝으십니다'는 문장의 주체인

'할아버지'의 신체 일부를 간접적으로 높여 주는 주체 높임법이다.
④ '할머니, 아버지가 지금 막 도착했어요'는 주체(아버지)가 화자보다는 높임의 대상이지만 청자(할머니)가 주체(아버지)보다 높임의 대상이므로 주체에 대해 높임 표현을 사용하지 않은 것으로 압존법이 적용되었다.
⑤ '윤우야, 선생님께서 빨리 교무실로 오라고 하셔'는 문장의 주체인 '선생님'을 높여 주는 주체 높임법이다.

Skill
높임법
주체 높임법은 서술상의 주체가 화자보다 나이가 많거나 사회적 지위가 높을 때 서술의 주체를 높이는 표현이다. 객체 높임법은 목적어나 부사어가 지시하는 대상, 즉 서술의 객체를 높이는 표현이다. 상대 높임법에는 합쇼체, 하오체, 하게체, 해라체 등의 격식체와 해요체, 해체 등의 비격식체가 있다.

【8~12】 정하중, '행정법총론'

지문 해설

재산권과 손실 보상을 대상으로 어떤 것을 우선으로 여기느냐에 따라 '분리 이론'과 '경계 이론'으로 나눌 수 있다는 것을 설명한 글이다. 재산권을 존속시키는 것과 재산권을 침해하면서 그 손실을 보상하는 것 중 어느 것을 우선으로 하느냐에 따라 경계 이론과 분리 이론으로 나눌 수 있다고 하였다. 손실 보상 청구권이란 공익을 위해 적법한 행정 작용으로 개인의 재산권에 희생이 발생할 경우, 그에 대한 손실은 국가가 보상하는 것을 뜻한다. 이러한 손실 보상 청구권의 목적은 공적 부담의 평등으로 그 근거는 헌법 제 23조 제 3항에 명시되어 있다. 그러나 재산권의 행사는 공공복리에 적합하도록 하여야 하며 만약 재산권 침해가 사회적 제약의 범위 내에 있다면 이로 인한 손실은 보상의 대상이 되지 않는다. 경계 이론에서는 사회적 제약을 벗어나는 재산권 침해는 보상 규정이 없어도 보상이 이루어져야 한다고 보고 있다. 반면에 분리 이론은 재산권 침해가 사회적 제약 또는 특별한 희생 중 무엇이 되는지 결정하는 것은 법률을 제정하는 입법자의 권한이라고 보고 있다.
■ 주제 : 재산권의 사회적 제약과 특별한 희생의 구별에 대한 입장 차이

8.① 글의 세부 내용 파악하기

❶ 세 번째 문단에서 헌법은 제23조 제1항에서 "모든 국민의 재산권은 보장된다. 그 내용과 한계는 법률로 정한다."라고 규정하여, 재산권은 법률에 의해 구체화된다고 밝히고 있다. 또한 제2항에서 "재산권의 행사는 공공복리에 적합하도록 하여야 한다."라고 하여 개인의 재산권 행사가 공익에 적합하여야 한다는 재산권의 '사회적 제약'을 규정하고 있다고 하였다. 따라서 헌법이 개인에게 보장하는 재산권의 내용은 법률로써 그 내용이 구체화된 것이라는 설명은 적절하다.
② 두 번째 문단에서 공용 침해 중 '수용'이란 개인의 재산권을 국가로 이전하는 것, '사용'이란 행정 기관이 개인의 재산권을 일시적으로 사용하는 것, '제한'이란 개인의 재산권 사용 또는 그로 인한 수익을 한정하는 것

을 의미한다고 하였다. 따라서 '사용'과 '제한' 모두 개인의 재산권이 국가로 이전되는 것으로 보기는 어렵다.

③ 첫 번째 문단에서 공익을 위한 적법한 행정 작용으로 개인의 재산권에 특별한 희생이 발생한 경우, 개인은 자신이 입은 재산상 손실을 보상하도록 요구할 수 있는 권리인 '손실 보상 청구권'을 갖는다고 하였다. 더불어 세 번째 문단에서 재산권 침해에 대해 국가의 보상이 가능한 경우는 '특별한 희생'에 해당할 때라고 한정짓고 있다. 따라서 재산권을 침해하는 모든 행정 작용에 대해 개인은 자신이 입은 손실을 보상하도록 요구할 수 있는 권리를 갖는다는 설명은 적절하지 않다.

④ 두 번째 문단에서 제23조 제3항은 "공공필요에 의한 재산권의 수용·사용 또는 제한 및 그에 대한 보상은 법률로써 하되, 정당한 보상을 지급하여야 한다."라는 내용이라고 하였다. 또한 이것은 내용상 분리될 수 없는 사항은 함께 규정되어야 한다는 의미의 '불가분 조항'이므로 공용 침해 규정과 보상 규정은 하나의 법률에서 규정되어야 한다고 하였다. 세 번째 문단에서 재산권 침해가 사회적 제약의 범위 내에 있다면 이로 인한 손실은 보상의 대상이 되지 않으며 재산권 침해가 특별한 희생에 해당할 때만 보상이 가능하다고 하였다. 따라서 재산권의 사회적 제약을 규정하는 모든 법률은 공용 침해와 손실 보상이 내용상 분리될 수 없다는 원칙에 어긋난다는 설명은 적절하지 않다.

⑤ 첫 번째 문단에서 행정 기관이 감염병 예방을 위해 의료기관의 병상이나 연수원, 숙박 시설 등을 동원한 경우 이로 인한 손실을 개인에게 보상하여야 하며 이때의 재산권 침해는 특별한 희생에 해당한다고 하였다. 두 번째 문단에서 공용 침해 중 수용이란 개인의 재산권을 국가로 이전하는 것이고 사용이란 행정 기관이 개인의 재산권을 일시적으로 사용하는 것이라고 하였다. 따라서 감염병 예방을 위해 행정 기관이 사설 연수원을 일정 기간 동원하는 것은 공공필요에 의한 재산권의 '사용'에 해당한다.

9. ③ 글의 핵심 정보를 비교하여 이해하기

❸ 네 번째 문단에서 경계 이론은 적법한 공용 침해 행위의 경우에 보상이 인정된다면 위법한 공용 침해 행위의 경우에도 헌법 제23조 제3항을 근거로 보상을 인정해야 한다고 하였다. 이때 적법한 공용 침해 행위는 '특별한 희생'으로 손실을 입었을 경우에 한정되며 이때에는 국가가 보상해야 한다고 하였다. 따라서 ㉠이 행정 작용으로 인한 재산상 손실을 항상 보상해야 한다는 설명은 적절하지 않다. 한편 다섯 번째 문단에서 분리 이론은 재산권 침해가 사회적 제약 또는 특별한 희생 중 무엇에 해당하는지 결정하는 것은 법률을 제정하는 입법자의 권한에 전적으로 따른다고 하였다. 따라서 재산권 침해를 규정한 법률에 보상 규정이 없는 경우에는 입법자가 이러한 재산권 침해를 특별한 희생이 아닌 사회적 제약으로 규정한 것에 해당한다. 그러므로 ㉡은 행정 작용으로 인한 재산상 손실을 보상하지 않을 수 있다고 본다는 설명은 적절하다.

10. ⑤ 글의 생략된 내용 파악하기

① 세 번째 문단에서 헌법 제 23조 1항에서 '모든 국민의 재산권은 보장된다. 그 내용과 한계는 법률로 정한다'라고 하였다. 따라서 재산권은 제약과 한계가 존재하

는 권리이므로, 입법자의 의사에 따라 보상 없이 제한해야 하는 권리라는 설명은 적절하지 않다.

② 두 번째 문단에서, 제 23조 제 3항에 따라 공용 침해 규정과 보상 규정은 하나의 법률에서 규정되어야 한다고 하였다. 이를 내용상 분리될 수 없는 사항은 함께 규정해야 한다는 의미의 '불가분 조항'이라고 하였으므로 잘못된 설명이다.

③ 다섯 번째 문단에서, 재산권 침해가 사회적 제약 또는 특별한 희생 중 무엇에 해당하는지를 결정하는 것은 법률을 제정하는 입법자의 권한이라고 하였다. 그러나 재산권의 사회적 제약에 관해서는 재산권 침해를 규정한 법률에 의해 보상 규정이 없는 경우, 입법자가 이러한 재산권 침해를 특별한 희생이 아닌 사회적 제약으로 규정한 것으로 본다고 하였으므로 재산권의 사회적 제약이 입법자의 의사에 따라 제한 없이 규정된다는 설명은 적절하지 않다.

④ 첫 번째 문단에서 공익을 위한 적법한 행정 작용으로 개인의 재산권에 특별한 희생이 발생한 경우, 개인은 자신이 입은 재산상 손실을 보상하도록 요구할 수 있는 권리인 '손실 보상 청구권'을 갖는다고 하였다.

❺ 다섯 번째 문단에서, 분리 이론은 해당 법률에 규정된 재산권 침해가 헌법 제 23조 제 2항에서 규정한 재산권의 공익 적합성을 넘어서서 개인의 재산권을 과도하게 침해한다면, 손실을 보상하는 것이 아니라 위법한 행정작용 자체를 제거해야 한다고 하였다. 그 이유로 재산권을 존속시키는 것이 재산권을 침해하면서 그 손실을 보상하는 것보다 우선한다고 보기 때문이라고 하였기 때문이다. 또한 재산권 침해가 사회적 제약과 특별한 희생 중 무엇에 속하는지는 법률을 제정하는 입법자의 권한이라고 하였다.

11. ⑤ 글의 구체적 사례에 적용하여 이해하기

① 세 번째 문단에서, 헌법 제 23조 제2항은 '재산권의 행사는 공공복리에 적합하도록 하여야 한다'라고 하며, 개인의 재산권 행사가 공익에 적합하여야 한다는 재산권의 '사회적 제약'을 규정하고 있다고 하였다. 이에 따르면 재산권 침해가 특별한 희생에 해당할 때만 보상이 가능하다고 하였다. 따라서 헌법 재판소는 A 법률에 따라 개발 제한 구역을 지정하는 행위가 헌법 제 23조 제2항에 위반되는지를 판단할 것이다.

② 두 번째 문단에서 헌법 제 23조 제3항은 '공공필요에 의한 재산권의 수용, 사용 또는 제한 및 그에 대한 보상은 법률로써 하되, 정당한 보상을 지급하여 한다'라고 명시하고 있다. 〈보기〉에서 국가는 도시 환경 보전이라는 공적인 목적에 따라 개발 제한 구역을 지정할 수 있다고 하였다. 그러나 이 법률은 개발 제한 구역 지정으로 인한 손실을 보상하는 규정은 포함하고 있지 않다고 하였으므로, 개발 제한 구역을 지정하는 행위는 헌법 제 23조 제3항과는 관련이 없다고 판단하였을 것이다.

③ 〈보기〉에서 헌법 재판소는 분리 이론의 입장을 취하면서 토지 재산권의 공공성을 고려하면 A 법률은 원칙적으로는 합헌이라고 하였다. 그러나 토지의 소유주가 개발 제한 구역으로 지정되어 가혹한 부담이 발생하는 것은 사회적 제약을 벗어나서 토지 소유자의 재산권을 과도하게 침해한다고 판단하였다. 첫 번째 문단에서 공익을 위한 적법한 행정 작용으로 개인의 재산권에 특별한 희생이 발생한다면, 개인은 '손실 보상 청구권'을 갖는다고 하였다. 따라서 개발 제한 구역으로 지정된 토지의 공공성에 따라 판단 결과가 달라질 것이다.

④ 〈보기〉에서 헌법 재판소는 분리 이론의 입장을 취하며, 토지가 개발 제한 구역으로 지정되어 토지를 사용할 방법이 전혀 없어서 개인에게 가혹한 부담이 발생하는 경우에는, 사회적 제약을 벗어나서 토지 소유자의 재산권을 과도하게 침해하는 것이라고 하였다. 따라서 헌법 재판소는 개발 제한 구역으로 지정하더라도, 개인에게 가혹한 부담이 발생하지 않는 범위 내에서만 가능하다고 할 것이다.

❺ 네 번째 문단에서 경계 이론에 따르면 재산권 침해는 그 정도가 사회적 제약의 범위를 넘어서면 특별한 희생으로 바뀐다고 하였다. 〈보기〉에서 A 법률에 대한 헌법 소원이 제기되자, 헌법 재판소는 분리 이론의 입장을 취하면서, 토지 재산권의 공공성을 고려하면 A 법률은 합헌이나, 토지 소유자의 재산권을 과도하게 침해하는 경우에 대한 손실 보상 규정이 없는 것은 헌법에 위반된다고 하였다. 따라서 재산권 침해를 특별한 희생에 해당한다고 판단하는 것은 적절하지 않다.

12. ④ 문맥상 의미 파악하기

① 두 번째 문단에서 행정 작용으로 누군가에게 특별한 희생이 발생할 경우에 그로 인한 부담을 공공이 분담하는 것이 평등 원칙에 부합한다고 하였다. 따라서 ⓐ를 '행정 작용으로 인한 부담을 개인이 모두 떠안게 되는 불평등을 조정하기 위해'로 바꾸는 것은 적절하다.

② 두 번째 문단에서 '공공필요에 의한 재산권의 수용·사용·제한'은 곧 공용 침해라고 지칭하였으므로 ⓑ는 '공공필요에 의해 개인의 재산권을 수용·사용·제한하는 규정과'라고 바꾸어 쓸 수 있다.

③ 세 번째 문단에서 헌법 제 23조 제 2항은 '재산권의 행사는 공공복리에 적합하도록 하여야 한다고 하였다. 이는 개인의 재산권 행사가 공익에 적합해야 한다는 '사회적 제약'에 해당한다. 따라서 ⓒ는 '헌법 제23조 제2항에 규정된 재산권의 한계 안에라'고 바꾸어 쓸 수 있다.

❹ 네 번째 문단에 따르면 재산권의 사회적 제약과 특별한 희생의 구별에 대하여 경계 이론과 분리 이론은 입장 차이가 있으며, 경계 이론에 따르면 경계 이론과 분리 이론은 단지 침해의 정도에 따라서만 차이가 있을 뿐이라고 하였다. 따라서 ⓓ는 사회적 제약과 특별한 희생의 구분은 단지 침해의 차이가 있을 뿐이라는 뜻으로, 경계 이론의 입장과 분리 이론의 입장에 대한 것이 아니다.

⑤ 다섯 번째 문단에서 재산권 침해를 규정한 법률에 보상 규정이 없는 경우 입법자가 이러한 재산권 침해를 특별한 희생이 아니라, 사회적 제약으로 규정한 것으로 본다고 하였다. 따라서 ⓔ는 '재산권 침해 정도에 따라 구분되는 것이 아니라 입법자의 서로 다른 의사가 반영된 것이라고'처럼 바꿀 수 있다.

시험 직전까지
꼭 챙겨 봐야 할
국어 오답 Note

끝난 시험도 다시 봐야 진짜 실력! 자신의 부족한 부분을 채워보세요.
채점 기록표와 자유 연습장으로 학습 효과를 2배로 높여주는 오답노트입니다.

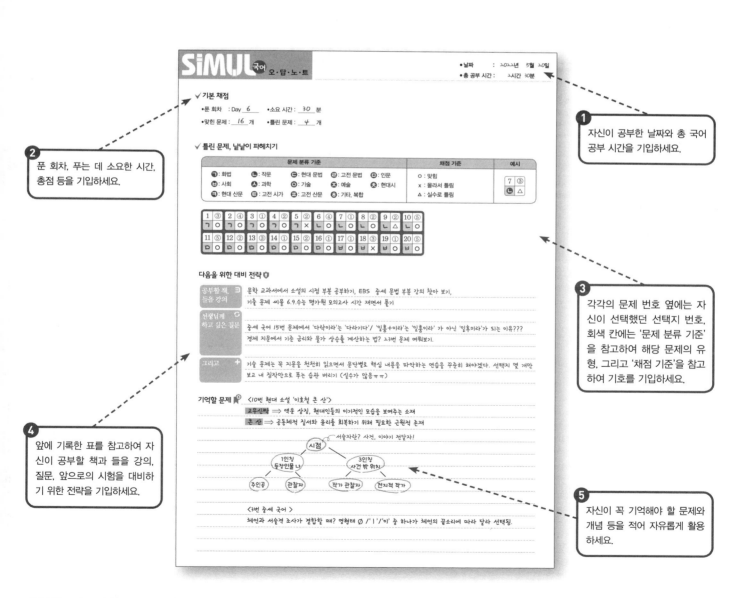

뒷면에 있는 오답노트 양식을 가로로 잘라내 복사하거나, PDF 파일을 프린트하여 사용하세요.
골드교육 홈페이지(www.goldedu.co.kr)에서 오답노트의 PDF 파일을 무료로 다운받을 수 있습니다.

✓ 기본 채점

- 푼 회차 : Day _____
- 소요 시간 : _____ 분
- 맞힌 문제 : _____ 개
- 틀린 문제 : _____ 개

✓ 틀린 문제, 낱낱이 파헤치기

문제 분류 기준					채점 기준	예시
ㄱ : 화법	ㄴ : 작문	ㄷ : 현대 문법	ㄹ : 고전 문법	ㅁ : 인문	○ : 맞힘	7 ③
ㅂ : 사회	ㅅ : 과학	ㅇ : 기술	ㅈ : 예술	ㅊ : 현대시	x : 몰라서 틀림	ㄴ △
ㅋ : 현대 소설	ㅌ : 고전 시가	ㅍ : 고전 산문	ㅎ : 기타, 복합		△ : 실수로 틀림	

1		2		3		4		5		6		7		8		9		10	
11		12		13		14		15		16		17		18		19		20	

다음을 위한 대비 전략 🛡

공부할 책, ㅋ 들을 강의	
선생님께 ↻ 하고 싶은 질문	
그리고 ＋	

기억할 문제 🔖

✔ 기본 채점

- 푼 회차 : Day _____
- 소요 시간 : _____ 분
- 맞힌 문제 : _____ 개
- 틀린 문제 : _____ 개

✔ 틀린 문제, 낱낱이 파헤치기

문제 분류 기준					채점 기준	예시
ㄱ : 화법	ㄴ : 작문	ㄷ : 현대 문법	ㄹ : 고전 문법	ㅁ : 인문	O : 맞힘	
ㅂ : 사회	ㅅ : 과학	ㅇ : 기술	ㅈ : 예술	ㅊ : 현대시	x : 몰라서 틀림	7 ③ ㄴ △
ㅋ : 현대 소설	ㅌ : 고전 시가	ㅍ : 고전 산문	ㅎ : 기타, 복합		△ : 실수로 틀림	

1	2	3	4	5	6	7	8	9	10

11	12	13	14	15	16	17	18	19	20

다음을 위한 대비 전략 🛡

공부할 책, 들을 강의 ㅋ	
선생님께 하고 싶은 질문 ↻	
그리고 ✚	

기억할 문제 📍

✔ 기본 채점

- ●푼 회차 : Day _____
- ●소요 시간 : _____ 분
- ●맞힌 문제 : _____ 개
- ●틀린 문제 : _____ 개

✔ 틀린 문제, 낱낱이 파헤치기

문제 분류 기준					채점 기준	예시
ㄱ : 화법	ㄴ : 작문	ㄷ : 현대 문법	ㄹ : 고전 문법	ㅁ : 인문	○ : 맞힘	7 ③
ㅂ : 사회	ㅅ : 과학	ㅇ : 기술	ㅈ : 예술	ㅊ : 현대시	✕ : 몰라서 틀림	ㄴ △
ㅌ : 현대 소설	ㅌ : 고전 시가	ㅍ : 고전 산문	ㅎ : 기타, 복합		△ : 실수로 틀림	

1		2		3		4		5		6		7		8		9		10	

11		12		13		14		15		16		17		18		19		20	

다음을 위한 대비 전략 🛡

공부할 책, 들을 강의 ㅋ	
선생님께 하고 싶은 질문 🔄	
그리고 ➕	

기억할 문제 🏷➕